LEONARDO DA VINCI

la encarnación del genio

MARCEL BRION

LEONARDO DA VINCI

la encarnación del genio

Javier Vergara Editor

GRUPO ZETA

Barcelona / Bogotá / Buenos Aires
Caracas / Madrid / México D. F.
Montevideo / Quito / Santiago de Chile

Título original: *Léonard de Vinci*
Traducción: Manuel Serrat Crespo

© Éditions Albin Michel S.A., 1995
© Ediciones B, S.A., 2002
  para el sello Javier Vergara Editor
  Av. Paseo Colón 221 - Piso 6 - Buenos Aires, Argentina
  www.edicionesb.com

Impreso en la Argentina - Printed in Argentine
ISBN: 84-666-0970-9
Depósito legal: B. 14.387-2002

Supervisión de Producción: Carolina Di Bella
Impreso por Printing Books, Mario Bravo 835,
Avellaneda, Buenos Aires, en el mes de mayo de 2006.

Todos los derechos reservados. Bajo las sanciones establecidas
en las leyes, queda rigurosamente prohibida, sin autorización
escrita de los titulares del *copyright*, la reproducción total o parcial
de esta obra por cualquier medio o procedimiento, comprendidos
la reprografía y el tratamiento informático, así como la distribución
de ejemplares mediante alquiler o préstamo públicos.

A mis queridísimos amigos,
Jean y Marguerite Alazard

ÍNDICE

CAPÍTULO UNO
Saludo a los elementos   13

CAPÍTULO DOS
«El deseo de saber es natural en los hombres buenos...»   21

CAPÍTULO TRES
«Perpetuum mobile»   47

CAPÍTULO CUATRO
El hombre universal   67

CAPÍTULO CINCO
El espíritu de la Tierra   95

CAPÍTULO SEIS
«La Cena»   115

CAPÍTULO SIETE
El caballo   135

CAPÍTULO OCHO
Dédalo   149

CAPÍTULO NUEVE
Ícaro   175

CAPÍTULO DIEZ
Loanza del agua   187

CAPÍTULO ONCE
Bajo el signo del fuego   217

CAPÍTULO DOCE
«La Batalla de Anghiari»   249

CAPÍTULO TRECE
Cosmografía del mundo menor   269

CAPÍTULO CATORCE
Comentarios de viaje   291

CAPÍTULO QUINCE
Roma   307

CAPÍTULO DIECISÉIS
El ser de la nada   331

CAPÍTULO DIECISIETE
«Bella cosa mortal pasa y no dura»   355

EPÍLOGO   381
LEONARDO DA VINCI: HITOS BIOGRÁFICOS   385
BIBLIOGRAFÍA   387
NOTAS   389

No desees lo imposible.

LEONARDO DA VINCI

Amo a quien desea lo imposible.

GOETHE

Saludo a los elementos

Un niño es el rey del mundo. La naturaleza entera no tiene más función que servir a su gozo y su enriquecimiento. Allí donde posa la mirada, una profusión de objetos hermosos o extraños se ofrece a su curiosidad. Sensible a los menores cambios de la luz, la sombra de una nube le sorprende y maravilla, y el paso de las estaciones le llena de sorpresa, de temor y de esperanza. El ojo que se abre al universo es un instrumento de conquista ardiente e insaciable; tantas formas nuevas despiertan a cada instante su curiosidad, tantos colores que cambian con el sol, con el viento, con la niebla, hacen nacer en él el amor a ese espectáculo conmovedor y feliz, variado hasta el infinito, que cada hora modifica.

La montaña, los prados, el jardín le atraen uno tras otro. Cuando ha abandonado la soledad algo inquietante del bosque, encuentra la encantadora familiaridad del olivar, de la viña, de los cipreses y las higueras. Nadie trata de forzar su fantasía o su curiosidad: va a donde le parece, en ese espacio libre donde todo le resulta amistoso, las plantas, los animales, las rocas, el cielo, las fuentes y los arroyos. Esta posesión del espacio que nadie le disputa, desarrolla en él un enorme sentimiento de poder e independencia. El mundo le es tan familiar como si él mismo lo creara cada día al contemplarlo. Nada le es indiferente ni hostil. No conoce peligros en una naturaleza tranquila, fuerte, maternal; y esa instintiva certeza de pertenecer a la naturaleza le llena de confianza y le empuja a acercarse a las cosas, que es su modo de conocer y de apropiarse del universo a través del conocimiento.

Le parece entonces sentir un hambre sobrehumana, un hambre que sólo la absorción de todo este mundo visible puede satisfacer. El ansia de gozar y el afán de conocer se confunden en él, le impulsan simultáneamente a la posesión de las cosas. Más aún que el niño de ciudad, el niño que vive sus primeros años en el campo descubre la extensión, la capacidad de sorpresa y hechizo del universo que le rodea. Sentado entre las cosas creadas, al igual que el primer hombre colocado por Dios en el paraíso de los animales y las plantas, se sabe objetivo y dueño de esa creación cuya única razón de ser es a su juicio la posibilidad de ser experimentada y consumida por él. Nada pondrá límites a su hambre: sólo los límites del mundo marcarán las fronteras de su saciedad.

Este niño que, en cuanto puede gatear por el suelo, olisquea las hierbas y las raíces, empuña los guijarros y palpa su superficie, sigue con los ojos al pájaro, la mariposa, la nube, el insecto, se entrega por entero a esa ardiente investigación. Se siente animal con los bichos, vegetal entre matorrales y árboles. No distingue su propio cuerpo de la epidermis rocosa de la tierra, y el agua que corre por sus arroyos, que cae en cascada por las fallas pedregosas de la montaña, responde a su canto interior, que tiene la misma naturaleza y el mismo acento que la voz del agua.

¿Cómo va a disociarse de la naturaleza? ¿Cómo imaginarse individuo aislado y cerrado, en un mundo donde todas las fuerzas están relacionadas y actúan unas sobre otras hasta el punto de perder su personalidad, su identidad? ¿Qué supone pues ser idéntico? Idéntico a uno mismo y al universo en todas las modificaciones de éste, y en sus propias metamorfosis también, no confundido con la naturaleza —pues confusión es, en cierto sentido, destrucción—, sino absorbido, asimilado en cuerpo y alma en el conjunto de la naturaleza entera.

Con las manos tan dispuestas como los ojos a aprehender todo lo que sea objeto de su curiosidad y su deseo, corre por el pedregal de las colinas toscanas, desmenuzando entre sus palmas las ramas acres del amargo ciprés, escuchando el ronroneo de los pinos a mediodía, recogiendo con la yema del dedo la leche del higo, la savia del cerezo. A medida que crece, la extensión del mundo conquistado y poseído aumenta. Trepa por las laderas de la montaña, se asoma a la boca de las grutas, escruta los lejanos azules y grises y, con la cabeza echada hacia atrás, envidia la rapidez y la alegría de los pájaros.

Este niño que corre entre rocas y campos ¿acaso no tiene otra cosa que hacer que jugar con ese inmenso repertorio de formas y colores, de olores y materias que la naturaleza pone a su disposición? Nadie, durante sus primeros años al menos, se preocupó por encadenar esta libertad. Dueño de sí mismo tanto como puede serlo un animal, una planta, el pequeño Leonardo crece entre plantas y animales, sin tener conciencia de que su propia naturaleza es distinta a la de ellos, gozando, en esta insólita independencia, de la situación irregular que su nacimiento le vale; su condición de hijo ilegítimo del joven Piero da Vinci —hijo del notario Antonio da Vinci, propietario de una finca en la aldea cuyo nombre llevan— y de una hermosa campesina del lugar, llamada Caterina. Sin embargo, el chico es de buen linaje, aunque la familia de Piero no haya considerado oportuno empujar al galán a legitimar ese nacimiento casándose con la madre y reconociendo al hijo.

Afortunadamente, diremos. Haber nacido al margen de las convenciones sociales le valió al pequeño Leonardo cinco magníficos años de libertad sin límites, de desarrollo sin trabas, en los que estuvo entregado a la ternura de la joven madre y a la infinita solicitud de esa otra madre, la naturaleza, y en los que, por la propia irregularidad de su condición, se vio libre de las conveniencias tiránicas y la implacable constricción del molde social. Piero da Vinci, soltero, aficionado al placer, disfrutando tal vez como acomodado burgués, de cierto prestigio ante las jóvenes aldeanas, que se sentían orgullosas al verse distinguidas por un hombre de más alta situación, hace un poco el papel de gallo de la aldea hasta que, llegado a la edad de establecerse, adopta a su vez la profesión paterna y se casa. Se desposa con una muchacha de la vecindad, Albiera Amadori, y al recordar cinco años más tarde al hijo natural de Caterina, lo recoge en su casa tras haber casado a la madre con un campesino del lugar, Acattabriga. Hasta entonces (es decir, desde 1452, fecha del nacimiento de Leonardo, a 1457, momento en el que éste pasa a ocupar su lugar en casa de Piero y Albiera) nadie salvo su madre se preocupa por lo que le ocurra al pequeño.

De buena salud, como Caterina, vive con ésta en una casita de piedra, que es sin duda a la vez vivienda, establo y aprisco, en las laderas rocosas del monte Albano, que domina el valle de Pistoia. Leonardo lleva la vida feliz y sin preocupaciones de un pequeño campesino, mientras su madre se ocupa de las labores agrícolas y de la casa. Le deja solo en un rincón del huerto, rodeado de esos juguetes infinitamente numerosos, enigmáticos y atractivos, que son las cosas de la naturaleza, y él se encuentra tan cómodo, tan confiado entre ellas que no se asusta el día en que un milano —un *nibbio*, como él dice cuando cuenta más tarde ese recuerdo que se remonta a la época en la que estaba aún en la cuna— viene a acosarle, y, tomándolo por algún animal desconocido, le roza el rostro con las alas y la cola.

De todos los encuentros que tuvo por aquel entonces no recibió mal alguno. Los animales le testimoniaron tanta amistad que, como recompensa, los querrá durante toda su vida, procurará su bienestar y su libertad, hasta sentir incluso cierta repugnancia a comer su carne, algo que, más tarde, hará que para algunos de sus contemporáneos se parezca a los hindúes budistas, que son vegetarianos. Esa intimidad con los animales y las cosas tuvo por fin, como beneficiosa consecuencia, que nunca experimentara la sensación de que una barrera le separaba del mundo exterior ni de que existía una incompatibilidad natural que impedía la comunión entre este mundo exterior y él mismo.

Los afectos familiares, tan fuertes en la vida de un niño, le faltaron, salvo el de su madre, claro está, durante sus cinco primeros años, y ello fue un beneficio, pues no sintió que perteneciera a más familia que la de la inmensa y libre naturaleza. Ignoró ese mundo cerrado y despótico que es la familia, hasta el momento en que pudo —sin peligro para esa unión entre sí mismo y el infinito de la creación— soportar su magra ternura y sus severos deberes. Es probable que la esposa de Ser Piero recibiera con bondad al pequeño «intruso» que el marido le llevó cinco años después de la boda. Más tarde, otros hijos, los «regulares», los «legítimos», no dejaron de hacerle sentir que eran de una condición distinta, y se burlaron del pequeño patán, franco y fuerte como un animal, que tan torpe se mostraba en el juego de las conveniencias sociales.

Marcado para toda la vida por los cinco años de libertad en la soledad y la franca naturaleza, Leonardo, que añadía ahora a su nombre propio el apellido de la familia paterna, se sentía ciertamente superior a su entorno por todo lo que había experimentado y aprendido durante aquellos años. Sin duda sufría viéndose separado de su madre real, su madre de carne y hueso, que se había ocupado de él durante su primera infancia y que, bruscamente, se esfumaba, lanzada a la sombra por el egoísmo de Ser Piero. Pero su «segunda madre» —me refiero a la naturaleza—, la que los envolvía, a Caterina y a él, con su inmensa ternura, como santa Ana reunía en su seno a su hija, la Virgen, y a su nieto, el Niño Jesús, seguía a su alrededor, presencia vigilante, atenta, bienhechora, y de la que no sentía que nada le separase. El sol, el viento, la lluvia, las estaciones, la vegetación y los animales de la granja y del bosque eran su familia, y comparando el hogar del que su padre, de mala gana, le había abierto la puerta, con el inmenso espacio en el que su mirada se perdía y al que amaba con toda la fuerza de un afecto carnal, le parecía, con razón que los elementos eran sus parientes y aquellos a quienes, en su sentido más amplio y más profundo, podía llamar «los suyos».

Se comunica con los «suyos» por medio de todos los sentidos; no le inspiran espanto alguno, sino un inmenso asombro, un violento deseo de conocer y compartir. Dueño del mundo, siente la inocencia de los animales y de las cosas, la fuerza tranquila de la naturaleza, la irresistible ley de las mutaciones que dirigen la sucesión de los días y las estaciones. Las ciencias se le presentan en forma de experiencias primordiales, de impulso hacia los seres enigmáticos que le rodean, desde la semilla hasta la luna «densa y grave» cuyo lento paseo sigue con la mirada durante las claras noches toscanas. Maduro ya, preocupado por la astronomía, escrutando con el telescopio los «valles» y los «cráteres» de la luna, analizando sus «manchas», su atmósfera, su luz, recupera, en su curiosidad científica, algo de la sorpresa con la que de niño la contemplaba en las laderas del monte Albano, reflejada en los ríos de la llanura, y la pregunta que se hace la forma con las mismas palabras: *«La luna densa e grave, come sta, la luna?»*[1] En contraste con el astro problemático que contiene en sí todos los misterios, el sol es el principio de las certidumbres y las afirmaciones. Escribió en alguna parte que el «sol es verdad»;[2] en esa misma noción de verdad se confunden la pura sensación de ardor, de gozo, de seguridad que aporta la luz del sol, la experiencia cotidiana de su aparición que pone en fuga la noche, madre de las dudas, de los errores, de las confusiones, y, por fin, una noción platónica de lo Verdadero, identificado con la Luz, que encontramos entre los neoplatónicos y después en Nicolas de Cues, que tal vez influyó en Leonardo, como acertadamente, puso de relieve Della Seta.[3]

Cuando analizamos las ideas directrices del pensamiento de Leonardo, encontramos siempre en su origen alguna experiencia vivida en su infancia, alguna verdad aprendida directamente de la naturaleza. Ver correr a los insectos entre las hierbas, observar el crecimiento de las plantas, estudiar el modo como los pájaros aletean para lanzarse de un extremo al otro del cielo, sorprender los juegos de la luz entre las hojas de los árboles, las irisaciones de las neblinas en el horizonte, ésas fueron las primeras lecciones que el niño recibió de la naturaleza. Tan convencido estaba de lo fructíferas que habían sido esas lecciones, que más tarde repetía a quien quisiera oírle esa orden cuyo valor conocía: «Ve a tomar tus lecciones en la naturaleza.»[4]

Al comienzo de su vida, y hasta la edad de cinco años, probablemente, no tuvo otro maestro. La costumbre que había adoptado en aquellos años de ardiente descubrimiento le acompañó siempre, incluso después de haber abandonado la cabaña materna para entrar en la casa de los Da Vinci. Por fortuna, éstos ejercían sus funciones de notarios en esa aglomeración rural de la que el muchacho estaba sin cesar ausente, corriendo en libertad por colinas y vergeles. Cuando abandonaron Vinci para instalarse en Florencia, Leonardo tenía dieciséis años y la suma de las experiencias que podía recibir de esa vida en la naturaleza se había colmado ya; había aprendido a través de los sentidos, de un modo espontáneo, empírico, práctico, todas las verdades cuya exactitud confirmarán más adelante el estudio de los libros y la experimentación científica.

¿Acaso no tuvo más profesores que los elementos en los quince primeros años de su vida? Sin duda, el cura de la aldea le transmitió los rudimentos de latín y de literatura que él mismo poseía, y abrió su modesta biblioteca a la inmensa curiosidad de un niño hambriento de saber. El tío Francesco, el único de sus parientes con el que el pequeño Leonardo parece haber tenido cierta afinidad y cierta intimidad, se había convertido en el compañero de juegos de ese sobrino, diecisiete años más joven que él. Ese curioso personaje que no olvidará en su testamento al «pequeño bastardo», pues le convertirá en su heredero en un pie de igualdad con los hijos legítimos de Ser Piero, se hacía acompañar por el niño en sus recorridos por la campiña, y Leonardo sintió una gran pesadumbre cuando aquel amable compañero abandonó la aldea, en 1464, para establecerse en Florencia como comerciante en sedas.

Sus maestros eran, también, los campesinos, poseedores de una sabiduría milenaria, herederos de una tradición sin fallos, transmitida de boca en boca y contenida en el inagotable tesoro de los cuentos, los refranes, las fábulas, las alegorías, los «chistes» incluso, preñados de sentido oculto, que Leonardo no dejará de rememorar llegado a la edad adulta. Honrará, incluso, esas sentencias populares, pintorescas y singulares, reseñándolas en sus más serios tratados, y le veremos conceder la misma veracidad a indiscutibles certezas científicas y a afirmaciones tradicionales pero no verificables, que sólo tienen a su favor su antigüedad y su prestigio de proceder de «la noche de los tiempos».[5]

Esta mezcla de experiencia directa adquirida en contacto con las cosas y de saber legendario extraído de las fábulas campesinas, de los antiquísimos mitos recibidos de lejanos ancestros, constituye, durante la infancia de Leonardo, el curioso bagaje del futuro sabio, del futuro artista. La ausencia, o casi, de saber libresco, le ayuda a no establecer de entrada una separación absoluta entre las verdades reconocidas y las quimeras: éstas son a menudo mucho más interesantes y más hermosas, de modo que las conservará en su memoria y las inscribirá en sus cuadernos de notas. El misterio infinito de la naturaleza incita a su joven imaginación a hacer incesantes preguntas, y esa curiosidad no le abandonará nunca. Como nadie procuró embridar o disciplinar su imaginación, ésta se desarrolló libremente entre los espectáculos más aptos para estimularla. La contemplación del cielo estrellado conmueve hasta el vértigo a un niño que ignora lo que es la astronomía y que se limita a recibir en sí la quemadura de esos millones de astros. Lo infinitamente grande y lo infinitamente pequeño son sólo uno, y aunque el sabio se vio llevado a anotar las analogías existentes entre el universo y el hombre, que es un microcosmos, sin duda fue una idea de niño la que cierto día le sugirió que los bosques, erizados como cabellos, eran en realidad el vello de ese ser enorme, de ese «hombre» del que sólo conocemos una ínfima parte del cuerpo —como la hormiga sólo conoce su hormiguero—, de ese gigante que es la Tierra.

En el canto de las lejanas campanas que se respondían de aldea en aldea por el valle, escuchó frases que le asombraban y que tomaban entonces la misteriosa importancia de un mensaje dirigido sólo a él y que sólo él percibía. Tras el ser evidente de las cosas, su fantasía creadora de artista le hacía distinguir gran cantidad de formas extrañas y hermosas que hechizaban su imaginación. Las consideraba tan enriquecedoras que recomendó ese ejercicio a sus discípulos.[6] Todo aquello no era «verdadero»: ni en esas manchas de las paredes ni en los cortejos de las nubes había batallas, ni procesiones, ni palacios. Es cierto, pero vale la pena que la imaginación halle su alimento fuera de sí misma, en cualquier objeto sorprendente, y que, al igual que la abeja hace su miel del polen de las flores, componga a su vez pasmosos prodigios con las extrañas percepciones del ojo y del oído.

El pequeño Leonardo llegó muy pronto, por intuición y experiencia, a la convicción de que cualquier cosa observada es ella misma, en su inmediata identidad, y luego constituye el paso a otra cosa, que es la lección y el signo de una verdad superior y más extensa. Así, los caracoles que recoge le maravillan, primero, por el ingenio con que la naturaleza les ha provisto de una casa que les protege de la intemperie. Advierte luego que esta casa tiene una arquitectura como la del hombre, «con bisagras, suturas, un techo y otras partes, al igual que el hombre hace en su morada; amplía casa y techo en proporción con su crecimiento y se aferra a las paredes de sus conchas».[7] Admira por fin la belleza de las proporciones de la concha y la armonía de sus circunvoluciones; y ese

sentimiento de bienestar a la vez intelectual y físico, ese placer cenesté-
sico que le produce la contemplación de un orden perfecto, de unas
medidas perfectas, le impulsan a suponer que el universo entero y cada
una de sus manifestaciones se rigen por una misma ley de belleza y armonía, y le inspiran el deseo de descubrirla.

Puesto que la curiosidad estimula sus ganas de conocer, experimenta
al modo de todos los niños, es decir, desmontando los mecanismos cuyo
funcionamiento no comprende, y además de conservarlos, trata de hacer
que el objeto repita determinado movimiento, determinada función,
para mejor averiguar sus causas y sus efectos. El instinto artístico, que en
él despierta muy pronto, le ordena reproducir lo que ve. ¿Por juego? Tal
vez, pero más probablemente para sentir el gozo de «hacer», de dar forma
y vida a la materia. El hecho de imitar con la tierra blanda o con un poco
de madera carbonizada los animales, las plantas, los rostros humanos, a
modo de diversión y también para sentir multiplicada su propia potencia, para añadir la facultad creadora a la facultad de contemplar, le resultó algo tan natural que no se sabe en qué momento el afán de animar las
formas propio del artista se despertó en él. Todo ello forma parte, sin
duda, de las actividades que la buena Caterina permitía que su hijo des-
plegara con toda libertad, ya que aunque ella era incapaz de guiarle en ese
descubrimiento de las formas, también era lo bastante sabia y amante
para admirar y alentar esos esfuerzos infantiles.

Las «estrellas» harán lo demás. Ese pequeño campesino que juega
con los mozalbetes de la aldea, o que vagabundea solo por los pedregales, los pinares y los olivares, recibió de los dioses el feliz don de estar
protegido contra cualquier arte falso y cualquier falsa ciencia, gracias al
contacto íntimo con la naturaleza. Queda protegido, al mismo tiempo,
contra todo lo que restringe y endurece los límites, y contra la conciencia de los límites que estrangulan el deseo de actuar, de conocer y de
crear. La tradición popular que dice que Giotto era pastorcillo, y le atribuye el descubrimiento del arte en el ingenuo dibujo que hace de sus
corderos sobre unos guijarros planos, halla su contrapartida en la infancia de Leonardo, hijo de notario, acogido por condescendencia en la
casa «burguesa» de su padre y, por ello, arrancado a la mujer humilde
que le trajo al mundo y le crió. El mito no habría podido inventar un
destino más ejemplar que ése. Así nacen, en las fábulas, los hijos de reyes a quienes las bienhechoras hadas arman con dones maravillosos
contra los peligros de esas infancias azarosas, y les conducen luego hacia
los más elevados destinos.

CAPÍTULO DOS

«*El deseo de saber es natural en los hombres buenos...*»[1]

Para el niño acostumbrado a bajar por las pendientes pedregosas, a empaparse de sol y viento en los campos, las viñas y los huertos, y a vivir cada minuto de sus jornadas en la intimidad profunda y saludable de los elementos, la «gran ciudad» podía fácilmente adoptar el aspecto de una cárcel. Todo en ella evocaba una naturaleza al revés, con sus callejas estrechas y atestadas, sinuosas como corredores rocosos entre las masas petrificadas de los grandes palacios aristocráticos. Ninguna vegetación avivaba el pardo grisáceo de las torres y los muros desnudos. Las cúpulas y los campanarios hacían pensar en cierta geología paradójica, donde la mano del hombre hubiera jugado con el capricho de los elementos.

A su anterior soledad infinitamente poblada, donde una profusión de animales y plantas hablaba con el niño y le revelaba su secreto mensaje, le había sucedido el tumulto, en cuyo interior, más que en otra parte, se siente solitario el hombre.

Pese a todo, aunque todas las voces de la naturaleza le habían atraído hacia los aspectos infinitamente coloreados y cambiantes de la vida, durante su adolescencia libre y salvaje el chico había sido perpetuamente devuelto a sí mismo. Por extraño que fuera el objeto sobre el que se inclinaba con apasionada curiosidad, ese objeto le llevaba de nuevo a su propio «yo», pues conocer es añadirse uno mismo a la cosa que se examina, y conocerse es incluir en sí mismo a todas las criaturas vivas. Sólo es posible conocer a las criaturas si uno se incorpora a ellas, y quien no se busca en los demás se ignorará perpetuamente. Nunca su personalidad había estado tan viva, tan intacta como durante esos años en los que descifraba con embriaguez el «alfabeto del mundo», puesto que perderse en las cosas constituye el mejor modo de encontrarse más allá de éstas, enriquecido por todo lo que le han aportado.

En Florencia, por el contrario, corría el riesgo de perderse y destruirse sin esperanza de recomponerse y de volver a juntar los elementos esparcidos, pues en la ciudad eran seres humanos y no cosas los que le solicitaban. Estaba rodeado de hombres talentosos y de una prodigiosa actividad, cuyo deslumbrante genio era capaz de substraerle a sí mismo e imponerle sus propias leyes, haciendo que perdiera su identidad por el afán de parecerse a ellos.

Admito que el joven Leonardo conocía Florencia y que más de una vez había acompañado allí al notario Ser Piero, su padre, en alguna breve visita, pero es distinto contemplar aquel crisol hirviente sólo de paso y todavía armado, por decirlo de algún modo, con la naturaleza salvaje que no le abandonaba tan deprisa, que hallarse de pronto, una vez cortadas todas las amarras que le unían a esa naturaleza, lanzado al corazón mismo de ese crisol y aprendiendo a nadar en sus aguas tumultuosas.

En ese crisol de las metamorfosis se había reunido todo lo que el arte y la cultura del Quattrocento podían producir de más sublime y exquisito. A Leonardo se le brindaba el privilegio de conocer en aquella Florencia de Cosme el Viejo a los artistas más osados, cuyas manos llevaban a cabo las revoluciones substanciales. Algunos de los eminentes maestros de comienzos del siglo XV habían muerto hacía poco. Donatello y Filippo Lippi acababan de desaparecer. Fra Angélico vivía aún en los frescos celestes y recogidos del convento de San Marco; Masaccio subsistía en sus pinturas del Carmine donde había fijado la turbadora imagen de un universo insospechado; Gozzoli, hechicero narrador, había contado en amables anécdotas la aventura de los Reyes Magos en la capilla del palacio Médicis; el áspero y rocoso Castagno había clavado en torno a la mesa de la Cena a una bárbara humanidad de pórfido y hierro. Entre los vivos con los que Leonardo se codeaba en las tiendas y a los que escuchaba disertar en los talleres, dos sobre todo eran capaces de hablarle en el lenguaje que aspiraba a oír: Alberti y Paolo Uccello. El último elemento de esa sublime «trinidad», digna de proporcionarle las principales iniciaciones, Piero della Francesca, había abandonado Florencia unos años antes, para decorar la iglesia de San Francesco d'Arezzo, y vivía ahora en el suntuoso y extraño palacio de los duques de Urbino, enamorados de su genio. Para un joven pintor constituye una suerte inmensa el hecho de relacionarse con esos maestros, pero también entraña el peligro de extraviarse y disolverse. Mejor es permanecer solo en medio del tumulto de la muchedumbre, para no dispersar en ella su ser; preservar también la soledad de su «unicidad» en medio de las múltiples tentaciones de los genios extranjeros: «Y si estás solo, serás tu propio dueño.»

Aquella época no tenía aún conciencia de lo que se denomina, en arte, «originalidad», que es la voluntad de sentirse y manifestarse distinto a los demás, pero respetaba en alto grado la individualidad, que es el don de ser uno mismo e idéntico a uno mismo, incluso en las variaciones, los mimetismos y las metamorfosis que la vida puede proponer. Sólo las personalidades fuertes mantienen su autenticidad y su integridad, y se niegan a acoger en su propia naturaleza todo lo que se puede adquirir y aclimatar de las naturalezas ajenas. Sin embargo, para ello se necesitan una fuerza y una prudencia que no todos poseen; el más amenazado es siempre el más sensible y el más inteligente, aquel a quien seduce la naturaleza del otro, en su deseo de asimilar y comprender. Por fortuna, Leonardo había recibido, ya antes de su introducción en los talleres florentinos, las lecciones de esos maestros que son los elementos, comparadas con los cuales las enseñanzas de los florentinos más doctos y más ilustres corrían el riesgo de ser sólo recetas de artesanos. ¿Cuánto tiempo hacía ya que pintaba cuando Ser Piero trasladó en 1468 de Vinci a Florencia, al barrio de la Badia, su bufete de notario? ¿Quién puede decirlo? Por otra parte, su formación en la escuela de los elementos no había convertido al joven Leonardo sólo en un artista, sino también en uno de esos singulares autodidactas a quienes las cosas les hablan con más elocuencia que los libros, y que escuchan las voces del universo en su ardiente inmediatez, sin necesitar la docta interpretación que dan de ella las versiones humanas. Tal vez incluso, dejando aparte la cuestión del oficio, sabía ya mucho más que sus maestros, y muchas más cosas importantes y necesarias que ni siquiera sospechaban los adolescentes de ciudad. El «equipaje» artístico y científico que este muchacho de dieciséis años lleva de Vinci a la populosa ciudad toscana no puede compararse con las experiencias de los chiquillos de su edad. Prematuramente maduro, iniciado en la sabiduría de los siglos, acostumbrado a juegos pueriles y maravillosos que reproducían la evolución de la ciencia humana, ese adolescente cuya belleza sorprende y maravilla y cuyo talento inventivo se dispersa en una infinidad de instrumentos ingeniosos y singulares, podría considerarse un maestro, dotado ya de su propia estética y los medios para realizarla, si no poseyera, como contrapartida a esos secretos tesoros, la conmovedora humildad inseparable de la verdadera grandeza, esa sed de aprender de cualquiera precisamente lo que él es el único que puede enseñar.

El embriagador prestigio de esta ciudad estriba justamente en la profusión de hombres de talento que la habitan, y Leonardo sabe que ellos le proporcionarán una respuesta a las innumerables preguntas que le obsesionan. A lo largo de toda su vida, tanto en sus palabras como en esos extraordinarios diálogos consigo mismo que vierte en las hojas de sus cuadernos, se repite una infatigable interrogación, y cuando nadie está a su lado para poder acosarlo a preguntas, se las hace a sí mismo, se azota y se espolea con esos «por qué», con esos «acaso es», que sin respiro se suceden, se encabalgan como puñados de cohetes lanzados hacia todos los rincones del cielo del conocimiento, aparentemente confusos en su designio y su dibujo, aparentemente incoherentes y descoyuntados en sus relaciones, pero que en realidad regresan al centro tras sus trayectorias excéntricas, enlazándose con los principios de unidad y totalidad. En Florencia, más que en ninguna parte, las ganas de saber de un adolescente pueden satisfacerse y saciarse. Si se inclinara por preferir la imagen y la sombra de las cosas a las propias cosas, podría sentarse ante la cátedra de los humanistas y hojear, en la biblioteca pública de los Médicis —abierta a todos en una sala del convento de San Marco—, los libros-tabernáculo de la ciencia humana. Ha superado ya el nivel de la cultura libresca, puesto que ha aprendido por otros caminos lo que los libros contienen, o al menos lo que contienen sobre las materias que le importa conocer. Sus sentidos le han informado tan completamente de la estructura del mundo que no le preocupan las controversias con las que se deleitan los humanistas, y todo lo que depende sólo de la inteligencia, sin la información y las certidumbres de los sentidos, le inquieta o le parece de poco peso. Se aparta por instinto de los hombres que son sólo un cerebro y una voz y disertan sobre las cosas en el vacío de la abstracción, como si sólo existieran para proporcionar alimento a sus controversias. De ahí la aversión que siente por los filósofos, en quienes se inclina a ver sólo sofistas, casi tan ridículos y malhechores como los charlatanes y los nigromantes. Orgullosa —¿o modestamente?— devuelve desprecio por desprecio a quienes le llaman «hombre de pocas letras»,[2] entendiendo que, en esa Florencia humanista, quien no tiene letras es un bárbaro. Y así, en esta Italia del Renacimiento, la pasión sincera, la docilidad ante el conformismo mundano o el esnobismo obligan a cualquier hombre de relieve, aunque sea el más grosero y analfabeto de los capitanes de aventura, a rodearse de libros y de eruditos capaces de interpretar los textos. La más elemental conveniencia impone la adquisición de una biblioteca y obliga a los príncipes y a los grandes burgueses que no desean parecer patanes a mantener a algunos profesores famélicos, y se llega a la edificante conclusión de que la cultura purifica y sublima las horribles avideces de los usureros, las bestiales empresas de esos capitanes de fortuna llamados *condottieri*. De ahí la multiplicación de «clases nocturnas» para tenderos opulentos, de «universidades populares» para soldados mercenarios, ese hormigueo de copistas que hilan su seda y elaboran su miel en los manuscritos de Platón o de Cicerón. Y lo que amenaza al término de esa loabilísima y hermosa adquisición de la cultura es que ésta quede contaminada por la «literatura» propiciando el nacimiento de un mundo irreal surgido de los libros, en cuyo interior habría una suerte de círculo mágico cuyos ocupantes pretenderían, y probablemente creerían, que fuera de los límites de sus jardines encantados sólo hay desiertos salvajes.

La elección de Leonardo ante esa prodigiosa muestra de genios de todas clases y todas las disciplinas refleja la prudencia de su ser profundo. Temiendo no brillar en esa sociedad florentina que mide los hombres por el rasero de su latín y su griego, no entra en la escuela de los filólogos. Una instintiva desconfianza le aparta también de los maestros para quienes la filosofía es, ante todo, discusión sobre los méritos respectivos de los distintos sistemas filosóficos, y glosas aplicadas a glosas. La propia poesía le parece un juego frívolo o un árido artificio: sólo escribirá en prosa, aunque de tal modo que su inspiración lírica, liberándose de los metros y las reglas, hará brotar del fondo de la emoción misteriosa un canto grave, secreto, henchido de honda poesía.[3] Más aún que Dante, al que conoce bien, como sin duda lo conocen todos los florentinos, Leonardo recupera el *tempo* del versículo bíblico, la cadencia de la proclama oracular, en un movimiento amplio y suntuoso cuyo ritmo le ha sido dictado por los elementos, el jadeo del fuerte viento, los rumores y los rugidos del agua, el retumbar de los aludes, el crepitar del fuego. Es cierto que no existían libros que pudieran enseñarle todo aquello.

Característico de la adolescencia de cualquier hombre es saber qué libros preferiría y leería más a gusto, pues es una época de la vida en que los libros son, más que en otro tiempo, llaves mágicas. Durante esos años de aprendizaje él parece haber tomado, más de los hombres que de los libros, el saber que deseaba. No olvidemos que los libros eran raros y caros, de modo que el que quería leerlos y no tenía medios para pagar a un copista no tenía otro remedio que copiar personalmente un ejemplar que hubieran podido prestarle. Esa inmensa pérdida de tiempo irritaba a Leonardo, que conoció más que nadie la angustia y la pesadumbre de ver cómo huían los años. ¡Cuántos libros pasaron, no obstante, por sus manos! Leonardo reseña en sus cuadernos el título de esos textos, tanto para recordar que le es útil leerlos como para fijar lo que ha aprendido. Sin embargo, es importante señalar que entre las decenas de miles de notas que nos ha legado, son poco numerosas las que se refieren a lecturas, mientras que son innumerables las que relatan una observación y una experiencia. Uno tiene la impresión de que Leonardo apunta con aplicación el título de un volumen que su interlocutor le ha sugerido durante la conversación. Las listas de libros que figuran en el *Codex Atlanticus*[4] seguramente corresponden, como se ha afirmado con verosimilitud, a los volúmenes de su biblioteca personal: sorprendente colección de manuscritos donde los antiguos —Ovidio, Plinio, Esopo...— figuran junto a los modernos, Filelfo, Burchiello, Petrarca, Cecco d'Ascoli. Dante está ausente, cosa que nos sorprende. Pero, muy a menudo, las referencias a los libros son recordatorios de que determinado amigo tiene determinado libro, y por consiguiente será oportuno pedírselo prestado el día en que, él, Leonardo, tenga ganas de leerlo. Esas simples palabras «*Roger Bacon impreso*»[5] resumen, para quien sabe entenderlas como un suspiro de alivio y de contento, que las tan buscadas obras del sabio inglés van por fin, gracias al invento alemán, a ser de acceso más fácil. Le vemos ocuparse también de que se traduzca a *volgare* determinada obra erudita, griega o árabe, que él no entiende, como el tratado de Avicena, *De las utilidades*. Con esas notas dispersas en sus cuadernos casi podría realizarse un censo de los afortunados poseedores de bibliotecas bien provistas, cuyos buenos oficios utilizará: en los diversos períodos de su vida, Arquímedes está a su disposición en casa del Hermano de la Brera, en casa de Borges que tiene el ejemplar del arzobispo de Padua y, dato más sorprendente aún, en casa del *condottiere* Vitellozzo Vitelli. Cuando se enamora de las obras de Ramón Llull, el catalán, escribe: «Busca en Florencia la Ramondina.»[6] Euclides le será revelado por Messer Stefano Caponi, el médico, que vive en la Piscina, a Pelacano lo conocerá gracias a los herederos de Messer Giovanni Ghiringallo. «Haz que Messer Fatio te enseñe el libro sobre las Proporciones, por Alachino, anotado por Marliano.»[7] Por lo que se refiere a los tratados científicos que, directa o indirectamente, le interesan para sus trabajos y cuya enumeración revela su curiosidad por las cosas más diversas, anota escrupulosamente en manos de quién se encuentran y en casa de quién le está permitido consultarlos. Y si no tiene esa veneración casi religiosa por los libros que sienten los humanistas, una simple línea trazada en una página repleta de dibujos prueba cuánto contaban también para él: «Vespucci quiere darme un libro de geometría...»,[8] o también: «Cuando vea a Lorenzo de Médicis, me informaré sobre el *Tratado del Agua* del obispo de Padua...»,[9] o también: «Intenta ver el "Vitolone" que está en la biblioteca de Pavía y trata de matemáticas...»[10] Para un hombre «de pocas letras» eso es hablar mucho de libros, o así lo parece.

En la época que ahora nos ocupa, es imposible saber cuántos libros, y qué libros, contenía la biblioteca de Ser Piero, ni tampoco, dejando aparte los devocionarios, los almanaques y los chistes, si había una biblioteca en la vivienda donde se estableció la familia Da Vinci, en la *piazza* San Firenze. El muchachito piensa sin duda en gozar de la misma libertad de la que disfrutaba en los bosques y jardines del monte Albano, ahora que un universo se abre ante él, en esa ciudad donde cualquier hombre ávido de aprender tiene fácil acceso a los talleres de artistas, las bibliotecas públicas y privadas o las colecciones de obras de arte, uno de cuyos ejemplos eran los «jardines medicianos» de San Marco.

Eligió un maestro —o se lo eligió su padre— en cuya *bottega* completará lo que sabe y aprenderá lo que ignora. La suerte dispone que ese maestro, Andrea Verrocchio, sea precisamente el que, sin forzar la personalidad de su discípulo, sabrá dirigir más útilmente su talento de pintor en la dirección esencial. Nada demuestra más el talento de profesor que poseía Verrocchio —talento que comporta, ante todo, el respeto por la individualidad— que las diversidades de carácter y de «oficio» que presentan los más célebres de los condiscípulos de Leonardo en la *bottega* del pintor-escultor: Botticelli, Perugino, Lorenzo di Credi.

Leonardo está pues en contacto con los estilos más variados y, al mismo tiempo, más estrictos en el sentido de la expresión de la forma, presentes en la tradición toscana. Verrocchio, en efecto, que en 1469 tiene treinta y cuatro años, ha sido alumno de Donatello, y ha incorporado a su estilo la monumentalidad tranquila, grave y pensativa, del escultor del *David*. Aunque por su parte se incline hacia un realismo más directo que de vez en cuando tiene ya algo de romántico, opone a la agilidad risueña de un Desiderio da Settignano o de un Rossellino una sinceridad tranquila, y reprime en una estática cargada de intensidad la vehemencia innata de su temperamento y de su instinto creador. Leonardo que, al decir de sus biógrafos, había comenzado modelando en arcilla sonrientes figuras de mujeres y niños, podía recibir de Verrocchio las lecciones del escultor y del pintor, tanto más valiosas cuanto que se enriquecían y se completaban mutuamente, ya que escultor y pintor intercambian su sentimiento del volumen y su sensibilidad para el color. El clasicismo de Verrocchio —que sin ser arcaico se remitía más a los comienzos del Renacimiento personificados por Masaccio que a los aspectos que adquirirá a finales del siglo XV y comienzos del XVI— inspira a su joven alumno un dominio apacible y enérgico de la materia y de los impulsos del creador. Tanto en su pintura como en su escultura Verrocchio aparece como un excelente técnico, abierto a nuevas búsquedas de estilo y de materiales, un «plástico» capaz también de solidez y de gracia; es por tanto el maestro capaz de aportar a las dotes de Leonardo, y a las adquisiciones ya realizadas, una dirección discreta, un aliento y un ejemplo.

El joven Da Vinci tenía mucho que aprender, también, de sus compañeros de taller; de Botticelli, por ejemplo, que era ocho o nueve años mayor que él, absorbería una estética de la gracia, nutrida con las lecciones que su maestro Filippo Lippi había recibido de Lorenzo Monaco —de ese modo entroncaba directamente con Masaccio y los frescos del Carmine—, y también la limpieza algo seca, algo preciosista, de un dibujo heredado de Pollaiolo, y esa sonriente ternura que el fulgor de Fra Angélico había vertido sobre los pintores florentinos, e incluso sobre los más paganos —o paganizantes— de todos ellos. Con Lorenzo di Credi, apenas más joven que él, Leonardo se sentía bastante identificado en espíritu y estilo como para trabajar juntos en la *Anunciación* del Louvre, donde es bastante difícil discernir lo que pertenece a Lorenzo di Credi y lo que corresponde a Leonardo.

El ejemplo más magnífico, sin embargo, y el más evidente, de ese trabajo en equipo que se hacía en la *bottega* de Verrocchio, es el famoso *Bautismo de Cristo* de los Uffizzi, en el que la tradición, apoyada por los cronistas contemporáneos, descubre que un ángel ha sido enteramente pintado por la mano de Da Vinci, y en efecto es tan distinto del resto del cuadro, tan «leonardesco», que anuncia y prefigura todo lo que Leonardo pintará más tarde. Esta atribución es perfectamente verosímil y, estilísticamente, se demuestra con pasmosa evidencia. Mientras que el ángel más cercano a Cristo es botticelliano, y está emparentado con los ángeles de la *Virgen de la granada* y la *Virgen del Magníficat*, el otro ángel evoca, en esa composición esencialmente del Quattrocento, a un personaje llegado de otro mundo que tal vez sea ya del Barroco, un personaje netamente ajeno al espíritu general de la obra, posado como un pájaro de una especie distinta, más rara y misteriosa; y no sólo por ese acento de espiritualidad, de sobrehumanidad, que nunca Botticelli ni tampoco Verrocchio encontraron, y que aporta esa atmósfera de las montañas azules, de las cascadas y los glaciares que será la de *Santa Ana* y de *La Gioconda*. Emparentado con el ángel de *La Virgen de las Rocas*, aunque más simple, más niño, más terrestre, el ángel pintado por Leonardo en el *Bautismo de Cristo* define bastante bien lo que es, en la época de su llegada a Florencia, el joven Da Vinci.

Entre el *Bautismo*, que es una obra de taller, a cuya tonalidad general el joven Da Vinci, sin renunciar claro está a nada de su personalidad, debía adaptarse so pena de «destrozar» el cuadro con una falta de armonía demasiado evidente, y *La Adoración de los Magos*, una obra personal en la que se muestra tal cual es, entre esos dos polos de su primer período florentino —que no conviene denominar de aprendizaje puesto que, a mi entender, el aprendizaje más importante había concluido antes de que la familia Da Vinci se instalara en la *piazza* San Firenze—, se inscribe la curva de la evolución interior de un arte que se desprende cada vez más de las influencias y lecciones, y se amplía con todos los problemas de orden científico o filosófico cuyo estudio se refleja y repercute en las obras del pintor.

Al parecer, Leonardo abandonó la *bottega* de Verrocchio antes incluso de la partida del escultor que, tras recibir el encargo de ejecutar la estatua de Colleone para la Serenísima República, se va a Venecia en 1480. Botticelli y Perugino fueron reclamados en la misma época por el papa Sixto IV, que les encomendó unos trabajos en su capilla del Vaticano. Por aquel entonces, prácticamente el taller de Verrocchio no existe ya; desde hace mucho tiempo, además, Leonardo ha dejado de pertenecer a él; se ha instalado «por su cuenta» y ya se le considera un maestro.[11] El tenue vínculo que le unía a su profesor se había ido deshaciendo y, con la magnífica generosidad de espíritu que tenían los artistas de aquel tiempo, Verrocchio se había alegrado, ciertamente, al ver con que rapidez se mostraba capaz de volar con sus propias alas el hijo de Ser Piero. Es probable, además, que si le hubieran preguntado a Leonardo cuáles eran los maestros que más le habían influido durante ese primer período florentino, el nombre de Verrocchio no fuese el primero mencionado. Aunque Da Vinci no haya sido directamente su alumno, en el sentido de que nunca trabajó con ellos, hombres como Leon Battista Alberti y Paolo Uccello tuvieron sobre Leonardo mucha más influencia que el escultor del *Colleone*, porque pertenecían ambos al mismo mundo intelectual que Leonardo y les preocupaban los mismos problemas, problemas que, con todo y ser «extrapictóricos», estaban sin embargo vinculados a la estética de las formas. Alberti y Uccello buscaban, en efecto, junto a disciplinas estéticas directamente necesarias a su arte, las leyes de un sistema del mundo sobre el que esta estética pretendía apoyarse. A fin de que la obra de arte pudiera integrarse, como elemento viviente y armónico, en la propia estructura de ese Cosmos, en la formación del artista debían concurrir todas las ciencias, y no sólo las técnicas que eran precisas para la fabricación de los colores y el emplazamiento de una composición.

Junto a esos dos artistas, en los que reconocía inquietudes análogas a las suyas y a quienes preocupaba la cuestión primordial de la posición del individuo en el universo —tanto en el plano espiritual como en el de la espacialidad material—, Leonardo sentía esa mezcla de gozo y sufrimiento que procura toda búsqueda, puesto que, como dijo a menudo, «cuanto más grande es un ser, más crece también su capacidad de sufrimiento»,[12] y recibía de ambos el ejemplo de una insatisfacción fecunda, vigorosamente creadora. El áspero Alberti, con perfil de ave de presa, tenía sesenta y tres años cuando Leonardo se instaló en Florencia. Sus libros maestros y sus obras maestras, que iluminaba el más ardiente genio del Quattrocento, eran para los jóvenes artistas de su tiempo una inagotable fuente de enseñanza. No había ciencia alguna a la que su espíritu no se hubiese aplicado y en la que no hubiera sobresalido. Viendo su rostro agudo y descarnado, su cuerpo de extremado vigor y prodigiosa habilidad, y el fulgor de sus ojos que miraban sin parpadear el sol, se adivinaba que el hambre de conocimientos se había apoderado de aquel hombre, consumiéndole y alimentándole a un tiempo. Con una facilidad deslumbradora y una soberbia desenvoltura, escribía versos de amor, tratados de pedagogía, manuales de moral, teórica y práctica, colecciones de consejos sobre la economía doméstica y, por encima de todo, plasmaba en sobrias y severas lecciones sus experiencias de pintor, de arquitecto y de escultor.

Abreviador pontificio, orador, jinete, jurista, excelente en todas las ciencias físicas y naturales, capaz de gestos que pasmaban a sus conciudadanos, como doblegar a los caballos más fuertes, saltar sin impulso por encima de un hombre en pie, lanzar una moneda de plata hasta lo más alto de la cúpula del Duomo, Alberti aparece como una síntesis de todo lo que los hombres de su tiempo pueden alcanzar. Inventó extra-

ños aparatos, como esa *cámara óptica* «en la que hacía aparecer en ocasiones los astros y la luna levantándose por encima de las rocosas cumbres, en otras vastos paisajes con montañas y golfos que se perdían a lo
lejos en la bruma, con unas flotas hendiendo la mar, con alternativas de
luz y de sombras...»; creó una nueva arquitectura hecha de sencillez y
armonía, de la que un crítico ha dicho que «fue pura música, con una
sostenida gravedad de canto gregoriano». Exploró asimismo un nuevo
espacio que debía adaptarse tanto a los datos de la experiencia como a
los preceptos de la razón: partiendo de Vitrubio, al que había estudiado
largo tiempo, y de los monumentos romanos metódicamente medidos,
descubre las imprevistas dimensiones de un universo ignorado y, aun
permaneciendo atento a la formulación de las leyes, conserva una sensibilidad fresca y vibrante, nacida de un profundo amor por todas las cosas. «La visión de los hermosos árboles o de una fértil campiña le arran-
caba el alma; admiraba a los hermosos y majestuosos ancianos como
"delicias de la naturaleza", y no se cansaba de contemplarlos, incluso algunos animales de forma perfecta hablaban a su corazón porque se habían visto especialmente favorecidos por la naturaleza; más de una vez,
la visión de un hermoso paraje le curó cuando estaba enfermo.» Así aparece Alberti en el retrato que Vasari hace de él.

Esta avidez de conocimientos, esta sensibilidad hipernerviosa, asociadas a una razón muy lúcida y al perfecto dominio técnico de las más
variadas artes, todo hacía de Alberti el hombre al que Leonardo admiraba de corazón y consideraba un ejemplo, pues personificaba el ideal de
una época. Pero aunque se apresuraba a almacenar y asimilar toda la
cosecha albertiana, Leonardo conservó sin embargo frente a esa fascinante personalidad su independencia y su lucidez, oponiendo, por
ejemplo, a las teorías de Alberti sobre la perspectiva un sentido del espacio muy distinto, característico de la disposición de su espíritu y de su
sentimiento de la naturaleza.

El viejo Paolo Uccello, con la impresionante barba que luce en sus
retratos, presenta muchos rasgos del viejo Fausto. Sus *Cazas*, sus *Batallas*, dispensaban al joven Leonardo inagotables lecciones. ¿Cuántas horas consagradas a atentas interrogaciones pasó éste en el Chiostro Verde
de Santa Maria Novella, donde aquel hombre «loco por la perspectiva»,
como le llama Vasari, definió su extraordinaria conquista del espacio?
¿Cuál puede ser el lugar del hombre en el universo? Filósofos y moralis-
tas respondían, o procuraban responder, según sus propias disciplinas, a
esta pregunta; la misma se planteaban también los artistas, en quienes

había nacido el deseo de precisar este lugar, según preceptos tomados de la experiencia y las matemáticas. La disposición de las figuras en el universo de tres dimensiones, que durante tantos siglos había sido objeto de soluciones ingenuamente diestras o simplistas, se convertía en un problema científico, intelectual y plástico a la vez, para los maestros del Quattrocento. Nadie se había empeñado en resolverlo con tanta vehemencia, tanto encarnizamiento y sutileza como ese Paolo Dono, amigo de los pájaros hasta el punto de recibir de ellos su apodo, y que, a decir de Vasari, despertaba a su mujer por la noche para revelarle la pasión lírica que le inspiraba la perspectiva. A sus setenta y dos años de edad, cuando Leonardo le vio por primera vez (iba a morir tres años después de Alberti, en 1475), Paolo Uccello parece menos universal que sus contemporáneos, porque se absorbió en sus estudios de perspectiva hasta el punto de olvidar todo lo demás. No obstante, sus frescos del *Diluvio* fueron para el joven alumno de Verrocchio una prodigiosa enseñanza, pues la apropiación del espacio llevaba a una construcción poderosa y solemne de volúmenes piramidales, estáticos, opuestos al torbellino de los círculos y las esferas. Más riguroso aún que Piero della Francesca, al menos en los detalles cuando se trataba de plasmar el tumulto confuso de lo vivo y de lo móvil mediante la esfera y el cubo, Paolo Uccello extraía de los elementos una admirable lección de geometría espacial. Disponiendo en poliedros arquitectónicos la confusión de las batallas, reduciendo lo provisional a la estabilidad de lo eterno, imponiendo a las fuerzas de la naturaleza el crecimiento matemático de los cristales, revelaba a Leonardo ese mundo de la pura inteligencia que dispone y conforma la materia de acuerdo con los esquemas originales con los que había sido construido el universo. Ese esfuerzo por aprehender, en su esencia más secreta, la ley primera de las formas, que a otro artista habría podido llevarle a la sequedad del intelectualismo y de la abstracción, en Paolo Uccello va unido, por el contrario, a una encantadora y conmovedora curiosidad por todo lo que vive, a un frescor y un ingenuo pintoresquismo. Ninguno de los pintores de aquel tiempo, tal vez, salvo el propio Leonardo, añadió tanta sensibilidad a tanta inteligencia.

Mientras que Paolo Uccello y Leon Battista Alberti aparecen como los grandes maestros de estética de Leonardo, y los vehículos de una ciencia suprema que Verrocchio no poseía —o, al menos, no poseía en igual grado—, algunos pintores de menor envergadura, como Alessio Baldovinetti, le enseñaban también los particulares méritos de su técnica y de su arte. Del pintor de la *Annunziata*, probablemente, aprendió

Leonardo algunas de esas recetas que corrompían, ya, la admirable sencillez del fresco toscano tradicional. Ni Giotto, ni Masaccio, ni Piero della Francesca habían pensado en utilizar otro medio de expresión que esa pintura *a fresco* que, al incorporar en el yeso fresco y húmedo el color, conservaba así en la composición esa rapidez de ejecución, esa vivacidad y espontaneidad, que la imposibilidad de retocar o sobrecargar hacían más eficaces. Los grandes fresquistas, desde la época de Cimabue y Cavallini, habían adquirido en ese arte una prodigiosa habilidad. Con el siglo xv, sin embargo, surge el deseo de complicar, con el pretexto de enriquecerla, una técnica tan simple y tan perfecta. Paradójicamente, la aparición de la pintura al óleo —sin destruir no obstante en Toscana el predominio del fresco, que es arte nacional— impulsó a los artistas a buscar en ese arte efectos análogos a los que procuraba la pintura al óleo. Contaminar la pintura al fresco con elementos ajenos, contrarios a su razón de ser y a su eficacia, supone contradecir y olvidar las virtudes esenciales de esa técnica. Baldovinetti había inventado, también, un barniz mezclado con yema de huevo que extendía en caliente una vez concluido el fresco y le daba el fulgor y la brillantez de la pintura al óleo. En el propio espíritu de ese pintor, si creemos a Vasari, el trabajo *a fresco* era sólo una preparación, lo que demuestra a qué grado de decadencia y aberración había caído, en algunos, el arte sublime de los grandes fresquistas del Trecento. «*Abozzô a fresco e poi finî a secco, temperando i colori con rosso d'uovo mescolato con vernice liquida fatta a fuoco.*»[13]

Preocupado como estaba Leonardo por la «cocina» pictórica, sin duda semejante receta debía interesarle, y por ello veremos varias veces al pintor de *La Cena* de Santa Maria delle Grazie probar una clase de fresco que pretendía ser más que sólo un fresco. El químico, en ese caso, perjudicó mucho al pintor, y desearíamos que éste hubiera permanecido fiel a los medios más sencillos, en vez de inventar sin cesar nuevos procedimientos cuyo mayor inconveniente era que nadie, antes que él, los había experimentado. El resultado no se hizo esperar. Mientras que los frescos de Giotto, Cavallini y Cimabue, que databan de dos siglos atrás, no se habían deteriorado y conservaban idéntica su frescura, Leonardo vio con dolorosa estupefacción cómo se transformaban y casi se destruían ante sus ojos las arriesgadas obras en las que se había aventurado a emplear pigmentos y medios que no habían sido probados.

Sin embargo, no es la versatilidad, ni la fantasía, ni la vanidad de emplear materiales nunca utilizados las que empujan a Da Vinci a esos refinamientos de la técnica, sino sólo el deseo de descubrir el medio de

ejecución único que corresponde a determinada obra única. Un escrúpulo singular y una necesidad de perfección jamás satisfecha le impulsan a esas incesantes experiencias, cuyos resultados no puede comprobar
por falta de tiempo. Sigue siendo, también en eso, el sabio hambriento
de investigación. Su taller le sirve de laboratorio, y es un auténtico trabajo de laboratorio al que se aplica el pintor a partir del momento en
que abandona las técnicas tradicionales para probar peligrosas innovaciones. Una prodigiosa habilidad manual unida a una curiosidad científica enfocada a todos los órdenes del saber humano le permiten jugar
con la naturaleza. Asombraba a sus camaradas con pasmosas demostraciones que sin duda no debían superar el nivel de lo que hoy llamamos
la física recreativa, pero que en aquella época bastaban para conferirle
una reputación de mago.

El susto que cierto día le dio a su padre, pintando en un panel de
madera circular un dragón terrible, compuesto de lo más horrendo y
terrorífico que había en la naturaleza, le incitó más tarde a practicar con
animales vivos la apariencia de semejantes metamorfosis. Una de ellas,
de la que queda constancia, consistía en disfrazar un lagarto con aletas de pescado y alas de murciélago para crear un monstruo, pero no fue
pura broma, créase lo que se crea, ni simple deseo de *épater le bourgeois*.
Provisto de conocimientos biológicos más completos de los que la mayoría poseía por aquel entonces, es seguro que Leonardo no se había limitado a esos simples *collages* y había intentado hacer verdaderos injer-
tos; aunque nadie puede decir si tuvo éxito.

Estas experiencias no eran gratuitas. Respondían, primero, a ciertas
búsquedas de formas. Más que inventar un dragón «posible» lápiz en
ristre, como se habían limitado a hacer todos los pintores, quiere componer el modelo de este dragón tomando sus elementos de distintos reinos de la naturaleza, para ver qué aspecto tiene una vez terminado, y
por la misma razón por la que modela en arcilla o en cera figuras que
luego dibujaba. Los esbozos de personajes desnudos, destinados a aparecer vestidos en el cuadro, demuestran que buscaba, con esta especie
de maqueta, los gestos y las expresiones que luego reproducía, porque
sigue estando siempre escrupulosamente preocupado por la exactitud
del movimiento, por la verdad de la expresión, que deben respetarse incluso cuando están ocultas bajo las vestiduras. Esas hibridaciones de
animales correspondían, también, a su curiosidad anatómica, a su deseo
de ver si algunas disposiciones de músculos y huesos podían trasladarse
de una especie a otra y agruparse en nuevas combinaciones. Los con-

temporáneos señalaron el hedor de carnicería que llenaba su taller cuando fabricaba ese *animalaccio* que provocaba en ellos tanto espanto como repulsión. De todos aquellos cuerpos de reptiles, de pájaros disecados y reconstruidos con formas nuevas, se desprendía la inquietante voluntad de rivalizar con Dios, de imitar al demonio en la medida en que san Agustín lo denomina el «mono de Dios», creando unos *lusus naturae*, caprichos de la naturaleza de los que la naturaleza no era responsable. Sería excesivo dramatizar semejante incidente y atribuirle un alcance que no tiene, pero la invención y la ejecución de *animalacci* híbridos y monstruosos, y vivos —no sólo pintados o esculpidos—, desenmascaran un aspecto de la personalidad de Leonardo que sería absurdo no tener en cuenta, pues es de una importancia capital.

Cuando se ha comprendido que en Leonardo nada es juego, y que por el contrario todo se inserta y se sitúa en un orden cósmico, se sabe por qué esas tentativas no deben silenciarse, y qué valor de advertencia, de información, tienen para quien intenta abarcar en su compleja diversidad el espíritu de ese hombre. La imaginación que le permite animar con talento visionario el retrato del Gigante, la descripción del Diluvio y los paisajes del ficticio viaje a Oriente, es la misma que la que pretende en el plano biológico retomar la obra de la naturaleza en el punto donde se detuvo, y continuarla. Es posible, en suma, que el *animalaccio* se convierta en símbolo, como en la pintura de Hieronymus Bosch, que aporte al bestiario tradicional —que el Renacimiento había heredado de la Edad Media y al que Leonardo, por muy moderno que sea, sigue singularmente vinculado— la imagen visible de cierta monstruosidad moral.

En su deseo de unir lo físico y lo psíquico, Leonardo, como veremos más adelante, estudia en una serie de dibujos —en los que sólo se ha querido ver caricaturas fantasiosas y gratuitas— hasta qué punto y de qué modo los elementos bestiales pueden modificar el rostro humano. Todos los que investigan la caracterología del rostro advierten el parecido de algunas fisonomías humanas con las cabezas de león, de conejo, de rana, de camello. Al igual que los animales de los bestiarios medievales —que Leonardo enumera cuidadosamente en sus cuadernos, y de los que anota sus propiedades, sus analogías y sus significados alegóricos— son símbolos de virtudes o de vicios, así los rasgos humanos que él construye, deformándolos simplemente o dándoles tal o cual fisonomía animal, se cargan de un significado moral. De este modo crea tipos de hombres y mujeres que no existen en la naturaleza y que son, desde su punto de vista, otros tantos *animalacci*, al igual que sus lagartos disfrazados, convertidos en dragones chinos o asirios.

No es imposible, después de todo, que Leonardo, apasionadamente interesado por la prehistoria, tras haber descubierto y analizado fósiles y presintiendo los descubrimientos que sólo el siglo XIX hará en ese campo, haya adivinado qué extrañas y fantásticas bestias habitaban la tierra millones de años antes de que apareciera el hombre. Las alusiones a la prehistoria incluyen siempre, en los escritos de Leonardo, un acento de admiración religiosa y aterrorizada. La página en la que evoca los enormes peces que nadan en esos mares interiores que antaño cubrían lo que hoy es la Toscana posee una espléndida belleza verbal, y la prosa italiana, con sus posibilidades líricas, pocas veces ha creado fragmentos tan hermosos como aquellos en los que Leonardo describe los fósiles que, sin duda, le eran familiares.[14] Leonardo se interroga varias veces y largamente sobre el misterio, que tanto preocupaba a sus contemporáneos, de las conchas fósiles halladas muy lejos de cualquier mar. Partiendo de esas conchas, presiente, o divisa en una intuición visionaria, los enormes saurios que hacían temblar la tierra bajo su gran peso. ¿Pensó algún día que todos esos monstruos con que las mitologías de todos los pueblos poblaron su arte, y que se deslizan en el arte cristiano con la complicidad del dragón de san Jorge, vivieron realmente y tuvieron el aspecto que los artistas inconscientemente les prestan? ¿Creyó acaso que la memoria humana conservó ese recuerdo que aparece, bajo el ilusorio aspecto de una invención, en las leyendas y las imágenes que todas las civilizaciones se han transmitido? ¿No será entonces el *animalaccio* el resultado del esfuerzo que el instinto creador de Da Vinci, aun inconsciente, hace para reconstituir, sin más modelo que la proyección visionaria de su fantasía, los animales prehistóricos que la época apenas sospechaba y de los que tal vez se acordaba?

Desde aquel momento, todas las investigaciones del joven Leonardo demuestran que el discípulo de Verrocchio no es sólo un muchacho bien dotado para la pintura y que quiere perfeccionarse en su arte. El arte de Da Vinci, para definirlo en una frase, es el conocimiento de la totalidad y, de esta totalidad, la pintura es sólo un elemento, un fragmento. Lo que puede aprender, pues, en materia de pintura de su maestro directo y de los demás artistas con los que pudo hablar, cuya técnica estudió e imitó, es poca cosa comparado con todo lo que debe saberse para alcanzar esta totalidad. Cuando abandona los pintores, los arquitectos, los escultores que le han comunicado los conocimientos de un oficio, se dirige hacia los demás «hombres de oficio», ya sean artesanos o sabios. Tiene mucho que aprender de los artesanos, pues uno de sus preceptos iniciales es que, antes de emprender una obra cualquiera, es preciso poseer las herramientas más aptas para ese trabajo. Durante toda su vida, insatisfecho con el utillaje ordinario, comenzará fabricando él mismo, o haciendo fabricar bajo su dirección, los instrumentos que emplearán los obreros, aunque sólo se trate de excavar un canal o edificar un muro. Para crear una azada, una pala, un pico, un martillo o un mazo pondrá tanta atención e interés como si se tratara de emplear determinado soporte nuevo para determinada pintura. A menudo, en especial cuando trabaja en fortificaciones o canales, invita incluso a sus obreros a construir muros o empalizadas para aislarlos de los curiosos o de los rivales que descubrirían el secreto de las herramientas empleadas.

Por falta de medios, dicen, fabrica personalmente los instrumentos, científicos o no, que sus recursos no le permiten comprar, pero sobre todo lo hace porque siente el placer de servirse de sus manos y quiere además tener a su disposición un útil perfectamente adaptado a su función y al resultado que de él espera. Ningún detalle, pues, parece indigno de su atención y su aplicación. Encontrar o, si no existe ya, fabricar el instrumento más idóneo para cierto esfuerzo humano y que garantice el mejor rendimiento, éste es su constante deseo y la causa de sus visitas a las tiendas y los talleres; ésta es la razón por la que, cuando más tarde se ocupe de estrategia, comenzará con las armas más comunes que, por una parte, hará más manejables, ligeras y mortíferas y, por la otra, desarrollará hasta inventar la ametralladora, la bomba asfixiante, el submarino y el carro de asalto. Semejante en eso, como en tantas cosas, a Goethe, establece los cimientos más básicos de todo conocimiento y sólo se arriesga a dibujar los pisos del edificio cuando ha calculado cuidadosamente el grado de resistencia de los materiales, el total de las cargas y los empujes, la comodidad, en fin, del objeto en función del uso humano. Es el tipo ejemplar del *homo faber*, que sólo será *sapiens* tras haber concebido el utillaje necesario para todas las necesidades de la vida. Los artesanos a los que contempla y consulta le prodigan el saber ancestral y la experiencia de ese *homo faber*, y llega a poseer tal habilidad que, si a ese utillaje le falta un dispositivo cualquiera, lo construye. Luego, cuando ha reunido o fabricado todo el material necesario para las investigaciones científicas, se eleva hasta la más alta clase de *homo sapiens* y se acerca a los grandes sabios que vivían en Florencia por aquel entonces y que daban a la ciudad un fulgor comparable al que le prestaban los humanistas.

La academia platónica, las doctas e ingeniosas controversias en los jardines Ruccellai, las demostraciones de saber y cultura a las que se entregaban los eruditos del palacio Médicis han hecho suponer a menudo que la cultura florentina de esa época era principalmente libresca, derivada sobre todo de la literatura y la filosofía. Ciertamente, los humanistas —sobre todo tras la caída de Constantinopla que dispersó por Europa la noble cohorte de los filósofos y los exégetas—, tan impresionantes con sus barbas y sus túnicas orientales, poblaron las cortes italianas de helenistas, hebraizantes, comentaristas de las antiguas filosofías. Pero en la Florencia de los Médicis también había sabios cuyo genio era más creador que el de los humanistas, ya que éstos hablaban sobre la palabra y escribían sobre la escritura, mientras que los primeros sacaban de la nada, o de un olvido que era casi análogo a la nada, una ciencia original.

Leonardo se sentía muy poco atraído por los humanistas, cuyas interminables discusiones sobre puntos de gramática o interpretación de textos le parecían vanas y vacías, y enojosamente caracterizadas por lo más peyorativo que hay en la palabra «literatura», de modo que buscaba a los hombres de ciencia, junto a los cuales siempre había algo cierto y efectivo que aprender. Quiso la suerte que durante esos años que vivió como aprendiz y durante los que hizo el aprendizaje de las mil disciplinas de la vida, hubiese algunos hombres capaces de responder a esas interminables series de preguntas que se hacía sin descanso a sí mismo, en un diálogo destinado a estimular sus facultades de descubridor e inventor, preguntar que hacía a los demás cuando tenía la fortuna de encontrar a alguien capaz de responderle. Y como su curiosidad se desplegaba en todo el campo *de re scibili*, no encontraba a erudito alguno que no pudiera darle alguna provechosa lección.

Lugar de elección en aquella Italia del siglo XV donde la cultura reunía a sabios y letrados de todos los países, Florencia albergaba a hombres tan variados como Marmocchi el astrónomo, que poseía instrumentos de óptica valiosos y raros; Benedetto Aritmético cuyo mero nombre indica que había hecho de las matemáticas el principal objeto de su vida y que sabía de esta materia más que nadie; Vespucci, el navegante, que arrebató a Cristóbal Colón el honor de bautizar el nuevo mundo que había descubierto; Toscanello, por fin, que aunaba en su ser el talento de todos los físicos, de los médicos, astrónomos y geógrafos, hombre universal en el campo de las ciencias de aquel tiempo, cuya fecunda imaginación y cuya audacia en la invención igualaban su sólido y amplio saber. Leonardo se siente atraído hacia esos hombres más que hacia los poetas y los eruditos, y sin embargo allí estaban Poliziano, y Filarete, y Argiropoulos...

La compañía de los sabios es más estimulante para Da Vinci que la de los escritores, primero porque pueden enseñarle lo que desea conocer, y ese bagaje que desea adquirir consiste, ante todo, en las ciencias que explican la estructura y el funcionamiento del universo. En hora muy temprana, se apartó de los filósofos y los gramáticos, pues su genio de escritor no necesitaba en absoluto sus lecciones, y a su objetividad pragmática le repugnaban las discusiones, estériles a su entender, sobre la interpretación de determinado pasaje de Aristóteles o de Platón. La influencia de los escritores sobre los pintores, en suma, le parece peligrosa, pues aquéllos lo remiten todo a la literatura, incapaces como son de interesarse por los problemas técnicos y la estética propiamente dicha; consideran el cuadro la ilustración de un texto y reprenden al torpe que no ha respetado con bastante rigor la letra del escrito. Los mayores poetas de ese siglo, incluso Lorenzo el Magnífico y Poliziano, no son creadores: sin cesar divididos entre la imitación de los Antiguos —llevada ésta hasta la composición de versos latinos— y la tradición del *Dolce stil nuovo*, no inventan; sus mejores obras, en cuanto pierden la milagrosa frescura que a veces tienen, son sólo secos y laboriosos refritos.

Los sabios, por el contrario, evolucionan en un mundo perpetuamente nuevo y enriquecido por inesperados descubrimientos. Infinitamente más «modernos» que los poetas e, incluso, que la mayoría de los artistas, emprenden audazmente una investigación del universo que antes nunca se había intentado. Trabajan en lo concreto, en lo real, algo que supone una razón más para que nazca la simpatía entre ellos y ese admirable realista que añade a su genio de pintor tanta curiosidad sobre tantos temas diversos.

Ese genio, sin embargo, se ha afirmado ya de tal modo que, a los veinte años, Leonardo es considerado un maestro y los conocedores aseguran que es el hombre que logrará que el arte de su tiempo haga inmensos progresos. Con su modo de pintar, cálido, irisado, suave, que juega con las luces y las sombras como con las sonoridades apagadas o misteriosas de los instrumentos de cuerda o de viento, representa la ruptura con aquel grafismo seco, preciso, algo duro y escultórico, que era tradicional entre los florentinos y que corresponde al carácter de éstos. Se estima que las grandes obras de ese período, las dos *Anunciaciones*,[15] por ejemplo, y el retrato de Ginebra de Benci,[16] son sorprendentes novedades. El discípulo de Verrocchio ha ampliado considerablemente el campo de las curiosidades y las posibilidades de su maestro. Encara la representación del paisaje como un naturalista, y elabora cada elemento del panorama con esa ternura atenta que dedica a los menores objetos. El paisaje pierde, bajo su pincel, el aspecto de decorado medio realista, medio abstracto, que tenía aún entre sus contemporáneos, y ya no es una tela de fondo o un bastidor plantado allí como un simple accesorio, sino un ser vivo, tan importante como los personajes y a menudo incluso más. Detrás del ángel que saluda a la Virgen María, Leonardo despliega melodiosamente las colinas del valle del Arno, sus pinos y sus cipreses, y al mismo tiempo despoja a ese jirón de naturaleza que lleva al cuadro el aspecto cotidiano y anecdótico de un «motivo». Sin arrebatarle nada de su realidad, le añade una realidad superior, poética, musical, visionaria, inventando unas montañas fantásticas, todo un conjunto delicado y suntuoso de árboles y rocas que realza con su belleza la gravedad de la escena representada.

En esa nueva atmósfera que introduce en la pintura florentina se advierten las experiencias del niño, enriquecidas por ese amor a la naturaleza que se iba haciendo más consciente y más fecundo a medida que la ciencia le permitía conocerla mejor. Al mismo tiempo, la descubría todos los días en sus paseos por los bosques que cubren las alturas de Fiesole o de San Miniato, en activos vagabundeos durante los que su atención, siempre despierta, sorprendía la vida misteriosa de las cosas, y no sólo gozaba de ella, sino que con su instinto plástico elaboraba la representación artística de aquel paisaje que plasmaría en el cuadro como forma pictórica de la forma natural, contemplada y amada por su mera belleza.

Ese permanente contacto con la naturaleza y la tendencia que tiene a asociarla a la vida del hombre, al propio ser del hombre, aparece aún en los retratos de esa época, especialmente en la enigmática y turbadora figura de aquella Ginebra de Benci a la que el pintor coloca contra un fondo de árboles, aguas y lejanas montañas, como para interpretar a través de ese decorado el carácter de aquella mujer que oculta tenazmente su secreto. Es difícil imaginar lo que pudieron ser las sesiones de pose: el maestro de la sonrisa nunca llegó a entibiar, a dulcificar la sequedad gélida de aquella mirada. Encerrada en sí misma como una roca impenetrable, aferrada con avaricia a sus tesoros —aunque en fin de cuentas puede estar desprovista de cualquier tesoro—, Ginebra de Benci opone, a quien quisiera conocer los sentimientos y los pensamientos que se agitan tras su frente, el obstáculo de un muro liso y frío. No refleja ternura

alguna, ninguna sensualidad. La impasibilidad de esa distinción aristo-
crática, la reserva de esa dignidad que a nadie quiere confiar nada de sí
misma, se opone a la malicia risueña y solapada de ese «animal de compañía» que es Cecilia Gallerani. La florentina sólo entrega de sí misma
lo que no puede ocultar: el modelado de su rostro sin verdadera belleza,
demasiado recogido, ancho y plano, y tan vacío de expresión que se
comprende muy bien que ella lo ha colocado sobre su verdadero rostro
como una máscara tras la que florece, desconocida, la real naturaleza de
esa mujer que desea que sólo se conozca de ella una apariencia.

Leonardo respeta ese secreto: es decir, que, incapaz de animar esa
máscara de cartón, de levantar esa visera de duro metal, proyecta alrededor de la mujer impenetrable los elementos de su personalidad que ha
sorprendido y adivinado. Los expresa en el paisaje que no es ya decorado, tela de fondo, sino transposición del propio personaje en un conjunto de formas naturales, árboles erizados de púas, tejidos de laberintos como una tela de araña, aguas muertas hacia las que se inclinan
pesadas ramas al encuentro de su reflejo. Basta con examinar ese paisaje,
extraño y revelador, para adivinar que la máscara no defiende ya a Ginebra de Benci de la curiosidad del artista, ni de la nuestra. El verdadero
retrato de esa mujer, me refiero a la imagen de su vida interior, que Leonardo persigue con apasionado ardor, no está ya en su forma humana,
sino en ese «doble» que el pintor dispone a su alrededor como una traducción en la naturaleza de esa compleja «naturaleza interior» que mora
en lo más profundo del individuo.

Leonardo sólo copió aquel paisaje de la naturaleza en el detalle de
sus partes; la disposición del conjunto responde a una construcción sinfónica en la que cada instrumento encarnaría, por así decirlo, un sentimiento, una pasión, un deseo, un rechazo, un remordimiento o una pesadumbre. Todos juntos, ese estanque muerto, esas rejas erizadas de
pinchos de exóticas araucarias, esas lejanías humosas en las que se dibu-
jan vagamente ciudades de ensueño, son los componentes del carácter
de Ginebra de Benci, el «paisaje interior» de esa alma arrancada a sus
misteriosos subterráneos, llevada a la luz del sol, velada tras el rostro que
niega y la máscara que rechaza, con una intensa y total confesión.

Los barrocos y los románticos trataron los paisajes como «estados de
ánimo», en el sentido de que intentaron que las formas de la naturaleza
reflejaran las pasiones de las personas que aparecen en el cuadro. Pero
Leonardo actúa con una magia más sutil. El paisaje de Ginebra de Benci no es el reflejo del ser, sino el ser mismo. La mujer y el paisaje son su-

perponibles; se entremezclan por completo, se confunden, y cuando buscamos la identidad del ser, no sabemos si será más fácil encontrarla en el «decorado» o en el personaje que se halla en el centro de ese decorado. Y algo similar ocurre con el *San Jerónimo* del Vaticano,[17] donde ninguna línea de demarcación separa el hombre de la roca que lo rodea.

La caverna en la que san Jerónimo se entrega a sus tremendos ejercicios de austeridad es más extraña aún que la de *La Virgen de las Rocas*. No hay rastro de vegetación ni de agua. En ese mundo de piedra, donde singulares fulgores circulan por los corredores de las grutas, todo está sometido a esa pesada y penetrante petrificación, a la vez exterior e interior, del cuerpo y del alma. Podría creerse que, para liberar el espíritu de la carne, el santo condena a esta última a las más duras mortificaciones, deseoso de suprimir en ella todo lo que es ternura, dulzura, humanidad. Su ideal es convertirse en piedra, como todos los objetos que le rodean, como el propio león, que con sus recias y audaces curvas es semejante a una bestia de mármol. Para que la metamorfosis sea más completa, el santo se golpea el pecho con una piedra como si quisiera hundirla bajo su piel, y reemplazar así por una masa inerte el órgano sensible y palpitante. Este pecho desgarrado, estos miembros tallados en una caliza gris, ese rostro del que ha sido expulsado todo lo que no sea el hueso y la piel, que es rígida y seca como una materia leñosa, todo ello proclama una prodigiosa metamorfosis. El león convertido en una masa abrupta, san Jerónimo transformado en una criatura geológica, semejante a un paisaje de crestas y barrancos, los acantilados del paisaje en medio de los que aparece —viviendo sólo ya la vida de los hombres por los ojos— esa figura extraordinaria que desea identificarse con la piedra con un furor casi insensato, ésos son los elementos de esta pintura, que quedó en estado de esbozo y que aporta tan curiosas luces al pensamiento religioso de Leonardo.

Sabemos de qué modo, unas veces pintoresco, otras teatral, los pintores trataron la penitencia de san Jerónimo. Los accesorios familiares, incluso el león reducido a las dimensiones de un amable animal de compañía, contribuían a dulcificar esa espantosa historia, a convertirla en una simple anécdota edificante y piadosa. Leonardo, en cambio, «pensó» el desierto que nunca había visto, puesto que consideramos imaginarios los relatos de su viaje a Oriente. Reconstruyó esa escena partiendo a la vez del decorado y del paisaje interior, que es el alma del santo. Evocó con increíble intensidad la propia esencia del desierto, que es la aridez, y, trasponiendo luego al plano espiritual ese decorado exterior, representó la aridez del alma, el milagro de esa petrificación que al principio el santo deseó para mejor mortificar la carne, y que ahora le hace sufrir; sí, convertido en piedra, sufre la cautividad a la que se ve sometida su alma en esta ganga rocosa. Quiso ser piedra y lo ha conseguido tanto que, encerrada en la estatua, la substancia espiritual aspira a librarse de esa gruesa y pesada vestidura.

Un juego hábil de contracurvas y ángulos duros da a la composición de ese cuadro —que, al igual que *La Virgen de las Rocas*, pertenece al mundo de los megalitos— la vivacidad dramática de un inmenso conflicto cuyo escenario es el ser profundo del hombre. El dibujo, nervioso y entrecortado, superpone triángulos en torno a los que coloca la amplia extensión de las curvas, la cola del león, el orillo del ropaje sobre el pecho, introduciendo así en la estática rígida e inmóvil de las rocas grandes corrientes trágicas, semejantes a venas de fuego que circulan a través de la materia inerte y opaca. Todos esos arroyos ígneos, que hinchan las arterias de esta humanidad vuelta piedra, culminan en los ojos y brillan entonces en una mirada de indecible angustia. Más aún que el amor de Dios, que ordena al hombre morir en sí mismo para unirse con el Omnipotente, la mirada de san Jerónimo revela una desesperación sin remisión, el sufrimiento de no poder liberarse de la pesada materia que lo ciñe, de la tortura de esa progresiva petrificación que, poco a poco, toma posesión del cuerpo entero, alcanza el rostro y muy pronto, tal vez, endureciendo y haciendo rígidos los párpados, encerrará en el bloque oscuro la última chispa de la mirada.

Acabamos de ver qué sutil y poderoso intercambio se operaba, en las pinturas de aquella época, entre el personaje central del cuadro y el paisaje que le rodeaba, y de qué modo uno y otro, al estar tan íntimamente relacionados, formaban una unidad. Entre las obras más importantes de este primer período florentino, hay una que aparece como la clave de todo lo que el artista buscó y realizó durante esos años, y como la explicación del sistema del mundo que su inconsciente había venido elaborando. Es el primer dibujo fechado, por mano del propio artista, *di di santa Maria della neve addi 5 daghosto 1473*.[18]

Qué extraña es la caligrafía de esta frase; invertida, claro está, pues a los veinte años el artista tenía ya la costumbre de escribir al revés, y singularmente ornamental, con las letras y las palabras trazadas como un dibujo lleno de curvas y ganchos. ¿Qué diría de ella un grafólogo? Un artista, por su parte, comprueba que el trazo es el mismo en la escritura y en el dibujo. El vocabulario gráfico de Leonardo, tan curioso con sus formas en movimiento, sus curvas que suscitan bruscas rotaciones, como si la impaciencia nerviosa de la pluma intentara poner en marcha un complicado engranaje de ruedas dentadas, está ya presente por completo en este paisaje del que es difícil decir si fue copiado del natural o compuesto arbitrariamente. Es significativo, en todo caso, que los autores que han intentado determinar qué región representa el cuadro son de opiniones muy distintas, opiniones que justifican aduciendo unos que determinada porción clara es un río, afirmando otros que es un lago...[19]

No es necesario saber si Leonardo contempló el paisaje desde las laderas de Montelupo, las alturas de Montecatini o los Apeninos que dominan Lucca. Me parece más interesante advertir —como hizo, por otra parte, Seidlitz— que el día cuya fecha ha anotado cuidadosamente es el que correspondía antaño al de la Tentación en el Desierto, y que más tarde se convirtió en fiesta de Nuestra Señora de las Nieves. ¿Por qué el joven artista quiso precisar esta fecha, y la apuntó con una escritura más ornamental y al mismo tiempo más atormentada de la que solía utilizar, dándole así un carácter a la vez solemne, inquietante y angustiado? De esa altura desde donde se descubría un panorama tan vasto y poblado de series de cordilleras que se pierden en el infinito, ¿acaso tuvo aquel día la sensación de que «todos los reinos de la tierra se extendían ante él», como en la insidiosa proposición diabólica? La inquietud nerviosa que advertimos en este dibujo, vibrante como si los árboles empezaran a girar en las partes de la montaña donde se encuentra el propio artista, y que se calma en la lejanía, ¿revela acaso que, al recordar qué fecha de la vida de Cristo perpetuaba aquel día, una suerte de angustia se añadió a esa contemplación, vuelta de pronto dramática?

Otros paisajes dibujados por Leonardo son más fantásticos que éste, especialmente cuando juega con las criaturas favoritas de su imaginación, las cimas rocosas y las aguas furiosas. Pero en el que estamos analizando no hay nada visionario; todos los elementos del dibujo se han tomado de la naturaleza contemplada aquel día, y quizá la propia composición sea rigurosamente exacta. Sin embargo, tanto en esta composición como en el tratamiento de las partes se revela un estado pasional muy singular, cuya primera consecuencia es trastornar las leyes de la perspectiva ordinaria —es decir, la perspectiva albertiana—, leyes a las que el pintor seguía siendo fiel, según su costumbre, aunque solía desplazar un poco el foco, el punto de las líneas de fuga cuando quería acentuar psicológica y dramáticamente el lugar que consideraba centro patético del cuadro.

En el dibujo en cuestión las líneas de fuga están trastornadas, como si la emoción del artista se comunicara al propio paisaje, y ese paisaje, entonces, en vez de disponerse matemáticamente según las reglas con las que el Renacimiento codificará con intransigencia la perspectiva, obedece a las incitaciones del sentimiento y de la pasión, del mismo modo que los paisajes chinos que son, más que todos los demás, «estados de ánimo», estados de conciencia, «momentos» de la contemplación y la meditación, donde el artista, comulgando con la naturaleza, se convierte en lo que pinta.

La localización exacta del paisaje pasional del *Día de la tentación* tiene poca importancia comparada con el considerable significado que toma en la estética de Leonardo; la emoción prevalece sobre la construcción racional, o que por aquel entonces se consideraba racional. El componente afectivo era tan fuerte en aquel muchacho de veinte años que aspiraba a convertirse en un sabio y un matemático, que derribó en un instante todas las normas de la perspectiva consideradas por sus contemporáneos un artículo de fe. Y ello porque el dibujo corresponde, aquel 5 de agosto de 1473, a un estado de inquietud, de trastorno afectivo tan intenso que no sólo logra que sin que lo advierta, todo el dibujo integre a su autor y le traicione, sino que empuja a Leonardo a precisar en su escritura invertida, que tan poco preserva los secretos puesto que basta con colocarla ante un espejo para leerla claramente, el acontecimiento que se produjo aquel día en él y cuyo origen, significado o alcance no conoceremos nunca.

CAPÍTULO TRES

«Perpetuum mobile»

El tema de la Adoración de los Magos es la apoteosis del movimiento. Los pintores de la Edad Media y del Renacimiento lo habían comprendido muy bien, y se esforzaban por indicar en el breve espacio del fresco o el cuadro el largo camino recorrido por los monarcas viajeros hasta el establo de Belén. Serpenteando a través de paisajes rocosos, las pintorescas caravanas en las que se codean príncipes y camelleros representan una humanidad en marcha hacia el Dios recién nacido. Ancianos procedentes de antiguos países, conocedores de ciencias tradicionales, se pusieron en camino a través de los desiertos y las selvas hacia el Niño que significa el advenimiento de un mundo nuevo. Van, como nos enseñan los Evangelios, a ofrecer a Dios los presentes simbólicos, a cambio de los cuales recibirán la vida eterna, la verdad, la vía. Su viaje, desde desconocidas capitales hasta la aldea palestina, es sólo el preámbulo, los primeros pasos de ese *pilgrim's progress* que es la vida de cualquier hombre. Su búsqueda del objetivo sugerido por la estrella peregrina resume la existencia humana, empeñada en ese esfuerzo, empujada por esa inquietud, aspirada por esa necesidad de alcanzar por fin el lugar de la iluminación: la casa en ruinas sobre la que se detiene el cometa que llena el cielo con su deslumbradora claridad. El establo, morada del mundo animal representado por el asno y el buey, se convierte en sede de la luz. Todos los trabajos de esos sacerdotes y esos sabios tendían, sin saberlo, hacia esta luz. Cuando se les revela, conocen de pronto hasta qué punto les era necesaria y cuán larga y penosa debía ser esa búsqueda a través del vacío y la noche.

Los propios pintores, que sólo veían en el tema ocasión para una anécdota ingeniosa y brillante, hallaban en el placer de desplegar los fas-

tos del cortejo principesco la idea esencial de esta Adoración, imagen
evidente de la peregrinación que la humanidad realiza hasta la morada
del Dios vivo, y símbolo también de ese viaje por el más allá del que hablan todas las mitologías y que, tras la muerte del individuo, lo lleva a la
inmortalidad. «No se aparta de su ruta aquel que se ha fijado en una estrella», leemos en uno de esos dibujos donde Leonardo plasmaba con
impetuoso lápiz, entre croquis de máquinas y perfiles de adolescentes,
las efusiones de su espíritu y de su corazón. Todo el simbolismo de la
Adoración de los Magos se dibuja, con una breve curva deslumbradora,
en esas pocas palabras. Eso significa que, aunque vuelvan hacia sus ciudades, sus templos y sus zigurats tras haber venerado al Dios vivo, los
hombres que han sido guiados por la estrella hacia ese paradójico palacio donde se halla la Sagrada Familia regresarán como hombres nuevos,
como hombres en cuya frente se ha posado durante el viaje el brillo de
la estrella: metamorfoseados y, por consiguiente, nacidos a una vida
nueva, transfigurados por ese fulgor de la luz que aparece a intervalos en
la vida de Cristo tal como nos la cuentan los Libros Santos, cuya primera manifestación es la estrella de la Epifanía, y la postrera las llamas que
descienden sobre los discípulos el día de Pentecostés.

El día en que los monjes de San Donato di Scopeto comunicaron a
Leonardo da Vinci su deseo de que pintara una Adoración de los Magos
para el altar mayor de su convento,[1] el joven pintor, ya ilustre y jefe de
escuela en esa ciudad seducida y desconcertada a un tiempo por la audacia de su genio, presiente la naturaleza y el alcance del mensaje que es
llamado a revelar. No se trata, para él, de repetir las escenas a la vez magníficas y familiares en las que se complacían los artistas de su tiempo. La
pompa teatral que despliegan en dicha coyuntura es por completo ajena
a su espíritu; nada tiene del decorador charlatán y fastuoso en el que se
convierten, en semejante circunstancia, Benozzo, Gozzoli o Gentile da
Fabriano. Leonardo da Vinci, como todos los investigadores que, sumidos en sus búsquedas, dedican a esa preocupación principal todas las
actividades de su espíritu, despojará el tema de la Adoración de los Magos de todas las manifestaciones exteriores que enmascaran su verdadero significado. Absorbido por sus estudios de naturalista, encontrará en
esta pintura encargada por los monjes —que tal vez fueron guiados
en su elección por el notario Piero da Vinci, uno de los administradores
del convento— todo su universo: es decir, el del geólogo, el físico, el
zoólogo; y también el del filósofo, que en él nunca se disocia del artista
y del sabio. Es precisamente esa armonía tan difícil de establecer y man-

tener entre las tres actividades humanas que, a pesar de ser complementarias, siguen unas trayectorias divergentes, lo que hace que todas las obras de Leonardo (incluso las «obras de circunstancia», es decir, de encargo y obligadas a seguir un plan preciso) tengan ese grado de significación sobrenatural y también de enseñanza extendida a todos los campos de la naturaleza.

El simbolismo de la Adoración de los Magos, tal como acaba de ser expuesto y tal como lo entendía cualquier hombre verdaderamente religioso, es abarcado con una sola mirada por el pintor en su dominante de «movimiento». Por otra parte, la realización plástica de la obra excluye la representación del movimiento, que sólo puede lograrse con la ayuda de algunos pueriles artificios de composición. Leonardo no representará, pues, el cortejo de los Reyes Magos en marcha hacia Belén, puesto que la representación anecdótica y descriptiva del movimiento es probablemente el medio más torpe y más imperfecto de hacer perceptible la propia noción de este movimiento. Alinear hasta el infinito caballos y camellos no traducirá nunca, para la sensibilidad del espectador, las fatigas y las molestias de un interminable viaje por el desierto. El dinamismo, en la obra de Leonardo, nunca es tan poderoso, tan explosivo como cuando estalla en medio de una forma estática, quebrándola entonces y proyectando sus fragmentos hacia el exterior del cuadro: algo que se produce también en el Botticelli del último período, tras su sometimiento a la influencia de Savonarola.[2] Del mismo modo, la energía nunca es tan violenta ni activa como cuando se mueve dentro de su motor, cuando gira vertiginosamente en torno a su centro. Estas dos formas de movimiento: estallido y proyección hacia la periferia por una parte, reunión e intensificación en torno al núcleo por la otra, se manifiestan con viva evidencia en *La Adoración de los Magos*. Concebida como una rueda que gira sobre sí misma a gran velocidad, y, que al igual que las «ruedas» de los fuegos artificiales, esparce sus chispas a través del espacio, esta pintura concentra en este movimiento circular compuesto de energía interior, el movimiento horizontal y plano sugerido por la anécdota de la Adoración de los Magos. No por ello tiene menos movimiento que una película de cine que relatara el viaje de estos reyes desde la partida de sus capitales hasta la llegada a Belén. Han alcanzado su objetivo, han llegado ante el Niño-Dios, se apretujan a su alrededor, pero el espíritu del viaje los anima aún, condiciona sus gestos y sus actitudes, al igual que sigue habitando sus almas. Esas «almas viajeras», hermanas de esas *pilgrim souls* de que habla W. B. Yeats, pertenecen aún al movimiento, y los cuerpos apenas están en reposo. Estos personajes se agitan, como una bandada de pájaros, en torno a la Virgen y el Niño, y cada uno de ellos se aproxima con la actitud que revela las particularidades de su ser físico, y cada uno de ellos personifica al embajador o portavoz de cierta porción de la humanidad: de una clase, condición o función. Alrededor de esta embajada humana aparecen también los «representantes» del mundo animal y del mundo vegetal, que participan en la vida de Cristo y, por ello, en la obra de la Redención. Árboles y animales acompañan así a los Viajeros de la Estrella en su procesión hasta este templo de todos los templos donde mora el Niño-Dios.

Puesto que el tema exige una gran libertad de acción, los religiosos de San Donato di Scopeto no se habían preocupado por embridar la imaginación del artista imponiéndole un plan riguroso y preciso: célebre ya por sus obras tanto como por las singularidades con las que gustaba asombrar a sus conciudadanos, Leonardo era un pintor en quien podía confiarse. El precio fijado por la ejecución del cuadro, que debía estar concluido al cabo de dos años o, como máximo, dos años y medio, era más que suficiente: trescientos florines, llamados *di sugello*, que, en aquel tiempo de monedas ilegales y de incierto valor, eran del mejor «peso». Los monjes habían pagado de buena gana los anticipos que Leonardo, siempre corto de dinero, les había pedido alegando ciertas inversiones previas que él se veía obligado a hacer, y añadieron algunos pagos en especies, vino, trigo, aceite, leña para calentarse, que para consuelo del artista el granjero le llevaba en atestadas carretas desde el *podere* conventual. La obra se inició, pues, en un clima de benevolencia y confianza recíproca. Pero no fue concluida, sin duda a causa de ese excesivo escrúpulo que Leonardo aportaba a todas sus obras, y quizá más probablemente a causa de la magnitud de las numerosas y complejas investigaciones a las que se lanzó. El cuadro pintado al óleo, sobre madera, nunca superó el estadio de la preparación en sombra; si bien, todo hay que decirlo, esa preparación fue minuciosa, completa en sus volúmenes y sus valores, y sólo necesitaba ser coloreada para quedar perfectamente terminada. Pero por muy cerca que se hallara de ese término, Leonardo interrumpió su trabajo antes de la conclusión definitiva y, cansados de acosarlo y de azuzarlo, los religiosos de San Donato, renunciando a obtener de él lo que no quería o no podía dar, se dirigieron a Filippino Lippi que, como prudente maniobrero que era les entregó en poco tiempo la obra tradicional y superficial que, en el fondo, deseaban los buenos monjes.

Leonardo lleva casi quince años simultaneando esos trabajos de pintor y los estudios de sabio, y a los treinta años ha alcanzado esta madurez de pensamiento y esa amplitud enciclopédica de saber que se manifiestan en *La Adoración de los Magos*. Trata en ese cuadro los problemas más complejos, tanto en el campo espiritual como en el orden de la técnica. Su ambición, reconocida, de reunir a los pies del Niño-Dios toda la humanidad y, tras ella y alrededor de ella, toda la naturaleza, implica una composición extremadamente nueva y tal vez discordante que reclama, tanto en el orden plástico como en el intelectual, todo un juego de compensaciones y equilibrios muy difíciles de realizar. Los numerosos bocetos que hizo para el cuadro y, en particular, los curiosísimos y muy instructivos dibujos de los Uffizzi y del Louvre (no me refiero, claro está, a los innumerables estudios de detalle para los personajes, los animales y los árboles), constituyen ciertas etapas de la evolución de su sentido constructivo, ciertas maneras de abordar la expresión simbólica de la escena, aunque la mayoría de los problemas sigan siendo problemas plásticos impuestos por la propia naturaleza del cuadro.

La faceta narrativa, suplementaria, de las Adoraciones de los Magos tradicionales, deseosas de exponer el movimiento casi como se manifiesta en un teatro de marionetas, disponía a la Sagrada Familia en uno de los extremos del plano horizontal, y hacia ella avanzaban los reyes seguidos de sus séquitos, que se desplazaban colocándose más o menos caprichosamente en el paisaje del fondo. Leonardo, por el contrario, coloca a la Virgen y al Niño en el mismo centro del cuadro, aunque no exactamente en el lugar de convergencia de todas las líneas de fuerza, ópticas y mentales. Construye el cuadro siguiendo el estricto esquema de la perspectiva albertiana, sobre todo en el boceto de los Uffizzi, que parece una prodigiosa «cuadrícula» donde las formas se distribuyen en el espacio de acuerdo con las leyes de esta división espacial teórica, arbitraria y contraria a la realidad que el Renacimiento inventó y que, contra toda verdad, será considerada exacta y conforme a la realidad durante toda la evolución de la pintura europea, hasta la aparición del Impresionismo.

Procedente del fondo del cuadro, esta «embajada de la humanidad» se despliega en semicírculo cuando llega detrás del grupo formado por la Virgen y el Niño y lo rodea, creándose así un movimiento circular horizontal que responde, por decirlo de algún modo, a la anécdota, que es, en una palabra, narrativo, mientras que en el plano vertical se produce otro movimiento, plástico este, en el que las formas son arrastradas en una especie de torbellino y precipitan su carrera de acuerdo con las circunvoluciones de esta espiral móvil, de modo que el plano vertical y el plano horizontal evocan las evoluciones de una esfera; hasta el punto de que la construcción del cuadro en su profundidad parece disponer a los personajes en los anillos de una especie de globo celeste que se convierte en soporte de la composición. Esta composición deviene el símbolo perfecto de la idea que Leonardo quería expresar en ella, consistente en que el universo que se ha reunido con el Dios vivo y gira a su alrededor, como nuestro sistema solar alrededor de su centro: verdad astronómica que, para Leonardo, «adorador del sol», era también una verdad espiritual y uno de los elementos fundamentales de su religión personal.

En torno a este símbolo principal y central se disponen, en el fondo del cuadro, algunos símbolos accesorios que se convierten en inspiradores de acciones casi autónomas, menos inteligibles que la escena capital, pero que carecen por completo del carácter de anécdota gratuita, pues nada es más ajeno y más hostil a la mentalidad de Leonardo que la pura anécdota y la abstracta gratuidad. Esos episodios se vinculan, pues, muy estrechamente al episodio principal; lo confirman, desarrollan, completan y amplifican a su modo, en ese lenguaje simbólico en el que se complace Leonardo, aficionado a enigmas, alegorías y fábulas, tanto en sus escritos como en sus cuadros. Debo decir que nos importa menos descubrir el sentido de estos episodios —bastante difíciles de explicitar y sobre los que podríamos discutir largo rato— que abarcar en su conjunto, a la vez plástico y «mitológico», la propia escena de la Adoración. Ésta constituye, en sus diversos aspectos, una clave de la estética de Leonardo, dando por supuesto que esa estética se vincula siempre muy íntimamente a su filosofía de la naturaleza y su metafísica, al igual que a sus búsquedas propiamente artísticas sobre la naturaleza y los modos de expresión del movimiento.

La idea de movimiento y su aplicación a los órdenes del universo es una de las nociones centrales de esta época, tanto en el arte como en las ciencias. El esquema estático desestabilizado por la inquietud de un Paolo Uccello, de un Piero della Francesca, y sobre el que descansaba sin angustias el mundo inmutable de Masaccio, vibra ya con el presentimiento del Barroco que lo hará migajas y lo proyectará al espacio en tumultuosos remolinos. Muy diferente de la inquietud del Renacimiento, pero asida, en cierto modo, a sus problemas formales o espirituales, la inquietud barroca, para la que no existe seguridad ni inmutabilidad en un universo en perpetua agitación, trastornará de cabo a rabo toda la concepción del cosmos. Aparece ya incluida en la obra de Leonardo, «hombre barroco» al igual que Hamlet. Tanto en uno como en otro, el drama nace del choque de ambas corrientes, la centrífuga y la introvertida, igualmente activas y poderosas. El genio plástico de Leonardo consigue la síntesis —imposible para cualquier otro— de esos movimientos contradictorios: *La Adoración de los Magos*, perteneciente por la fecha de su encargo al primer Renacimiento, el del Quattrocento, cuestiona sin embargo toda la concepción barroca del mundo.

Mientras que la *Anunciación* resulta «trecentesca» y medieval en su concepción y en su exposición, *La Adoración de los Magos* trastorna los antiguos esquemas y los sustituye por una nueva noción del espacio. Es muy propio de Leonardo que esta noción tenga en cuenta las adquisiciones de la ciencia y, más aún, que descubra las equivalencias plásticas de las teorías filosóficas de la época. En *La Adoración* los personajes están dispuestos en un extraordinario hemiciclo que parece girar en espiral, de tal manera que el espectador se siente atraído por ese torbellino interior y llamado a tomar parte en él. Así como los demás pintores nos hacen, mediante la emoción, compartir de una forma afectiva y espiritual el acontecimiento y los sentimientos representados, ante *La Adoración* uno se ve obligado a participar de un modo real y físico. Sea cual sea el punto desde el que observemos las «corrientes» que se entrecruzan en esta esfera ideal de la que he hablado, de inmediato nos vemos absorbidos por ellas y arrastrados en su carrera, en una comunión vehemente y convincente que no es sólo sentimental, sino esencialmente corporal, orgánica y total. Todo en el cuadro ordena y dirige nuestros movimientos, y los hace concordar con los movimientos de esa muchedumbre en apariencia confusa, pero conducida en realidad por ritmos exactos e inflexibles. En esta muchedumbre, en efecto, donde se confunden todas las edades y todos los estados, nuestro lugar está señalado. Geométricamente, los movimientos de estos personajes siguen los «raíles» de una perspectiva establecida con una escrupulosa fidelidad a los principios albertianos, pero, aunque esta sociedad de adoradores está escalonada por jerarquías en el plano matemáticamente diseñado, cada uno de sus componentes conserva su espacio propio, en el que elabora y prosigue su movimiento individual.

Se reconoce aquí el afán que sigue obsesionando a Leonardo —incluso cuando se somete a la ley de la perspectiva formal— de integrar en esta inhumana geometría, arbitraria y abstracta, su concepción del espacio que sigue siendo orgánica, vinculada a la vida y, en ciertos casos, incluso, mucho más cercana a la noción de espacio presente por ejemplo en la pintura china. La doble aspiración de ese espíritu consiste en hacer coincidir en este cuadro la convicción biológica de lo experimentado y la verdad didáctica de la doctrina espacial que el Renacimiento tanto se enorgullece de haber descubierto y que impondrá, como una disciplina inmutable e infalible, a los siglos siguientes.

El cuadro de los Uffizzi demuestra con qué aplicación científica construyó Leonardo esa extraña escena que ocupa, en el boceto, todo el fondo de la pintura, pero que en el cuadro sólo ocupará la mitad. La agitación de los caballos que galopan, se muerden entre sí y se encabritan, de los hombres que suben y bajan las escaleras, se inscribe en una sabia división del espacio, y por añadidura muestra el contraste fuerte y singular entre esa aparente confusión de movimientos y el soporte geométrico donde se distribuye. ¿Qué significa esta escena? Muchas explicaciones, más o menos ingeniosas, han sido propuestas, atribuyendo ese «mundo en ruinas», esa incoherencia de la gesticulación a la evocación del viejo orden de cosas al que viene a sustituir el cristianismo. Por otra parte, en la segunda mitad del fondo del cuadro se desarrolla una extraña escena de batalla que recuerda la «lucha por el estandarte», del cartón de *Anghiari*; tan extraña que podría hacer pensar en algún *capriccio* si no supiéramos que en la obra de Leonardo (como en todos los grandes artistas, incluso en el turbio Goya, el fantástico y hermético Tiepolo) no hay «capricho» que no se vincule a alguna doctrina importante de su estética o su filosofía. Debiendo evocar, en la parte de atrás de ese hemiciclo atestado por la muchedumbre de los adoradores, el mundo de donde proceden los Reyes Magos —ese mundo que han dejado atrás y que, para ellos, queda abolido en el mismo momento en que llegan ante el Niño-Dios—, Leonardo lo representa en esta especie de palacio en ruinas, lleno de confusa agitación que acabo de describir y por una inextricable maraña de caballos y jinetes ante la escalera.

No es una anécdota, ni un detalle pintoresco. Cuando aislamos esta parte del cuadro y la examinamos por separado, comprobamos de entrada que forma un todo, que se basta a sí misma y que no tiene relación con la escena de la Adoración propiamente dicha, salvo por el contraste que representa y que Leonardo desea resaltar. Existe, en efecto, entre ambas mitades del cuadro (me refiero a la que seguiré llamando el hemiciclo de *La Adoración* y a la parte posterior o fondo) no sólo una diferencia de espacio sino también una diferencia de tiempo. Dicho de otro modo, el fondo nos muestra en un espacio geométricamente ordenado el desorden orgánico del furor, de la gesticulación sin objetivo y sin razón, del orgullo desmedido, de la incoherencia. En el hemiciclo de *La Adoración*, por el contrario, todo es calma y belleza. Los vanos empujones se detienen, los clamores y el griterío se acallan. Una paz cristalina, que no es inmovilidad ni silencio, cita, como en una orquestación magistralmente concebida en función de las tonalidades y los timbres de los instrumentos, el «canto» de cada uno. En el fondo del cuadro, el desorden social coexiste con la seca perfección, estrechamente intelectual, del orden geométrico, que está representado, advirtámoslo, por algunas ruinas. En el hemiciclo de *La Adoración*, por el contrario, cada individualidad viviente se pliega al ritmo de este vasto movimiento circular y planetario donde se armoniza el canto de las esferas y donde cada cual, sin renunciar en nada a su personalidad, se convierte al mismo tiempo en parte y totalidad de ese dinamismo común, de esta pasión colectiva que arroja la humanidad a los pies del Niño-Dios. Ángeles y pajes, ancianos y adolescentes, y también el mundo animal —caballos apaciguados, espiritualizados, rescatados por una redención que extiende su beneficio a la naturaleza entera—, disponen sus coros en torno a la criatura solar, de un modo armonioso y sutil (bajo el aparente desorden) que hace pensar en el himno de los ángeles, al comienzo del *Primer Fausto*. «El Sol resuena, según el antiguo modo, en el armonioso coro de los astros, y prosigue su ruta con resonantes pasos. Su visión da fuerza a los ángeles, aunque siga siendo insondable para nosotros, y sus obras sublimes e inexplicables son hermosas como el primer día.»

Alrededor de este eje, constituido por la figura de la Virgen, prolongada al fondo del cuadro por ese árbol en el que Strzygowsky ve un *chamaerops* (un árbol oriental que en Florencia debía de ser una gran rareza), el semicírculo de los adoradores gira de acuerdo con una doble evolución: una llena todo el campo en un plano circular horizontal, y la otra gira sobre sí misma y evoca así, de un modo bastante curioso, el movimiento del sistema solar en el espacio celeste. Esta evolución se prolonga fuera del cuadro, en el otro semicírculo, el que nosotros habitamos, y en ese momento nos alcanza y nos arrastra a nuestra vez. Los únicos personajes que constituyen una especie de islotes en ese girar son los que están de pie, semejantes a dos columnas, en los extremos del cuadro. El uno, en el que una tradición ve el autorretrato de Da Vinci (autorretrato idealizado en este caso, puesto que el personaje representado es un adolescente cuando el artista tiene ya treinta años), se vuelve hacia los invisibles espectadores y señala con la mano a la Virgen y el Niño, como invitando a los primeros a entrar en esa recientísima cristiandad, en esta sociedad de los ángeles y los magos reunidos en torno a la Sagrada Familia. No existe ningún retrato auténtico de Leonardo: el que suele considerarse suyo, esa cabeza de anciano que parece un río antiguo o cierto «Anciano de los Días» de la Biblia está, a mi entender, tan idealizado como la imagen del joven que aparece en *La Adoración de los Magos*. No me parece que la sanguina de Turín represente a Leonardo más que el perfil en piedra negra de Windsor en el que, dando fe a una inscripción antigua (que, como la de Turín por otra parte, no es tampoco de la mano de Da Vinci) se ha querido ver otro autorretrato. Si en la sanguina de Turín Leonardo se atribuyó una extremada vejez que le hace parecer un árbol muy antiguo, una roca corroída por las aguas y recorrida por cascadas, se rejuveneció considerablemente en la figura del muchacho de *La Adoración*.

El otro personaje que no parece participar en el ritmo general muestra la actitud y el gesto del observador. Con una mancha oscura en el borde izquierdo del cuadro, aparece envuelto por completo en su manto, escrutando y dudando, atento a lo que ocurre a su alrededor y más aún, tal vez, a unas voces interiores que se interrogan y le inquietan, y se yergue como una columna solitaria, quizá bastante parecida a esos pilares en ruinas que ya sólo soportan, en vez de los arcos que se han hundido, unos gráciles arbustos. El aspecto rocoso, estático y solitario de ese anciano a cuyo alrededor gira esa ronda nos hace pensar en el Judas del Cenáculo de Santa Maria delle Grazie, y sentimos la tentación de ver en él, no al Judas histórico sino al Judas eterno, el Judas virtual de todas las grandes aventuras generosas, el comparsa trágico y criminal de todas las redenciones.

Por fortuna, ni ese anciano que no participa y que sufre por no participar, ni el joven (que tal vez sea Da Vinci) que es su contrapartida simétrica al otro lado del cuadro, detienen ni interrumpen la «ronda del Paraíso»: ésta gira tras ellos y ambos constituyen, en cierto modo, los dos focos de esta elipse giratoria que al desplegarse corta el círculo en una dirección paralela al borde del cuadro, y cuyos extremos no vemos, mientras que el círculo que yo denomino «de la adoración» ocupa a la vez la profundidad del cuadro y el espacio vacante fuera de él, que suponemos ocupado por el espectador.

La tan compleja construcción de esta pintura inconclusa y los múltiples elementos de que está hecha —elementos que, aun preservando en cierta medida su autonomía, se asocian sin embargo a esta unidad de sentimiento y movimiento que es la propia base de la obra y su razón de ser— muestran, por así decirlo, todas las pesquisas intelectuales de Leonardo durante esa primera estancia en Florencia. *La Adoración de los Magos* las expone y las resume con tanta claridad que nos parece que aunque el cuadro hubiera sido terminado no podría transmitirnos un mensaje más completo. «Expresión de una idea filosófica por un sabio preocupado por las ciencias naturales», dice Gilles de la Tourette,[3] que descubre que la clave de la construcción general tiene la forma de una concha marina. Pero si examinamos esta «concha», descubrimos enseguida que, en su movimiento en forma de espiral, repite ciertos trazados arquitectónicos de algunas fachadas de catedrales góticas, como las estudiadas por Lundt en su *Ad Quadratum*, por ejemplo.[4] Geómetra y conquiliólogo, Leonardo se interesa al mismo tiempo por las ciencias naturales y las ciencias matemáticas, pues cada porción de conocimiento sólo tiene valor en tanto que forma parte del conocimiento de la totalidad.

Así, los trabajos de Leonardo sobre el espacio comportan, como un elemento necesario e indisociable, el estudio del movimiento que llena este espacio y se establece en él. Sus investigaciones sobre el movimiento son también de géneros distintos. Primero estudia el movimiento físico mediante la atenta observación de todos los tipos humanos en sus más variados comportamientos. Por medio de innumerables esbozos, copia del natural los movimientos que desplazan los volúmenes del cuerpo haciendo intervenir toda suerte de equilibrios, de compensaciones, de *contraposti*. Tras haber definido y determinado así las leyes del movimiento físico, Leonardo aborda el «movimiento mental» del que habla en el *Trattato della Pittura*, y el modo como el movimiento físico expresa y traduce ese movimiento mental, no tanto mediante una gesticulación dramática, que correspondería a un lenguaje —como lenguaje son, por ejemplo, el arte de la pantomima y la técnica del mimo— cuanto mediante una actitud corporal que revela sin dialéctica gestual el sentimiento y la pasión.

Entre los hombres que el artista observó para deducir de su comportamiento una especie de vocabulario afectivo espontáneo, y no didáctico y fijo como por ejemplo el lenguaje mímico de la marioneta, encontramos a los mudos. Privados de palabra, revelan con su actitud lo que su voz no puede expresar. «El buen pintor —escribe Leonardo—

debe realizar dos cosas principales, a saber: el hombre y el concepto de su espíritu. El primero es fácil, el segundo difícil, porque debe representarlo valiéndose de los gestos y el juego de los miembros: y eso debe ser aprendido de los mudos, que lo hacen mejor que ninguna otra clase de hombres. La figura cuyos movimientos no expresan las pasiones ni lo que piensa no tendrá miembros que correspondan al significado moral de esa figura y, al juzgarla, se llegará a la conclusión de que el artista no tiene mucho valor. El movimiento debe ser apropiado a la circunstancia moral del rostro, que debe ser hecho muy vivo, mostrando afecto y fervor. De lo contrario ese rostro será considerado dos veces muerto, la primera porque está pintado y la segunda porque no expresa nada del alma ni del cuerpo. Los movimientos de actitudes deben manifestar la circunstancia moral del personaje, de modo que no pueda significar nada más ni servir para otra escena.»

Toda la teoría del arte barroco está ya contenida en estos preceptos del *Trattato*, y cuando se la compara con la doctrina de la estática monumental (tanto más conmovedora cuanto más estática y más monumental), se advierte con qué violencia se separa Leonardo del ideal del Renacimiento, para regresar, en cierto modo, al ideal dramático del último Gótico, que aparece sobre todo entre los pintores del norte, y para anunciar la gesticulación pasional del Barroco. Nada revela más claramente su inquietud, tan distinta de la gran paz que expresan los personajes de Piero della Francesca, por ejemplo, y que necesita la «expresión dramática», que es, incluso en las escenas más dramáticas del pintor de San Francesco d'Arezzo, tan mesurada, tan tranquila. En Leonardo la tranquilidad no es la indiferencia, sino el poderoso constreñimiento de la voluntad aplicado al dominio de las pasiones.

Leonardo se interesa por la mímica primero debido a la gracia expresiva que siempre ha tenido y siempre tendrá el pueblo italiano, tan vivaz, tan natural y espontáneo, tan diestro también en exteriorizar con la expresión del rostro y la actitud del cuerpo los matices de su vida interior. Pero si bien de Giotto a Piero della Francesca se advierte una constante de economía, de sobriedad, de discreción hostil al «movimiento que desplaza las líneas», una constante que constituye la grandeza tranquila, solemne y realmente divina de ese arte, la afición popular contiene a su vez, gracias a esa mímica al servicio de las emociones del corazón, inmensas posibilidades artísticas de las que Leonardo ha tomado conciencia y que desea utilizar, llevándolas a una ordenación a un tiempo plástica y filosófica. Expresar conjuntamente y con el mismo impulso «el alma y el cuerpo» del personaje, su ser físico y su ser psicológico, en la «circunstancia moral» de la que Da Vinci habla, vuelve a ser gracias a él uno de los ideales de la pintura. El Gótico, en sus grandes períodos, había repudiado ese ideal por su excesiva bajeza material y anecdótica, contraria a la pura espiritualidad, y la tendencia humanista del Renacimiento compartida por los pintores también lo repudiaba, aplicada como estaba a retener sólo lo que constituía lo eterno y universal en lo humano.

El peligro de este arte mímico es evidente: va a desembocar fatalmente, más allá del sentimiento dramático de los barrocos, en el realismo, en el naturalismo y en la peor exactitud fotográfica de la pintura académica del siglo XIX. La «pintura moral» del agonizante siglo XVIII perseguirá los mismos objetivos que Leonardo en el pasaje del *Trattato* que he citado, prolongando así, por otra parte, las concepciones de la Academia de Lebrun y fijando las normas a las que obedecerá la crítica de Diderot en sus *Salons*. Para Leonardo, no se trataba en absoluto de conseguir la verdad naturalista, fotográfica, puesto que el propio realismo, en todos los casos, sigue subordinado a una idealización, tanto de orden afectivo como intelectual. Como sabio y como artista, sentía sin embargo un apasionado amor por la «verdad»: ya fuera la verdad profunda y esencial de las «leyes», o la superficial, anecdótica, pintoresca, experimental de los «aspectos». En la expresión de las pasiones, busca una ley moral, al igual que intenta, en la traducción del movimiento, alcanzar y abrazar un «principio»: ese principio del movimiento que pretende captar simultáneamente en el vuelo de las aves, las ondulaciones del agua, el comportamiento humano y animal, el funcionamiento de las muy diversas máquinas que inventa y construye, el curso de las nubes, la dirección del viento, etc. Todos esos estudios, atados en haces y dirigidos hacia una perspectiva única, deben, una vez llegados a su fin, revelarle la naturaleza, el origen y las condiciones del movimiento, constituyendo todo ello una sola ciencia, la «motricidad», parte considerable y vigorosamente ilustradora de la energética. Llega casi a una especie de «divinización» del movimiento, y sobre esta «divinización» parece interrogarse el personaje sombrío y en pie de *La Adoración de los Magos*, que contrasta con el muchacho «claro» (que es el propio Leonardo), que se vuelve para invitar a la humanidad, vacilante aún, intimidada o consciente de su indignidad, a «entrar en la danza». A mi entender, ese joven luminoso y su doble, el anciano oscuro, son los dos aspectos siempre asociados e inseparables del propio Leonardo, las dos caras de su espíritu. Más aún que el significado espiritual de la Adoración, el anciano sombrío tal vez cuestione el principio y los motores de esa rotación ebria que arrastra a todos esos personajes alrededor de la Sagrada Familia y de los Magos arrodillados. La inquietud científica, característica en Leonardo, es el perpetuo contrapeso de los impulsos de la afectividad y los datos ciertos de la intuición. Sus cuadernos están llenos de esas preguntas ardientes y atormentadas sobre los más variados problemas, algunos irresolubles en apariencia, otros —¡la mayoría!— resueltos desde hace tiempo, y caídos del rango de enigmas hasta el dominio público del saber universal.

Leonardo afirma la preeminencia del movimiento en una de esas breves sentencias que, contrastando con el tono dolorosamente dubitativo de tantas frases, enuncian con irrevocable claridad una de las certidumbres radicales sobre las que descansa toda su fe de artista y de sabio. «*Il moto è principio d'ogni vita.*»[5] El movimiento es la causa, el principio de toda vida. Como filósofo, Leonardo tal vez habría desarrollado una teoría del movimiento comparable a la de Bergson. Como biólogo, anota todas las maneras en que los seres vivos realizan el movimiento, partiendo de una simple articulación para llegar hasta el alma. En este campo como en tantos otros se une a su gran predecesor que, desde muchos puntos de vista, puede ser considerado su maestro, Leon Battista Alberti, que en su *Trattato della Pittura e della Statua* decía ya que se conocen los movimientos del alma a través de los movimientos del cuerpo. Así, en el funcionamiento de los músculos faciales Leonardo descubre la revelación imponderable e inaprensible del alma, afirmando así, una vez más, la domesticación de lo material por lo espiritual (Raymond Bayer ha estudiado de modo magistral la «precisión del mecanismo de la sonrisa vinciana», en análisis muy curiosos y reveladores).[6] La sonrisa, en efecto, no es más que un movimiento, pero un movimiento milagrosamente inspirado por las emociones más profundas y más sutiles del corazón.

Este secreto del movimiento, concebido como ley fundamental de la vida tanto desde el punto de vista orgánico como en el terreno de lo espiritual, este principio de energía es lo que este hombre de treinta años estima que es la estructura esencial de las relaciones de las cosas entre sí, y de sus partes en el interior de cada cosa. Prosigue con intensa curiosidad el análisis del movimiento en el hombre, en el animal, mediante una infinidad de investigaciones anatómicas, y cuando cree haber descubierto su mecanismo inicial, lo reconstruye en máquinas cuyo movimiento será análogo al de los seres vivos: máquinas de volar que aletearán como los pájaros, máquinas elevadoras que funcionarán del mismo modo que los brazos humanos, pues para él existe una única ley que rige la disposición de los motores vivos y de los motores artificiales. Intentará por fin reproducir con fidelidad el movimiento humano o animal en esos sorprendentes autómatas que construirá para divertir a Ludovico el Moro o a Francisco I, y que tienen un singular parentesco con los que poblaban el parque del Hesdin, en la época de los grandes duques de Occidente.

Aunque su inquietud se divide entre tantos problemas diversos, vuelve al problema del movimiento en todos los períodos de su vida, y con la misma tenacidad, como si sintiera la obsesión de encontrar esa llave sin la que las cámaras de los tesoros seguirían eternamente cerradas. Por todos lados advierte ejemplos del movimiento, y los estudia en sus acepciones privadas, sin perder de vista sin embargo que no hay un mínimo movimiento en la tierra que no se vincule al Primer Motor, cuya admirable justicia celebra cierto día en un texto breve y deslumbrador. «Todo es movimiento, y sin el movimiento la vida cesaría.» Ya sea inclinado sobre el arroyo, o con el rostro levantado para seguir el curso de las nubes, o cuando presiente la teoría ondulatoria de la luz y del sonido en algunas páginas de prodigiosa adivinación, o cuando multiplica las experiencias, o interroga a los doctos, o se hace innumerables y acuciantes preguntas cuya solución se empeña en encontrar avanzando como suele de la observación del detalle a la deducción de una ley universal. Y también cuando intenta captar el alma en la red de los movimientos del cuerpo humano y de los elementos, Leonardo intuye la existencia de un camino oculto que lleva hacia ese Dios imaginado como el Primer Motor, fuente de toda vida y toda belleza. Observa la rápida gesticulación de los sordomudos, se demora en el umbral de las tiendas donde mercaderes y clientes prolongan sus coloquios, presencia las disputas en las que se inflaman y se agitan las pasiones, disfruta contemplando la danza y los ejercicios atléticos, no sólo por la belleza que en ellos se despliega sino también, más aún, por las informaciones que recibirá sobre las posiciones y movimientos de los miembros; se planta ante la mesa de disección, se encierra en su laboratorio donde ajusta los engranajes y las poleas, profundizando siempre en ese conocimiento de lo móvil y reconstituyendo el diseño original del precepto universal, diseminado en sus multiformes aspectos.

El amor que siente por lo concreto, por la verdad objetiva, por la realidad física, no le da respiro. En tanto su investigación no llegue a

abarcar desde el batir de las aletas de los peces hasta la expresión de la
serenidad mística de la certidumbre, visible en el rabillo de los ojos y en
los labios, no tendrá paz. Fijará, en innumerables dibujos, esas actitudes
que contienen los movimientos pasados y los futuros. El instante más
breve sólo es real si se vincula sin interrupción a esa cadena de instantes
que fueron y que vendrán, y la palpitación de esa cabellera agitada por
el viento, que se ve en tan numerosos estudios, es el símbolo del «movimiento interior» de las pasiones y las ideas, el estremecimiento espiritual, el aletear de esta *psyche* que los griegos representaban en forma de
mariposa, y que lega sus alas a las criaturas angélicas del cristianismo.

Es natural que una escena de tan alta espiritualidad, sobre todo en el
concepto de Leonardo, como *La Adoración de los Magos*, agrupe todas las
psyches aladas, las distribuya en coros comparables a los coros de los ángeles, y las haga evolucionar en torno a la Virgen y el Niño, de donde irradia
el propio principio del movimiento que las anima. Físicamente también,
la Virgen y el Niño constituyen el pivote, el cubo de rueda, según el que
se ordenan y se despliegan los gestos individuales y su integración en el
torbellino colectivo. Por ello, un cuadro como la gran tela inconclusa de
los monjes de San Donato (que tal vez no lamentaran en exceso que no
estuviera terminada, pues preferirían la composición prudente, tradicional, tranquilizadora de Filippino Lippi) recoge todas las adquisiciones
que Leonardo ha acumulado en esos quince años que acaba de pasar en
Florencia, y todas las experiencias del sabio, del artista, o incluso del simple «viviente», del paseante que se divierte con todos los espectáculos infinitamente coloreados y variados de la calle, porque de todas las cosas
obtiene alimento para su conocimiento del universo. Cada paso dado en
todas esas direcciones le acerca al foco al que aspira y que es el mundo del
alma donde todas las soluciones están escritas.

La Adoración de los Magos constituye así un resumen del sistema del
mundo, una traducción en formas vivas de los principios supremos que
regulan la vida del cosmos. Todas las ambigüedades de ese cuadro se explican, entonces, si se sabe leerlo en esta escritura secreta, en esta grafía de
las formas que, en la obra de Leonardo, está siempre preñada de un hondo significado. Entre los inventos más cautivadores del genial inventor, el
de las escrituras merece captar especialmente nuestra atención. La alegoría es de por sí una escritura que de la imagen y la agrupación de algunos
objetos obtiene un significado inteligible. Apasionado por estos juegos
de la inteligencia y esos «juegos de palabras» que son su calderilla, se aplicaba a inventar pueriles jeroglíficos que para él eran también ejercicios

lingüísticos, y soñó, incluso, en edificar todo un sistema de escritura pic-
tográfica, cuyo mecanismo tal vez había descubierto en los jeroglíficos
egipcios, que no habían sido descifrados aún, pero que una atención aguda como la de Leonardo debía de saber que utilizaba caracteres desconocidos pero análogos a los caracteres latinos, hebreos o árabes.

En su celo por examinar las «curiosidades» traídas de Oriente por
los mercaderes florentinos, y sobre todo por su amigo Benedetto Dei
—a quien dirigió su famosa carta sobre el Gigante, esbozo de una prodigiosa novela de aventuras, y en cuya casa verá las reproducciones de
las cavernas hindúes de Elephanta, tan alejadas de todo lo que soñó y
ejecutó la escultura florentina—, debió de descubrir también los textos
chinos y discernir en sus caracteres las imágenes chuscas que les dan su
significado: un hombre que lleva objetos bajo los brazos, para la palabra
«ladrón», por ejemplo. ¡Qué magnífico acicate para su imaginación
eran esas prodigiosas variedades de escritura, divulgadas por los objetos
que traían del Asia Menor o del Extremo Oriente aquellos infatigables
viajeros que eran los comerciantes italianos! Inspirado por ellas, Leonardo inventó también una escritura jeroglífica. Sus pictogramas recuerdan, a la vez, a Egipto y China, pero tienen una viveza de diseño de la
que carecen las antiguas escrituras pictográficas, que se han vuelto escle-
róticas y petrificadas, una viveza que él consigue en su deseo de hacer de
las grafías unas formas en movimiento legibles por su propio movimiento.[7] Animales andando o corriendo, una liebre en pleno galope,
pájaros con las alas abiertas, un hombre desnudo desplegando una vela
sobre su cabeza, un ojo parpadeando, un caballo dando coces se repiten
como los jeroglíficos en un texto egipcio, con su doble sentido de significación del objeto representado y, al mismo tiempo, de fonema que
entra en la composición de otras palabras.

Los pictogramas del Manuscrito de Windsor constituyen asimismo
signos estenográficos, de los que sólo Da Vinci conocía el empleo, alegorías como la que por medio de dos muchachas corriendo traduce la
idea de «aventura», o jeroglíficos como éste: una pera unida a la letra
«O» da «o-pera», es decir, ópera, obra. Es indiscutible que hay bastante
ingenuidad en estos inventos, pero la propia idea parece muy ingeniosa
y podemos creer que respondía al deseo de Leonardo de crear una escritura secreta cuya clave sólo él conociera y con la que pudiera exponer
sus descubrimientos, cuyos enigmas no quería revelar. Además, también debía resultarle tentador representar ideas, conceptos fijos e inmu-
tables, con figuras en movimiento, y es fácil comprender que se le ocu-

rriera poner las bases de esa criptografía, sin darle no obstante una importancia excesiva.

Del mismo modo podría descubrirse, creo yo, toda una criptografía, aunque ésta de naturaleza espiritual, en sus dibujos. La multitud de pequeños personajes desnudos, que son a menudo estudios para sus cuadros, o bocetos captados del natural, nos hace pensar en una verdadera colección de caracteres, y empleo a propósito la palabra «caracteres» por su múltiple significación, desde el carácter tipográfico, el signo empleado por el escriba o el tipógrafo, hasta el carácter que estudia esa rama de la psicología que denominamos caracterología. Los pequeños personajes dibujados por Da Vinci son, en esta doble acepción, caracteres; me refiero a que por una parte son tipos humanos en una actitud reveladora de cierto estado afectivo, y por otra constituyen arabescos gráficos destinados a ocupar su lugar, como tales, en esos vastos y complejos «caligramas» que son, desde cierto punto de vista, las composiciones pintadas por Leonardo.

Cada personaje de *La Adoración de los Magos* es así, en los dos planos que acabo de definir, un carácter humano y un elemento gráfico. En esta pintura, la concordancia entre el valor plástico del elemento gráfico y su significado moral o psicológico, la adecuación, en una palabra, del cuerpo y del alma plantea un problema cuya solución buscó Leonardo en todos sus cuadros y, sobre todo, en los que como *La Adoración de los Magos*, *La Cena*, *La Batalla de Anghiari* agrupan cierto número de personajes. Cada uno de estos personajes aparece entonces como una palabra en una frase, o una letra en una palabra; es a la vez gráfico y metafísico y místico, del mismo modo que la nota musical en una melodía o el vocablo sonoro en un poema. La faceta sinfónica de *La Adoración de los Magos* es evidente, como la de *La Cena*. En *La Adoración de los Magos*, parece responder a la fórmula del *concerto grosso* que alcanzará su esplendor en la época barroca, es decir, un conjunto limitado de instrumentos concertados en el interior de una orquesta y con ella. En torno al cuarteto formado por las figuras de la Virgen y el Niño y de los Reyes Magos, se desarrollan las distintas melodías de los instrumentos de cuerda o de viento, que son los ángeles y las comparsas de los cortejos reales, e incluso las lejanas fugas de los personajes que corren por la escalera en ruinas y de los caballos que se pelean.

La búsqueda del movimiento lleva a Leonardo a utilizar lo que es el movimiento en su forma más pura y más sutil. Me refiero a la música, en una composición orquestada con un prodigioso arte del contrapunto y de la modulación. Volvámonos hacia donde nos volvamos en nuestro examen de la obra de Leonardo, encontraremos siempre la música, lamentando que nunca figure en sus miles de hojas manuscritas alguna música anotada que nos habría permitido penetrar en las tendencias de su composición musical. Con su voz se apagaron las melodías que inventaba y que cantaba acompañándose con los instrumentos que había fabricado. No por vanidad, es cierto, ni para hacer pensar que ningún *luthier* podía igualarle, sino sólo porque, tanto en el terreno de la música como en el de la pintura, y más aún en el de las ciencias mecánicas, necesitaba fabricar los instrumentos antes de poner manos a la obra. Del mismo modo que la comprobación del más pequeño detalle asegura los fundamentos de un vasto sistema cósmico, la construcción del instrumento es el mejor modo de obtener exactamente el rendimiento deseado, tanto si se trata de una llana para el albañil como de una alabarda para el soldado o un laúd para el músico.

Fue apreciado en Florencia por los instrumentos musicales que fabricaba y por las sonoridades que de ellos obtenía (ya que, como deseaba esa música, virtual en su espíritu, creaba con sus manos el único instrumento capaz de darle la voz), y nada lo demuestra mejor, además de las palabras de sus contemporáneos, que el hecho de que fuera enviado en embajada ante Ludovico Sforza, llevando como carta de presentación una lira que él había fabricado y cuya sonoridad debía de ser, al parecer, tan singular como su forma y su materia.

Sin duda extrañará que la música, que ocupa tanto lugar en su obra y en su vida, se mencione tan pocas veces en sus cuadernos. Probablemente porque era, para él, lo inefable, pero al redactar el «paralelismo» entre las distintas artes, que sirve de preámbulo al *Trattato della Pittura*, da preferencia a la pintura sobre la música, porque dura más, y también porque, a su entender, el ojo es más eminente que la oreja. «Una cosa es digna en razón del sentido al que corresponde; la pintura, que satisface la vista, es pues más noble que la música, que sólo satisface el oído. Lo que forja la nobleza de algo es su eternidad; la música que va consumiéndose a medida que nace no iguala a la pintura que, vitrificada, se hace eterna...»[8]

Cuando se pone en camino hacia Milán, acompañado por Atalante Migliore,[9] se presentará, sin embargo, más como músico que como pintor ante Ludovico el Moro, dejando al destino la elección de las actividades que será llamado a ejercer en la hermosa capital lombarda que está impaciente por ver.

CAPÍTULO CUATRO

El hombre universal

«Milán es una gran, hermosa y alegre ciudad, gobernada como toda la región por un duque que tiene un bonito castillo junto a los muros del lado de poniente. Nos condujeron a ese castillo que tiene tres recintos: en el primero se ve, a la izquierda, un gran arsenal lleno de armas y piezas de artillería, grandes y pequeñas, luego se entra en un bello jardín lleno de animales y pájaros entre árboles y flores. Allí están los establos del duque, donde hay lugar para noventa caballos.» Esta página del «diario de viaje» del alemán Arnold Harff[1] podía haberse extraído de un diario de Leonardo da Vinci siempre que, durante esas peregrinaciones, se hubiera preocupado de anotar las etapas y describir los países que atravesaba. Leonardo no describe nunca por el placer de describir: las observaciones que hace por el camino son a veces pintorescas, pero se refieren con más frecuencia a los grandes temas que le absorben: geología, hidráulica, arquitectura, botánica o zoología. Los asombros de Harff el de Colonia son los del turista banal que contempla con pasmo seres y cosas, y tanto más cuanto más difieren de los que acostumbra ver cada día en su país. Da Vinci, por el contrario, se apodera de cada objeto que encuentra con esa conmovedora vivacidad que, más allá de la apariencia, persigue la verdad, interroga la identidad oculta tras mil rostros diversos y extrae leyes de todas sus deslavazadas experiencias. Ningún paseo que no sea instructivo, ningún minuto de ocio que no aporte su enseñanza: incluso la pereza es instructiva, aunque sólo sea para enseñaros lo que es.

Lo que sorprende a todos los viajeros, y Harff es un ejemplo de ello, es la preponderancia en Milán del elemento militar. Hay artillería en el palacio del duque, y es muy visible, para maravilla y justo temor de los visitantes. La hay en el palacio de la «duquesa viuda», cerca del Duomo, y no lejos de allí los arqueros del duque tienen su cuartel, como observa el alemán. Gran tema de asombro, en fin, para todos —sea un paseante germano o un gran artista recientemente llegado de Florencia— es ese barrio de los armeros, reservado, diríamos, a las «industrias de guerra» y donde cada especialista tiene su calle: en ésta se forjan corazas, en otra se afilan espadas. Los ilustres cinceladores de cascos y escudos viven en esa *via dei Armorari* donde Ludovico el Moro va a menudo a visitar a maestros y compañeros, admirando el filo de las dagas, los escarolados de los faldones de hierro y las hermosas historias mitológicas grabadas en esmalte negro en el contorno de los escudos.

En los días de fiesta, es costumbre que artesanos y mercaderes decoren las fachadas y las calles con los más hermosos productos de su trabajo; es agradable ver, entonces, llenando las estrechas callejas, las fantásticas alineaciones de armaduras vacías que, enhiestas a lo largo de las casas, cabalgan caparazones vacíos, estrechan en sus manos de madera el hacha y el estoque, mientras que los curiosos, en silencio y algo asustados, pasan bajo las bóvedas de lanzas cruzadas enarboladas por ausentes caballeros. Todo en Milán recuerda que el señor del ducado pertenece a una dinastía militar, que los ancestros del Moro fueron soldados de fortuna y soldados afortunados, puesto que el hijo del campesino-*condottiere* Muzio Attendolo era, a los veinte años, virrey de Calabria, y en vida de Leonardo su nieto Ludovico reina sobre uno de los principados más ricos y poderosos de toda Italia. Nada es imposible para quien desea con fuerza y tiende una mano enérgica hacia el objeto de su deseo; siempre, sin embargo, que la suerte le acompañe. «El que no tema en absoluto la fortuna no es prudente», dice Ludovico el Moro. La fortuna, hasta hoy, le ha colmado con sus favores y él espera que siga haciéndolo. La época es favorable, por lo demás, para las grandes aventuras, y quien posee las virtudes de un verdadero aventurero —es decir, la afición por el riesgo, la audacia de emprender, la paciencia de esperar y la rapidez en la acción— está seguro de tener éxito. Así lo hicieron, antes que Ludovico, su padre y su abuelo: aquella audacia brutal y rápida, por fortuna, no se ha atenuado en absoluto en la personalidad más compleja de su descendiente, más estadista, sin embargo, que guerrero. No se ha dejado ablandar por la cultura y el lujo, que perdieron a tantos soldados de fortuna. Milán sigue siendo una plaza fuerte y su duque un *condottiere* diestro y valeroso: el Moro posee las sólidas mandíbulas necesarias para devorar la presa que ambiciona.

Por desgracia, no es el único sentado a la mesa del festín: otros comensales están ahí, inquietos ante el apetito que muestra y la enormidad de las porciones que se sirve. Entre los soberanos de la península, son varios los que desean tomar para sí la totalidad del plato: el rey de Nápoles, los armadores de la Serenísima, el papa y su hijo, incluso el «príncipe de los banqueros» florentino... por no hablar del emperador alemán y del rey de Francia, que están en las fronteras con las armas en la mano. Todas esas ardientes ambiciones espían y vigilan las ambiciones de los demás. «En aquel tiempo, Italia se equilibraba de suerte que las potencias no concedían a nadie el derecho a crecer; cada cual debía mantenerse en sus estrictos límites. De ahí todas las guerras y todas las confederaciones, de ahí la rapidez con la que se formaban y disolvían las ligas: quien se os ofrecía como aliado al comienzo de una empresa, se revelaba al final vuestro enemigo declarado; cada cual estaba dispuesto a luchar contra vuestro adversario, nadie a perseverar contra él; más aún, los mismos que se esforzaban en haceros obtener la victoria os impedían realizarla por completo: tan grandes eran la envidia y el temor en los que vivían los Estados.» Y Nulli añade, a este juicio de Porzio, ese acertado comentario sobre la política de los Médicis, hecha también del equilibrio entre sus propias ambiciones y las de los demás: «El famoso equilibrio atribuido a la sagacidad de Lorenzo el Magnífico era el peor y el más inestable de todos; era un equilibrio de egoísmos al acecho como perros famélicos y amenazadores.» Fuera cual fuese la preponderancia dada a las artes de la guerra en el ducado y en su capital, las industrias de paz florecían también allí, como las de la lana y la seda, que eran de las más lucrativas y daban lugar a una profusión de oficios de lujo: tapiceros, fabricantes de damascos y brocados, hiladores y tejedores de oro. Con el fin de proteger a los sederos milaneses que, en menos de medio siglo, habían llevado esa técnica y ese arte a un increíble grado de refinamiento y perfección, se había prohibido importar seda ya tratada, pues quince mil milaneses ganaban su subsistencia trabajando la materia prima. Asimismo la lana llegaba en bruto de Alemania e Inglaterra y, manufacturada por los lombardos, partía de nuevo hacia Francia en forma de hermosos tejidos. La plata de las minas alpinas era modelada y cincelada por centenares de orfebres y no había labor de artesano o mercader que no tuviera su tienda en las calles superpobladas, apretujadas en torno a antiguas iglesias como Sant'Ambrogio, San Lorenzo y la catedral, muy blanca y erizada de campaniles como un glaciar de los Alpes, que esperaba aún la cúpula que había de ser espléndida y genial como la de Santa María de la Flor, en Florencia.

Plata y joyas se amontonaban en incalculables cantidades, en las cámaras fuertes de la Rocchetta, al pie de la más alta torre del castillo; tesoro de guerra para el éxito de grandes aventuras, opulenta reserva que
el Moro utilizaba para su lujo y sus placeres. Riqueza y poder llevaban a
Ludovico Sforza a tan alto grado de confianza en sí mismo, de audacia y
de orgullo que, de creer los informes que de él hacía a la Serenísima República de Venecia el embajador del dux, Malipiero, «su orgullo y su
arrogancia desafían cualquier descripción. Mira al papa Alejandro como a su capellán, al emperador Maximiliano como a su *condottiere*, a la
Señoría de Venecia como a su chambelán y al rey de Francia como a
su correo que galopa de aquí para allá para su utilidad y su placer». La
numerosa artillería amontonada en los arsenales del Castello constituía,
además, un poderoso argumento en favor de la hegemonía sforzesca;
pocos príncipes italianos poseían, por aquel entonces, tantas bombardas y tantos falconetes, y mantenían tan pródigamente a sus servidores.
Y encima, cuando había gastado enormes sumas para sus diversiones,
que eran su capricho y su pasión, y para la preparación de la guerra, a
la que se aplicaba su solicitud de hijo de soldado, el tesoro inagotable
seguía derramando chorros de ducados en las manos de los poetas de la
corte (cuyas loas tenían bastante en común con la publicidad y la propaganda), de los músicos que alegraban sus fiestas y hacían bailar a sus
amantes, de los arquitectos y pintores que trabajaban sin reposo haciendo de Milán, para asombro de los viajeros italianos y extranjeros, «la
perla de la península».

Por aquel entonces, cuando el *condottiere* más ignorante se enorgullecía de partir en campaña con una comitiva de pintores y tocadores de
laúd, no había corte italiana, grande o pequeña, que no considerase
la cultura como el ornamento inseparable del prestigio político y de la
autoridad principesca. El creador de la fortuna de los Sforza, el campesino-soldado, era más ducho en el manejo de las armas que en la lectura
del latín, y aunque había intentado que su hijo Francesco fuera educado
como convenía a su rango —es decir, con preceptores eruditos y maestros de lenguas antiguas—, el segundo de los Sforza no había malgastado mucho tiempo en cultivarse. El tercero, en cambio, que había recibido la herencia principesca de los Visconti, ponía todo su amor propio
en no dejar que se redujera y decayera el patrimonio de arte y cultura
con los que éstos habían dotado a Lombardía durante su larguísimo reinado. Hubiera sido inconveniente que el príncipe más rico de toda Italia, cuyos recursos anuales ascendían a treinta millones de francos oro, y

del que se afirmaba que era dueño del tesoro más cuantioso, no sólo de Italia sino incluso de toda la cristiandad, se mostrara cicatero con los artistas y los sabios. Los poetas de corte calificaban Milán como la «nueva Atenas», y no era simple encomio de cortesanos. La Universidad de Pavía, que había sido fundada por los Visconti en 1361, contaba con noventa profesores eminentes en sus disciplinas, derecho, medicina, poesía, filología, matemáticas, historia. Rivalizando con Florencia, la capital lombarda presentaba al mundo maravillado una profusión de talentos e ingenios, con los que se adornaba orgullosamente. Estaba también a la cabeza de todos los descubrimientos, de todas las innovaciones, el primer libro italiano se imprimió en una prensa milanesa, a pesar de la desconfianza que mostraban, con respecto a ese medio mecánico de reproducción, los grandes humanistas de la corte sforzesca, Lascaris, Chalcondylas, Merula, Filelfo y Mombritius.

Puesto que Ludovico el Moro mostraba cierta predilección por la música, era natural, a fin de cuentas, que este arte fuese objeto de una especial solicitud y de generosos alientos; junto a los músicos de los Países Bajos, que constituían por aquel entonces la escuela más brillante y más avanzada en el campo del canto y la instrumentación, el compositor Florenzio y el maestro de capilla Franchino Gafurio representaban el estilo italiano más hermoso y puro. Ante ellos, Leonardo iba a hacer oír el extraordinario instrumento del que era inventor y que debía servirle como «carta de presentación» ante el «tirano» lombardo, aquel príncipe sin corona de la ilustre y rica Milán, mientras lo escuchaban con sorpresa y recogimiento los cantores de la *schola* ducal, vestidos con largas túnicas de seda fina del color de la flor del melocotón, o de paño violeta o verde saúco, traje que había sido diseñado y coloreado a mano por el duque Galeas Sforza, tan encariñado con sus chantres flamencos que se hacía seguir a cualquier lugar por su cohorte y su maestro Verbeke.

Los informes que en Florencia circulaban sobre el carácter y la personalidad del duque de Milán eran demasiado discordantes para que Leonardo pudiera representarse exactamente, sin haberle conocido, al señor a cuyo servicio iba a entrar. Existía entre el castillo sforzesco y el palacio mediceano de Via Larga una rivalidad tanto en la preeminencia política cuanto en materia de cultura. Se reprochaba a Ludovico que se quedara, a precio de oro, con los mejores músicos europeos que abandonaban Florencia y las demás cortes italianas en beneficio de Milán, que se apropiara de los arquitectos más hábiles y los más sabios ingenieros militares. Por fortuna, la Academia platónica no abandonaba Careggi y Poggio en Caiano, y la «ciudad de las flores» seguía siendo, a pesar de todas las rivalidades, la capital mundial de la pintura: habían dejado partir, sin lamentarlo, a Leonardo da Vinci porque los conocedores no le apreciaban tanto como a un Botticelli o un Ghirlandaio, y él mismo no parecía considerarse en absoluto un maestro tan admirable en el arte de pintar, el que además creía ser el más insignificante de sus talentos.

La posteridad ha dado a Ludovico Sforza un mote que no le conviene en absoluto llamándole el Moro. Habría que decir, para ser exactos, la Mora o la Morera, pues el nieto de Attendolo Sforza había tomado por emblema ese fruto y ese árbol. Es probable que fuera oscuro como una mora y un moro. Además, una cabeza de negro figura en su escudo de armas, y se divertía manteniendo a su lado a hombres de color, bufones negros, que le entretenían tanto como los monos con los que jugaba. Había elegido la mora como fruto emblemático, no tanto a causa del parecido que descubría entre el color de esa baya y su color atezado sino, mucho más, por las virtudes que la mora encarnaba en el simbolismo medieval, un simbolismo al que el Renacimiento seguirá siendo fiel por mucho tiempo y que conservará religiosamente en sus tradiciones piadosas o literatas, incluso cuando, en tantos otros campos, presumirá de haber hecho tabla rasa de la herencia de la Edad Media. La morera es el árbol del que se nutre el gusano de seda, fuente de una parte considerable de la prosperidad lombarda, y la morera aparece, al igual que el gusano que alimenta, como imagen de la paciencia, de la prudencia. Que se diera a Ludovico un apodo que le emparenta con la planta a la que Saxius llama «el más prudente de los vegetales» parece un diestro halago y, al mismo tiempo, un elogio al modo como Sforza aguardaba su hora para reinar, esperando la desaparición de su sobrino que era el heredero legítimo del ducado de Milán. Los jefes de Estado eran, por lo general, más impacientes y poco escrupulosos en la elección de los medios cuando se trataba de apartar de su camino a los hombres que se cruzaban en su ruta hacia el trono. Loable mora, «la última en hacer crecer sus hojas, la primera en la madurez de sus frutos»; Ludovico Sforza escuchaba con complacencia el extraño apodo con que le habían obsequiado. Si tenía la negrura de la mora, también sabía, como ella, tener paciencia y contemporizar hasta la hora del éxito. La intuición popular lo había comprendido y se lo agradecía. Tal sumisión al destino le valía ser considerado un hombre de naturaleza buena y dulce; eso acrecentaba su reputación y, por añadidura, nunca había olvidado los preceptos que el viejo Attendolo había enseñado a su hijo Francesco el día en que le había lanzado a la conquista del mundo y que éste, a su vez, había repetido a Ludovico: «No te acerques a la mujer de otro; no pegues a uno de los tuyos o, si lo has hecho, aléjale de ti enseguida y lo más posible; no montes nunca un caballo que tenga la boca dura y que sea proclive a perder su herradura.» Provisto de estas reglas de prudencia, el viejo Sforza consideraba que, siempre que se observaran fielmente durante toda la vida, no se necesitaba saber más.

No obstante, Ludovico el Moro había enriquecido considerablemente el tesoro de sus conocimientos, y por muy alto que fuera el grado de cultura de los hombres distinguidos de aquel tiempo, la suya estaba a la altura de la de los mejores. Su padre, Francesco, cuya vida había transcurrido guerreando por cuenta de los príncipes que le pagaban, bien o mal, estimaba la instrucción por las virtudes que desarrolla en los hombres y por el renombre que les valía en una época en que la indiferencia hacia la literatura era considerada una enorme grosería. No dejaba de alentar, pues, a sus hijos a que prosiguieran seriamente sus estudios junto a los eminentes preceptores que les había proporcionado. Además era costumbre que hijos e hijas saludaran a sus padres, en los días de fiesta, con pequeños cumplidos compuestos por ellos mismos, y preferentemente en latín. Acostumbrado a estos sabios ejercicios tanto como a los juegos guerreros para los que fue preparado muy pronto por sus maestros de armas y sus escuderos, el Moro conocía bastante la lengua de Horacio y de Virgilio como para admirar los libros de los humanistas, y les estimulaba a proseguir esa admirable obra de resurrección de la Antigüedad que habían emprendido. Un príncipe, en suma, sólo era estimado, en aquella Italia enamorada de la belleza, en proporción a la ayuda que dispensaba a los literatos y los artistas. Tenía que jugar a ser mecenas, y Ludovico Sforza no descuidaba cumplir esta misión que, según la munificencia con que la ejercía, clasificaba a un soberano entre los monarcas respetables o los avaros ignorantes.

Es probable que en las intenciones del Moro entrara el deseo de eclipsar a los Médicis en cuanto a la protección concedida a los artistas. Pero el amor de Ludovico hacia los artistas no era del todo gratuito ni desinteresado. En aquel tiempo, cuando no existían periódicos, las cartas que se intercambiaban los poetas y los humanistas de una corte a otra eran el mejor medio de dar a conocer en todos los principados italianos las pacíficas hazañas de ese o aquel jefe de Estado: el brillo de sus fiestas, la descripción de sus castillos, la revelación de una nueva obra de arte que él había encargado o comprado, le servían de propaganda y aumentaban su reputación de hombre de buen gusto. Le agradara o no, la presencia en su corte de los artistas y los sabios era una especie de necesidad a la que no intentaba substraerse el más rústico de los barones. En resumen, la prodigalidad, signo evidente de riqueza y de generosidad, era de buen tono puesto que acrecentaba considerablemente la admiración y el respeto que siempre han rodeado la persona de los hombres ricos. De modo que fue tanto para suscitar la envidia y el asombro de los Médicis como para satisfacer sus propios anhelos de comodidad y de lujo que los Sforza, cuando fueron a visitar Florencia en 1471, se hicieron acompañar por una caravana de dos mil caballos y dos mil mulos, engualdrapados de blanco y negro y luciendo las armas de los Sforza bordadas en oro, seda y plata. Los seguían varios carruajes que transportaban los equipajes, la ropa de cama y los muebles necesarios para los viajeros, en aquella época en la que sólo se hallaba en las posadas lo que uno mismo aportaba.

Ludovico el Moro fue alentado y aconsejado, en su amor por el fasto y sus encargos de obras de arte, por su mujer, Beatrice d'Este. Ésta, procedente de una de las cortes más nobles y refinadas, llevó a aquella Lombardía más pesada, más espesa, más materialista que su Ferrara natal, un aire de elegancia, de distinción, de refinamiento que les faltaba a los descendientes del campesino-soldado. Beatrice d'Este era una curiosa personita, de rostro redondo, vivaz y original. Tenía dieciséis años cuando Ludovico, que por su parte superaba la cuarentena, la desposó, y ella había conservado, a pesar de su precoz madurez por lo que se refiere a las cosas del espíritu, unos caprichos de niña. Se divertía encerrando zorros y gatos silvestres en los aposentos de los embajadores, que se apresuraban a reírse con ella de la broma, e incluso cierto día se encaró con unas mujeres del pueblo que se habían burlado de ella, como se desprende de la jovial carta que sigue, escrita por el propio Moro a su cuñada, Isabel d'Este, duquesa de Mantua.

«No podría describiros ni la milésima parte de los pasatiempos y placeres de la ilustrísima duquesa de Milán y de mi esposa: hacen correr los caballos a rienda suelta, persiguen a sus damas de compañía y se divierten haciéndolas caer de la silla de montar. Aquí en Milán se les ha ocurrido, a pesar de la lluvia, ir a pie por los empapados caminos, con cuatro o cinco damas, con un velo o *suga capi* en la cabeza, a hacer unas compras en la ciudad. Y como aquí no se suelen llevar esas *suga capi*, parece que unas mujeres del pueblo comenzaron a insultarlas; entonces, mi esposa se encendió y respondió en el mismo tono, hasta el punto de que casi llegaron a las manos. Regresaron a casa hechas jirones y muy fatigadas; ¡era un hermoso espectáculo!»[2] Adorando el placer, inventando sin cesar nuevas modas graciosas o extravagantes, impaciente por gozar de una vida que acaso presintiera que iba a ser breve, la pequeña esposa de Ludovico el Moro mantenía en aquella corte una alegría que no existía en absoluto antes de su llegada, y un mecenazgo más ilustrado, más generoso que el de su marido, que prefería, por su parte, la caza a las diversiones del espíritu. El Moro tenía un centenar de magníficos caballos en sus establos y un equipo de perros y halcones como no existía en los demás principados italianos.

Entre los consejos brotados de la sabiduría tradicional de los campesinos, que Francesco Sforza había recibido de su padre y que a su vez él había transmitido a sus hijos, había este proverbio: «Tres cosas son especialmente difíciles de elegir, un buen melón, un buen caballo y una buena esposa.» No sé si Ludovico el Moro entendía de melones, pero la magnificencia de sus establos y la presencia, en su casa, de la exquisita princesita D'Este demuestran que tenía buen gusto en materia de mujeres y de corceles. Aunque vulneremos la moral, debemos reconocer que extendía su buen gusto a la elección de sus amantes, las más conocidas de las cuales, Lucia de Marliano, Lucrezia Crivelli, Cecilia Gallerani, fueron inmortalizadas por admirables retratos debidos, tal vez, a Leonardo da Vinci o a sus discípulos. Este complejo personaje, tan poco escrupuloso en materia de fidelidad conyugal y tan indiferente a la pena que causaba a su mujer, sintió a la muerte de ésta un dolor terrible, en el que probablemente entraban también ciertos remordimientos. Durante el año que siguió a la muerte de Beatrice, ordenó que la corte entera ayunara los martes, que era el día en que ella había muerto, y él mismo no comió de otro modo que de pie, con ropas oscuras y miserables. Encargó, en fin, a Leonardo da Vinci que forrara de negro las paredes, el techo y el suelo de la pequeña cámara donde había decidido retirarse durante todo aquel año.

Que fuese igualmente sincero en su pasión por su mujer y en los placeres extraconyugales a los que no quería renunciar se explica por la complejidad del temperamento y la singularidad del carácter de los hombres de aquel tiempo. Sin duda, también influyó la tentadora belleza de las mujeres, pues Harff, el viajero alemán, afirma que durante su viaje por Italia no había visto féminas más hermosas que las que encontrara en Milán.

A esa corte, a la vez magnífica y guerrera, frívola y cultivada, refinada y brutal llega Leonardo da Vinci, llevando su lira[3] y una carta que hace entregar al Moro, pues no desea que se le considere simplemente un músico de corte, y está impaciente porque le encomienden las grandes y variadas obras de las que su genio es capaz. No hay presunción alguna en esta orgullosa enumeración de sus talentos. Todo lo que dice ser capaz de hacer, puede realizarlo. Citada a menudo, esta carta constituye un retrato intelectual de Leonardo tan excelente que es conveniente reproducir aquí este documento fundamental en el que el gran artista ofrece al señor de Milán los servicios que a su juicio más deben agradarle. Como se verá, Leonardo se guarda mucho de poner en primera línea su genio de pintor, pues los pintores no son lo que más desea el príncipe lombardo y, por añadidura, los gustos de Milán en esta materia no son los mismos que los de Florencia. Región opulenta, algo pesada y húmeda, a Lombardía le gusta un estilo pictórico rico, opulento y oleoso; la austeridad limpia, seca y gráfica del arte toscano le agrada muy poco. Para un pintor no es en absoluto una recomendación en Milán proceder de Florencia, aunque se sepa que Leonardo da Vinci se ha distinguido allí por un modo de pintar bien diferente, y sobre todo por su evidente predilección por la pintura al óleo, que se tiene por inútil, superflua y casi escandalosa en aquella capital del fresco.

Leonardo evita, por otra parte, entrar en competición con los pintores lombardos, seguro como está de no poder, de entrada, rivalizar en «lombardidad» con ellos, y temeroso de suscitar sus celos. Existen en Milán excelentes pintores, como Borgognone, Ambrogio da Predis, Foppa y algunos más, por ejemplo Bramante, que es casi tan sobresaliente en el arte de pintar como en su talento de arquitecto. Leonardo espera, por otra parte, que el Moro le procure la ocasión de aumentar sus conocimientos y desarrollar sus aptitudes en esas técnicas que le interesan quizá tanto como la pintura, y que interesan sin duda mucho más al militar que es Ludovico; y en especial porque Milán se ve amenazada por una guerra que requerirá la puesta en acción de todos los medios estratégicos. Enviado a la corte de los Sforza en calidad de tañedor de lira y constructor de instrumentos de música, Leonardo se metamorfosea allí sin tardanza en ingeniero militar; el día en que las artes de la paz puedan ser ejercidas sin inquietud ni escrúpulos, podrá demostrar su preeminencia en el oficio de pintor y escultor que, en esta carta, se desliza modestamente en la última fila.

«Conozco el medio de construir puentes muy ligeros y fuertes, muy fáciles de transportar también, que permiten perseguir al enemigo y, si es necesario, huir de él, y otros más sólidos aún, que resisten el fuego y la batalla, cómodos, fáciles de construir y de quitar. Sé también cómo se prende fuego a los puentes del enemigo y cómo demolerlos.

»Sé cómo se vacía el agua de los fosos, cuando se asedia una ciudad, cómo se hacen los puentes, las "gatas" —que son navíos cubiertos que permiten atravesar los fosos y llegar a las murallas del adversario—, las escalas y todos los instrumentos que convienen a tal género de expedición.

»*Ítem*, si a causa de la altura del terreno o de la fuerza del castillo no se pueden emplear las bombardas, tengo el medio para demoler no importa qué castillo o qué fortaleza, a condición de que los fundamentos no se asienten en la roca.

»Sé cómo construir bombardas muy cómodas y fáciles de transportar, que proyectan una profusión de proyectiles ligeros y cuyo humo causa un gran espanto en las filas del enemigo, para su mayor confusión y su segura pérdida.

»Y si acaso la batalla tiene lugar en el mar, conozco los medios de construir varios ingenios muy aptos para dañar o proteger los navíos, y para resistir las más grandes bombardas, las pólvoras y los humos asfixiantes.

»*Ítem*, conozco los medios, disponiendo subterráneos secretos y sinuosos ejecutados sin ruido alguno, de alcanzar el lugar que se quiera, aunque para ello sea necesario pasar bajo fosos o corrientes de agua.

»*Ítem*, haré carros cubiertos, bien protegidos y seguros, que, penetrando en las filas del enemigo con su artillería, conseguirán que ni la mayor multitud de soldados sea capaz de resistirlos. Y tras esos carros, la infantería avanzará, sin daño y sin encontrar obstáculos.

»*Ítem*, cuando se haga sentir la necesidad, fabricaré bombardas, morteros y "passavolanti" de formas útiles y bellas, tales como no existen en el uso corriente.

»Allí donde las bombardas no puedan alcanzar su efecto, compondré balistas, onagros, catapultas y demás ingenios de admirable eficacia, y diferentes de los que se emplean; en una palabra, de acuerdo con lo que exija cada circunstancia particular, fabricaré una infinidad de cosas diversas que permiten atacar y defenderse.

»En tiempos de paz, creo ser capaz de rivalizar con cualquiera en arquitectura, para la construcción de edificios públicos y privados, y para la conducción de agua de un lugar a otro. Del mismo modo, ejecutaré en escultura de mármol, de bronce o de arcilla, y *similiter* en pintura, todo lo que puede hacerse tan bien como cualquiera y cualquier tema que se desee. Podré, entre otras cosas, trabajar en el jinete de bronce que será la gloria eterna y el inmortal honor de Vuestro Señor Padre, de feliz memoria, y de la ilustre casa de los Sforza.

»Y si alguna de las cosas antes enumeradas le parece a alguien imposible o irrealizable, me declaro muy dispuesto a hacer la experiencia en vuestro parque o en cualquier lugar que complazca a Vuestra Excelencia, a la que me recomiendo tan humildemente como puedo.»[4]

Esta enumeración iba precedida por un corto preámbulo en el que Leonardo subrayaba el hecho de que aportaba unos inventos de los que sólo él era capaz, máquinas que nunca habían sido empleadas aún, y que poseía secretos que se declaraba dispuesto a desvelar cuando fuera, siempre que quisieran escucharle. Su principal ambición era distinguirse, no sólo de los ingenieros militares cuyas técnicas eran ya conocidas, sino incluso de los inventores más o menos quiméricos que debían de acosar al Sforza con sus proposiciones. Los observadores políticos presentían que la guerra iba a estallar muy pronto, y dos cosas eran entonces importantes: poseer una artillería más poderosa en número y en calibre que la del enemigo —ya fuera italiano o extranjero—, y disponer de armas secretas cuya súbita revelación en el campo de batalla debía aterrorizar y desconcertar al adversario. Los procedimientos de los que Leonardo se declara inventor tienen, dice, el inmenso mérito de ser nuevos y no parecerse a nada de lo que se había hecho hasta entonces. Por parte de un hombre de treinta años, ese ofrecimiento que significa nada menos que una completa renovación del arte militar resulta realmente prodigioso, y cabe preguntarse qué impresión le produjo al nieto de Attendolo Sforza, hombre de guerra que, en esta materia, había visto y oído mucho y al que pocas cosas podían asombrar.

El tono de la carta no revela vanidad alguna, descaro alguno; sólo se percibe en ella la tranquila seguridad de un hombre que sabe de qué es capaz y propone ser puesto a prueba de inmediato. En otro tiempo, la exhibición de tan variados dones, de talentos tan universales hubiera inquietado, pero la época no era ya, a Dios gracias, una época de especialistas, de modo que se admiraba al artista que dominara muchas y variadas artes. Brunelleschi habría podido escribir una carta semejante, y Alberti también, sin suscitar una risita de desconfianza por parte de quien temiera que «se le ofrecía demasiado». Para los hombres de aquel tiempo, desbordantes de vitalidad e impacientes por multiplicar hasta el extremo su personalidad, nada era demasiado, y hubieran mirado como a un mediocre, como a un peón que se contenta con poco, al artista que no supiera manejar con igual maestría el formón, el pincel, el compás del arquitecto y las herramientas del fundidor de cañones. A sus ojos la universalidad no era una tontería quimérica, sino el objetivo hacia el que todos tendían y que deseaban alcanzar. Eso parece tan natural que, en vez de lanzar gritos de asombro, los historiadores, los biógrafos y los cronistas mencionan, como si fuera lo más lógico, a tal prodigioso compendio de conocimientos reunidos en un solo hombre: ya fuese Alberti, Francesco di Giorgio o Leonardo.

¿En qué empleará la corte de Milán al hombre universal que tan generosa y oportunamente se ofrece a servirla? Carecemos de información sobre la fabricación de las máquinas de guerra, que constituía lo esencial de la carta; si Leonardo se dedicó a ella, nada lo atestigua ni en los archivos del ducado, ni ha quedado rastro de los propios ingenios. Sólo tenemos, claro está, la profusión de dibujos que encontramos en los manuscritos de Da Vinci y que se refiere a los instrumentos guerreros. Estos dibujos dan testimonio suficiente de su carácter de novedad y de su aptitud para cumplir las funciones que el autor les atribuía para que consideremos que Da Vinci, en esta carta, no propuso nada que no fuese capaz de realizar.

Durante más de veinte años, desde 1483, que es el año probable de su llegada a Milán, hasta 1499, fecha en la que concluye su estancia en la corte de los Sforza y que precede, por poco, al hundimiento del Moro, le vemos responder a todas las exigencias del señor, tanto si se trata de excavar canales, de organizar fiestas (de las que será, al mismo tiempo, el director de escena, el decorador, el músico, tal vez incluso el actor), de construir y reparar edificios, de esculpir un coloso ecuestre y hasta de pintar curiosas decoraciones en las salas del Castello Sforzesco, algunas composiciones y algunos retratos y, finalmente, para el Cenáculo de Santa Maria della Grazie, la más célebre y admirable de sus obras maestras: *La Cena*.

A ese hombre que aspira a la universalidad se le pidió ser universal, y esas mismas exigencias que habrían aplastado a un artista ordinario sólo estimularon en él el afán de aprender cada vez más, de realizar cada vez más cosas. Al igual que Lorenzo el Magnífico, tampoco Ludovico el Moro comprendió la verdadera naturaleza de Leonardo. Le concedió, es cierto, un justo tributo de admiración, le recompensó por sus trabajos con esas alternativas de generosidad y avaricia que caracterizan a la corte de Milán —probablemente también a todas las cortes— y en el acto de donación de la *vigna* que le convertía en un «terrateniente», le calificó como artista sin igual tanto en el pasado como en el presente, y afirmó que sus creaciones nunca podrían remunerarse con bastante esplendidez. A Leonardo, para el que cualquier incitación nueva era un placer y un estímulo, le contentaban esas múltiples ocupaciones que le imponía la vida de la corte, y se divertía prodigando sus dones con esa despreocupada liberalidad, esa buena gana y esa complacencia que no encuentra denigrante trabajo alguno, y que no cree rebajarse al ocuparse en obras tan perecederas como la escenificación de ballets o la creación de decorados de teatro.

En los años que siguieron a la llegada de Da Vinci a Milán, se celebraron algunas de esas bodas principescas que proporcionaban a los señores lombardos la ocasión de lucir su magnificencia, de un modo a menudo algo ostentoso y molesto, incluso para quienes eran sus beneficiarios, pues advertían que se trataba de deslumbrarles e imponerles un exceso de suntuosidad. Fueron éstas las bodas de Gian Galeazzo, el sobrino de Ludovico el Moro —a quien el destino había reservado el trágico papel de ser un obstáculo entre la ambición de su tío y la corona ducal— con Isabel de Aragón que, al enviudar poco después de su boda, firmó en adelante sus cartas con esta dolorosa frase: «Isabel, única en su desgracia»; las de Alfonso d'Este con la hermana de Gian Galeazzo, Anna Sforza; las de otra hermana del infeliz sobrino del Moro, Bianca Maria, con el emperador Maximiliano; las del propio Ludovico, por fin, con la pequeña princesa D'Este, Beatrice, a la que le habían dado como prometida cuando tenía sólo cinco años y con la que se casó once años más tarde, en el mes de enero de 1491. El inagotable ingenio de Leonardo fue puesto a prueba por todas estas ceremonias que comportaban un prodigioso conjunto de cortejos, fiestas, ballets, espectáculos y fuegos de artificio. Durante varias semanas, a menudo, tenía lugar una ininterrumpida sucesión de diversiones en la que se gastaba tanto gusto y fantasía como dinero. La riqueza de los trajes, la singularidad de las alegorías, las alusiones a la historia antigua y a las divinidades del paganismo, las diestras loanzas a la grandeza de los nuevos esposos se desplegaban mediante espectáculos de teatro, de circo y carrusel. Máquinas complicadísimas hacían, en un segundo, crecer selvas, desaparecer grutas, volar genios y ángeles, surgir dragones. Carros de oro se elevaban en cielos de apoteosis a los acentos de una sublime música, los dioses del Olimpo iban a felicitar a los esposos, ejércitos vestidos de relucientes uniformes se enzarzaban en fingidas batallas y unas escuadras se enfrentaban en naumaquías sin peligro alguno. Mientras que los poetas de la corte, Bellincioni, y Bossi, prodigaban su talento en halagadores *concetti*, los pintores esbozaban decorados y arcos de triunfo, componían trajes a la antigua para las danzas y los torneos.

Para la fiesta del Paraíso, que se celebró el 13 de enero de 1490 y que dejó tan pasmados a los embajadores extranjeros que todos los informes revelan su maravillada estupefacción —el enviado del zar moscovita, en particular, declaró que nunca se había visto y nunca se vería nada comparable...— Leonardo había edificado, en una de las salas del Castello Sforzesco, la misma donde Ludovico solía oír misa, una montaña hecha con numerosas hileras de rocas. Un enorme huevo la coronaba. Hubo primero danzas protagonizadas por los distintos pueblos de la tierra, incluidos los «hombres salvajes» vestidos sólo con su pelambrera y armados de garrotes, que presentaban sus respetos y sus dones a los ilustres espectadores. Luego, cuando todos los representantes de la humanidad hubieron celebrado la gloria de los Sforza, les tocó a los dioses entonar su loanza. El huevo giró y se abrió revelando los siete planetas que lo habitaban; las doce casas del zodíaco que lo coronaban se pusieron también en marcha y, acompañados por una música que evocaba la armonía de las esferas y cuyo ritmo reflejaba el movimiento de los mundos, los astros, representados por personajes extrañamente ataviados, saludaron a los príncipes y les recitaron hermosos poemas. De este modo se desarrolló la fábula mitológica, con los ballets de las Gracias y las Virtudes, los coros de las Ninfas, las divinas danzas de Mercurio, de Júpiter y de Apolo.

Si al poeta cortesano Bellincioni le correspondía la tarea de componer hexámetros bellos y elegantes, a Leonardo le tocaba ajustar aquellos complicados y sorprendentes mecanismos en los que toda su ciencia hallaba aplicación. Esas maravillas teatrales exigían mucho ingenio y talento, para que las evoluciones de las máquinas conservaran esas cualidades de gracia y armonía que debían presentar a la mirada de su público. Se trataba de impresionar la imaginación de los espectadores satisfaciendo al mismo tiempo su gusto por la erudición; era preciso, en suma, que se sintieran transportados a un mundo misterioso, que olvidaran que todo aquello era sólo espectáculo, que participaran realmente en la evolución de los astros y los placeres de los dioses: todo ello por efecto de algunos engranajes, de algunos contrapesos, ocultos en las nubes de muselina rosa y tras acantilados de tela pintada.

Leonardo no sentía inclinación alguna por creer lo simulado; nunca se encuentra en él esa aptitud para confundir el sueño y lo real, lo inventado y lo existente, el objeto y la quimera, que tan útil les resulta a los grandes decoradores barrocos. Para ellos, la frontera entre el mundo fantástico y la realidad cotidiana es por completo inexistente. La propia esencia de su genio consiste en esta admirable facilidad con la que pasan, sin cambiar de plano, de lo imaginario a lo concreto. Lo sobrenatural es en ellos algo innato. Por consiguiente, el teatro se convertirá, tanto en el texto como en el decorado, en la forma de expresión preferida por una época que alcanza su apogeo en el drama isabelino y en los autos sacramentales del Siglo de Oro español, y que en Francia plasmará en fabulosos ballets ese exceso de fantasía al que la tragedia clásica no podía dar salida. En materia de teatro, Leonardo sigue siendo un hombre del Renacimiento, y diré incluso que, a ese respecto como a tantos otros, es un hombre de la Edad Media. Es cierto que las alegorías que pone en escena están llenas de temas paganos, como exige el espíritu del tiempo, pero se vinculan al viejo simbolismo gótico y, en cierto modo, a la técnica teatral de los misterios, así como a la tramoya que se usaba en los «entremeses» de la corte de Borgoña o de Berry. Esta Edad Media moribunda encuentra, dada su inquietud, su insatisfacción y su malestar espiritual, una salida y una compensación en el teatro. En los improvisados escenarios de las salas de banquete se representan las grandes aventuras que ya no se viven, la toma de Troya o de Jerusalén, las audaces navegaciones de los Argonautas o los cruzados. La agonizante caballería sueña con los fastos de la antigua caballería, y los proyecta en el espejo del teatro. Milán, que seguía estando, en cierto modo, en la atmósfera de la Europa nórdica —hasta el punto de que la corte de los Sforza se parece mucho más a la de los duques de Borgoña que a la de los Médicis— sigue impregnada de ese espíritu en el que se refleja el declive de la Edad Media. Mientras que el palacio mediceo de Via Larga, en Florencia, es la más representativa de las moradas principescas del Renacimiento, el Castello Sforzesco sigue siendo, a causa de unas necesidades militares que no se imponían a los Médicis, pero también a causa de ese espíritu, una fortaleza medieval. El modo como Renacimiento y Edad Media se funden en Milán ofrece muchas analogías con la combinación que forman en el propio genio de Leonardo, y ello explica por qué prefirió Milán —donde se siente realmente en su casa— a Florencia que, a pesar de todo, le es siempre ajena; nunca hace más que pasar por Toscana, mientras que Lombardía se convierte, para él, en una verdadera patria. Aunque los florentinos no fueran exageradamente puntillosos en materia de legitimidad, Leonardo seguía siendo para ellos el pequeño bastardo de un notario de provincias; en Milán, por el contrario, aparecía como un personaje enigmático, seductor por esa aura de misterio que le envolvía y que él sin duda acentuaba diestramente, sabiendo que esa misma extrañeza daba más fuerza y eficacia a su reputación.

¿Qué se sabía de él, salvo que había aparecido, cierto día, llevando un instrumento de música inaudito hasta entonces, del que obtenía maravillosos sonidos, y que, desde su llegada, un poco como el viejo Fausto de las leyendas populares, había multiplicado los prodigios, hecho danzar a las rocas y cantar a las fuentes? ¿De dónde venía? De Florencia. Pero ¿acaso no había realizado, por el camino, ese fabuloso rodeo por Oriente, del que había traído tantas descripciones extraordinarias, tan vivas y convincentes que sólo un hombre que haya visto esas cosas, decían, puede contarlas así? Y las contaba tan bien, en efecto, que en nuestra época, entre los historiadores y comentadores de Leonardo encontramos sabios muy notables que comparten la fe del pueblo milanés en la realidad de esos viajes por los países de Asia.

¿Realmente había ido a visitar esos parajes casi fabulosos? Los eruditos pueden discutir sobre ello hasta la saciedad, y con tantas posibilidades de certeza como de error. No seguimos los movimientos de Leonardo día a día, paso a paso, y no es en absoluto imposible que hiciera un viaje que varios de sus contemporáneos —entre ellos un artista como Gentile Bellini además de innumerables mercaderes— realizaban sin dificultad. En medio de estas evocaciones de paisajes exóticos, donde se mezclan extrañamente la fantasía y la exactitud topográfica, es decir, los ensueños de uno que «viaja en su imaginación» y las precisas notas del explorador, encontramos a veces un documento muy curioso: la descripción del puente de Pera, en Constantinopla, con sus medidas exactas. Se nos dice entonces que Leonardo fue solicitado por el Gran Turco para que tendiera un puente sobre el Cuerno de Oro, y es un hecho que los turcos carecían de arquitectos y recurrían de buena gana a los servicios de los artistas italianos: Miguel Ángel recibió, también, semejantes invitaciones. ¿Había visto Da Vinci el puente de Pera? ¿Se había limitado a trazar un esbozo, con vistas a eventuales trabajos si aceptaba los ofrecimientos de la Sublime Puerta? ¿Qué entendemos, en fin, por «ver»? ¿Acaso la visión de la mirada interior, la percepción de las cosas a través de la imaginación, no igualan, en viveza y realidad, las operaciones del ojo? El vidente, el visionario, es también un hombre que «ve»...

Sé bien que, aun moviéndose con sorprendente facilidad en el mundo de lo fantástico, Leonardo deja poco lugar en sus escritos para lo sobrenatural, y cuando lo hace, en su bestiario, por ejemplo, y en el relato de sus visiones, lo hace un poco con el espíritu de un hombre de la Edad Media, que no ha repudiado las viejas tradiciones populares y cree todavía en el alcance profético de los sueños. Por lo demás se muestra extremadamente suspicaz y hostil respecto de las ciencias ocultas, sobre todo de los hombres que las encarnan, magos, nigromantes, alquimistas. Escribió sobre éstos unas páginas muy severas y de mortífera ironía, pero no hay que deducir de ello que arrojara sobre la propia ciencia la condena y la burla con que abrumaba a quienes explotaban una falsa ciencia y, de este modo, se mofaban de la credulidad popular. Por aquel entonces, cuando un gobierno tan razonable como la Señoría florentina consultaba a los astrólogos para saber cuál era el día favorable para contratar a un nuevo *condottiere*, las supersticiones se propagaban por el pueblo. Más de una vez, Leonardo debió de sufrir viéndose obligado a competir con los charlatanes y los magos de pacotilla que pululaban por las cortes principescas, especialmente en Milán —bastante «gótica» en eso también— y oyendo discutir con la misma seriedad los insensatos pronósticos de ellos y los preceptos de su propia ciencia.

Leonardo no habló de ciencias ocultas sino para reírse de ellas como del «estandarte tras el que se reúnen todos los imbéciles», primero porque no era prudente remover cuestiones sobre las que la Iglesia tenía algo que decir —y lo decía a veces con bastante crueldad— y él mismo resultaba bastante sospechoso por sus investigaciones que, para el pueblo, lindaban con la magia, y por sus trabajos de anatomía que le exponían a los rigores de las leyes eclesiásticas, pero también porque, presintiendo en cada etapa de sus estudios y sus experiencias la presencia del misterio (de un misterio susceptible de estar relacionado con la magia, la Revelación, o el «arte divino» de los espagíricos), no deseaba dar pie a la burla o a la sospecha. Sabía, por fin, que los más altos secretos deben ser mantenidos secretos. «No lo digas a nadie, salvo a los sabios, pues la multitud es pronta en la burla...» Tenía conciencia de recorrer, en las distintas andaduras de su saber, las etapas de una iniciación que le conducía, peldaño a peldaño, hasta el corazón de los grandes misterios, y ésas son cosas de las que no se hablan. Creo, por fin, que el mensaje espiritual y sobrenatural que Leonardo no transmitió en sus escritos, científicos en su mayoría —donde no podía expresarlo a falta, tal vez, del vocabulario conveniente— lo reservaba para sus cuadros. La escritura invertida de sus manuscritos no es el resultado de una voluntad de secreto: era demasiado fácil, en efecto, y la experiencia lo ha demostrado, descifrar su grafía; por el contrario, el verdadero misterio, la cifra suprema de su enseñanza, se encuentra en sus cuadros y no en sus obras eruditas.

El artista «sabe» mucho más que el sabio, y revela en su lenguaje mucho más de lo que el sabio puede revelar en el suyo. Los más elevados misterios y los más profundos, los que están fuera del campo de la naturaleza en el que el físico, el óptico, el hidrógrafo se mueven con comodidad, sólo el pintor los dará a conocer, aunque bajo muchos velos. Desde el comienzo de su carrera de artista y de sabio, Da Vinci vio en la pintura la expresión de lo inexpresable: donde cesa el poder dialéctico, comienza la iluminación, y se realiza la verdadera comunión, esta comunión con la naturaleza, con lo sagrado, con lo divino, puesto que la naturaleza, lo divino y lo sagrado probablemente forman un todo para él. Algunas frases de sus cuadernos dejan entrever, de pronto, el ascenso de un canto religioso que parece anunciar las supremas revelaciones, y luego, de súbito, el canto se detiene, a menudo en mitad de una frase, como si el cantor advirtiera sólo entonces que no puede, o no debe, pronunciar las palabras que se disponía a decir.

Las páginas en las que Leonardo, arrastrado por el entusiasmo sagrado, afina su voz y su alma para transmitir el «gran mensaje» son páginas extremadamente conmovedoras. Un acento solemne y casi asustado —el mismo que escuchamos en los poemas «iniciáticos» de Goethe— resuena y prepara nuestras almas para sublimes confidencias. Un recogimiento majestuoso y santo, como el que en *La Flauta Mágica* anuncia los cantos de Sarastro que tienen el ritmo de un himno religioso —Leonardo se convierte entonces en el sacerdote, el hierofante, el desvelador de misterios—, preludia esas revelaciones. Un impulso sobrehumano se mezcla con algunos balbuceos, casi como si el lenguaje vacilara en presencia de lo inefable. El himno se eleva por fin, con una extraordinaria armonía poética en la que Leonardo supera con mucho a todos los poetas de aquel tiempo, con una belleza de forma, un esplendor verbal muy distintos de su estilo habitual, que suele ser seco, objetivo y preciso, y subimos con él hasta el rellano de las verdades sobrenaturales, de las epifanías deslumbradoras...

«¡Oh Tiempo, consumador de todas las cosas!, envidiosa vejez que lo consume todo poco a poco con el duro colmillo de la vejez en una muerte lenta. Helena, cuando se miraba en su espejo y veía la mancilla de las arrugas que la edad había inscrito en su rostro, se preguntaba llorando por qué fue raptada dos veces. ¡Oh Tiempo, consumador de todas las cosas! ¡Oh vejez envidiosa, por la que todo es consumido!»[5] Es imposible, cuando se leen estas líneas, no imaginar que iban acompañadas por música, cantadas y apoyadas por el sonido de los instrumentos, pues la armonía que ellas revelan y que se pierde lamentablemente en la traducción es, en sí misma, la armonía del *Lied*. En todos esos grandes pasajes iniciáticos de los escritos de Leonardo el discurso adopta de inmediato el ritmo del canto, como si sólo la música fuera capaz de expresar todo lo que él deseaba poner en unas pocas líneas.

Qué hermoso texto de *Lied* serían también esas líneas del *Codex Atlanticus* sobre el sueño: «Oh tú que duermes, ¿qué es el sueño? El sueño se parece a la muerte. ¡Oh!, ¿por qué no realizas una obra tal que, después de tu muerte, representes una imagen de vida perfecta, tú que, vivo, te asemejas en el sueño a los tristes muertos?»[6] Los acordes profundos y graves de la lira, que se hinchan y menguan, sostienen con su solemne melodía estos poemas en prosa que no nos cuesta imaginar cantados por Leonardo con esos instrumentos magníficos y extraños que construía para que respondieran exactamente, en su timbre y su tonalidad, a ese ideal de la música que llevaba en su interior y que las obras maestras de los *luthiers* de su tiempo eran incapaces de satisfacer.

Y he aquí que, tras haber preludiado, siente que nace bajo sus dedos un rumor parecido al de las aguas originales, el que Wagner reprodujo en el preludio del *Oro del Rin*, y con toda naturalidad, respondiendo a esa larga y sinuosa frase musical que se convierte en la propia voz del mar, se esboza un canto: «La mar, universal llanura, único reposo para las peregrinantes aguas de los ríos...» La mano que hacía vibrar las cuerdas se detiene, la voz también, pues lo indecible no puede expresarse y quien ha hundido la mirada en las tinieblas de las profundas aguas donde se mecen los viejos ríos no es capaz del canto humano.

La voz se detiene también después de decir: «La sabiduría es hija de la experiencia»,[7] que es el inicio de un razonamiento, o después de haber sorprendido, en un visionario relámpago, uno de esos espectáculos de la naturaleza que al ojo humano no se le ha concedido contemplar, «esos inmensos ríos que corren bajo tierra...». Apenas unas palabras; la frase no termina. ¿Qué más podría decirse? ¿Desarrollar, explicar? ¿Para qué...? Todo se ha dicho, y no nos preocupa lo que el contexto habría podido ser, si la mano del escritor o del músico no hubiera mantenido en suspenso la pluma o el plectro, como tampoco nos preocupa el contexto de esos fragmentos de los presocráticos, con los que, sin conocerlos, Leonardo coincide tan a menudo y de tan extraño modo en sus teorías científicas, en su estilo, en su intuición del orden del universo. «Oh admirable necesidad...», «Oh gran acción...»; esas interpelaciones majestuosas y casi religiosas son la nota inicial de la epifanía. A veces, el texto continúa y desarrolla sus volutas, a veces, también, más a menudo aún, la frase se rompe abruptamente y calla, como si la emoción embargara al poeta, y el súbito encuentro con lo inefable le ordenara silencio. Como si, lleno de una especie de terror sagrado, retrocediera ante esa impotencia para dar forma a lo que no posee. Esos fragmentos de frases arrojados al papel con una violencia profética de la que guarda huellas la propia caligrafía resuenan entonces como voces misteriosas en la noche, llamean con la vivacidad breve de los relámpagos anaranjados que acompañan con sus ecos los lejanos truenos.

De pronto, la luz se apaga, la voz calla, el silencio, vestidura de lo indecible, y el claroscuro, morada de los deslumbramientos, toman de nuevo posesión de esa «música callada», de esa «inanidad sonora»: el telón cae, sólo prosigue un mudo coloquio... Ese extraño silencio, propio de los cuadros de Leonardo, prolonga la emoción más allá del acontecimiento humano y, quisiera decir, casi más allá de lo propiamente divino, hasta una indecisa zona de infinito. Ni un solo instrumento de música representado en las pinturas de aquel que, más que pintor alguno, las llenó de música, ni un solo coro de ángeles, ninguna voz se eleva de ese mundo extrañamente replegado sobre sí mismo en su muda contemplación. El turbador silencio de los espacios siderales reina en ese universo terrestre donde ningún personaje toma la palabra. Sólo la intensidad de su mirada nos invita a escuchar el canto que va a elevarse, y nos advierte, al mismo tiempo, de que ese canto va a ascender de nosotros mismos en respuesta a una extraordinaria llamada llegada de no se sabe dónde.

Atraído hacia la música por todo lo que representa de inmenso y de absoluto, Leonardo la ama y la teme a la vez por su precariedad trágica. «La música —dijo—, que se consume en el propio acto de su nacimiento.»[8] Imagen de la impermanencia misma, de la consumación simultánea a la destrucción, de instantes surgidos de la nada para volver instantáneamente a ella, «la música sufre de dos males, mortal uno, agotador el otro. El mortal es siempre inseparable del instante que sigue a aquel en el que se expresa, el agotador está en su repetición y la hace despreciable y vil».[9]

Leonardo escuchó la música de los elementos, la del viento en los árboles, del mar en la playa y en las rocas, el rugido de los torrentes y el rumor de los arroyos. Las cascadas y las fuentes le cautivaron. Se absorbió en la «contemplación auditiva» de los órganos de agua de los jardines, aquellos instrumentos arrobadores y sutiles donde las gotas rebotaban de pila en pila, y en los que el canto del agua adoptaba los más variados acentos según cuál fuera el material del que estuviera construida la taza siguiente: mármol, marfil, alabastro o metal. Asociando a los instrumentos la virtud del agua, capaz de todas las dulzuras y de todas las violencias, Leonardo imaginó una orquesta animada por fuentes, una especie de «molino» —así lo definió— en el que el agua virtuosa vivificaría los numerosos y cambiantes instrumentos. «Con la ayuda de ese molino obtendría sonidos incesantes de toda clase de instrumentos, que resonarían durante tanto tiempo como funcionase el molino.»[10] Ese inventor de liras y laúdes, en los que sin la mano humana la música no es más que una virtualidad, quiso sustituir al cantante y al violinista por unas máquinas que reemplazaran por medio de engranajes la mano del músico, o que a través de algún fuelle análogo al del órgano sustituyeran el soplo del músico. Pero aun así se mantiene en el campo menor y material de la música, la música de los instrumentos, impura aún para él a causa de su subordinación a las maderas, a los metales, a las cuerdas. Y el hecho de que imagine confiar a autómatas —cantantes o manejadores de arco— semejante música, significa que para la sublime expresión de lo inefable reserva esa otra música, ya no inmanente al instrumento y dependiente de él en cierto modo, sino esa armonía de las esferas que había procurado realizar o materializar en los extraños ballets de las fiestas sforzescas, a pesar de que este hombre que llevó la atención a un grado que nadie ha alcanzado ni igualado sabía muy bien que no era perceptible a través de los sentidos.

Aunque aplicara a la acústica menos esfuerzos que a las otras ciencias naturales —no alabó tanto el oído como elogió el ojo...—, se le advierte atento al menor sonido, aunque más preocupado por el modo como se ha producido que por su virtud musical. Estudia esos curiosos cuernos eólicos que los montañeses de ciertas provincias utilizaban para dar la alarma, la señal o para llamar a los rebaños: curiosas conchas naturalmente excavadas en la roca, a las que los pastores adaptaban sus cuernos de los Alpes. Al contemplar el vuelo de un pájaro y aguzando en vano el oído para captar el rumor de las alas, se preguntó qué música podía nacer de la vibración de las plumas en el viento y se dedicó con seriedad a practicar curiosos experimentos con las moscas, a fin de saber de dónde procedía «el ruido que se oye cuando vuelan», si procedía de su boca o de sus alas, y para ello les recortó o pegó las alas con objeto de perfeccionar su observación.

Qué mejor ejemplo de la complejidad y la totalidad del carácter de Leonardo que la curiosa destreza con la que ese constructor de instrumentos nuevos y singulares, de autómatas flautistas o violinistas, demostrará con alborozo, primero a sí mismo y después a los demás, «que el ruido producido por las moscas procede de sus alas; lo advertirás recortándolas un poco o, mejor, untándolas levemente de miel para no impedirles por completo volar, y comprobarás que sus alas al moverse hacen un ruido ronco y que la nota pasará del agudo al grave exactamente en la medida en que el libre uso de las alas se vea trabado» (W.A. 15V). Qué extraña e intensa musicalidad se observa en esa expresión singular, tan frecuente en sus dibujos, que Leonardo da a los rostros, que aparecen atentos a alguna sinfonía ausente, rememorada, imaginada, percibida en sueños tal vez, y cuyos rasgos se muestran fijados en una eternidad sonora, inmovilizados en un tiempo detenido, como ese personaje de las leyendas orientales que envejeció cien años mientras duraba el canto de un pájaro.

El eco, el viento, el estruendo del cañón, el tañido de las campanas, la ondulación de las voces lejanas por encima del valle, el silbido de la flecha, los artificios del ventrílocuo le son familiares, y ha escuchado, también, extraños ruidos que los humanos por lo general no oyen, el rumor de los navíos lejanos, por ejemplo, que captaba aplicando la oreja al extremo de un largo tubo hundido en el agua, u otros sonidos que él menciona y que son más misteriosos aún, por ser de origen inexplicable y de naturaleza indefinible, esos sonidos «que pueden producirse en las aguas, como allí, en el foso de Sant'Angelo».

La música es, para él, el íntimo medio de contacto del alma humana con lo divino y el infinito; pero, cosa curiosa, ese contacto se produce más a través de una música silenciosa y no sonora, como la que emana de sus cuadros, que a través de la música de los instrumentos, incluso de los que inventaba para insuflarles tal vez el canto al que soñaba dar forma y voz. Es también, de acuerdo con la doctrina pitagórica —sobre la que nos extraña ver tan instruido a ese «hombre de pocas letras», puesto que en algunas de sus notas cita a «Pictágoras», que es su modo de designar a Pitágoras—, un elemento de esa suprema ley de los números que gobierna igualmente la matemática y la geometría. Es a la teoría intelectual de la música a la que acude en última instancia cuando quiere establecer «las reglas de la fuerza y del choque» que ninguna experiencia podía enseñarle.

En las matemáticas encuentra el terreno estable, el dominio inmutable que busca por todas partes, y un curioso sentimiento de beatitud espiritual, de bienestar intelectual, se instala en él cuando se adentra en ese ámbito que para él es también el reino de la música (en el sentido de que sus leyes iluminan las de la música) y el reino del silencio, puesto que la paz extiende unas certidumbres inquebrantables, una fuerte seguridad. El «silencio eterno» que Pascal descubría en los espacios estelares y que le producía espanto, lo encuentra Leonardo en las demostraciones matemáticas, que le permiten gozar de una bienhechora paz.[10bis]

Con qué cómoda y reconfortante seguridad agradece a la aritmética que sea «una ciencia mental cuyos cálculos se hacen por medio de una verídica y perfecta denominación». Todo es número, y el número es la ley de toda vida; descubrir por empirismo la «divina proporción» y la «sección áurea» que obsesionan a los artistas del Renacimiento —y asimismo a los pintores, a los arquitectos y los orfebres— está bien, pero cualquier discusión que no pueda resolverse por medio de una demostración matemática sigue sujeta a controversias e incesantes debates. Entre los estudiosos de las ciencias naturales existen partidarios de las más contradictorias doctrinas; los humanistas se pelean sobre la interpretación de un texto antiguo, los pintores y los escultores discuten entre sí, en un «paragono» irresoluble (al que Leonardo también se entregará algún día) acerca de la supremacía de su arte sobre las demás artes, e incluso en el interior del mismo arte hay no pocas disputas referentes a la estética y la técnica, de modo que los fresquistas toscanos muestran un gran desprecio hacia los pintores que, a imitación de los flamencos, emplean ese material nuevo: el óleo. Peleas y controversias por todas partes: únicamente en las matemáticas, en esta región de glaciares con aristas exactas, en este desierto inaccesible al sentimiento y a la pasión, reina este aire puro y rarificado de la alta montaña, bañado de una luz fría, sin reflejos y sin sombras.

Por parte de este naturalista inclinado sin cesar sobre lo vivo en una infatigable interrogación, por parte de este artista que crea el movimiento y reverencia la forma humana, tan alejada (digan lo que digan los defensores de la abstracción) de la aritmética, qué reveladora resulta esa impresión de contento, de alivio, que le embarga en cuanto entra en el terreno de las matemáticas, y ese bienestar que le procura el silencio, a él a quien aturdían tantos debates más o menos estériles. En las matemáticas las cosas no son puestas sin cesar en cuestión; no se duda perpetuamente de lo que se ha verificado la víspera: no es posible sospechar que una convicción pueda verse trastornada, una vez que la aritmética la ha verificado y certificado su exactitud. «Aquí no se discute si dos por tres hacen más o menos que seis, o si la suma de los ángulos de un triángulo es inferior a la suma de dos ángulos rectos; por el contrario, las disputas se desvanecen en un silencio eterno y reina entre los discípulos de esta ciencia una paz a la que nunca llegan las mentirosas especulaciones intelectuales.» Esta apología de las matemáticas figura, cosa singular, en el *Trattato della Pittura*,[11] donde se hallan reunidas tantas llaves que abren las más numerosas habitaciones del arte y el pensamiento de Da Vinci; se advierte cómo, después de haberse agotado en incesantes cuestiones y búsquedas a veces desprovistas de solución, el interrogador en cuya pluma reaparece, con sistemática frecuencia y una insistencia espléndida, ese grito del espíritu humano que quiere conocer: «Pregunto por qué...», se calma y se tranquiliza, en las galerías tan bien ordenadas y tan apaciguadoras de la aritmética. No es que crea que la ciencia de los números responde a todo, pues está aún demasiado hundido en lo orgánico y lo vivo. Pero ocurre que el esfuerzo que realiza para que todos sus experimentos lleguen a las conclusiones de las ciencias exactas, ese esfuerzo que tan a menudo se ha visto decepcionado, o ha sido vano a pesar de su labor sobrehumana proseguida en todos los parajes del conocimiento, recibe por fin su recompensa cuando aborda las matemáticas. Se ve incluso arrastrado a reconocer que sólo la aritmética posee la cualidad de ciencia exacta. ¿Por qué? Porque en un párrafo próximo a éste, del mismo *Trattato*, afirma que «donde se porfía no hay verdadera ciencia. Pues la verdad sólo tiene un término, y una vez hallado ese término el litigio queda destruido para siempre». Como acaba de decir, unas líneas más arriba, que «si dudamos de cada cosa que ocurre para los sentidos, cómo no debiéramos dudar, más aún, de las cosas rebeldes a esos sentidos, como la esencia de Dios, el alma y otras cuestiones similares sobre las que siempre se discute», se deduce de ello que, fuera de las certidumbres matemáticas, el hombre Leonardo sólo puede practicar un escepticismo radical y completo con respecto a todo lo que no sea susceptible de demostración aritmética.

Se restringirían singularmente las riquezas espirituales de su alma, e incluso de su entusiasmo de artista, si consideráramos que aplica en cualquier ocasión la duda sistemática que afirma manejar. Por fortuna, Leonardo tiene un alma multiforme y un espíritu de mil facetas: lo que

vale para la faceta racionalista de su inteligencia y de su temperamento
no alcanza los otros planos ni afecta a las otras clases de certidumbres de
las que se alimenta, dígase lo que se diga, su vida espiritual. Su conocimiento natural del mundo y esa comunión cósmica a la que ha llegado
los ha adquirido gracias a la intuición y a la experiencia, mucho más
que por medio del cálculo numérico. Y ninguna aritmética es capaz de
dar cuentas de un acontecimiento como la Redención ni de disponer al
individuo a recibir el sublime mensaje de la Santa Cena.

Si intentamos, en efecto, aplicar al glorioso fresco de Santa Maria
delle Grazie algunos de estos procedimientos de análisis geométrico y
aritmético que tan luminosas nos hacen algunas composiciones de Rafael, como *La Escuela de Atenas*, por ejemplo, e incluso el inmenso *Juicio Final* de Miguel Ángel, comprobamos que en ese fresco la ciencia de
los números no sirve ni resulta eficaz. Y ello porque en la infinita diversidad del espíritu de Leonardo no existe confusión alguna, ni influencia
mutua entre sus diversos saberes. Consciente de lo universal y de la necesidad de descubrir de qué modo se integra cada objeto en este universo, separaba rigurosamente las distintas materias en cuanto abandonaba
el terreno en el que éstas se tocaban y se comunicaban entre sí. Sabía
que allí donde la razón resultaba inoperante, debía ejercerse otra actividad, y que tan absurdo es razonar y calcular la pasión como lo sería introducir un elemento afectivo en una demostración matemática.

La intuición y el instinto, incluso en las zonas de influencia de las
ciencias exactas, aparecen como los mejores instrumentos de investigación que usa Leonardo, y todavía le es más útil esta extraordinaria adivinación que esclarece, para él, el orden de la naturaleza, sus revelaciones
y sus leyes. El perpetuo «Yo pregunto» es la interrogación que se plantea
a sí mismo infatigablemente, y que plantea a los demás a fin de verse
ilustrado dogmática y dialécticamente sobre la naturaleza y el proceso
de una realidad que había descubierto dentro de sí y que además de ser
«necesaria» debía ser controlada por la experiencia y la observación; él
está dispuesto a incluirla en el tesoro de las certidumbres indiscutibles el
día en que, una vez verificada, se vincule firmemente a alguna ley.

¿Cuál es la ley capaz de regir las relaciones del alma con lo divino,
cuando, claro está, no se trata ya de esta divinidad inmanente y cósmica
que es la divinidad de las Madres (la única, a mi entender, que Leonardo acepta por intuición, adivinación y comunión, y sobre la que no se
hace pregunta alguna), sino, por el contrario, de esta religión cristiana
que para él es mucho más problemática, tan extraña a su modo de ser

como natural le resulta el paganismo cósmico, esa religión que él no parece «sentir» profundamente y que le cuesta mucho explicarse a sí mismo? Sucede sin embargo que, en esta Italia cristiana de los siglos XV y XVI, la mayor parte de los cuadros que se pintan son religiosos —quiero decir que se refieren a la religión cristiana— porque, material y moralmente, los artistas dependen aún en gran parte de los encargos de iglesias y conventos, y de las obras de arte que regalan a las iglesias y los conventos los laicos piadosos, príncipes o burgueses. Así, este artista en quien el sentimiento cristiano parece casi ausente, sólo pintó en toda su vida cuadros piadosos, o casi. ¿Cómo resolvió el difícil problema de armonizar su sentimiento pagano (que brotaba con toda naturalidad en cuanto tomaba el pincel) con los temas cristianos que le dictaban sus «clientes»?

Es una pregunta muy compleja, y el mejor modo de intentar responderla es interrogar las pinturas religiosas que datan del «período milanés» del artista; me refiero a *La Virgen de las Rocas* y *La Cena* de Santa Maria delle Grazie.

CAPÍTULO CINCO

El espíritu de la Tierra

El 25 de abril de 1483, el prior de la Confraternità della Concezione suscribió un contrato con Leonardo da Vinci, designado con el nombre de Magister Leonardo de Vintiis Fiorentino, y con los dos pintores milaneses, Ambrogio da Predis, o da Preda, y su hermano Evangelista, para la ejecución de un cuadro destinado al altar mayor de la capilla de la Cofradía en la iglesia de San Francesco. El cuadro debía ser entregado el 8 de diciembre del mismo año, para ser expuesto el día solemne de la Inmaculada Concepción; los pintores recibían como honorarios doscientos ducados.

Según los usos de la época, que trataba los precios fijados como conminaciones rigurosas destinadas a refrenar la fantasía de los artistas —o su negligencia—, el tema y la composición de dicho cuadro se describían minuciosamente. María estaría rodeada por un grupo de ángeles, que cantarían y tocarían distintos instrumentos, así como por dos profetas. Iría vestida con una túnica de brocado carmesí, forrada de brocado de oro verde, y con un manto azul de ultramar. Para atenuar lo que esa disposición del conjunto conservaba de «medieval», tal vez en exceso semejante a los viejos retablos góticos, se prescribía que la túnica de la Virgen, en su corte y en su drapeado, sería «a la griega», para contentar a los contemporáneos, encaprichados con la Antigüedad.

Cuesta imaginar lo que Leonardo habría hecho con semejante composición si se hubiera atenido a la letra del contrato: los cofrades de la Inmaculada Concepción deseaban sin duda una colocación tradicional, «frontal», con los personajes bien alineados frente al espectador, cada cual en el lugar que le designaba la jerarquía espiritual; algo al modo tradicionalista de Foppa o de Borgognone, que no se habían liberado por completo de la tiranía de la Edad Media. Medallista, miniaturista, autor de cartones para tapices, Ambrogio da Predis aceptó dócilmente, al parecer, esas exigencias. Leonardo no había aún ejercido sobre él la poderosa influencia que le hará cambiar por completo su estilo y sustituir por el *sfumato* y el claroscuro el estilo lineal, bastante seco y tajante, que era el suyo hasta su encuentro con el joven maestro florentino. Es indiscutible que Leonardo recibió mucho de Milán, la ciudad que flexibilizó, enriqueció y desarrolló todos los dones que su «toscanidad» reprimía aún, pero él a cambio dio un magnífico impulso a esos pintores lombardos que, como Da Predis, permanecían un poco dependientes de las escuelas del norte. Del encuentro de las influencias flamencas, dominantes al parecer en la corte milanesa, con el genio de Da Vinci nacerá esa incomparable suavidad, esa grandeza ágil y tierna, esa humanidad graciosa y sensible que, de resultas de Leonardo, se convirtieron en patrimonio de los pintores lombardos, a riesgo incluso de caer en la teatralidad de Gaudenzio Ferrari, o en la sosería de Luini. Hasta el punto de que Bernard Berenson duda de que las lecciones de Leonardo fueran una ventaja para sus discípulos y sus émulos milaneses. «Si a Leonardo no le hizo mejorar su estancia en Milán —escribe—, tampoco la estancia de Leonardo hizo mucho bien a Milán. ¡Cómo!, diremos, en presencia de las obras de Da Predis, de Boltraffio, de Cesare da Sesto, de Gianpetrino, de Solario, de Oggiono, de Luini, de Sodoma y de veinte más, ¡qué paradoja! ¿Dudar de que las lecciones de Leonardo fueran un beneficio para la escuela? Pero es preciso tener el coraje de aceptarlo: la mayoría de estas obras tienen un valor muy escaso. Lo más importante de su interés estriba en que nos recuerdan al maestro, y lo más claro de su atractivo es que lo recuerdan en términos fáciles de comprender y de mantener en la memoria; ocurre aquí como en los juegos de palabras mnemotécnicos que encantan a los espíritus vulgares. Sacad de esas composiciones pictóricas la parte de Leonardo y habréis sacado todo lo que les daba un valor real. Agradecemos a esos lombardos habernos conservado algunas ideas del gran florentino, del mismo modo que debemos gratitud a los discípulos que nos transmitieron la palabra de unos sabios demasiado absortos o indiferentes para redactarlas ellos mismos. Pero ¿quién sabe si esos milaneses, abandonados a su propia naturaleza, no hubieran tenido algo interesante que decirnos? Tal vez sin el mago toscano que les reducía al papel de esclavos y de copistas, esos talentos secundarios, estimulados por la influencia de sus primos de Venecia, hubieran desarrollado la tradición de Foppa y conseguido convertirla en una escuela como la de Brescia, aunque de mayor alcance y que hubiera tenido una vida más larga; y podemos conjeturar que la flor de esa escuela hubiera sido un maestro más próximo a Veronese que a Luini.»[1]

Desdeñando la puntillosa concreción del acta firmada con el hermano Agostino dei Ferreri, Leonardo rompe el esquema impuesto por la Cofradía. Un cuadro de altar que sólo fuera una obra edificante le satisfaría muy poco, incluso con la adición de todas las variantes que pueden aportarse en el tratamiento de una «santa conversación». Cada creación de su pincel se remite a todas las andaduras de su espíritu. No hay una sola de sus búsquedas científicas de la que esté ausente la referencia a la pintura, y si estudió con la pasión que sabemos las ciencias naturales, lo hizo para enriquecer los conocimientos que su don de observación le había ya enseñado. El ardor y la paciencia que pone en el estudio de la naturaleza no tienen como fin un saber gratuito y desinteresado; es ante todo un artista, es decir, un creador, y todo lo que sabe no tiene más objetivo que desarrollar su genio de pintor. Y, del mismo modo, cuando pinta hace intervenir al mismo tiempo al botánico, al geólogo, al anatomista... Todo concurre en todo. Las disciplinas de su espíritu, por muy diversas y divergentes que parezcan, hasta el punto de que algunos incluso las consideran contradictorias (¿es necesario diseccionar cadáveres en un sótano hediondo y pese al terror a los muertos, para conocer y comprender la esencia de la belleza humana?), convergen, en realidad, hacia ese punto interior, el más interior del ser, el centro donde unidad y totalidad se reúnen y se realizan. La naturaleza es un todo del que no es posible disociar el menor elemento sin destruirlo al mismo tiempo, pues sólo tiene significado en función de su pertenencia al todo, de su integración en la armonía universal, de la necesidad de su voz que resuena en la sinfonía cósmica de la que cada obra de Leonardo —puede afirmarse sin paradoja— es un tiempo.

Incluso en los retratos, que son obras de encargo —pero también lo son *La Virgen de las Rocas* y *La Gioconda*, y sin embargo uno y otro cuadro son, más que cualquier otro, imágenes de la unidad del mundo—, incluso en los retratos ejecutados para complacer a Ludovico el Moro, a quien le gustaba ver inmortalizados los rasgos de sus amantes preferidas, Leonardo asocia a lo humano los distintos reinos de la naturaleza, y de un modo tan extraño que pasa a menudo desapercibido, incluso para el observador atento y sagaz. No es raro que todos los elementos hagan acto de presencia en un solo retrato de mujer: la roca y el vegetal, y el mundo animal bajo el aspecto de un animal de compañía que ella estrecha contra su pecho o cuyo suave pelaje acaricia.

¿Acaso aparecen ahí ciertas alusiones que nos remitirían a los tiempos de las fábulas medievales y las alegorías escolásticas? No nos engañemos: están ahí también, puesto que Leonardo conserva muchas raíces hundidas en la sutil y vigorosa Edad Media de la que nunca se separa, sabiendo qué tesoro de sabiduría y experiencia acumularon los siglos «góticos», un tesoro del que se aprovechará el Renacimiento. Con singular y sorprendente aplicación, enumera las propiedades extrañas de los animales, según la ciencia tradicional de los «naturalistas» medievales, relatando sus actos inauditos y vinculándolos con cierto vicio o cierta virtud que el animal pasa a simbolizar y que lo define a los ojos de los hombres. «Los pichones son el símbolo de la ingratitud; una vez que llegan a la edad en que no precisan ser alimentados, entran en lucha con su padre; y el combate no cesa hasta que el pequeño ha expulsado a su padre y tomado a su madre por esposa.» «El sapo, que se alimenta de tierra, permanece siempre flaco por falta de saciedad, por temor a que acabe faltándole su provisión de tierra.» He aquí dibujada la avaricia en una alegoría extraña, aunque muy explícita. «La tristeza puede compararse al cuervo que, viendo blancos a sus recién nacidos, se aleja con dolor y los abandona con tristes lamentos; sólo se decide a alimentarlos cuando descubre en ellos algunas plumas negras.» ¿Qué seductora podría compararse a la sirena, que «canta con tanta dulzura que adormece a los marinos y, tras ello, sube a su navío y los mata durante su sueño»? ¿Quién iba a creer, si no lo afirmara la vieja sabiduría tradicional de las naciones, que el camello es el modelo mismo de la templanza y la virtud? «Es el más lujurioso de los animales, caminará un millar de millas para reunirse con su hembra. Pero si se viera obligado a vivir continuamente con su madre o su hermana, no las tocaría jamás, tan grande es su dominio de sí mismo.»[2]

He aquí lo que los hombres de los siglos pasados leían en los tratados de fantástica ciencia de Vincent de Beauvais, de Barthelemy el Inglés o de Philippe de Thaon; y el *Tesoretto* de Brunetto Latini, que data del siglo XIII, contiene un bestiario, o recuento de fábulas, tan extraordinario como el *Codex H* del Instituto de Francia, que reúne el prodigioso jardín zoológico, alguno de cuyos habitantes acabamos de estudiar. El paralelismo entre el *Tesoretto* y ese bestiario pone de relieve el medievalismo de Leonardo y la aplicación con la que preserva el significado antiguo de las alegorías. Éstas pasarán, casi sin cambios, de los tratados medievales o antiguos a los hombres del Renacimiento, a los artistas barrocos e incluso al Cavaliere Ripa que perpetuó, en el siglo XVII, su constante y siempre eficaz lección.

Si estudiamos los retratos pintados por Leonardo que datan de ese período milanés, veremos que figuran en ellos algunos emblemas que ilustran cierta particularidad del modelo. La dama del armiño de la Colección Czartorisky, ¿refleja acaso las virtudes de la hermosa Cecilia Gallerani —ante todo la pureza, célebre atributo del armiño—, aunque sepamos hoy que, muy joven aún, esa arrobadora muchacha no era un modelo de castidad, y que tuvo varios hijos del Moro? Muy al contrario, la lección de ese retrato reside menos en su fidelidad a las alegorías medievales que en el parecido físico entre la mujer y el animal que el artista le da por emblema.

Nuevo ejemplo de la ambivalencia de Leonardo, el retrato de la dama del armiño se vincula al simbolismo tradicional, en un cortés y tal vez irónico halago. Hermosa, cultivada, versada en latín, amante de la poesía, Cecilia Gallerani era una dama noble, digna de ser ornamento de una corte sforzesca, pero basta con mirar ambos rostros que casi se tocan —y aposta digo «ambos» rostros, pues el armiño tiene rasgos casi humanos que evocan la sutil animalidad del semblante de la mujer—, para comprender que son de la misma naturaleza, que se unen en algún lugar incierto donde el animal y la mujer intercambian sus propiedades y sus caracteres. La inteligencia y la doblez, la dulzura y la crueldad, y una radical amoralidad bajo la máscara de la modestia se encuentran por igual en los rasgos de los dos. En algunos de sus dibujos, Leonardo va más lejos, y al buscar el punto de contacto entre el animal y el humano, opera la metamorfosis y hace que los dos reinos se confundan de tal modo que ya no será posible distinguirlos ni separarlos. Lo que llamamos las «caricaturas» de Leonardo no son, como se cree, bufonadas, sino estudios de deformaciones destinados a buscar los rasgos comunes al hombre, a la bestia, al vegetal e incluso al mineral. Alguno de sus ancianos es la prefiguración de un árbol o de una roca, pues se está convirtiendo en madera o en piedra, y al seguir la trayectoria de cierta línea se advierte que de pronto traza el perfil de un hocico de mono o una mandíbula de tigre.

Todo está en todo: en cualquier hombre está la bestia y el ángel, moralmente hablando, pero también físicamente el cuerpo del hombre es una representación del inmenso cuerpo del universo. Las viejas doctrinas alquímicas lo enseñaban, y el día en que el nombre de Hermes, sin ninguna referencia, aparece en un cuaderno de Leonardo, vemos confirmada la certidumbre que teníamos de su familiaridad con las obras de aquel Trismegisto, más o menos fabuloso, al que tanto caso hacían la Edad Media y el Renacimiento. ¿Cómo no iba a conocer el *Poimandres* y la *Tabla de Esmeralda* ese curioso de todos los saberes? Entre los cabalistas florentinos y los espagíricos de Milán que halagaban sin cesar a los Sforza afirmando que podrían algún día fabricar oro, había bastantes ocultistas que conocían esos libros y podían comunicarle sus enseñanzas. No se trata aquí de nigromancia y brujería, que le indignan y le repugnan —pues, cuando el arte negro no es sólo un engañabobos, como él lo considera, comete el crimen de trastornar el orden de la naturaleza—, sino de esa ciencia suprema dispensada a los iniciados en los misterios antiguos, que proclama que «lo que está arriba es como lo que está abajo para realizar los milagros de una sola cosa».

No existe identidad, es cierto, entre el animal y el ser humano (o el vegetal, o el mineral, y el ser humano), sino analogía, y sobre estas analogías se fundan el arte y la ciencia de Leonardo para realizar a su vez los «milagros de una sola cosa». Los retratos milaneses nos lo han revelado. ¡Con qué profundidad y amplitud se desvela esta verdad cuando penetramos en la caverna misteriosa de *La Virgen de las Rocas*! Éste es el universo de los enigmas principales. Los priores de la Cofradía de la Concepción no lo sospechaban en absoluto, evidentemente, cuando encargaron a Leonardo que pintara el retablo de San Francesco. No cabe duda que habrían deseado una obra espléndida por la propia materia de sus dorados, y tranquilizadora por el carácter tradicional de su composición; algo comparable, por ejemplo, a la *Pala Sforzesca*, que se ha atribuido sucesivamente a Ambrogio da Predis, a Antonio da Monza, a Bernardino dei Conti y a Jacopo de Mottis, y que aun siendo posterior en diez años a *La Virgen de las Rocas* es del todo «medieval» por su construcción y su espíritu, mientras que la obra maestra de Leonardo es, en cambio, barroca.

En vez de esta pintura tan conforme a los hábitos de la estética y del sentimiento, los cofrades de la Concepción vieron cómo se les presentaba un cuadro que en nada se parecía a lo que habían deseado y prescrito y que, por añadidura, sólo podía despertar el estupor, la inquietud y la perplejidad de los fieles que iban a contemplar, sobre su altar preferido, tan enigmática escena. Los profetas que debían desempeñar aquí el mismo papel que los santos y los doctores de la Iglesia en la *Pala Sforzesca* han desaparecido, al igual que los ángeles músicos que debían rodear a la Virgen; aquellos cuya ejecución el maestro ha encargado a Ambrogio da Predis han sido relegados a los costados del cuadro. Leonardo sabe muy bien, en efecto, que la música secreta que resuena en la pintura no podrá hacerse oír si el ojo del oyente se fija en algún instrumento representado. Aleja pues, deliberadamente, esos bellos grupos de ángeles músicos que le habían encargado y que de tan buena gana pintaban un Piero della Francesca o un Bramantino. Si estuvieran allí, el espectador pensaría en la música ejecutada por los ángeles, y esta música no la oiría sino que la pensaría. Para que la música del propio cuadro se eleve y florezca plenamente en su acorde elemental y sobrenatural, es preciso que los instrumentos permanezcan invisibles, pues la música de *La Virgen de las Rocas* emana del agua, de las plantas, del viento que se mueve entre las fallas de las rocas, de los gestos de los personajes y de su sonrisa, y es una música que ninguna flauta, ninguna lira, ningún laúd es capaz de crear. El canto que oímos aquí es el canto de la tierra, el rumor de los elementos, el mensaje de este *Erdgeist* que se apareció un día al viejo Fausto y lo asustó, pero que tan familiar le resulta al joven Leonardo que, desde su infancia, vivió en armonía con él sabiendo que el alma del artista y el alma del mundo, en verdad, forman sólo una.

¿Cuántos artistas colaboraron en ese cuadro? No me refiero a cuántas manos pues, para mí, es por completo obra de la mano de Leonardo, mientras que *La Virgen de las Rocas* de la National Gallery parece ser, con toda verosimilitud, una réplica ejecutada por Ambrogio da Predis. Quiero decir: ¿cuántos hombres diversos contribuyeron a esta multiplicidad y esta unidad? De entrada, un matemático, como ha señalado muy acertadamente Gilles de la Tourette,[3] y como subraya en una pertinente demostración geométrica Antonina Vallentin.[4] «La perfección unicentrista de *La Virgen de las Rocas* es otro de sus caracteres dominantes. Me refiero a que las distintas partes de esta obra están pergeñadas, ante todo, por un espíritu matemático y de análisis, un espíritu de experimentador que busca ciertas perfecciones y que no parece dejar nada al azar de la inspiración o de los descubrimientos del instinto no revisados por el espíritu... Las ciencias matemáticas y empíricas empujan a Da Vinci hacia un equilibrio perfecto y estable entre todos los elementos del cuadro; nada de agujeros en la composición ni tampoco en sus componentes. Sin embargo, esta obra revela un instinto y una imaginación estética poderosísimos y comparables a los de los artistas más excelsos, pero cuyos impulsos espontáneos son controlados por la mente. Por fortuna, este control se ejerce tras el brotar de los sentidos y de la sensibilidad, nacidos a su vez de la propia naturaleza de Da Vinci bajo el implacable control de la arquitectura de las matemáticas.»

Sí, pero este matemático abandona enseguida el terreno cristalino de los números y la atmósfera purificada de la intelectualidad, y desciende, audaz explorador de los misterios, a la gruta original para descubrir allí las criaturas de su imaginación. Pues imaginar lo que existe, ésta es la tarea principal del espíritu de Leonardo en todos los campos de la creación, tanto artística como científica.

«Impulsado por un ardiente deseo, ansioso por ver la abundancia de las formas variadas y extrañas que crea la artificiosa naturaleza, después de caminar cierta distancia entre las rocas altísimas, llegué al orificio de una gran caverna y me detuve allí un momento, lleno de pasmo, pues no había sospechado su existencia. Me agaché con la mano izquierda apoyada en la rodilla mientras con la derecha sombreaba mis ojos entrecerrados, y me incliné de un lado a otro para ver si podía discernir algo en el interior a pesar de la intensidad de las tinieblas que allí reinaban. Tras haber permanecido así algún tiempo, dos emociones despertaron de pronto en mí: temor y deseo. Temor de la sombría caverna amenazadora, deseo de ver si contenía alguna maravilla.»[5]

La seriedad casi aterrada con la que Leonardo cuenta esa extraordinaria aventura revela qué importancia tuvo para el hombre y para el artista. Debemos considerar, en efecto, que uno de los momentos esenciales de su vida es ese «descenso a la caverna», tanto si tuvo lugar efectivamente en cierta gruta de los Apeninos, o si fue, algo posible también, la traducción de una visión, o incluso de un estado poético particularmente intenso y agudo. Es conveniente advertir que en el manuscrito Arundel, donde figura ese texto, va precedido por tres fragmentos igualmente turbadores, que parecen otros tantos himnos inconclusos y truncados en loor de las fuerzas de la naturaleza: de esos elementos que desempeñaron siempre un papel decisivo en la formación de Da Vinci. Para Leonardo no existe la pura contemplación de la naturaleza. En cuanto se acerca a ella, aunque sólo sea con la mera intención de gozar de la belleza del mundo, es enseguida presa de esta especie de delirio cósmico que le oprime en cuanto entra en contacto con los elementos. Leonardo parece en eso un hermano de los personajes de *Wilhelm Meister* que perciben, a través de inmensas capas de rocas, las aguas corrientes y los metales durmientes, o de Makarie, que siente en su ser los movimientos y los ritmos del sistema solar. Este parentesco con los elementos, sobre todo cuando éstos muestran su fuerza del modo más dramático, como en las tormentas o los terremotos, se manifiesta en innumerables dibujos en los que se revela una extraña identidad entre el artista y el objeto de su creación. Cada vez que Leonardo representa unas aguas furiosas, un torbellino de viento, una llama oscilante y retorcida, una pared de rocas desmenuzadas, nos parece que traza un retrato, sobre todo un retrato de sí mismo, pues es evidente que forma una unidad con el espíritu de la tierra.

Él no ha de recurrir a las fórmulas mágicas del viejo Fausto para hacer aparecer este *Erdgeist*: basta con que se incline hacia el interior de sí mismo y escuche ese rumor de los torrentes subterráneos, que con tanta fuerza misteriosa resuenan en ciertas frases inquietantes y ardientes, arrojadas al azar sobre las hojas de sus cuadernos. Esta sensación de comunión, de unidad con las fuerzas cósmicas le invade con tal ímpetu que no puede substraerse a su violencia, a pesar del terror sagrado que se apodera de él en esos momentos: terror cuyas oscilaciones registra, con tanta exactitud como los más sensibles sismógrafos, el trazo de su lápiz o la vibración de su pluma.

Entre estos cuatro pasajes de atemorizadas alabanzas a los elementos, que preceden al texto sobre la caverna en la misma página del Manuscrito Arundel, existe una unidad de tono y de acento que los convierte en un todo. Sin embargo, el elogio del viento, el elogio del fuego y el del agua se quiebran bruscamente, sin razón aparente. Tal vez porque el poeta no podía ya sostener esa extremada tensión lírica con la que había comenzado: el poema estalla entonces, como bajo el efecto de una carga demasiado fuerte, proyectando los restos misteriosos de una explosión que adopta la importancia y el aspecto de una catástrofe telúrica. O, sencillamente, quizá sea debido a que Leonardo abandonaba esos temas una vez los había expresado, o a que deseaba que, tras la alusión a los furores destructivos de los tres primeros elementos, fuera mayor el contraste con la majestad recogida, misteriosa y terrible del cuarto, de la tierra augusta y enigmática, divisada por la abertura de la gruta.

La tumultuosa sinfonía del aire, el agua y el fuego se dispersa en un furioso estallido que nos deja aturdidos, ensordecidos y sin aliento. «Como un viento arremolinado en un valle hondo y arenoso expulsa rápidamente en su vértice todo lo que se opone a su furioso asalto... Del mismo modo como la ráfaga del septentrión rechaza con su huracán... Ni el mar tempestuoso deja oír mugido tan violento cuando el tornado del norte lo arroja, en espumosas olas, entre Escila y Caribdis; ni el

Strómboli, ni el monte Etna, cuando los aprisionados fuegos de azufre revientan y desgarran las poderosas montañas y lanzan al aire rocas y tierra mezcladas en el chorro de las llamas... Ni cuando las ardientes cavernas del Etna vomitan y restituyen el elemento incontrolable, y lo rechazan con furor hacia su propia región haciendo que empuje ante sí cualquier obstáculo que se oponga a su impetuosa rabia...»[6]

En contraste con estas tormentas, la paz de la tierra, una paz temible y secreta, canta con voz sorda en cuanto, apartándose de tempestades y volcanes, el poeta se acerca a esa falla rocosa abierta en la montaña, con esa mezcla de deseo y temor que reconoce, sabiendo que la solución de los enigmas le aguarda en ese dédalo subterráneo, o que por el contrario va a encontrar en él otros enigmas más profundos y más obsesivos todavía. El relato se detiene precisamente cuando confiesa ese temor y ese deseo. No va más allá, o se niega a contar lo que más allá ha visto. Parece que una «Divina Comedia», dispuesta a nacer, calle por respeto a lo inefable o por impotencia para expresarlo, y se limite a ese *torso*, tan conmovedor en su estado incompleto. El acento de esta poesía en prosa, tan sublime, tan solemne, tan musical, nos hace pensar inevitablemente en el primer canto de la otra *Comedia*, que es también el relato de un largo viaje por los mundos subterráneos. Pero mientras que Dante encontraba alegorías teológicas ya en la primera etapa de su exploración, Leonardo, en cambio, se deja guiar por esas potencias amistosas y atemorizantes —amistosas para quien acepta dejarse conducir, implacables para quien se resiste...— que son los elementos. Pero Leonardo se detiene en el umbral y en vez de desarrollar en numerosos libros su investigación subterránea, se limita a esa mirada arrojada desde el umbral al abismo.

Hasta aquí lo concerniente al texto del manuscrito, pero si deseamos saber lo que encontró en esta prospección del universo subterráneo, no debemos interrogar al poeta, sino al pintor. Cuadros y dibujos, juiciosamente interrogados, revelarán a su modo y en el lenguaje que les es propio, lleno de alternancias entre tinieblas y relámpagos, un «diario de viaje al centro de la tierra» singular y apasionante.

¿Por qué interrogar el universo subterráneo con esa angustiosa insistencia cuando la superficie del globo, al parecer, es capaz de dispensar al hombre todo el saber y todos los goces a los que puede aspirar? La curiosidad que despiertan las regiones insólitas y por añadidura favorables a tantas experiencias necesarias para el naturalista, el físico, el químico, hace que Leonardo se incline hacia ese ventanuco tenebroso, y también le impulsa el presentimiento de que la amenazadora caverna alberga, como él dice, «alguna maravilla». Del mismo modo el romanticismo alemán, cuando quiera a su vez extender su conocimiento del mundo visible más allá de la superficie de las cosas y de lo inmediatamente perceptible, bajará a las minas e iniciará ese ardiente diálogo con las rocas y los metales, del que *Heinrich von Ofterdingen*, de Novalis, es el capítulo más apasionante. Para Goethe y para el héroe de *Wilhelm Meister*, la mineralogía es una ciencia clave de todas las demás. Es asimismo, la época en que la cristalografía, ciencia muy nueva, comienza a interrogar la vida de las formas geométricas, acunadas y alimentadas por el fuego de la tierra. En tiempos de Leonardo, minerales y metales eran tenidos en mucho por ser los artesanos de la «gran obra» —la transmutación de los metales en oro—, y había pocos geólogos que no fueran al mismo tiempo alquimistas; de igual modo, astrólogos y astrónomos se intercambiaban de buena gana sus respectivas disciplinas. Hay que recordar que, ya en las fábulas antiguas, grutas y abismos eran considerados las salidas del reino plutónico. El gesto de Empédocles no es un acto de desesperación sino, por el contrario, un impulso de sublime confianza y de total amor. El «antro de las Ninfas», la «gruta de Trifón» son antecámaras desde las que se desemboca en los infinitos palacios de las Madres.

Eso es tan cierto que, en el plano de la diversión —una diversión mucho más significativa de lo que se cree—, el Renacimiento sintió pasión por las grutas y por todo lo espléndido y misterioso que en ellas se descubre. Esa atracción que el mundo subterráneo ejerce sobre los hombres del siglo XVI y que los empujará a construir en sus jardines tantas grutas artificiales, no es propiamente científica, y no hizo evolucionar mucho los conocimientos geológicos de aquel tiempo. Procede, por lo demás, de una triple fuente: me refiero a una predilección nueva por lo misterioso, a la tradición alquimista —que mediante una fábula de un viaje a las entrañas de la montaña expresa las operaciones de la piedra filosofal—, y por fin al deseo de transcribir, con ayuda de sus elementos concretos, la alegoría de la caverna platónica.

Platón, Jámblico, Porfirio, los espagíricos tienen más responsabilidad de la que se supone, por lo general, en la ejecución de esas extrañas maravillas que eran las grutas de los Jardines Boboli en Florencia, del Jardín de los Pinos en Fontainebleau y de muchos otros más, cuya tradición se conservó hasta el siglo XVIII, puesto que la época rococó manifestó, a su vez, una singular pasión por esos antros ficticios provistos de talantes de piedra y de metal fulgurantes de cristales y conchas, todavía más misteriosos gracias al murmullo de las fuentes en sus pilas de marfil o de nácar y al chorrear de las aguas que los muros exudaban a través de las velludas hojas de las saxífragas. Atentos al problemático paso de «sombras» parecidas a las que pueblan la caverna de Platón, esos aficionados a las cavernas resucitaban —con una extraña fantasía en la que quizás entra también algo de las antiguas religiones mistéricas— el elemento capital de los cultos antiguos: la gruta en la que el hombre que ha abandonado el mundo de las apariencias y las ilusiones se acerca a las verdades principales que le serán reveladas en el silencio y la oscuridad del «antro». Y al igual que, tanto en Delfos como en Cumas, el individuo deseoso de conocer la lección del oráculo se aproximaba temblando a la caverna profética, así los hombres del Renacimiento, los del Barroco y luego los del Rococó regresarán hacia las grutas y, a falta de grutas verdaderas, las construirán falsas y extravagantes en sus jardines, donde no habrá ya, es cierto, sibilas y adivinos, pero donde escucharán en sí mismos la voz adivinatoria, inseparable de las grutas.

Si nos preguntamos qué encontró Leonardo mientras paseaba su mirada por la penumbra del abismo (qué materialmente exacta su actitud, efectivamente, «me agaché con la mano izquierda apoyada en la rodilla mientras con la derecha sombreaba mis ojos entrecerrados», la actitud que se ve en tantos personajes dibujados por él y que es, a la vez, la de la veneración religiosa y la observación científica), nos es fácil afirmar que contempló un espectáculo en el que —como se produce siempre para él— se manifiestan la vida de los elementos y la vida del alma. El camino subterráneo es el único que conduce hacia las Madres, rodeadas de rocas y agua. Hay que bajar a la tierra para llegar hasta ellas, ya sea tomando los corredores de minas del Klingsor de Novalis, el extraño ascensor que Mefisto proporciona a Fausto en su persecución de Helena, en el Hades, o el laberinto que sigue, en su peregrinación a los Metales, el alquimista, alumno de Paracelso, que escribió *Das Lied der Bergen*.[7]

Imaginemos entonces a Leonardo «tras haber andado cierta distancia entre las rocas que se alzaban a ambos lados», esas rocas semejantes a menhires, comparables a veces a enormes betilos, alineadas de acuerdo con la misteriosa arquitectura de algún Stonehenge lombardo, ruinas evocadoras de un cataclismo cósmico bajo los arquitraves de piedra peligrosamente unidos, que parecen en algunos lugares, como afirma Somaré, «una catedral gótica tallada en la roca viva» —y cierto carácter medieval y razonable rige el orden de esos pilares vueltos a lo orgánico, a lo original, al estado anterior al cincel del escultor de piedra—, imaginemos pues a Leonardo presente en el cuadro de *La Virgen de las Rocas*, como Van Eyck permanece cautivo del espejo de Arnolfini y Velázquez de *Las Meninas*, ¿qué espectáculo descubre?

Un calvero rodeado de rocas altas parcialmente cubiertas de musgo, megalitos esculpidos por unos «cíclopes», peristilo del palacio subterráneo, rudos y salvajes propileos del templo de las Madres, y en ese calvero una mujer se inclina sobre dos niños que juegan a orillas del agua, una agua quieta, sombría, muda como el agua de los lagos subterráneos. Si no queremos descender ahora sino, por el contrario, ascender de esa agua del principio y el origen —hacia la que Leonardo se inclina siempre con tanta curiosidad y veneración, y a la que aspira a dominar, a encerrar en depósitos y canales, a disciplinar al servicio de las máquinas para placer y utilidad de la sociedad, para su destrucción también, si es necesario—, si deseamos subir de esa agua inmóvil que está en la base de todo, que es el tabernáculo del espíritu de Dios incluso en los tiempos del caos, hasta esa columnata de piedras erguidas entre las que suponemos apostado al que contempla, nos acogen, extraordinariamente frescas y alegres y naturales, unas plantas, los embajadores de este mundo vegetal que Leonardo conoce y ama tanto y al que pinta con esa mezcla de minuciosidad miniaturista y de conocimiento científico: violetas, iris, helechos que adornan ese patio basáltico con su tierna y dulce belleza.

Del mundo acuoso hemos llegado al mundo vegetal, descrito con ese encantador naturalismo que Da Vinci aporta siempre a la representación de los árboles y las plantas, por los que siente una especie de amistad, que seducen su fantasía, le inspiran fábulas y audaces imágenes —como cuando habla, por ejemplo, de «plumas verdeantes», de «empenachadas hierbas»—, y donde descubre esta paz risueña que los elementos le ofrecen muy pocas veces, porque están para él cargados de virtualidades dramáticas. En esta Lombardía húmeda y lozana, percibe mejor que en la seca Toscana la conmovedora gracia de los vegetales; así el lugar que ocupan en *La Virgen de las Rocas* sugiere la atmósfera de ese tercer día de la Creación cuando en la tierra estéril crecen hierbas y flores, esa atmósfera feliz de frescas praderas, de umbríos bosquecillos, de luminosos calveros que servirán de marco al san Juan del Louvre, tan desdichadamente denominado y disfrazado de Baco. Aquí las plantas son tímidas, algo pálidas y frágiles como es debido en quien haya respirado los alientos subterráneos, pero en esta «santa conversación» que los personajes divinos mantienen con los elementos, las humildes violetas, cantadas por Poliziano y por Lorenzo el Magnífico, tienen también algo que decir.

En este concierto de los elementos con los protagonistas humanodivinos, los animales no están presentes. Sin embargo podrían estarlo; otro pintor no habría desdeñado la ocasión de acurrucar un corderillo junto al costado del pequeño san Juan, de enroscar serpientes bajo las rocas, de hacer que corriesen lagartos por los basamentos de piedra. Los animales están ausentes en esta sinfonía... o, más bien, Leonardo sólo los habría introducido secretamente, con esa extraña afición que siente por los juegos de las formas, donde el objeto es a la vez él mismo y la posibilidad de otro objeto, de acuerdo con el espíritu de esas adivinanzas, pueriles y algo ridículas —«buscad el perro del guardabosques...»—, pero cargadas de un significado crítico para los iniciados, instruidos en analogías ilustradoras, alegorías y símbolos que resultan naturales para un hombre que nunca quiso reconocer fronteras claras entre los distintos reinos de la naturaleza. Uno de los mejores comentaristas de Leonardo, Gilles de la Tourette, ha puesto juiciosamente de relieve la singular animalidad que parece empapar a los personajes de *La Virgen de las Rocas*, animalidad sugerida, incluso para el observador menos atento, por esa mano semejante a una zarpa o una garra que la Virgen extiende sobre el Niño Jesús, y el reptiliano arrastrarse de la mano que acaricia a san Juan y lo empuja hacia su Hijo.

«Hay otra manifestación muy importante que indica la lectura de *La Virgen de las Rocas*. Como en *La Adoración de los Magos*, pero con mucha más frecuencia, nacen formas o apariencias extrañas, de un carácter netamente animal. Hemos visto que el cuerpo de Jesús podría evocar una masa de huevos de reptil. El de la Virgen evoca, al igual que en *La Adoración de los Magos*, la silueta de una salamandra, la mano del ángel parece tener epidermis de elefante, la de María, dirigiéndose hacia Jesús, sugiere por su contracción y el aspecto de sus dedos la garra de un ave de presa; el pie del ángel, enorme y muy extraño, parece pegarse al suelo como una pata de batracio. Estos elementos se mezclan íntimamente con la forma humana como si, al crearla, Leonardo da Vinci hubiera estado obsesionado por esos caracteres animales; más aún, todos los personajes se adhieren al suelo como batracios; salvo el del niño, sus cuerpos encogidos, medio doblados hacia la roca húmeda, subrayan también ese aspecto; la postura del ángel se emparenta mucho con la de un sapo; y la actitud de san Juan se presta a movimientos lentos y escamosos. Una pesadez animal parecería pues dominar los personajes, penetrarlos en sus formas y disminuir más aún su carácter divino.»[8] Pero la más extraña y menos legible de esas adivinanzas es la forma de pájaro que Sigmund Freud descubrió en la túnica de la Virgen de la *Santa Ana*, y sobre la que el gran psicoanalista basó una curiosa teoría.[9]

El tema tradicional de la «santa conversación», susceptible de pocas variantes en los pintores religiosos desde el siglo XIII, reviste de pronto en Leonardo el aspecto de una demostración, geométrica, naturalista y filosófica a la vez. Puede decirse incluso que todo el sistema del mundo, tal como Da Vinci lo concibió, se expresa en esta composición, hecha a nuestro entender para desconcertar a los cofrades que se la habían encargado y que, al no comprender en absoluto la doctrina secreta, debieron de quedar sencillamente extrañados, escandalizados también sin duda, ante todo lo que en ese cuadro había de insólito e inesperado. Sólo la extremada belleza de los personajes, la flexibilidad llena de gracia y de vida de los cuerpos infantiles, la humana dulzura maternal de la Virgen, la enigmática seducción del ángel que no es tanto una humanización de una fuerza espiritual como una espiritualización de la forma viviente, el supremo esplendor de una adolescencia imprecisa iluminada desde el interior por el fulgor sobrenatural, les encantaron.

En el centro de ese mundo mineral que se refleja en los personajes divinos dispuestos como si fueran sillares rocosos, que emana del agua donde se movía el espíritu de Dios, y de las plantas que fueron las primeras criaturas vivas de nuestro globo, entre estos seres sobrehumanos que conservan ciertos rastros ocultos y diestramente desenmascarados de la animalidad, tiene lugar esta «santa conversación» que aparece despojada de todos los atributos habituales. En *La Virgen de las Rocas* de la National Gallery, que debe considerarse una réplica del original del Louvre, los personajes llevan aureola y el pequeño san Juan empuña su bastón en forma de cruz; diríase que estos accesorios tradicionales fueron añadidos para atenuar lo que de extraño y de pagano hay en la composición del Louvre. El hecho de que estos accesorios fueran deliberada y voluntariamente dejados de lado por el pintor en la *Virgen* del Louvre es muy significativo y merece ser mencionado. En el cuadro de Londres, sólo subrayan la faceta insólita, casi inquietante de esta «reunión en la caverna». Por el contrario, su ausencia en la *Virgen* de París preserva la autenticidad del mensaje que Leonardo nos dirige a través de la tela, mensaje extraordinariamente complejo que, sin embargo, puede interpretarse como una profesión de fe de una especie de naturalismo místico, una confesión de la creencia que tiene en el ascenso de la vida, desde las substancias más pesadas, más opacas —la piedra— hasta el puro espíritu, trepando por los peldaños de lo vegetal, lo animal, lo humano, hasta lo divino. Comprendemos entonces por qué está ausente el corderillo tradicional: el reino animal sólo figura aquí en transparencia, y es revelado por lo que de él subsiste en lo humano, a pesar de la culminación de la metamorfosis.

Por lo que se refiere a los personajes de *La Virgen de las Rocas*, testigos de esas metamorfosis, objetos de esos pasos de la materia al espíritu, de lo animal a lo divino, no podía tratarse de hibridación. Si se alude a cierto estado anterior de reptil o de pájaro, que sobrevive, en cierto modo extraño y disimulado, en el hombre, y pasa así del hombre al Dios, sólo puede ser de un modo extremadamente evasivo y sutil: en primer lugar, porque ese estilo es propio de Leonardo, que prefiere a las afirmaciones masivas una indicación discreta, acuciante, es cierto, pero hecha de matices y susurros, y también porque su certidumbre científica es aún demasiado imprecisa, demasiado inestablemente asentada para que él la muestre. Sugerencias, presentimientos, intuiciones; el «laboratorio» de Leonardo da Vinci y los conocimientos biológicos de su tiempo estaban escasamente equipados para que pudiera llevar muy lejos, en ese campo, los experimentos necesarios. Pero donde se detiene la experimentación, la sustituye un nuevo sentido que llevó a tantos sabios hasta la experiencia y más allá de la experiencia, un sentido que también Goethe poseía en alto grado, y que es una suerte de intuición iluminadora, un presentimiento de lo real no demostrado y no demostrable (de momento), aunque percibido como cierto por ese «sentido suplementario», tan misterioso, tan difícil de captar y definir.

¿Es *La Virgen de las Rocas* menos «religiosa» —en el sentido que darían a la palabra los cofrades de la Concepción que se lo encargaron a Leonardo— que otro cuadro devoto pintado sobre el tema y exento de todas las preocupaciones que preñan a éste y que le confieren ese matiz extraño, turbador y misterioso? Dando a la palabra «religioso» el sentido que tiene para Leonardo, ese cuadro es, por el contrario, infinitamente más religioso, aunque sea menos «cristiano». Todo lo que expresa y que explica la singularidad de la composición se remite a un sentimiento de lo divino más amplio que el que comporta el cristianismo —aunque sea menos preciso y menos espiritualizado— y bastante conforme con la tradición heredada del paganismo de los Misterios, en el que se asocian pitagorismo, alquimia, ciencia de los números y de los astros.

Asimismo, la luz que ilumina esos propileos rocosos es tan extraña, que sugiere la presencia de un indescifrable infinito. Enrico Somaré lo ha comprendido muy bien cuando escribe que el «claroscuro leonardesco procede de un sentimiento ilimitado del tiempo y del espacio». Tanto por esta iluminación como por la singular distribución de la caverna, se sugiere aquí que las dimensiones ordinarias no entran ya en juego. La sorda música interior de las formas, su equilibrio oscilante y esa impresión que transmiten los gestos de los personajes de una eternidad fijada, petrificada y de un espacio que, aunque no es en absoluto abstracto sino extraordinariamente concreto, está lleno de una atmósfera distinta a la que nos rodea, todo ello crea, en efecto, el presentimiento de otro espacio y otro tiempo.

Nos es imposible hoy conocer el colorido original de un cuadro que nos ha llegado con la apariencia extraña y decepcionante de una monocromía parduzca, algo que no era ciertamente cuando el artista lo concluyó. Sin embargo, me parece que, al igual que Rembrandt hace brotar sus personajes del limo de los orígenes cuya textura y color conservan aún, ese colorido irreal (y lo fue, creo, desde el comienzo, antes incluso de que los procedimientos inventados por Leonardo y el propio tiempo le añadieran esa «pátina») se adecua perfectamente al espíritu del artista y está diseñado para borrar todo lo que de anecdótico podría subsistir en esta composición, liberándola en particular de una localización precisa en alguna región del tiempo y del espacio.

Lo inverosímil de la escena que reúne a esos personajes en una caverna —o al menos en el umbral de una caverna—, donde, evidentemente, es sorprendente encontrarles, se explica si consideramos por una parte que Leonardo quiso evitar el decorado habitual de iglesia o de palacio, y por otra parte que confirió un significado muy especial a esta «maternidad» dándole como marco una gruta, por ser la gruta el símbolo más claro y evidente de la «madre», pues representa ese medio cerrado, oscuro y húmedo en el que madura y crece el ser vivo. El tema de la madre irá siempre acompañado, en la obra de Leonardo —y veremos más adelante que se convierte casi en una obsesión— por esa figuración del antro rocoso y el agua; puesto que en el principio el universo, cuando salió de la inconcebible matriz del caos, estuvo también compuesto por rocas y agua hasta el momento en que el Creador separó la tierra del elemento líquido, dividiendo así lo que estaba unido en los orígenes, Leonardo reúne de nuevo esos elementos en la composición de *La Virgen de las Rocas*.

A diferencia de los pintores contemporáneos, Leonardo manifiesta poca afición al paisaje, cuyo interés es sólo anécdota y realidad limitada a determinado lugar y determinado instante. Encontraremos, sí, ese paisaje en el fondo del *Baco* del Louvre, pero figura con un significado muy particular que examinaremos más tarde; en la *Santa Ana* y en *La Gioconda*, donde el tema de la madre es llevado a su más alta y sublime exaltación, el paisaje se vacía de cualquier otro componente que no sea las rocas y el agua, evocando así los elementos primordiales vinculados al principio materno.

Es natural pues que esos elementos sean también lo esencial de esta «maternidad» que es *La Virgen de las Rocas*, en la que, por un singular recuerdo pagano, ambos niños son presentados como gemelos apareciendo con igual importancia en la composición, objetos de un amor igual por parte de la madre; eso nos hace pensar en los mitos más antiguos y generales de la creación, fijados por la Antigüedad pagana en la fábula de los Dióscuros, cuyo lugar en las religiones antiguas es inmenso, y que por lo demás está presente en la mayoría de los cultos indoeuropeos. Georges Dumézil ha escrito sobre ellos algunas páginas realmente ilustradoras.[10]

Nos preguntaremos, probablemente, si Leonardo «pensó» todo eso. La cuestión es fútil, pues lo que hay en el pensamiento de un artista está hecho de asociaciones extremadamente complejas de conocimientos adquiridos, experiencias, intuiciones, pero también de presentimientos, que son una pretoma de posesión del porvenir, y de recuerdos que pertenecen a la memoria individual o a la memoria colectiva, que le han alimentado y modelado, a menudo sin que él mismo lo sepa. Esta filosofía de Leonardo, que no procedía de sus lecturas ni de sus experiencias, al menos en su mayor parte, debe ser considerada pues fruto de esta memoria, de esta tradición inconsciente, de esta heredad no ya personal sino de la especie, de este tesoro de sabiduría antigua que le había sido transmitido por una lejana ascendencia. Hay que decir, por fin, que estas ideas sobre el sistema del mundo estaban en el aire, que los humanistas las habían encontrado en el bagaje filosófico de la Antigüedad, y que probablemente no habían dejado de inspirar, durante la Edad Media, a toda una categoría de sabios y pensadores, más o menos ortodoxos, que habían ocultado en alegorías sus operaciones químicas sospechosas para la Iglesia y sus teorías consideradas heréticas. Siempre ha existido una «tradición oculta» cuya importancia no conviene exagerar cuando se examina la personalidad y la obra de Leonardo, pero que sería absurdo ignorar, pues desempeñó, sobre todo en las corrientes subterráneas del pensamiento europeo, un papel eminente, que veremos resucitar, con un desarrollo más vasto aún, en el período «iluminista» del Rococó.

Los priores de la Cofradía pusieron mala cara ante la obra maestra, y no podemos tenérselo en cuenta pues la obra era, en efecto, desconcertante y, además, no conforme con los términos del encargo. Se negaron a aceptarla y pagaron una suma muy inferior al precio estipulado. No contaremos las vicisitudes del proceso; fueron expuestas muy minuciosa y exactamente por Motta y por Malaguzzi, así como por Beltrami y Venturi.[11] El proceso se arrastró durante varios años y concluyó de un modo insatisfactorio, probablemente, para ambas partes, puesto que Leonardo tenía aún el cuadro en su posesión cuando partió hacia Francia y éste figura en los inventarios del castillo de Fontainebleau a partir del siglo XVII, en vez de adornar como se había prescrito el altar de la Cofradía en la iglesia de San Francesco.

Esta solución se explica perfectamente, ya que los encargos eran, por aquel entonces, de una precisión que ataba al artista y le privaba de su libertad de interpretación. Y, sobre todo, porque *La Virgen de las Rocas* representa una estética tan adelantada al espíritu de aquel tiempo que se perdona a los buenos burgueses milaneses, encargados de los asuntos de la Cofradía, que no lo comprendieran y provocaran un escándalo, en vez de expresar su agradecimiento al artista que les había gratificado con un presente genial y sin precio. Todo en el cuadro debió de dejar atónita a la buena gente, tanto la propia concepción de la obra como su ejecución, fruto de las investigaciones técnicas que realizaba Leonardo, impelido por la curiosidad que sentía ante los nuevos medios y los nuevos pigmentos.

En esta búsqueda, al igual que en las demás andaduras de su espíritu, es obvio que siente repugnancia por las soluciones fáciles y convencionales. Sus inventos fueron la causa —se ha dicho a menudo— de la ruina de muchas de sus pinturas, pero debemos repetir que nunca Leonardo fue impulsado por un pobre deseo de hallar lo nuevo por la propia novedad; muy al contrario, convencido de que cada cuadro, dado su tema, debía ser pintado de un modo distinto, se comprende que haya rechazado como miserable la costumbre de pintarlo todo, retratos, escenas religiosas, paisajes, episodios históricos o legendarios, con los mismos materiales y la misma técnica. Esta ambición que sentía por enriquecer con nuevos medios el arte del pintor, lo lanzó a intentar experiencias que no fueron felices en la práctica, pero que tenían su origen en la pasión que sentía por su oficio y en su insaciable apetito de procedimientos específicos para cada obra en curso.

Acertada en sí misma, y fecunda, esta idea le llevó a dificultades como las que le planteó *La Cena*, pero podemos admitir muy bien, con Leonardo, que la evocación de la institución de la Eucaristía, siendo la cima del pensamiento cristiano, exigía medios materiales distintos a los de una obra pagana, que es lo que era en el fondo —y los contemporáneos no se engañaron— *La Virgen de las Rocas* o también el retrato de Cecilia Gallerani. En *La Cena*, Leonardo se aventuró por un mundo lleno de peligros espirituales y materiales. Materiales porque comenzaba a pintar con una técnica que no había probado suficientemente antes y cuyos defectos iban a aparecer durante la ejecución. Espiritualmente porque Leonardo afrontaba el problema, terrible para todos y más terrible para él que para nadie, de la representación de lo invisible, de la expresión de lo inexpresable. Le faltaba, para conseguirlo, la intuición infantil de un Fra Angélico, la vehemencia mística y visionaria de un Grünewald. En términos de razón y de evidencia, era preciso contar el más prodigioso milagro que nunca se haya realizado. ¿Qué artista, y de qué época, hubiera sido capaz de ello?

CAPÍTULO SEIS

«La Cena»

¿Es *La Cena* de Santa Maria delle Grazie una gran obra de arte religioso? No estoy seguro de ello, aunque a menudo se vea en ella una de las expresiones más conmovedoras de la piedad cristiana. Estudiándola bien, esta pintura me parece, por el contrario, una de aquellas en las que se expresa del modo más claro y evidente el carácter particular que adopta en Da Vinci el sentimiento religioso, y éste es poco cristiano. El problema que se le plantea, en efecto, es un problema plástico y psicológico; no es espiritual, o sólo lo es en segunda instancia y no en su esencia. No trata de extraer de esa conmovedora escena la prodigiosa emoción sagrada que contiene y el significado místico que en ella se oculta.

El estado de preparación material e intelectual en el que se coloca antes de ejecutar ese encargo es muy elocuente. Por lo general regresa al punto de partida original de cualquier creación artística, es decir, la fabricación del material y la elaboración del lenguaje estilístico que va a emplear. «La pintura es una poesía muda»,[1] escribió cierto día. Para trasladar a este «arte mudo» que es el fresco un episodio tan intensamente dramático como éste y para darle la misma emoción que provoca el texto de los Evangelios tal como se recita durante el oficio de la Pasión, es necesario emplear los mismos medios, y éstos son medios de teatro: diálogo, alternancia de voces diversas, cambio de registro vocal según los personajes que están en escena y los momentos de la acción. Todo ello en un solo instante, que deberá ser el del clímax trágico, y mediante una gesticulación silenciosa que recuerda el lenguaje de los mudos.

Era tradición decorar los refectorios de los conventos con la representación de esta última cena durante la que Cristo instituyó el sacramento de la Eucaristía y celebró, por consiguiente, la primera misa. Los monjes tenían pues ante los ojos el episodio más preñado de sentido de toda la Pasión. Cristo, rodeado por sus apóstoles, presidía cada día sus comidas, y así tenían la ilusión de tomarlas en su compañía. Una especie de «comunión» elemental, esta comunión primitiva que consiste en el hecho de comer juntos y que forma parte de las costumbres de todos los pueblos, revestida de un carácter casi sagrado, crea un primer vínculo entre los comensales reales y los participantes en la *Cena*. La presencia de Cristo en la mesa de los monjes confirma la frase: «Estaré entre vosotros.» La institución de la Eucaristía recuerda a los religiosos que contemplan la pintura el sentido profundo de la misa, que es su realización cotidiana: el gran misterio de la muerte y la resurrección del hombre, representado en la muerte y resurrección de Cristo.

El cuerpo se deposita en el cáliz, que es la tumba, bajo la forma del pan y del vino, substancias materiales, perecederas, muertas, que se entierran para prepararlas para la resurrección. Ésta se realiza cuando las palabras de la consagración han transmutado esa materia muerta en espíritu vivo. La misa es la historia de Cristo inhumado y resucitado, y la historia de todos los hombres que, participando en el sacrificio, participan también en la muerte y resurrección. Durante la Cena, Cristo proclamó inequívocamente la resurrección del alma y del cuerpo, metamorfoseando el vino y el pan mortales en su carne y sangre inmortales, haciendo que el Espíritu descendiera en la Materia que, por este matrimonio entre espíritu y materia adquiere las propiedades divinas.

La representación de la Cena en el muro de un refectorio no es sólo, como se comprenderá, la reproducción de una anécdota, sino también la afirmación de la verdad capital del cristianismo. Al igual que el cuerpo se mantiene en vida por el alimento material que absorbe cada día, así el cuerpo y el alma obtienen la inmortalidad por el sacrificio de la misa, recordado aquí bajo la forma de la misa inicial, de la misa única celebrada por el propio Cristo, la ceremonia más santa y augusta que nunca haya existido.

Los pintores italianos de la Edad Media y del Renacimiento no se habían aplicado a devolver la atmósfera del milagro a esta representación. El propio Andrea del Castagno y también Fra Angélico apenas se remontan por encima de la anécdota. Es preciso aguardar a Tintoretto, sus fulguraciones y sus nubes de fin del mundo, para que se evoque el contenido fantásticamente espiritual de la Cena. La Florencia del Quattrocento y la Lombardía del siglo XVI no eran místicas. La Cena es para los pintores una comida tranquila, bien ordenada, estática, dispuesta por lo general de acuerdo con una rígida ley de frontalidad que recuerda los cánones medievales, de donde está ausente el elemento divino, por timidez, y de donde se excluye por conveniencia el lado teatral. Leonardo no aportará a ello el elemento divino, porque no lo hallaba en sí mismo, pero trastornará la tradición convirtiendo en un quinto acto de drama romántico agitado por la apasionada gesticulación de mediocres actores, y usando y abusando de medios exteriores, esta ceremonia por completo interior, hecha toda ella de emoción íntima y piadoso recogimiento.

No releyó el texto de los Evangelios para disponer su espíritu y su cuerpo a este recogimiento. Consideró primero el problema técnico muy complicado, puesto que consiste en la evocación de lo espiritual y su traducción por medios materiales. Ocupado como está en sus investigaciones sobre el movimiento, va a integrar en esa búsqueda la pintura de *La Cena* y a elegir en el relato de la Última Cena el momento que mejor se presta a la expresión del movimiento: no el «éste es mi cuerpo...» que implica suspensión, inamovilidad, sino: «uno de vosotros me traicionará», esta denuncia que sobre todo al tratarse de una asamblea judía desencadenará gestos violentos y furiosas negaciones. La elección de este momento es característica; en el episodio místico Leonardo aísla el instante que mejor se presta a lo trágico exterior, el más sensacional, el más «crudo».

Es también el instante que mejor se presta al contraste entre la dolorida inmovilidad de Cristo y la vehemencia de los apóstoles, y a la evocación del elemento divino en el primero, opuesto a la «terrenidad» de los demás. De ahí surge un conflicto muy interesante, desde el punto de vista teatral, puesto que es preciso reconocer que en esta escena Leonardo pensó ante todo como un director de escena y consideró esta pintura el equivalente de un gran «final» de ópera barroca sin música. Intentó ponerle música. En cierta medida, pueden considerarse las actitudes y los gestos de los personajes como los equivalentes a los timbres de los instrumentos en una orquesta, es posible contemplar el conjunto como un *concerto grosso* en el que tres grupos de instrumentos conciertan con dos grupos de cuerdas que ejecutan el acompañamiento, en una palabra, convertir cada uno de los héroes de esta escena en una voz musical y, entonces, reuniéndolo todo en una orquestación poderosa y patética, escuchar la sinfonía que de ello se desprende.

En su esencia, sin embargo, el problema plástico rige sobre los demás, pues de la disposición y la distribución de las masas nacerá esa expresión dramática que el pintor busca. Leonardo establece pues —como exigen la lógica de la composición y su coherencia con los datos históricos— el conjunto de sus personajes en un espacio distribuido según la pura perspectiva albertiana, abierta al horizonte para dejar ver la campiña por tres ventanales que constituyen la tercera pared del Cenáculo. Esta introducción de la naturaleza, apaciblemente extendida en un paisaje lombardo al ocaso, subraya el contraste que hay entre la calma serena, «divina», inmutable de la naturaleza y la maldad, la mediocridad de los hombres sumidos en una confusión dramática sin salida. Todas las líneas de fuga de esta perspectiva convergen, como es debido, hacia el rostro de Cristo, centro geométrico y espiritual de la composición. El ser de donde todo sale y a donde todo vuelve: el centro en el más auténtico sentido del término. En esta vasta sala, la mesa alarga su barra blanca, tras la que están colocados los comensales, Judas del mismo lado que los demás, y no aislado al otro lado de la mesa, como se le ve a menudo, y también en un dibujo donde Leonardo intentó agrupar de otro modo a los personajes,[2] expresando con material ingenuidad el hecho que está aparte, «al margen».

Para dar al agrupamiento de los personajes una vivacidad dramática que se corresponda con la violencia del momento, Leonardo rompió el grupo en cinco «paquetes» de diversas formas, con el fin de que la corriente trágica saltase de uno a otro «paquete» de acuerdo con un ritmo entrecortado, irregular, patético, que responde a la emoción que les sacude, a la confusión que se apodera de ellos y que les hace oscilar a lo largo de esta horizontal en la que las cabezas se alinean paralelamente a la línea de la mesa. A cada extremo de ésta, un rectángulo constituido por tres apóstoles. En el centro, una pirámide formada por un solo personaje, Cristo. A ambos lados, entre el rectángulo y la pirámide, un volumen irregular, agitado, móvil, que se opone rítmicamente a los rectángulos y a la pirámide, esencialmente estáticos.

Hay pues cinco «tiempos» a lo largo de esta línea melódica: un tiempo débil a cada extremo, dos tiempos fuertes intercalados entre esos tiempos débiles y la asombrosa sonoridad de la pirámide central, donde se reúnen los cantos de todos los instrumentos. La intensidad plástica de cada uno de estos grupos resulta de la violencia con la que cada cual es afectado por las palabras de Cristo, no tanto psicológica o afectivamente cuanto dinámica o materialmente. Los grupos son realidades constructivas, entidades prácticas; no tienen unidad afectiva; son sólo fuerzas en movimiento, energías colectivas. El sentimiento dramático, por el contrario, se divide entre los diversos personajes; es indivi-dualizado, y el pintor se aplicó, incluso, a diferenciar cada uno de los doce apóstoles en su carácter, en su temperamento, hasta buscar casi la definición de un tipo humano.

Todo ocurre, entonces, como si los estudios de fisiognomía, de ca-racterología que completan, en Da Vinci, el estudio de la anatomía y la fisiología, encontraran su conclusión en la representación de *La Cena*: como si quisiera resumir allí, reunir allí todo lo que ha aprendido refe-rente a la naturaleza física y moral del hombre. El gran número de esbo-zos sobre los grupos y las figuras individuales, sus atentos paseos por las calles, por las plazas, por el mercado, al acecho de expresiones de ros-tros, gestos de manos, movimientos del cuerpo que son la expresión es-pontánea de las pasiones, nos dicen con qué aplicación procuró aportar a *La Cena* el máximo de verdad humana y de vivacidad dramática. Exi-gencia casi naturalista en su propósito inicial, y de un «verismo» que los peores barrocos tendrían derecho a reivindicar.

Eso era necesario, dirán ustedes, para subrayar la oposición entre la divina resignación de Jesús y el griterío, en exceso humano, de los hom-bres que le rodean; no olviden, añadirán ustedes, que se trata de una muchedumbre oriental y, más particularmente, semita, en la que la me-nor emoción origina de inmediato una tumultuosa gesticulación... Lo admito, y admito que los apóstoles eran judíos, y que la noticia era tan monstruosa que necesariamente debía provocar un sobresalto de cólera e indignación. Leonardo se sentía muy orgulloso de haber discriminado con tanta fuerza y claridad las diversas reacciones de los apóstoles ante el anuncio de la terrible acusación hecha contra uno de ellos, y sus con-temporáneos —también la posteridad— le dedicaron grandes alaban-zas por haber conseguido hacerlo tan bien.

¿Es cierto que los rasgos físicos de los personajes y los temperamen-tos a los que corresponden constituyen, realmente, una especie de catá-logo caracterológico, como deseaba Leonardo? Poco importa. Lo que más nos interesa para la comprensión del sentimiento religioso particu-lar del artista es el examen del momento elegido —que por otro lado tenía la ventaja de ofrecer el contenido dramático más violento y con-trastado— y de los tres personajes que por su parte permanecen, por así decirlo, apartados del drama: Judas, san Juan y Cristo.

La propia construcción subraya la extraordinaria importancia que toma Judas en este acontecimiento. Está cerca de Cristo, es el más próximo a él después de san Juan y san Pedro —materialmente, claro está—, pero Leonardo no lo relega fuera de la comunidad de los apóstoles, como hicieron tantos pintores de cenáculos, y está unido a Cristo por un vínculo singular, plástico y místico, que el pintor cargó, sin duda, de profundas intenciones. En el relato de *La Cena*, Da Vinci eligió, ya lo he dicho, el episodio que podemos denominar de la Denuncia, y en éste, más particularmente, la réplica: «El que pone la mano en el plato...» Sólo Jesús y Judas se comprendieron y reconocieron en aquel momento; los apóstoles están aún en el episodio anterior de la Denuncia, en la acusación propiamente dicha, y tan trastornados por esa revelación que de golpe hace añicos la confianza en la que vivía la comunidad apostólica, que todavía no se han repuesto de esta emoción, y tal vez no han oído la respuesta de Cristo a su inquieta y furiosa pregunta: «¿Quién es?» De momento, diríase que cada cual piensa sólo en sí mismo, en su justificación, en su análisis. ¿Seré yo? ¿En qué medida se puede traicionar sin saberlo, sin quererlo? ¡No soy yo!...

Plástica y formalmente, entre la pirámide central y el rectángulo de la izquierda —desde la posición del espectador— se abre un gran ángulo que abarca al grupo intermedio que contiene a Judas, san Pedro y san Juan. Una especie de curva desciende de la cabeza de Cristo y asciende hasta la cabeza de Judas. En la base de esta curva en forma de cuenco, en el lugar donde la mano derecha de Cristo y la mano izquierda de Judas casi van a tocarse está el plato: el plato denunciador. Nosotros, espectadores, anticipándonos a los apóstoles cegados aún por su emoción, hemos visto ya, hemos comprendido el significado de estas dos manos casi juntas, casi tan cercanas como la del Creador y la de Adán en el fresco de Miguel Ángel: dos manos entre las que pasa una corriente, no una corriente de vida sino de muerte. Y el plato está ahí, cargado de poder destructor, mortal para el que lo toque.

Para nosotros, espectadores, el drama ha terminado. El gesto de Cristo, con las dos manos tendidas, la cabeza inclinada hacia un hombro, los ojos entornados, significa: todo se ha consumado. Para Da Vinci la Pasión concluye aquí, aquí se dicen las palabras definitivas; todo lo demás será sólo su consecuencia, el desarrollo casi mecánico según la lógica del acontecimiento, del drama de la Redención. Leonardo nunca pintó la Crucifixión, ni el Huerto de los Olivos, ni los Ultrajes. Diríase que todo eso no le interesa. Al contrario que un gran místico como El Greco, que no se cansa de repetir estas dolorosas escenas y de construir alrededor de estos temas enfebrecidas y desgarradoras variaciones, el único episodio de la Pasión surgido de su pincel es éste: la Denuncia.

¿Acaso se sentía incapaz de traducir los grandes instantes patéticos del sufrimiento y la iluminación? ¿Los evitó porque, en el fondo de sí mismo, no comprendía a Cristo? ¿Porque no sentía en su alma el drama de la Pasión? ¿Porque no participaba de él?

Esta especie de paralelismo que establece entre Cristo y Judas, en los dos extremos de la curva invertida, es de una prodigiosa elocuencia. ¿La elección que Cristo ha hecho ya de Judas como coactor de la Redención aparece acaso en esas dos manos que van la una hacia la otra? ¡Qué fuerza, qué solidez, qué seguridad en la actitud de Judas, en esta pirámide que corresponde simétricamente a la pirámide de Cristo! Judas tiende la mano izquierda hacia el plato, una mano que permanece levantada, suspendida, en la misma posición que la mano diestra de Cristo. Se trata de la mano izquierda, porque la actitud recogida y algo vuelta del cuerpo es más enérgica así, pero también porque la mano «siniestra» es la del malo. En la Edad Media, el verdugo era obligado a beber con la mano izquierda, para que cualquiera que le encontrara en la taberna le reconociese enseguida y no se expusiera a beber con él... ¡Suprema vergüenza! Judas es el «verdugo» en la distribución de los papeles de la Pasión; es también el mal por excelencia, el agente del demonio. Da Vinci exageró incluso, al parecer, la expresión bestial de su rostro, la pesadez de su postura, la materialidad de su cuerpo, de fuertes espaldas, de ancho pecho, y la mezcla de temor y ambición que expresa la mano dirigida hacia el plato parece horrible y repugnante. Había aún cierta grandeza, peligrosa e irónica, en el Judas de Andrea del Castagno, una especie de diabólico desafío, de provocadora desesperación. Para Da Vinci, Judas es un Marsias vencido por Apolo. *Sol invictus*, Cristo brilla semejante al sol, y arroja a su noche subterránea el instrumento del Infierno, ese «demonio mezquino» amasado con deseos carnales y ambiciones terrestres que, por espanto más que por remordimiento, retrocede ante la mano que le condena.

Se han intentado ingeniosas interpretaciones del doble gesto de Cristo; la oposición de las dos manos, la una abierta mostrando la palma, ofrecida al universo en un movimiento de acogida o simplemente de cansancio y decepción al advertir la insuficiencia y la maldad de los hombres, mano de víctima dispuesta para el sacrificio, para los clavos de la Crucifixión; la otra violenta y severa, avanzando como una araña en dirección al enemigo. La primera semejante a una hoja, vegetal casi en su delgadez y su abdicación, la otra animal y feroz...; ¡Cuántas cosas podemos hacer decir a estas dos manos, cuyo elocuente lenguaje buscó

Leonardo, durante largo tiempo, en los esbozos! No son las manos vengativas, heroicas, del Justiciero de la Sixtina: nada hay en ellas de sobrehumano, nada de divino. Y lo que nos impresiona en esta pintura es, precisamente, el hecho de que en ella esté ausente lo divino.

¿Quién iba a creer que el drama de la Redención alcanzaba en ese momento su punto más patético? Ciertamente no los apóstoles que exclaman y se asustan con una agitación de buena gente que no presiente que el destino de la humanidad se decide entre esos dos personajes. Ni siquiera san Juan, sumido en su sueño, acunado por su amor y su ideal, fuera del alcance de la duda y el sufrimiento, por entero entregado a esa irrealidad sonriente que le preserva de lo trágico de la situación, y le evita «asimilarla», como suele decirse. Único apacible en aquel jaleo, porque tal vez sabe, o adivina, por el Amor, que todo ese encadenamiento de circunstancias que se prolongará siguiendo la Vía Dolorosa hasta el Calvario, sólo es símbolo, tal vez, y alusión. *Alles Vergangliche ist nur ein Gleichnis*, decía Goethe: todo eso pertenece a la aventura terrenal de Cristo, a lo pasajero, lo provisional, que sólo es alegoría; al otro lado del tapiz, los acontecimientos tejen otro dibujo. Semejante a san Juan Bautista, al que Da Vinci tendrá ante los ojos hasta la hora de su muerte, el Evangelista conoce otra realidad, el envés verídico de las cosas; por lo tanto, esa dulce somnolencia de la que está cautivo no es indiferencia, ni mucho menos, sino superior sabiduría, conocimiento supremo, inquebrantable confianza en la obra de salvación que se cumple de acuerdo con la línea marcada desde siempre, en pro de los hombres y a pesar de los hombres. Todo ello es necesario, fatal. Ese dramático debate que tiende a elucidar quién ha traicionado, cómo y por qué, ocurre muy por encima de la zona donde san Juan sueña las cosas por venir. Por eso, en vez de acurrucarse junto al pecho de su Maestro, en la actitud que le atribuían los primitivos, el discípulo bienamado se aleja de Jesús casi tanto como Judas, y casi con el mismo movimiento que resulta enigmático en su consentimiento apenas doloroso; también él, está solo como lo están Jesús y Judas, sordo a las vociferaciones de los demás y sin que emoción alguna afecte su belleza de dios pagano, su lúcida impasibilidad.

Si el foco perspectivo del cuadro es el rostro de Cristo, hacia el que conviene que converjan, al mismo tiempo que todas las líneas de la composición, todas las miradas de los espectadores, su centro secreto es esta porción de espacio donde se desarrolla la tragedia entre esos tres seres, tan próximos y tan solitarios al mismo tiempo, cada cual amurallado en un universo particular al que los demás no tienen acceso. De esas dos espiritualidades distintas, la de Cristo, activa, práctica, y la de san Juan bañado en un sueño budista o taoísta, ¿cuál tenía según Leonardo un verdadero carácter divino?

Es difícil decirlo. Cada hombre, al interrogar esta pintura, descubrirá en ella, como en las demás obras de Da Vinci, un espejo incapaz de responder a su pregunta salvo con otra pregunta. La ambigüedad de todos sus personajes, o al menos de lo que se designa con ese nombre, no es otra cosa que la aptitud que tienen de proponer a cada uno de los que les interrogan la solución que cada cual debe descubrir. Se parecen, en esto, a los oráculos griegos, también ambiguos, porque su función suprema no era ahorrar a los hombres la decisión, la voluntad, la elección, sino, por el contrario, hacer más profunda su inquietud al tiempo que la volvía activa. «El Señor de Delfos no dice sí, no dice no; da una señal.» Esta sentencia que advertía a los peregrinos de lo que debían aguardar del oráculo, define de antemano su significado y su alcance. La señal que recibe como respuesta el interrogador es la simiente de la elección, la indicación no del objetivo sino de la dirección que debe tomarse hacia ese objetivo superior que todo hombre lleva en sí, y que es su propia fatalidad. El san Juan del Louvre no dice otra cosa con su dedo misterioso que no designa objeto exterior alguno, sino que crea el movimiento de búsqueda. Para algunos, esta pintura puede ser la cumbre del arte cristiano. Otros, por el contrario, verán en ella una nueva prueba de ese equívoco en el que Da Vinci voluntariamente se encierra cuando se trata de religión. La verdad, si la hay, debe buscarse más allá de los actores de este drama, más allá de la sala del Cenáculo, en esas lejanas oleadas, rosas y doradas, de colinas casi indistintas, que son el paisaje vinciano por excelencia, el paisaje de su alma, la estancia de las divinidades que le son familiares, la triple santa Ana, la Gioconda, las diosas, las madres.

Sé que *La Cena* que vemos hoy no es más que una sombra de la que pintó Leonardo —la «sombra de una sombra», se ha dicho— y que no debemos hacer que diga demasiadas cosas un cuadro que tanto ha sufrido por culpa de los elementos, del salvajismo de los hombres y, en primer lugar, de las temeridades técnicas del pintor, pero confirma sin embargo todo lo que podemos conocer sobre la «religión» de Leonardo según su obra. Sus escritos, tan prolijos en cuanto se trata de técnica, se limitan a una filosofía bastante incierta, voluntariamente o no. Parece indiscutible que los problemas espirituales, capitales para la mayoría de los hombres de su tiempo, incluso cuando tendían al paganismo (siendo entonces su paganismo sólo otra forma de inquietud religiosa y apareciendo la de Pico de la Mirándola más ardiente que la de Savonarola), ocupan poco lugar en las preocupaciones de Leonardo. A pesar de lo peligroso que era expresar opiniones poco ortodoxas, lo hizo, al parecer, recurriendo si era necesario a una criptografía más difícil de descifrar que la escritura invertida, que utiliza por lo general. En estas fábulas, en sus bromas y sus alegorías se burla un poco del clero, pero no más ni de otro modo como lo hacían, con una rechifla sin malevolencia, algunos de sus contemporáneos, quienes gustaban, después de beber, de contar historias escabrosas a costa de los *piovani* y los *frati*. Que por aquel entonces algunos sacerdotes desempeñaron a veces el papel de bufones lo demuestran elocuentemente el famoso Piovano Arlotto, autor de inolvidables *burle* en la corte de Lorenzo el Magnífico, o Fra Mariano, en el Vaticano de León X. Por otra parte, convertir a Leonardo en el heredero de doctrinas heréticas, el continuador de los cátaros, el sectario de misteriosas capillas orientales, me parece en exceso arriesgado, pues sólo se apoya en hipótesis sin fundamento. Tampoco se ha probado que fuese «johanista», o seguidor de Joachim de Flore.

En todo caso, de todos los pintores de aquel tiempo, es aquel en cuya obra Cristo ocupa menos lugar; el papel que Cristo desempeña en los cuadros de los demás, Leonardo se lo atribuye a la Virgen María, y más adelante veremos por qué. Comparada con la obra de Rafael y de Miguel Ángel, por ejemplo, para nombrar sólo a sus dos contemporáneos más insignes, la de Leonardo contiene bastantes madonas —sobre todo si contamos las que se han perdido— y un número sorprendentemente escaso de las figuras de Jesús. No pintó el Juicio Final, ni la Transfiguración. Podría creerse, incluso, que sólo las imposiciones de un encargo le llevaron a ejecutar *La Cena* de Santa Maria delle Grazie, tema muy adecuado para el refectorio de los monjes pero que probablemente él no hubiera elegido. Puede decirse que, en esta pintura, la figura del Redentor no le inspiró especialmente, y que ese trabajo, unánimemente alabado, magnífico, claro está, como todo lo que brotaba del genial pincel, no iguala sus obras maestras. *La Cena* no es impulsada por el aliento místico que quisiéramos sentir en ella, porque Cristo, que es su alma, carece de ese fulgor misterioso de la divinidad que Da Vinci sabía poner en sus otros cuadros. Podríamos decir, en una palabra, que aunque pintó diosas de un modo sublime, pues en ellas resplandecía la luz de lo sagrado, nunca supo pintar dioses; ni Apolo, ni Cristo, ni Zeus, ni el Padre Eterno.

¿Por qué? ¿Cómo responder? Tocamos aquí el secreto esencial de la personalidad de Leonardo, el enigma que gobierna ciertamente toda su vida y todo su pensamiento religioso y que se revela a través de dos fenómenos singularmente evidentes en él: el horror por la virilidad y, simultáneamente, el culto a la feminidad. Es un hecho indiscutible, confirmado por todo lo que sabemos de su vida, todo lo que escribió y todo lo que pintó. Cualquier curiosidad indiscreta con respecto a la vida privada del artista se convierte en escándalo y chismorreo. Dejo de lado, pues, lo que se refiere a la pretendida homosexualidad de Leonardo; fuera homosexual o no, la cosa no nos interesa lo más mínimo. Por el contrario, nos importa conocer, porque esa actitud se transmite del mundo físico al mundo espiritual, qué parte ocupaba en la vida de Leonardo el problema del eterno femenino, y de qué modo respondió a la llamada que «nos arrastra hacia arriba».

Ese horror por la virilidad, del que he hablado anteriormente, no procede de que fuera afeminado. Era vigoroso, un atleta completo según la concepción de la época, que no está muy alejada de la nuestra, y estaba dotado de una fuerza poco común —sus contemporáneos nos lo dicen—, de modo que constituía un magnífico ejemplo de perfección divina. Algunos de sus dibujos permitirían alegar que la unión sexual sólo le inspiraba repugnancia, pero es temerario convertir en una constante lo que pudo deberse al humor de un momento, a la reacción del «animal triste». Nunca se casó, pero Miguel Ángel tampoco, y no se conocen los nombres de sus amantes porque las gentes de aquel siglo no se deleitaban tramando en torno a la vida de los grandes artistas ese sabroso tejido de escándalos con el que disfruta el público actual, muy dispuesto a ignorar las obras de los famosos del día, pero empeñado en conocer hasta la última de sus calaveradas. Leonardo no tuvo un «espíritu de familia» muy desarrollado; algunas de sus cartas, conservadas en sus cuadernos en forma de borrador, son elocuentes a este respecto; pero ¿qué puede esperarse de un hijo natural que nunca conoció la plenitud de la vida familiar?

Detestaba la brutalidad, la vulgaridad y la grosería, defectos bastante frecuentes en una época todavía poco civilizada pese a los refinamientos artísticos. Le horrorizaba la guerra —aunque hubiese inventado tantos ingenios mortíferos y conociera bastante bien el manejo de las armas— y también la violencia. No es posible imaginar un ser de tan perfecta distinción, de más alta civilización. Ahora bien, la violencia seguía siendo ley en un siglo que había convertido a los *condottieri* en sus dioses; hombres de gran calidad intelectual albergaban, al mismo tiempo que los exquisitos dones del espíritu, instintos de una feroz violencia y de un inconsciente salvajismo. Leonardo estilizó en su «retrato de guerrero con casco»[3] ese complejo aspecto de la Italia del Renacimiento, mezcla de cultura y de barbarie primitiva, de antiguo orgullo y de crueldad. Todo en este guerrero evoca la lucha, su caparazón de insecto, su casco erizado de púas, su rostro modelado por indómitas pasiones. Es sin duda, en su orgullosa seguridad, lo que más detesta Leonardo, la contrapartida belicosa del solapado Judas de *La Cena*. Ese capitán de espléndida armadura es el hermano de los combatientes de *La Batalla de Anghiari*, inhumanos hasta el punto de alcanzar la frontera entre el animal y el demonio. Pocas veces representa Leonardo la grandeza y la nobleza viril, tal como la encontramos en Miguel Ángel o en Tiziano; la exageración o la caricatura deforman enseguida ese carácter de virilidad. Cuando proclama que «nada hay más magnífico que el hombre», se refiere al ser humano, y el ser humano perfecto es la mujer, no el varón.

Prueba de ello es que el hombre se eleva y se perfecciona en la misma medida en que se libera de lo que en él es propiamente viril, para tender cada vez más hacia la feminidad. Se espiritualiza feminizándose. En innumerables dibujos, retratos o creaciones imaginarias, Leonardo busca el rostro de ese ser que se aproxima a la mujer, sin ser no obstante mujer, que es, en suma, la adolescencia idealizada, tal como la había soñado también Botticelli. Se encuentra en el pintor de la *Primavera* la misma búsqueda ansiosa de esa belleza perfecta, a la vez espiritual y carnal, andrógina, si se quiere, en la que el ser humano se purifica de todo cuanto queda en él de vulgar y de brutal. La criatura original que, en el mito platónico, era a la vez hombre y mujer, obsesiona aún a los artistas y los poetas del Renacimiento. Diríase que, en su deseo de unidad, imaginan una naturaleza humana en la que los caracteres y las propiedades de ambos sexos no estarían ya tan claramente diferenciados y opuestos como lo están en la naturaleza. Esta aspiración, tan frecuente en el Renacimiento, se atribuye equivocadamente a la influencia de la Antigüedad resucitada, pues la Antigüedad nunca conoció esta belleza andrógina. Los elementos de la virilidad y la feminidad están más enérgicamente definidos en el arte griego que en ningún otro arte, y el hermafrodita, de invención romana y de inspiración oriental más que helénica, no tiene relación alguna con la belleza andrógina tal como la sueñan Botticelli o Leonardo.

Botticelli, por otra parte, extiende a su pintura religiosa esa ansiosa búsqueda de una belleza casi inmaterial. Dota de ella a sus ángeles y tampoco teme representar en sus dos *Entierros*[4] a un Cristo imberbe, adolescente, cuyo cadáver, dotado de una gracia femenina, posee una turbadora seducción. De ahí procede también, tanto en él como en Leonardo, la preponderancia que atribuye a la mujer, Virgen o Venus, no importa: diríase que son intercambiables y encarnan el mismo ideal del eterno femenino, la misma divinidad. Examinar en las diversas esferas del arte de aquel tiempo el proceso de idealización a través de la feminización nos llevaría demasiado lejos. No olvidemos, sin embargo, que Verrocchio, en cuya *bottega* el joven Da Vinci trabajó, es el escultor del Colleone, obra maestra de espantosa virilidad, es cierto, pero también el autor del pequeño David con sonrisa de muchacha y cuerpo de adolescente que triunfó sin esfuerzo —victoria significativa de ese superhombre— sobre el exponente de la virilidad que era Goliat. Se comprende entonces por qué el tema de David fue objeto de tanta predilección en aquella época: materializaba, en efecto, una de las aspiraciones más vivas y tenaces de los artistas de aquel tiempo. Por una de esas singulares resurrecciones a las que asistimos a menudo en la historia del arte, el pintor David, revolucionario colérico y huraño, poco afectado por la feminidad, recuperó sin embargo y por instinto ese ideal del Renacimiento cuando representó al pequeño Bara bajo la figura de una joven mártir, réplica casi —como acertadamente observó Louis Réau— de la santa Cecilia de Maderna.[5]

Volviendo a Leonardo, advertimos pues que en su obra el hombre y la mujer sintetizan dos tipos humanos muy distintos y muy contrastados. Diríase incluso que exagera voluntariamente los caracteres específicos de esos tipos, que imagina mujeres más supremamente mujeres de lo que son, hombres más viriles que en la realidad, vinculando a cada uno de esos «tipos» características, cualidades, defectos que les son connaturales. Al mismo tiempo, imagina un tercer tipo, que no es hombre ni mujer, que conserva casi hasta la edad viril el encanto de la adolescencia, el frescor de la infancia, una pureza que no obstante es más compleja y menos ingenua, al estar nutrida por la experiencia, por la profundidad del pensamiento y el sentimiento.

Los dibujos que según la tradición son retratos de Salai, nos muestran a una arrobadora criatura que responde muy bien a esta aspiración. La benevolencia con que el maestro le trató durante todos los años en que el muchacho fue su discípulo, los gastos que realizó para él —veinticuatro pares de zapatos en un solo año...—, la viña en los alrededores de

Milán, cuyo título de propiedad le entregó, demuestran que Salai ocupaba un gran lugar en la vida de Leonardo. Le gustaba retratarlo así adornado porque su belleza respondía al ideal que se había hecho de la belleza perfecta, porque Salai le parecía una obra perfecta de la naturaleza, que el hombre debe admirar y venerar al igual que a una criatura sobrenatural.

Obra maestra de la naturaleza, capricho de la naturaleza, el adolescente vinciano posee una naturaleza distinta a la del hombre y la mujer. Apartado del drama viril, como el san Juan de *La Cena* que se retrae y se aleja, ese adolescente permanece en la frontera de las actividades y las preocupaciones del hombre. Es un ser «gratuito», como el animal o la planta, y sin duda participa de la naturaleza vegetal y animal del mismo modo que esos jóvenes héroes de la mitología griega, Hilas, Narciso, que fueron metamorfoseados en flores, lo que significa que fueron restituidos a su verdadera naturaleza, que no era la naturaleza del hombre sino la de la flor. Dicha criatura escapa a la condición humana propiamente dicha; ángel, mora en el cielo; genio, habita en las fuentes y los bosques. Si a veces monta un fogoso caballo, como en *La Adoración de los Magos*, lo domina sin esfuerzo porque el animal reconoce en su jinete a un ser semejante a él. Exento del fardo viril, conserva la maravillosa facilidad de la infancia. Los prerrafaelitas ingleses, que imitaron con mayor o menor fortuna el Renacimiento italiano, crearon un tipo de adolescente análogo a éste, que se vulgariza, en una célebre novela,[6] en la figura de Peter Pan, el muchacho que no quiere crecer.

Del mismo modo, en el momento de pasar de la condición de adolescente a la edad de hombre, esos jóvenes de Da Vinci se niegan, lo evitan, lo rechazan: incluso el san Juan de *La Cena*. Porque su papel no es el de participar en el drama viril. Siendo elfos no están sometidos a las cargas de la condición humana. Son libres como el aire, según la expresión popular, libres en los elementos, como dice Próspero a Ariel: *To the elements be free*. Su función es de puro ornamento: embellecer con su gracia la vida; no hay que pedirles más. Leonardo hacía bien al no exigirle a Salai las virtudes serias y graves que tampoco se le piden a una rosa. Así, en la tipología vinciana, se dibuja un ser nuevo, de puro deleite, que no será padre ni labrador, ni guerrero, y cuya única misión es aportar al universo una belleza nueva y más perfecta que las que ya poseía. No se halla a medio camino entre el hombre y la mujer, sino por completo al margen. Es diferente. No se trata del *poor monster* de Shakespeare[7] sino, por el contrario, de un ángel feliz, perfecto y consciente de su perfección.

Estudios de flores. Accademia, Venecia.
La observación de la forma de flores y plantas y su evolución sirve a Leonardo como
ejercicio y como base para clasificar el mundo vegetal.

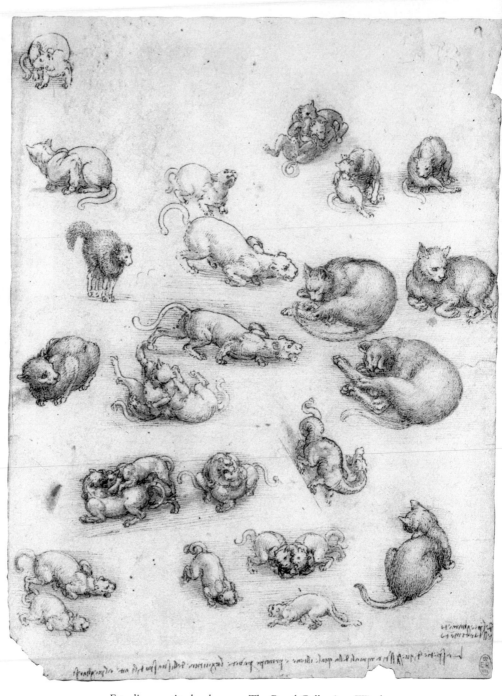

Estudios y actitudes de gatos. The Royal Collection, Windsor.

Estudio de arquitectura con figuras para *La Adoración de los Magos*. Gabinetto dei disegni e delle stampe, Uffizi, Florencia.

Iglesias de cúpulas centrales y estudio sobre las proporciones. Bibliothèque de l'Institut de France, París.

Proyecto de establo. Bibliothèque de l'Institut de France, París.

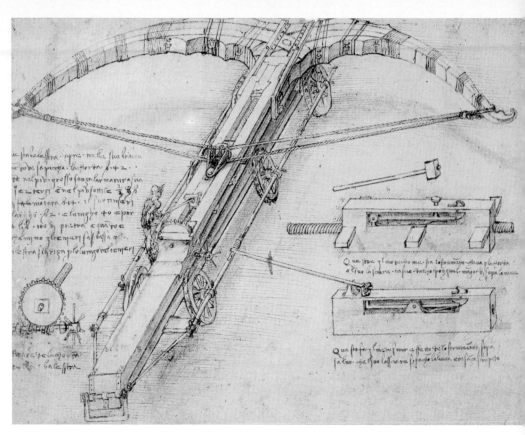

Gran ballesta. Pinacoteca Ambrosiana, Milán.

Explosiones gigantescas. The Royal Collection, Windsor.

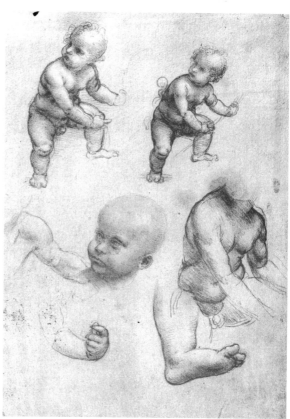

Estudios de niños.
Accademia, Venecia.

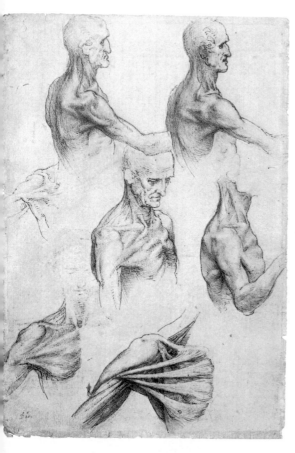

Estudios de anatomía.
The Royal Collection, Windsor.

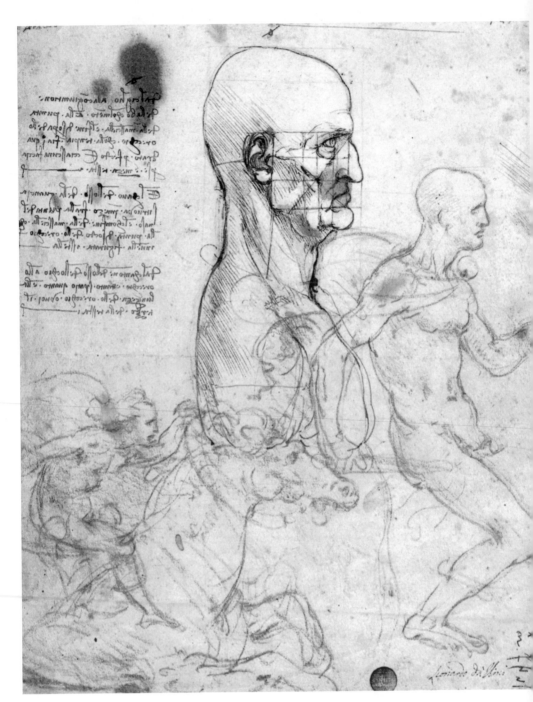

Estudio para *La Batalla de Anghiari*. Accademia, Venecia.

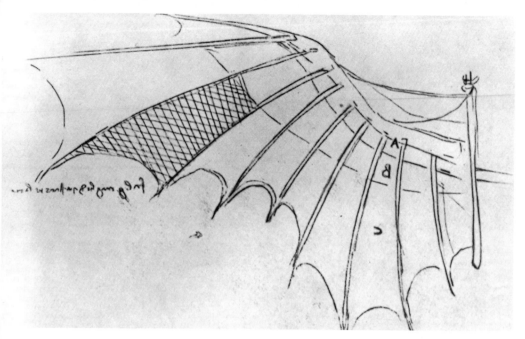

Estudios sobre la estructura de las alas y su impulsión. Bibliothèque de l'Institut de France et Milan, Biblioteca Ambrosiana.

Hombre en paracaídas.
Biblioteca Ambrosiana, Milán.

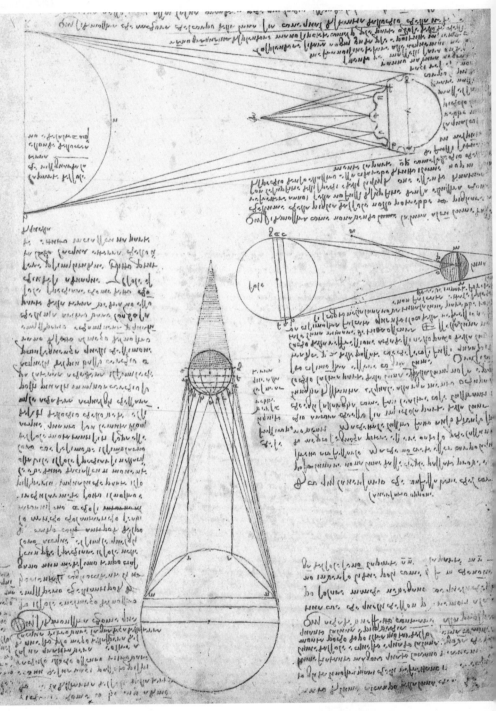

Cálculos de la distancia del Sol a la Tierra y del tamaño de la Luna. The Royal Collection, Windsor.

Puesto que se ve excluido tanto de la condición femenina como de la condición viril, el adolescente vinciano también carece de las prerrogativas de la mujer, que son considerables. Da Vinci, en efecto, considera a la mujer un ser elegido; todas las propiedades superiores, negadas al hombre, le corresponden. Es la madre, en el más completo sentido de la palabra, y más adelante veremos cuál es este sentido. Es, a la vez, la naturaleza y el alma de la naturaleza, original y divina, elemental y sagrada. En el pensamiento y la obra de Da Vinci la mujer ocupa el lugar de Dios.

A excepción de *La Cena* y del *San Jerónimo* de la Pinacoteca Vaticana, no hay una sola obra de Da Vinci cuyo héroe sea el hombre. Todas tienden a la glorificación y exaltación de la feminidad, y tanto más cuanto que la pintura realiza esa idealización de lo femenino, contrapartida de la exageración de lo viril, que acabamos de analizar. De ahí la considerable diferencia entre los retratos de mujeres como la *Ginebra Benci* o la *Cecilia Gallerani*, y las figuras imaginarias, las madonas, por ejemplo, y el lugar aparte, al margen, que corresponde a esa imagen que, como demostraremos, no es un retrato ni una figura imaginaria: *La Gioconda*. Hay, pues, tres categorías de mujeres en la obra de Da Vinci: la real, que aparece como un elemento del paisaje, de la naturaleza, del follaje y del agua; la inventada, que es naturaleza indeterminada y espíritu; y la real, reinventada, divinizada —del mismo modo que la Gretchen de *Fausto*, encumbrada hasta convertirse en el eterno femenino—, que expresa en toda su misteriosa plenitud el sentimiento religioso de Leonardo.

Se comprende ahora por qué ese sentimiento no podía verse expresado en *La Cena*, puesto que el elemento sagrado por excelencia, según la física y la metafísica de Leonardo, está ausente de ella, y también se explica la ausencia de ardor convincente con la que el pintor nos introduce en un acontecimiento que sólo adopta todo su significado si en él se expresa lo trascendente. Sabemos, por sus contemporáneos, que Leonardo había reservado para el final la figura de Cristo y que dudó mucho tiempo antes de pintarla. Es probable que hubiera planeado esa escena como una representación dramática, dominada por una gran figura estática, impasible, comparable al Apolo que corona, en el frontón del templo de Olimpia, el tumulto de los centauros y los lapitas. Un sol inmóvil en el centro de las revoluciones de los planetas. Sus estudios astronómicos le habían llevado a la certeza de que «el sol no se mueve». Era tentador, pues, identificar a Cristo con el sol, subrayando su naturaleza solar y definir, al mismo tiempo, la naturaleza del alma, que dirige los movimientos de la materia.

«El alma es cosa divina», dijo, añadiendo sin embargo esta reserva: «sea ésta cual sea» *(quale essa si sia)*. Confrontado con el problema de la expresión plástica de una «cosa divina», comprobó enseguida todos los obstáculos que se oponen a semejante formulación. ¿Por qué medios era posible hacer percibir lo divino en esta única figura, mientras que los demás personajes seguían siendo estrictamente humanos? Ésa es la cuestión que se planteó a todos los pintores religiosos desde que el arte occidental se volvió realista y rechazó los procedimientos medievales que traducían lo sagrado por medio de la desmaterialización, la estilización del personaje sagrado, tanto por una acentuación del carácter hierático, como hacían los bizantinos, como por una casi abstracción comparable a aquella que habían utilizado los miniaturistas irlandeses del *Libro de Kells* o del *Libro de Armagh*. Desde el momento en que se aceptaba representar a Cristo con rasgos humanos, era preciso transformarlos de tal modo que se hiciera evidente que aquél no era un hombre como los demás, sino un dios que había tomado figura humana. Sin abandonar nada de esa humanidad, un Fra Angélico pudo, a fuerza de fe y de amor, sugerir lo divino bañando en sobrenatural caridad, en misteriosa belleza, el rostro de Jesús. Rembrandt venció la dificultad saturando la figura divina de una humanidad tan grande, tan intensa, que se hace sobrehumana. Grünewald, en el políptico de Isenheim, consiguió este objetivo disolviendo en un halo de luz y de colores realmente sobrenatural la naturaleza terrestre de Cristo resucitado. No olvidemos, por fin, que en el Cenáculo de Santa Maria delle Grazie, se trataba de un fresco, de ahí la necesidad de ir deprisa, sin retoques, «sin tachaduras». Es imaginable que unas largas sesiones de meditación en presencia de una figura que, al emanar de la contemplación interior, se habría modelado por sí misma, por así decirlo, hubieran podido desembocar en una verdadera comunión mística entre el artista y su creación; quizá la efusión espiritual de éste habría añadido entonces a la fisonomía de Cristo el fulgor sobrenatural que le falta y que, a causa de las exigencias técnicas y a causa, también, de su poca aptitud para semejante comunión, Leonardo era incapaz de darle.

Es probable que, presintiendo las dificultades inherentes al fresco, una modalidad de pintura que exige una ejecución rápida, inmediata e irrevocable, Da Vinci buscó una técnica menos rigurosa, menos tiránica; más adaptada, en cualquier caso, a la naturaleza de la obra. Fueran cuales fuesen los esbozos preparatorios, en último término el pintor se encontraría ante una vasta superficie desnuda en la que era preciso fijar, muy deprisa y de una vez por todas, una imagen que sólo podía nacer de un largo coloquio espiritual. Nunca a Leonardo le atormentaron tanto los límites y coacciones impuestos por el material empleado; para liberarse de esos límites y de esas coacciones, intentó entonces una combinación temeraria, que creía capaz de vencer esas dificultades: mezclas ingeniosas en apariencia, pero desastrosas frente a la experiencia porque no se adecuaban a la superficie que debía pintar ni a las condiciones en las que pintaba.

Es fácil representarnos a Rembrandt haciendo brotar de esta «cocina» de los fondos, los empastados y las luces, el rostro de Jesús en el que la carne era ya sólo la delgada película tras la que brillaba el fuego del alma carnal, pero devorada por el espíritu e iluminada por él. Leonardo, inventor de este «claroscuro» que es el único adecuado a la traducción de los estados misteriosos del alma, sabedor de cuán necesario es que las figuras estén amasadas con sombra y claridad para que lo inefable que contienen tome por fin forma y voz, se hallaba frente a un muro blanco, rodeado de albañiles y aprendices que mezclaban con agua el enlucido fresco y lo extendían. Ese trabajo, colectivo ya en sí mismo, era un obstáculo para la concentración y el recogimiento. Aunque Da Vinci recomendaba, para que el retrato de un personaje cualquiera dejara transparentar su alma, toda clase de condiciones favorables, difíciles de reunir: elegir un atardecer levemente tormentoso, colocar al modelo en un patio medio cubierto, propicio a las fantasmagorías del *chiaroscuro...*, él mismo pinta en un refectorio de monjes, rodeado por un equipo de *garzoni* alegres y ruidosos, molestado tal vez por los curiosos que solían ir a ver lo que hacía el pintor célebre, y que cuando estos curiosos eran gente de calidad se hacía difícil despedirlos. La cosa iba bien, en suma, cuando trabajaba en figuras secundarias tratadas como puro lucimiento, para las que bastaba abandonarse a su imaginación y su virtuosismo, pero cuando llegaba a Cristo, cuando era preciso, a fin de cuentas, llenar ese blanco obsesivo del que saldría el rostro del Salvador, ese rostro cuya trágica huella conservó el velo de la Verónica, cuando debía componer con tierra pulverizada y agua los rasgos conmovedores de Aquel que murió por los hombres y que es Dios..., ¿qué artista no se sentiría entonces inferior a su tarea y asustado por la responsabilidad que caía sobre él?

Leonardo no era de natural lo bastante sencillo y amante como para entregarse a la inspiración. Ejecutar una tarea como aquélla cuando pintaba al fresco por primera vez —por primera vez solo y sin maestro— una obra más compleja y de más difícil ejecución que todas las que nunca había emprendido, estaba por encima de sus posibilidades. No por encima de su talento, ni de su saber, sino por encima, o al menos fuera de sus capacidades espirituales. Se explica entonces la lentitud con la que trabajó, el desaliento que varias veces se apoderó de él, esa certidumbre que tenía también de la futilidad de sus esfuerzos y ese presentimiento de la falta de éxito final, que le hacían interrumpir su trabajo, reanudarlo, interrumpirlo de nuevo.

Con qué alivio abandonaba el refectorio donde aquel espacio vacío en medio del vasto muro planteaba el insoluble problema, y emprendía tareas más fáciles, de arquitecto o de urbanista, de organizador de fiestas, durante las que se apartaba de tan abrumadora obligación. Era mucho más fácil modelar una gigantesca estatua ecuestre que llenar aquel cuadrado vacante en el que era incapaz de proyectar una imagen que aún no había tomado forma en su visión interior. Si se mostraba versátil no era por frivolidad o impotencia, sino, al contrario, porque una excesiva superabundancia de vitalidad, de curiosidad, de ardor creativo le embargaba, y alegaba como legítimo motivo para no concluir *La Cena* los múltiples encargos del Moro, la necesidad de proseguir sus estudios de anatomía o de hidráulica; se disipaba en lo accesorio para huir de la imperiosa reivindicación de lo esencial, aunque tampoco quería reconocer el fracaso, la abdicación, el *rifiuto*.

Los escrúpulos con que se enfrentó a ese trabajo y las dilaciones con que lo fue retrasando demuestran perfectamente que tenía conciencia de la nobleza y la dificultad de la obra. «El espíritu del pintor —escribió cierto día— se transfigura a imagen del espíritu divino.»[8] Esperaba pues esta transfiguración, esta iluminación, pero sólo recibió la revelación de un dolor inmenso que aparece sobre todo en ese fresco tan conocido y tan extendido como imagen piadosa, en el que el sufrimiento reviste un aspecto de sublime nobleza, de desgarradora humanidad.[9] Buscó los reflejos del alma, «cosa espiritual», en un rostro de carne, y en el gesto de profundo cansancio y de entero desaliento con el que Cristo confiesa de antemano el fracaso de la Redención, la imposibilidad de redimir, a su pesar, a unos hombres que no merecen la salvación.

Hay más acento divino en el *Apolo* de Olimpia: el Cristo de *La Cena* es el Dios sufriente, no el Dios triunfante. Refleja en exceso la derrota, el fracaso, la decepción; condena a Judas y, junto con él, a todo el resto de la humanidad; y ello precisamente porque el defecto de la obra consiste en ser demasiado humana, en estar insuficientemente iluminada por el espíritu. Da Vinci buscó modelos para el rostro de Cristo en vez de recrearlo buscando en sí mismo.[10] Aunque era un naturalista, no se atrevió a levantarse por encima de la naturaleza. Como psicólogo, creyó que describir una multitud enfebrecida en busca de un culpable era resolver la cuestión. Pero siendo arquitecto de formas, preocupado primordialmente por expresar la forma a través del movimiento, hizo estallar la rígida frontalidad a la que seguían siendo fieles los pintores de Cenas del Quattrocento. Así, de la construcción tradicional conserva sólo la mesa que, paralela a la pared, parece surgir de la pared y avanzar hasta las «candilejas», para emplear el lenguaje del teatro —pues esa pintura hace pensar en algo teatral—, pero no tiene la audacia, que sólo llegará con los barrocos, de colocar esa mesa en diagonal, de hacerla huir hacia el fondo del cuadro. Diríase que para la puesta en escena pensó en alguna «representación sacra», tal como la presentaban los misterios de la Pasión; no supo, en todo caso, abandonar la puesta en escena realista y sumir el acontecimiento trágico en una atmósfera fantástica, mística, sobrenatural, como hizo Tintoretto. *La Cena* de Leonardo es sólo un «refrigerio para el cuerpo» al final del cual los comensales discuten.[11]

Dicho esto, y reconocidas las insuficiencias de esta obra con respecto a su propósito, debemos reconocer el elemento prodigiosamente nuevo que aporta en la estética de aquel tiempo. Los contemporáneos y la posteridad conceden al pintor de *La Cena* el mérito considerable de haber plasmado la faceta dramática del episodio con una veracidad y una variedad loables. Felicitan a Leonardo, en suma, por haber alcanzado su objetivo, lo que es legítimo, y por haber llevado la pintura a igualar en elocuencia un texto trágico. Ahí está precisamente el malentendido, pues la pintura «literaria» sigue de cerca a la pintura dramática, y las largas discusiones que se desarrollarán en la Academia de Le Brun para aclarar si en determinado cuadro todas las emociones se expresan, efectivamente, con las muecas y las gesticulaciones adecuadas, están ya en germen en el paralelismo que Leonardo establece entre pintura y poesía. La pintura occidental ha mantenido desde entonces ese malentendido y se ha nutrido de él. El peor academicismo, el de la pintura literaria, nació en el Cenáculo de Santa Maria delle Grazie, y me pregunto si las Cenas de la Edad Media y del primer Renacimiento, con sus personajes petrificados por la increíble acusación, con su Cristo impasible y temible, no eran más religiosas en definitiva que ese ruidoso debate donde la anécdota tiene un papel demasiado importante.

El error de Leonardo fue buscar en el exterior las soluciones que habría podido hallar en sí mismo, haberse inspirado para su Santiago, su san Mateo, su san Pedro, su Judas y su mismo Cristo, en los individuos que por azar iba encontrando por las calles, en el mercado o incluso en la picota. Aunque es admirable desde el punto de vista plástico y evidencia una extremada habilidad en la descripción de caracteres desde el punto de vista psicológico, la obra es un fracaso en el plano del arte religioso, y sólo el desconocimiento de lo que es este arte en su esencia, en sus medios y en su alcance, puede inclinar a ver en *La Cena* una obra maestra de la representación de lo sagrado.

La Cena de Santa Maria delle Grazie pertenece más a la pintura histórica que al arte sacro. Ningún soplo sobrenatural la agita. Conmueve como una tragedia bien representada que nos impide abandonar el teatro por el templo. Cristo, lo admito, se distingue de los comparsas porque es una expresión sublime de la humanidad, pero no supera lo humano. La larga lucha que libró Da Vinci ante aquel muro del Cenáculo revela su vano esfuerzo por pasar de lo inmanente a lo trascendente hacia el que caminan sin obstáculos los corazones humildes y las inteligencias menos ambiciosas. Constituye una fecha significativa en la historia del arte occidental, es cierto: la de la más importante «profanización» —¡no digo profanación!— del arte religioso; la intrusión de lo material y lo psicológico en el campo de lo sobrenatural y lo irracional; es una fecha después de la cual a la estética cristiana le costará mucho más recuperar sus verdaderos caminos.

CAPÍTULO SIETE

El caballo

Los Sforza se sentían tanto más orgullosos de la nobleza de su familia cuanto que ésta era de fecha reciente. Recordemos los orígenes de este ilustre linaje: reclutado cierto día por una compañía de soldados mercenarios, un campesino lanza su destral al árbol que estaba cortando y, renunciando a los apacibles trabajos campestres, se va a correr aventuras. Las aventuras le sentaron bien puesto que encontramos a los Sforza instalados en el trono de Milán y tratando de igual a igual con las familias reales de Europa.

Sforza es un apodo, como tantos otros nombres célebres de la época, Strozzi o Médicis. Alude al esfuerzo constante, tenaz, desprovisto también de remordimientos y escrúpulos, que les sirvió para ascender. Pero en tiempos de Ludovico el Moro ya se ha olvidado casi que el afortunado soldado que fundó la fortuna de la dinastía se llamaba simplemente Esfuerzo, por su resistencia campesina, su aspereza, su tozudez y su vigor. Y tan cierto es eso que cuando Galeazzo Maria sucede a su padre, muerto en 1466, piensa inmediatamente en levantarle un monumento ecuestre, al igual que los romanos hicieron con Marco Aurelio y los barones de Aquisgrán con el paladín Carlomagno. En la Italia del Renacimiento gustaban mucho los monumentos ecuestres; los levantaban a veces a la gloria de los *condottieri* célebres, como Gattamelata de Narni o Colleone, aunque luego se mostraran abominablemente ingratos con los capitanes que habían salvado el principado o la república. Existe, a este respecto, una pintoresca anécdota, verdadera o falsa, no lo sé, pero tan característica de las costumbres de la época que es ciertamente exacta, al menos en su significado profundo. La conté en mi libro sobre Maquiavelo; no la repetiré pues aquí.[1]

Deseando inmortalizar en metal a su ilustre padre Francesco, el nuevo duque de Milán decide erigir una estatua a ese héroe ante el Castello Sforzesco, una efigie que reflejara bien su fuerza, su ambición y su ardor militar, y encarga al arquitecto Bartolomeo Gadio da Cremona que encuentre un escultor digno del proyecto. Estamos en 1473. Los poetas se huelen el asunto y se apresuran a redactar inscripciones en hermoso latín que grabadas en el zócalo de la estatua celebren con palabras tan sonoras y brillantes como el bronce las virtudes del difunto. Al mismo tiempo que el napolitano Arrigoni propone una pequeña colección de epigramas latinos, elogiosos y expresivos, Bartolomeo Gadio presenta a Galeazzo a un joven escultor, el hijo de Maffeo de Civate, que, a cambio de dos mil ducados, promete ejecutar la efigie de un jinete hecho de cobre batido y sobredorado, cuyo peso no superará el millar de libras. Los hermanos Mantegazzi, orfebres de Pavía, pujan de inmediato y ofrecen una estatua fundida cuyo bronce tendrá un dedo de grosor y que pesará seis mil libras, por doscientos ducados menos. Unos y otros se comprometían a ejecutar el monumento en el plazo de un año.

Las conversaciones se demoraron y Galeazzo murió sin que se hubiera tomado decisión alguna, pero Ludovico el Moro que, tras la muerte de su hermano, administraba el ducado por cuenta de su sobrino menor, no quiso quedarse atrás en piedad filial y también él se ocupó del monumento. Deseaba sin embargo algo mucho más hermoso y mucho más importante de lo que había esperado su hermano e hizo que sus embajadores preguntaran qué artistas de los que se hallaban por aquel entonces en las distintas cortes italianas serían capaces de llevar a cabo semejante empresa. Es evidente que Leonardo se puso en la fila, según lo que dice en la famosa carta al Moro: «Emprenderé la ejecución del caballo de bronce que será la gloria eterna, el homenaje eterno a la bienaventurada memoria del señor vuestro padre y a la ilustre casa de los Sforza.»[2]

Al ofrecerse Leonardo, se acabaron pues los Mantegazzi o Civate. Entretanto, Verrocchio había erigido en Venecia el admirable monumento de Colleone, en cuyos dibujos se sabía que había trabajado el joven Leonardo, discípulo del escultor. Se alababan también ciertos modelados hechos por su mano, que se habían visto y que justificaban su pretensión de ser tan buen escultor como pintor. Le confiaron pues la tarea, para la que habían buscado en vano un hombre genial, y con su rapidez habitual, con ese entusiasmo que ponía en cada nueva empresa, Leonardo puso manos a la obra. Es decir, que comenzó dibujando y esbozando las maquetas del monumento que veía ya bosquejándose en su imaginación.

Para él, un monumento ecuestre era, ante todo, un caballo. En el orden de las operaciones, está claro: no se trataba de fundir al mismo tiempo la montura y el jinete, pero lo que más seducía a Leonardo en el proyecto Sforza era la bestia, no el hombre. De hecho, existen numerosísimos esbozos dibujados con el mayor cuidado, y en casi todos el caballo está solo; el artista no se ocupa todavía del hombre que va a montarlo. Luego veremos por qué.

Preguntémonos primero si Leonardo era, en efecto, el artista capaz de realizar una gran escultura monumental. Nada, hasta entonces, permitía preverlo. Las esculturas que se le conocían eran de pequeñas dimensiones y se trataba más bien de obras de gracia y de encanto —figuras de mujeres o niños— que de realizaciones de gran envergadura y de viril energía. Leonardo, en efecto, no parecía poseer una verdadera «naturaleza» de escultor. Es en exceso intelectual para ello, dígase lo que se diga, y está también demasiado ocupado en múltiples cosas. Sé muy bien que Miguel Ángel fue a la vez un grandísimo escultor, un grandísimo pintor, un grandísimo arquitecto —y un grandísimo poeta, por añadidura—, pero no «perdía su tiempo» en esa infinidad de investigaciones en las que Leonardo distribuía su actividad. Los escultores natos —y diríase que, para ese arte más aún que para los demás, es preciso «nacer»— son Claus Sluter, Jacopo della Quercia, Rodin, Puget o Bernini; éstos, de acuerdo con la admirable frase de Puget, sienten «temblar el mármol» ante ellos. Miguel Ángel sólo traspone a la pintura su genio de tallador de piedra. Por lo que se refiere a los grandes imagineros de las catedrales góticas —por no mencionar a los egipcios y los sumerios—, son hombres que piensan en volúmenes, cuyo espíritu e imaginación giran en torno a la estatua (incluso cuando ejecutan un bajorrelieve), y cuya mano necesita el contacto directo con el mármol o la piedra. Cuesta imaginar a Miguel Ángel sin el mazo en la mano, y no es necesario que el propio Leonardo nos diga hasta qué punto desprecia el lado material de la escultura —tan noble y embriagador, ese lado «obrero», en una palabra, que lucha cuerpo a cuerpo con la materia bruta a fin de hacer brotar la forma que contiene— para adivinar que no siente por ese arte la pasión exclusiva del maestro del *Moisés*.

Asombra incluso comprobar qué pobres argumentos invoca en su famoso *Paragono*,[3] donde discute la supremacía de la pintura sobre las demás artes, para rebajar la escultura y el oficio de escultor. «La escultura no es una ciencia, sino un arte por completo mecánico, que engendra sudor y fatiga corporal en su operador...»[4] Para él, la pintura «es de mayor razonamiento mental» que la escultura, que es por su parte de «brevísimo discurso». El espíritu no interviene en ella: sólo el esfuerzo, la fatiga física: esta palabra reaparece sin cesar cuando habla de escultura. Nos sentimos estupefactos al verle estimar, con tanta seriedad, la excelencia de un arte por la cantidad de esfuerzo que precisa. «El escultor, para hacer su obra, utiliza la fuerza de sus brazos y golpea y modela el mármol o cualquier otra piedra dura de la que saldrá la figura que en ella está como encerrada; trabajo muy mecánico que le hace sudar sin cesar, le cubre de polvo y de restos y le deja el rostro empastado y enharinado por el polvo del mármol, como el mozo de un panadero. Para el pintor es todo lo contrario, de acuerdo con lo que dicen de los artistas célebres. Cómodo, está sentado ante su obra, bien vestido, y mantiene un ligerísimo pincel untado en colores delicados. Va tan bien vestido como le place, su habitación, llena de encantadores paneles, es hermosa; a menudo se hace acompañar por la música o la lectura de obras bellas y variadas que, sin ruido de martillo ni estruendo alguno que se mezcle en ellas, son escuchadas con gran placer.»[5]

Qué lástima que no poseamos reproducción alguna de la mano de Leonardo. Imagino esta mano robusta, es cierto, puesto que su fuerza es bien conocida, pero ágil, cuidada, hecha para el «ligero pincel» o para delicados aparatos científicos; no nudosa, deformada por el excesivo esfuerzo como la de Miguel Ángel, que es semejante a un conjunto de ramas viejas y retorcidas. Si alguna vez el pintor de *La Gioconda* hubiera dicho semejantes palabras ante el amigo de Julio II, imaginamos con qué coléricos y despectivos sarcasmos habría éste acogido tan injusto y poco convincente desprecio por la mayor de las artes.

Se comprende que Leonardo sintiera, en estas condiciones, poca afición por la talla directa. De todos modos, para el monumento Sforza no debía emplearse piedra o mármol, sino sólo bronce. Esta especie de desagrado, de repulsión casi, que Leonardo siente por el trabajo manual de la piedra, se hace evidente en el singular aparato que inventó para ejecutar «una figura de mármol» según la maqueta de arcilla. Se trata casi de una reproducción mecánica, en la que la mano del hombre tendrá una función mínima.[6] El hecho de que la escultura dependa de la luz exterior y que no tenga luz propia como el cuadro, que sea incapaz de representar la transparencia revela en su opinión otras tantas «inferioridades». Un verdadero escultor no habla así. Pero si Leonardo se presenta como escultor, solicita el encargo del «caballo» con una especie de áspera obstinación, se considera el único escultor capaz de ejecutar el monumento —en una carta cuyo borrador se encuentra en el *Codex Atlanticus*,[7] dirigida a los fabricios de Piacenza y formulada de tal modo que parece escrita por otra persona—, es porque a fin de cuentas esta obra representa para él algo distinto a una cuestión de gloria o dinero. «Guardaos de elegir a un individuo cualquiera cuya incompetencia daría más tarde a vuestros sucesores, ocasión de condenaros, a vos y a vuestra generación, y de pensar que ese tiempo era pobre en hombres de juicio o buenos maestros...» Se entiende muy bien lo que quiere decir.

Me pregunto por qué, no siendo un escultor-nato, no teniendo un verdadero talento como escultor y conociendo las terribles dificultades de todo orden que presentará la ejecución del monumento, Leonardo se obstina en querer hacerlo, y no encuentro a esta pregunta más que una respuesta: su pasión por el caballo. Por eso la estatua sigue siendo para él el caballo, *il cavallo*, y por eso se aplica con tanto celo en llevar a cabo, sin lograrlo, una obra tan diferente de las que le gustan. Salvo su participación, en 1508, en las estatuas de Rustici para el Baptisterio de Florencia —¿y hasta qué punto colaboró en ellas?—, no conocemos ninguna escultura que sea a ciencia cierta de su mano: sólo algunas maquetas para el caballo. Por lo que se refiere al monumento Trivulzio, tardío proyecto de los años 1506-1511, avanzó menos aún que el monumento Sforza. También aquí el tema de la estatua es el caballo, y éste es el motivo de su insistencia en querer realizarlo. ¿Qué significaba pues, para Leonardo, el caballo?

Ciertamente, no un animal como los demás, lo digo de entrada. En cuanto dibuja caballos, Leonardo parece poseído por un lirismo extraño, y como transportado a otro mundo: *La Batalla de Anghiari* es una batalla de caballos; los hombres que los montan son lo accesorio y no lo principal, igual que los jinetes que espolean a los purasangres en la pista de carreras. Para Leonardo, el caballo es una especie de ser semidivino, a causa de la naturaleza particular de su paganismo naturista y de ese afecto inconsciente que sentía por los viejos mitos indoeuropeos. Los contemporáneos hablaron de su amor hacia los caballos, que le gustaban, a los que conocía bien y que montaba como un avezado jinete. Resumir esta predilección a la de un «hombre dedicado a los caballos» sería irrisorio. Creo que Leonardo sintió, en el fondo de sí mismo, una suerte de parentesco con los caballos: nadie los dibuja como él lo hizo sin sentir con ellos una comunión física y espiritual.

Debe ser descartada la hipótesis de una influencia literaria. Por aquel entonces, los historiadores de los mitos y las religiones no conocían aún la importancia y el significado del caballo en las más antiguas tradiciones de nuestra raza, ni el carácter sagrado, litúrgico, que reviste.[8] La función relacionada con los poderes infernales, el papel que el caballo desempeña en las ceremonias de la muerte y la resurrección, su asociación directa con el mundo de los dioses, ya sea Poseidón o Wotan, la casi adoración del caballo que coexiste con el sacrificio de este animal, todo se aproxima bastante a lo que el toro representa en las religiones de la cuenca mediterránea. No se sabía que las carreras de caballos estuvieron vinculadas al rito funerario, y Leonardo, estoy seguro de ello, ignoraba que la estatua ecuestre no fuera el retrato de un jinete sino la representación de un alma llevada hacia la resurrección por un animal que transporta las almas de los muertos. Sin embargo, en el fondo Leonardo sabía muchas más cosas de las que conocía, en virtud de ese sentido adivinatorio que poseía y, sobre todo, en virtud de su amistad con los elementos, de su comunión con la naturaleza.[9]

Hay que comprender el verdadero significado de las estatuas ecuestres, significado mágico y religioso, para descubrir que si Leonardo hace hincapié en *il cavallo* y se despreocupa del jinete es porque, en efecto, lo que cuenta es el caballo: el caballo es dios. Si examinamos desde este punto de vista las irritantes dificultades que hubieran debido desalentar a Leonardo y, sobre todo, disuadirle de volver a emprender en el futuro la ejecución de una estatua ecuestre, si nos fijamos en los debates que suscitaron los trabajos, en el empecinamiento con el que Leonardo se agarra a la tarea —él, que tan a menudo se desprende de lo que le aburre o no avanza a su gusto—, comprenderemos la deslumbradora fascinación que le embargó durante todos aquellos años en que multiplicó los bocetos, hasta la destrucción definitiva de la estatua de arcilla por los soldados franceses.

En este asunto, como en todos los demás, las circunstancias actuaron en contra de Leonardo; fue víctima de los acontecimientos políticos, de la victoria de los franceses y de la caída de los Sforza. Abandonó su obra inconclusa, se dirá, pero no iba a poder terminarla, ya que tiempo antes de la derrota de Ludovico el Moro las finanzas milanesas estaban en tan mala situación que no era de esperar que el caballo llegara hasta la fundición. Entre los borradores de cartas que Leonardo escribía en sus cuadernos antes de mandarlas, hay uno especialmente desgarrador. El artista pide el pago de sus emolumentos, de los que no ha recibido ni un céntimo desde hace dos años; no exige nada para sí mismo, sólo mendiga para el caballo...[10] Por desgracia, el Moro tiene en la cabeza preocupaciones que nada tienen que ver con la memoria de su ilustre padre. Los franceses están ahí, con un formidable ejército; todos los recursos del ducado se vuelcan en la fabricación de cañones y el reclutamiento de *condottieri*. La voz del artista no se oye entre el estruendo de las bombardas y el galope de los escuadrones.

El trabajo, sin embargo, estaba muy avanzado. Concluida la maqueta, puesta en su lugar y muy admirada por todos los que tuvieron la suerte de verla, Leonardo se ocupa del horno donde debe fundirse la estatua. Conocemos su minuciosidad en casos semejantes y el cuidado, casi pedante, con el que se preocupa de los menores detalles técnicos. No hay cuestión que deje sin solucionar, o que no desee con todas sus fuerzas solucionar. Diríase incluso que esas tareas preparatorias le absorben tanto que no le queda ya tiempo para el trabajo esencial; es posible preguntarse, incluso, si esta lentitud y estas precauciones en los preámbulos no tendrían, como móvil, demorar la ejecución de la propia obra. Porque, en suma, no es necesario escribir —o estar en condiciones de escribir— un tratado sobre el caballo y un tratado sobre la fundición para ejecutar una estatua ecuestre, y eso sin embargo es lo que hizo Leonardo, al igual que, antes de emprender el canal del Arno, dibuja picos, palas y carretillas para los obreros.

Plásticamente, el primer problema que se planteó fue el de la postura del caballo. Leonardo lo habría deseado galopando, lo que responde muy bien a la intuición que tenía de la función mítica del animal, y también a ese dinamismo apasionado que le impulsa y le hace buscar un *perpetuum mobile*. Los primeros dibujos que hace buscan la actitud dramática, el movimiento en el que mejor se expresa esa vitalidad casi sobrenatural del caballo, esa incomprensible pasión que en ocasiones se apodera de esas enigmáticas criaturas a las que una nadería asusta y en las que todos los sentimientos y todas las sensaciones alcanzan enseguida el paroxismo. Estudia los caballos en los picaderos, en las calles, en los establos. Va a dibujar al palacio de Sanseverino, que posee las más hermosas monturas de Milán. Su *gianetto grosso*, su yegua blanca, fue inmortalizada por las notas de los cuadernos de Leonardo tanto como por sus dibujos.[11]

Utiliza para hacer ese retrato el arte más exquisito. Parece el precursor de Degas por el modo como se estremece y se arruga la piel del caballo. Algunos esbozos, hechos con un trazo ligero con mina de plata so-

bre un papel de un rosa desvaído, tienen toda la frescura nerviosa y viva
de un impresionismo que hubiera sido revisado por los japoneses. La
economía suprema del modelado, la sencillez móvil y palpitante del trazo son de un arte refinado y sutil. En otros dibujos, capta en su dramática violencia lo que me gustaría denominar la «mímica trágica» de los
caballos, y en eso recuerda al Delacroix de *Sardanapalo*. A su lado, los
mejores pintores de caballos ingleses son anecdotistas sin espíritu y sin
vida. Para no olvidar nada, garabatea unas rápidas palabras que concre-
tan el croquis y recuerdan el nombre del modelo. Diríase que es Don
Juan anotando los rasgos de una mujer divisada por la calle.[12] Emplea
el mismo lenguaje para escribir que «Giovannina tiene un rostro extraño...». Cada caballo tiene, para él, no sólo su identidad —algo por
completo natural— sino una personalidad física y, ciertamente también, una personalidad moral, un alma.

Ya he soltado la gran palabra. Leonardo nunca se preocupó mucho
del alma. ¿Por qué perseguir lo no conocible, lo «imposible»? Pero, si se
hizo la pregunta, es muy evidente que, consciente como lo era de la unidad del mundo, no se le ocurría discutir que los animales poseían esta
alma de la que, según la creencia común, sólo los hombres estaban provistos. La personalidad que tienen sus caballos se debe a cierta virtud
espiritual. En sus dibujos hay rostros de caballos que son tan conmovedores como cualquier semblante humano, ya que se percibe en ellos
una intensa vida interior. Pero no es por asimilación a un antropomor-
fismo artificial; muy al contrario, sus caballos adquieren esa extraordinaria nobleza, esta dignidad de «criaturas superiores», esta espléndida
inocencia de seres sin pecado que son, al mismo tiempo, seres de pasión, porque son puramente animales.

El lugar que ocupa el caballo en el universo físico y mental de Leonardo es el que le da en *La Adoración de los Magos*, donde el centro espacial del cuadro, el punto de fuga de la perspectiva, el foco óptico e intelectual de la composición de donde parten todas las líneas de fuerza no
es ocupado por el niño Jesús, como podría creerse, sino por un caballo,
misteriosa presencia, alusión a cultos antiguos, restitución al animal sagrado del rango que le pertenece en las viejas cosmogonías humanas.

Por ese conocimiento interior que tiene del caballo, Leonardo recupera el carácter sagrado de la montura encargada de transportar las almas de los muertos. Por esa mezcla de amor y de terror religioso que
siente hacia él, y que queda claramente reflejada en algunos de sus dibujos. En ellos se encuentra la faceta hierática y secreta que presentan los

caballos pintados en las tumbas etruscas, esos etruscos que Leonardo a veces siente tan cercanos y que resucitan en él como en todos los grandes toscanos, sus herederos: Giotto, Massaccio, Miguel Ángel. La significación profundamente religiosa, exclusivamente religiosa, de los frescos funerarios de Tarquinia, da a las figuras pintadas de jinetes que a veces aparecen en ellos, esa atmósfera de «escena en el más allá» que nos parece percibir incluso en una obra muy alejada de los etruscos: el grabado de Durero titulado *El Jinete, la Muerte y el Diablo*. Durante mucho tiempo consideré esta escena como una emocionante evocación de la peligrosa vida del guerrero, la imagen del hombre fáustico por excelencia —puesto que «... un hombre, es decir, un guerrero...» según la frase de Goethe—, una transposición de la poesía heroica y feroz del viejo *Nibelungenlied*. Pero, considerándolo mejor, me parece que el significado fúnebre de esta imagen es cierto, que esa cabalgata del jinete no se lleva a cabo «de este lado», sino ya en el más allá, que este bosque es el bosque de las sombras, la «selva oscura», preludio a la puerta del infierno. La Muerte y el Diablo no estarían tan seguros, tan «en su casa» si se hallaran en el mundo de los hombres. Muy al contrario: han arrastrado al hombre hasta ellos, a su imperio, por el cual, inconsciente aún de su cambio de estado, el guerrero avanza entre tinieblas que se hacen cada vez más espesas.

La función de conductor de las almas de los muertos que tiene el caballo de Durero se ve subrayada también por la extraordinaria gravedad del animal, por esa majestad casi sacerdotal que lo reviste y que no es la del corcel ni la del palafrén, ni la del caballo de viaje, ni la del caballo de combate. Nos parece ver una barca fúnebre llevando a las almas más allá de los ríos de los muertos, y el grave silencio que pesa sobre la escena, la opresiva y asfixiante falta de aire, la tristeza sin nombre que envuelve a los actores de ese drama demuestran que no se representa en un teatro terrestre sino en las primeras regiones de ese universo de ultratumba donde el jinete, sin saberlo, ha entrado ya.

Las estatuas ecuestres tienen esa gravedad y ese sentido funerario, es decir, que evoca a un tiempo la muerte y la resurrección, puesto que el caballo es a la vez la montura del fallecimiento y la del renacimiento. El carácter heroico, casi divino, que en su origen se da a la estatua ecuestre, se prolonga incluso en las épocas que han perdido por completo la noción de la acepción sacra, religiosa, con la que se le vincula. El Luis XIV de Bernini, el Pedro el Grande de Falconet son efigies más que humanas, divinas. E incluso en nuestros días, en los que los grandes jefes militares montan tan poco a caballo, de todos modos se honra con una estatua ecuestre a los generales a quienes más se quiere ensalzar. Resulta pues que todo ese conjunto de conceptos referentes a la resurrección, la heroización, la divinización que se vinculan a la estatua ecuestre, subsiste aún en una época que por otra parte ha perdido en general el sentido de lo sacro y, sobre todo, de lo religioso y lo mágico en el arte.

A Leonardo, pues, le preocupa muy poco Francesco Sforza: ya pensará en él más tarde, cuando el caballo esté terminado; apenas cuenta; si la obra se termina algún día, sólo mostrará, como máximo, a un hombre llevado por un dios. El artista no desdeña nada de lo que puede iluminar ese carácter divino del animal. Empieza con numerosísimos, profundísimos estudios anatómicos; después, unas largas sesiones de «pose», si puedo decirlo así, en los establos de Ludovico o de Sanseverino le permiten penetrar más en el mundo psicológico del caballo: psicológico y pasional. Diríase que el animal impenetrablemente misterioso le reveló todos sus secretos, dada la profunda expresión que hay en cierta actitud de la cabeza o el cuerpo, en la mirada, en esa risa feroz y terrible de las bestias que combaten.[13] Midió también su cuerpo, en busca de cierta «belleza ideal», de una perfección absoluta; como había hecho con el hombre y la mujer, para hallar esa proporción divina de la que hablaba con su amigo, el monje Luca Paccioli, que se encuentra en Milán precisamente cuando él trabaja en el caballo, y para cuyo libro dibuja letras y figuras geométricas.

No actuaría de otro modo con modelos humanos; cuando, más tarde, trabaje en *La Batalla de Anghiari*, los corceles le absorberán más que los soldados, y ya hemos visto qué extraño y eminente papel desempeñan los caballos en *La Adoración de los Magos*, donde constituyen un inquietante y fascinante enigma. Sobre el papel, el caballo que galopa y se encabrita es mucho más hermoso y expresivo: también tiene más el carácter de conductor de las almas de los muertos, pero cuando se trata de realizarlo en arcilla —¡y no digamos en bronce!—, ¿cómo mantener en equilibrio una masa tan enorme?

Luca Paccioli anota las medidas de esa escultura en el prefacio de su libro sobre *La Divina Proporción*; doce brazas, es decir, más de siete metros desde la pezuña hasta lo alto de la cabeza, y evalúa el peso del bronce que será necesario en doscientas mil libras. Puesto que la libra milanesa, en el siglo XVI, pesa un tercio de kilogramo aproximadamente, *il cavallo* pesaría pues casi siete toneladas. Es imposible, trabajando en tan colosales dimensiones, hacer el caballo galopante que Leonardo deseaba: para sostener esa formidable masa de metal, le sería preciso utilizar soportes que serían estéticamente feos y funcionalmente inarmónicos. Además, entretanto, Leonardo había visto en Pavía el famoso «Regisolo», es decir, la estatua ecuestre del rey godo Gisulfo, trasladada desde Ravena no se sabe en qué época. La nobleza y la belleza de esta obra, que no conocemos puesto que fue destruida durante las guerras de Italia, a finales del siglo XVIII, convencieron a Leonardo de que el lado divino y sacro de la obra será tan imponente en el caballo al paso —como el que monta Gisulfo— como en el caballo al galope, técnica irrealizable. Tanto más irrealizable cuanto que el artista rechaza los subterfugios habituales de los broncistas, que consisten en fundir en varias partes una pieza demasiado grande para hacerla en un solo vaciado, y en borrar luego las junturas de los distintos trozos.

Los dibujos del caballo al paso —segunda versión del monumento Sforza— son menos dramáticos que los del caballo al galope, pero el animal conserva la misma fisonomía imperiosa, espléndida y sagrada. Más sagrada incluso, tal vez, porque adopta un aspecto calmo, hierático, pontificio. Ese caballo es menos una fuerza de la naturaleza y más una potencia espiritual: lo que pierde en vehemencia diabólica, lo gana en una especie de dignidad apaciguada, majestuosa, antigua. En las notas que describen el Regisolo,[14] Leonardo subraya, precisamente, su sencillez grandiosa, y añade: «La imitación de las cosas antiguas es más loable que la de las cosas modernas.» Dice también que «allí donde falta la vivacidad natural, hay que hacer una accidental». El caballo se interiorizará pues, adoptando el trote del *Regisolo*, se cargará de una intensidad espiritual exenta de cualquier teatralidad. El movimiento, en vez de huir hacia la periferia, se dirigirá hacia el centro, se concentrará y adquirirá, gracias a esa casi inmovilidad, una energía explosiva más conmovedora en definitiva, por oculta y menos evidente.

Cuando Leonardo aborda los difíciles problemas de la fundición, el escultor da paso al ingeniero. La corte milanesa espera con cierta inquietud el comienzo de esta tarea que, por otra parte, Ludovico el Moro duda que Leonardo sea capaz de realizar. Fundir de un solo vaciado una estatua de siete mil kilos es algo que todo el mundo considera irrealizable; y en primer lugar el Moro, que escucha por aquel entonces, con demasiada complacencia, las palabras sinceras o calumniosas de los enemigos de Leonardo. Éste era una figura demasiado extraordinaria para no tener enemigos que revelaran precisamente su propia bajeza por medio de la envidia y el odio. En el mes de julio de 1489, el Moro está tan poco convencido de la superioridad de su escultor que encarga al enviado florentino, Petrus Alamanus, que pida a Lorenzo el Magnífico algunos fundidores experimentados.

Leonardo, sin embargo, no necesita a nadie para el trabajo. La operación de fundición le interesa tanto cuanto le habría aburrido el tallado de una estatua de piedra o mármol, que habría cedido de buen grado a los especialistas. A él le gustan las materias flexibles, dúctiles, y la idea de colaborar con el fuego para la realización de su «coloso» le exalta. Tampoco le disgusta desplegar sus talentos de sabio e ingeniero, ya que posee inventiva y es diestro con las manos. Ambos aspectos de su genio creador salen a relucir ahora. El éxito práctico de la obra de arte exige toda su atención, y no accede a confiarla a especialistas o técnicos. Él mismo ejecutará el grandioso proyecto que ha concebido: fundir la estatua en un solo bloque. Busca así con demasiada frecuencia, el virtuosismo por el mero placer del virtuoso, y tal vez también el placer algo infantil que le produce un nuevo juguete, abrumador y peligroso, en efecto, pero con el que de todos modos va a jugar.

Jugar contra todo el mundo, contra los expertos que declaran quimera semejante empresa, contra el Moro, asustado por los enormes gastos que la fundición va a exigir, jugar sobre todo contra el crisol, contra el bronce; no hay nada más excitante. Puesto que un solo horno no es viable. Leonardo imagina cuatro —y dibuja sus planos—, donde se fundirán al mismo tiempo las cuatro partes del caballo. Es muy interesante, a este respecto, el dibujo de Windsor 12.349 que presenta esta complicada máquina; otro dibujo, en el *Codex Atlanticus* representa la caja en la que se transportará hasta el taller de fundición la enorme maqueta de tierra. Los menores detalles han sido ingeniosamente concebidos. Con su habitual previsión, Leonardo se ha preparado contra todos los accidentes posibles, resultantes del transporte o la fundición. Sólo hay un accidente contra el que, por desgracia, está indefenso: la indecisión de Ludovico, el empobrecimiento del tesoro público, los desastres y las angustias de la guerra.

Mucha gente grita, en Milán, que más vale emplear los siete mil kilos de bronce que se malgastarían en el caballo (inútilmente además, puesto que la cosa es insensata...) en fabricar las bombardas que hacen falta para resistir a los franceses. ¿Cómo no va a escuchar el Moro esos rumores, puesto que siente en peligro su poder y su propia vida si los «bárbaros» vencen? Como es lógico, parecería que Leonardo podría utilizar ahora, más provechosamente, su talento de ingeniero militar, del que presumió en su famosa carta, en vez de obstinarse en proseguir un trabajo ruinoso y absurdo; pero la visión de la gran estatua de tierra le inquieta; sabe qué frágil es esa maqueta; sólo estará seguro cuando *il cavallo* se haya fundido en bronce: en aquel momento, tan sólo, será eterno...

Ahora tiene lugar la invasión, la ocupación de Milán y del Castello Sforzesco por las tropas francesas. Ludovico ha huido a Austria. ¿Es cierto que los arqueros gascones de Luis XII se divirtieron utilizando como blanco el coloso que se erguía en la Corte Vecchia? Sin ellos, tal vez la intemperie y el clima lombardo habrían bastado para deshacerlo. Ciertos aficionados al arte, sin embargo, se preocupan al ver esa obra maestra abandonada. Ercole d'Este, en particular, encargó a su enviado, Giovanni Valla, que negociara con los franceses la compra de la estatua. Se dice que el duque de Ferrara había encargado un monumento ecuestre a uno de sus escultores que murió antes de ejecutarlo. Gran aficionado a los cañones, Ercole d'Este posee la mejor artillería de Italia y talleres de fundición donde podría hacerse lo que los milaneses no se atrevieron a intentar. Resueltas las dificultades del transporte de la maqueta de Milán a Ferrara, el resto no presentaría obstáculos. Por desgracia, el cardenal de Rouen, a quien se ha dirigido Valla, objeta que es preciso hablar de ello con el rey... y a Luis XII no le preocupa en absoluto *il cavallo*. ¿Se degrada cada vez más? Que lo dejen derrumbarse por completo y, luego, quitarán de la Corte Vecchia ese estorbo...

¿Qué pensó Leonardo de la ruina de su coloso? No dice nada. Pero unos años más tarde, cuando Trivulzio, aliado de los franceses, el enemigo mortal del Moro, desea una tumba digna de él, el escultor se ofrece para ejecutarla. Lo que cuenta es el caballo. Montado por Francesco Sforza, duque de Milán, o por Gian Giacomo Trivulzio, que consumó la ruina del ducado de Milán, ¿qué importa? Han transcurrido ocho años desde el fracaso de *il cavallo*. Trivulzio, sin embargo, tiene menos ambiciones que Ludovico. Desea, para su capilla familiar, una estatua ecuestre de tamaño natural, y por tanto de menores dimensiones que el coloso; pero no importa, ¡será más fácil de realizar!

Al mismo tiempo que inicia los dibujos —de caballos, naturalmente—, Leonardo calcula, suma y presenta al *condottiere* un presupuesto de extraordinaria precisión: lo encontramos en el *Codex Atlanticus*, en el folio 179 v. Un hombre de negocios no se muestra más atento a todos los capítulos de gastos que ese artista al que podría creerse que le preocupan sólo las formas plásticas. Precio del metal para un caballo con su jinete, precio de la armadura metálica en el interior del modelo, del carbón, de los puntales de madera, de la pez para fundir y para unir el molde, incluido el horno donde se fundirá..., para hacer el modelo de arcilla y luego de cera... y para los obreros pulidores cuando el modelo haya sido fundido... No olvida nada, ni el trabajo de mármol de la tumba propiamente dicha, ni los festones esculpidos, las columnas acanaladas, las arpías portando candelabros «a veinticinco ducados cada una...».

Todo eso es en balde. Más versátil aún que Ludovico, y más sacudido por las vicisitudes de la política internacional, Trivulzio pierde muy pronto el interés por su orgulloso proyecto. Primero, la vida. Por lo que se refiere a la última morada de su batallador «despojo», ¡sus herederos se encargarán!

CAPÍTULO OCHO

Dédalo

La singular fatalidad que condena la mayoría de las creaciones de Leonardo a no estar nunca terminada, o a no conservarse nunca, afectó tanto a las obras del arquitecto como a las del escultor. Sin las alabanzas de sus contemporáneos o de sus sucesores inmediatos —como Lomazzo y Vasari, que proclaman su excelencia en el arte de construir—, y sin los dibujos en los que vertió tantos proyectos extraños y magníficos, ignoraríamos que concibió una extraordinaria profusión de edificios y que pensó incluso, por un momento, en reconstruir Milán de acuerdo con los más grandiosos planos que su infatigable imaginación trazaba en las nubes.

La necesidad que sentía de abarcar la totalidad de una cosa y organizar el conjunto, al tiempo que velaba por los detalles, explica que, tras la peste de 1485, propusiera a Ludovico el Moro un programa de urbanismo prodigiosamente amplio y capaz de seducir al duque, enamorado de las grandes obras, como todos los hombres de aquel tiempo. Ese programa revela, por otra parte, de un modo muy curioso, sus ideas estéticas al mismo tiempo que sus preocupaciones utilitarias, y lo que yo quisiera llamar sus concepciones sociales. Uno de los mejores críticos modernos de Da Vinci, F. M. Bongioanni, le acusa de haber ideado un proyecto «frío e inhumano» en el que los seres humanos estarían alineados «como caballos en un establo» y que testimonia cierto desprecio hacia el pueblo, al que Leonardo designa en sus notas con el término de *poveraglia*, que, debo decirlo, nada tiene de peyorativo.[1] Estas acusaciones no son justas.

A Leonardo no le preocupaba la política, pero tenía, en materia de organización y dirección de los Estados, opiniones claras y en resumidas cuentas bastante próximas a las de Maquiavelo. El horror que siente por los explotadores de la credulidad pública, en todos los terrenos, le hace sospechoso ante los charlatanes de la plaza pública y en particular ante los demagogos. Su posición se definiría bastante bien diciendo que deseaba un régimen de autoridad que mantuviese el orden para que los sabios y los artistas pudieran trabajar libremente. La Italia del Renacimiento nos muestra a menudo fecundas floraciones artísticas en períodos de anarquía y, al parecer, la incertidumbre de la vida, el peligro y esa misma exaltación que los hombres de aquel tiempo extraían de la inseguridad, eran favorables a la creación de obras maestras. Es cierto que el nacimiento de un cuadro o de una estatua no depende de las condiciones políticas de una época ni del régimen en el poder, pero para las grandes obras que Leonardo deseaba, la autoridad del soberano, la continuidad y la solidez de su gobierno eran otras tantas garantías de éxito. Leonardo sufrió demasiado las consecuencias de la guerra para no desear, si no el bienestar de una paz mediocre, sí al menos la estabilidad que permite, sólo ella, la conclusión de empresas a largo plazo.

No es sorprendente, por parte de un hombre que es un aristócrata en su modo de ser y de pensar, que fuese partidario de un régimen aristocrático. El ejemplo de Florencia mostrará muy pronto que el culto de la «libertad», tal como será predicado por Savonarola, acabará desembocando en una forma de tiranía más penosa y nefasta aún que la «dictadura» de los Médicis.[2] Sería absurdo, en fin, reprocharle sentimientos antidemocráticos simplemente porque imaginó una ciudad ideal, análoga en suma a la de todos los creadores de utopías, incluido Campanella, donde cada cual tiene su lugar y donde todo se ha dispuesto para que el mayor número de sus habitantes goce de los atractivos y las facilidades del progreso.

Los principios que presiden la construcción de semejante ciudad excluyen la confusión, la suciedad, el amontonamiento, los cuchitriles. Las distinciones que Leonardo preconiza en los niveles de las calles, por ejemplo, nada tienen que ver con las «clases»; sólo tienen en cuenta las necesidades de la circulación. Así, concibió, para facilitar el tráfico, calles de dos pisos, en las que el nivel inferior, reservado a las bestias de carga y a los carruajes, correspondería a las plantas bajas, utilizadas como sótanos, almacenes, depósitos, y el piso superior sería para los peatones, que podrían pasear, deambular, mirar las tiendas situadas en las vías altas sin ser molestados por los carros. Grandes arcadas, claraboyas y puentes tendidos sobre las calles inferiores harían que éstas estuvieran bien iluminadas y ventiladas. Cada cien metros, aproximadamente, una escalera comunicaría la calle superior y la calle inferior, y en esta escalera se dispondrían letrinas, para que los viandantes no tuvieran que hacer en cualquier parte sus necesidades, como era habitual hacerlo por aquel entonces. Existe incluso un texto de Leonardo, que data verosímilmente de su estancia en Amboise, que preconiza las escaleras curvas, más que las escaleras en ángulo recto, porque, dice, ha advertido que los ángulos en las escaleras son muy a menudo receptáculo de basura que no debería estar allí.

Una idea de belleza asociada siempre a una idea de comodidad, de utilidad pública, guía sin cesar a Leonardo en sus concepciones urbanísticas. No hay nada quimérico en sus invenciones: son osadas, es cierto, bastante adelantadas a su tiempo, pero en absoluto irrealizables, aunque muchas grandes ciudades tardaron mucho tiempo en soterrar las cloacas y la red de conducción del agua, como Leonardo prescribía. Consciente de los peligros de incendio que presentan las casas de madera, quiere que la «ciudad ideal» sea toda de piedra, dispuesta según un plano geométrico, armonioso y práctico al mismo tiempo, respetando las leyes fundamentales de lo que yo llamaría su «estética urbana». «Un edificio debe estar siempre en un entorno despejado para que sea visible su verdadera forma»,[3] por ejemplo, o también: «la anchura de las calles debe corresponder a la altura general de las casas»,[4] leyes que hoy nos parecen elementales pero que eran una verdadera novedad en aquella época en que las ciudades apenas se apartaban del laberinto medieval.

No se trataba, como puede comprenderse, de demoler Milán para establecer la ciudad ideal: ésta se levantaría a cierta distancia de la ciudad antigua, a fin de poderla construir libremente sin tener en cuenta edificios respetables o molestos. Se trata de yuxtaponer un nuevo Milán al Milán antiguo. El paso del tiempo, sin embargo, y los aluviones de los siglos en materia de civilización habían aportado magníficos edificios, y Leonardo, siempre práctico y pragmático, sabía muy bien que una ciudad es un organismo biológico que se desarrolla como un ser vivo. Lo que no impide que un soberano tome la iniciativa de crear, de punta a cabo, ciudades nuevas, siempre que disponga de la autoridad necesaria para ello.

Ludovico el Moro tenía la autoridad y estaba, por añadidura, absolutamente dispuesto a utilizarla. El mejor modo de embellecer y enriquecer Milán, tanto el viejo Milán como el nuevo, era invitar a los príncipes y ricos ciudadanos de los parajes sometidos al ducado a construir palacios en la capital. Arrastrados por esa ingeniosa innovación, algunos extranjeros seguramente harían lo mismo, para evitar los incómodos y atestados albergues. En su programa, Leonardo pretende pues hacer de Milán una ciudad de residencia, de lujo y de belleza, de comodidad y diversión donde incluso a los extranjeros les complazca habitar. «Sucederá con frecuencia que, para tener una residencia más imponente, el extranjero, poseedor de una morada en Milán, irá a habitar su propia casa; para estar en condiciones de construir será necesario poseer una reserva de riqueza; así esos habitantes se verán separados de los menesterosos, y así aumentarán las parcelas y el renombre de su grandeza. Y aunque no quisiera residir en Milán, seguiría siéndole fiel, sin embargo, para no perder las ventajas de su casa y su capital.»[5]

La construcción de barrios de lujo, como en las ciudades modernas, no constituye en el proyecto de Leonardo un perjuicio o un insulto para el proletariado. Las consecuencias sólo pueden ser excelentes para todos, puesto que el comercio se beneficiará con ese aflujo de población. La gloria del Moro, también; «la belleza de la ciudad estará a la altura de su reputación y será beneficiosa para ti, tanto por sus rentas como por la reputación, cada vez mayor, de su prosperidad».[6] Es posible, no obstante, que esta iniciativa fracase, que los vasallos de los Sforza y los extranjeros no utilicen espontáneamente la oferta que se les hace. Nada más sencillo, entonces, que obligarles a ello, al menos a aquellos que, directa o indirectamente, dependen de Milán. Los Sforza son bastante poderosos como para mandar y verse obedecidos enseguida. Pensando que Ludovico no querrá imponerse las preocupaciones de esta nueva administración, Leonardo le propone entonces liberarle de ella y ejecutar, solo, ese gigantesco proyecto, tanto en el plano político y el plano financiero como en el plano constructivo. «Dame la autoridad y, sin ninguna molestia para ti...»[7]

He aquí, pues, que Leonardo pone en pie ese colosal proyecto, cuyos detalles ha fijado minuciosamente, como suele hacer, y que se siente con fuerza para «lanzar» publicitaria y diplomáticamente. La mayor novedad de este plan consiste en implicar a los vasallos y extranjeros en la prosperidad y la seguridad de Milán asociándoles a ella; Leonardo considera las casas como rehenes. En vez de dar a su hijo como aval de un acuerdo político, el ciudadano invertirá, en forma de edificios, cierto capital en el patrimonio milanés, cuyas rentas percibirá. Esta nueva idea es muy característica de un siglo en el que el poder del dinero comienza a dominar, pues hasta entonces nadie había pensado que la propiedad fuera un vínculo. Sin embargo, nada era más evidente: quien tuviera casas en Milán, se convertiría en milanés por interés, y el interés persuade muy pronto al corazón y la razón.

Tras haber plasmado en el papel las líneas generales de la nueva ciudad y del proyecto político-financiero de un Milán más grande, Leonardo fija los detalles de su construcción procediendo como acostumbra desde lo general a lo particular; es decir, a la inversa de las teorías científicas que establece basándose en una suma de experiencias y constataciones. Las dos funciones de su intelecto operan de manera inversa: la del conocimiento genera la ley de la adición de los hechos; la de la acción concibe el conjunto y determina luego las modalidades de ejecución, sin olvidar las que otro consideraría insignificantes o indignas de su atención. Las hay pintorescas, pero inspiradas por una prudencia que resulta muy elocuente sobre las costumbres de la época, pues ordenan al señor de la casa que aloje a sus huéspedes, aunque sean de su propia familia, de modo que no puedan dominar la entrada de la vivienda ni penetrar en los aposentos del amo.[8] Otras se refieren a la disposición general de la morada —ya sea principesca, burguesa o incluso popular—, para la que debe tenerse en cuenta todas las estancias, la facilidad del servicio, el silencio que debe respetarse en las habitaciones de los dueños. Diseña atentamente el plano de una cocina, con todas las notas explicativas referentes a la chimenea, las salazones, la iluminación de la bodega.[9] Al verle, luego, organizando el establo, diríase que nunca ha sido otra cosa que un gran palafrenero, por lo bien que conoce las necesidades de los caballos y las condiciones para su bienestar. Ha pensado en todo, lo ha previsto todo: que el suelo de la sala de fiestas no se hunda bajo los retozos de los danzarines, que la chimenea de la habitación para ahumar carnes no se vea obstruida por la tramontana, que haya pasa-platos o mesas giratorias entre el comedor y la cocina, que los lugares de aseo tengan puertas automáticas y bocas de aire que se abran en los tejados. ¡Cuántas cosas imaginó!

Para los planos parciales sigue los mismos principios que para el plano general. La estabilidad, que le parece una de las principales virtudes de los Estados, es al mismo tiempo la condición sine qua non de cualquier edificio, «la primera y más imperiosa de las condiciones requeridas», escribe. Comienza a estudiarla ya en los fundamentos, para los que examina cuidadosamente la naturaleza geológica del terreno y su composición, y prosigue buscando esta estabilidad hasta en las más altas superestructuras, hasta el arco que define en una fórmula osada como «una fuerza derivada de dos debilidades».[10] ¡Cuántas veces calculó los pesos, los empujes de las paredes, de las bóvedas, de los arcos, para instalar sobre su inconmovible solidez las iglesias que va a construir, los palacios que ofrece a la ambición y al gusto por el lujo del Moro! Escrutó todas las fisuras entre las piedras, su anchura y su dirección. Comparó con las fallas rocosas que estudiaba en la montaña las grietas que se abren en los muros, vio rajarse las cúpulas, «al modo de una corteza de naranja o de granada que estalla en sentido longitudinal...»,[11] sopesó en sus manos las piedras y los ladrillos, manejó el mortero, demorándose en las obras tras la marcha de los obreros, escuchando la vida misteriosa de la materia, contemplando en el rugoso cemento y en las grises manchas de humedad inmensos paisajes fantásticos de montañas, ríos y lagos.

Cuando se convocó a concurso la construcción de la cúpula que debía coronar la catedral de Milán, esbozó enseguida cúpulas gigantescas, construyó pequeñas maquetas de madera que muestran el entramado de las bóvedas, fino y fuerte como un esqueleto de pájaro. Su proyecto sorprende e inquieta a los miembros del jurado, que lo encuentran en exceso osado, en exceso arriesgado, y prefieren a otro arquitecto, más tranquilizador. Oponiéndose a Bramante, que apoya la planta cuadrada, Leonardo preconiza una planta octogonal, más flexible, más armoniosa, más rica en símbolos también, puesto que el número ocho es el de la resurrección, y la cúpula representa al mismo tiempo la bóveda celeste y la matriz donde el hombre se prepara para nacer, para renacer. Intenta, por otra parte, armonizar la cúpula que sueña —y que es ya la de San Pedro, anunciadora del Barroco— con el cuerpo gótico de la iglesia, para que no exista disparidad alguna entre las distintas partes del edificio. Pero la tarea es abrumadora, pues el edificio carece «de hueso y mesura», como dice, en una carta a Lorenzo de Médicis, el arquitecto Fancelli que trabajó, después de Alberti, en Sant Andrea de Mantua y que sabe cómo se construye una iglesia.

Más sabio que los expertos, Leonardo tiene a los ojos de éstos la desventaja de su universalidad. Ellos le niegan una competencia igual a la suya porque no es sólo un arquitecto. Le calumnian ante Ludovico. ¿Cómo un hombre que pinta *La Cena*, que modela *il cavallo*, que construye un palacio de ensueño para el cardenal de Amboise puede ser capaz de resolver el difícil, el inextricable problema del *tiburio*? ¡Ah!, ¡si fuera especialista en una sola ciencia, les satisfaría mucho reconocer todos sus talentos!

Planos, cantidades de esbozos, de maquetas en madera, eso es todo lo que le permiten, pero por lo que se refiere a plasmar en una obra sus audaces concepciones, ni pensarlo. Leonardo, entonces, asqueado ante la perspectiva de tener que disputar a los mediocres la gloria que le corresponde, la gloria de «hacer», se retira bruscamente del concurso, abandona a sus rivales a sus intrigas y querellas, regresa a sus sueños y, para esa ciudad ideal cuyos planos ha trazado, inventa prodigiosos edificios, una gigantesca iglesia y un «teatro de predicación» donde el púlpito está situado en medio del auditorio, semejante a un anfiteatro antiguo, pues ha estudiado ya la favorable acústica de los teatros romanos, de la que desea que se beneficien los oradores cristianos. En su celo propone incluso al Moro construir para él una tumba comparable a la de Augusto o Adriano, una iglesia gigantesca para que descansen los despojos del príncipe. El dibujo que se conserva en el Louvre permite entrever toda la belleza plástica, el virtuosismo técnico, los sutiles símbolos, también, que encerró en ese proyecto que, al igual que los demás, no verá siquiera un inicio de ejecución. Pero, en verdad qué falta de psicología supuso aconsejar a un hombre tan supersticioso como Ludovico, tan preocupado por la muerte, que hiciera construir en vida la futura morada de sus despojos. ¿Ignora acaso Da Vinci que eso trae desgracia...?

Descansa por fin de esas tareas extenuadoras y vanas en las que la timidez, la mala voluntad y los celos de los hombres han amontonado más obstáculos que la materia más difícil de trabajar y dominar, y se dedica a componer, como si fuera un poema de mármol, árboles y agua, esa villa de ensueño que, ¡por fin!, le permiten concluir. Allí puede conciliar a su guisa la naturaleza y el artificio, las gracias espontáneas del paisaje y esa arquitectura de ensueño, hecha de ligeros pabellones, impalpables enrejados, terrazas pobladas de fuentes y bosquecillos semejantes a bosques sagrados. Allí puede dar rienda suelta a su fantasía y a la afición que siente por los esplendores sorprendentes y misteriosos. Comparable a un director de orquesta que dispusiera de una gran sinfonía de aguas corrientes, de follajes rumorosos, de pajareras multicolores, al recordar lo que sus amigos —mercaderes en países de Asia— le han contado sobre los jardines orientales, asocia su genio de decorador de teatro, de director de fiestas exquisitas y magníficas a sus inventos de arquitecto. Con una extraña sensualidad táctil, compone ese poema hecho de escaleras de agua, avenidas de cipreses y pinos, estanques con peces y autómatas musicales que tocarán la viola al paso de los visitantes, mezclando su melodía a la de los pájaros, las altas ramas y los surtidores de agua.

Dispone de todas las fuerzas de la naturaleza, como hombre que vive en amistad con los elementos y que por consiguiente puede pedirles todos los favores que prestan a los brujos. «Gracias al molino, podré, en cualquier momento, producir una corriente de agua; en el estío, haré que corra agua fresca y burbujeante por entre las mesas así dispuestas. El canal podrá ser de media braza de ancho, y en él se pondrán recipientes que contengan vino para tenerlo siempre muy fresco; otra agua correrá por el jardín y distribuirá la humedad a los naranjos y limoneros, según sus necesidades. Estos limoneros, colocados de modo que puedan ser cubiertos fácilmente, serán permanentes, y el calor que la estación invernal desprende continuamente permitirá por dos motivos preservarlos mucho mejor que el fuego. En primer lugar, ese calor de las fuentes es natural, y es el que caldea las raíces de todos los vegetales. En segundo lugar, siendo artificial el calor que el fuego dispensa a las plantas, se halla privado de humedad; no es igual ni continuo, más intenso al comienzo que al final y muy a menudo descuidado por culpa de los inconscientes a quienes se ha encargado. Las hierbas de los pequeños arroyos serán podadas con frecuencia para que el agua aparezca en toda su limpidez en su lecho de grava. Sólo se respetarán las plantas que sirvan de alimento a los peces, el berro y otras. Los peces tendrán que elegirse entre los que no agitan el limo del agua; no se pondrán anguilas, ni tencas, ni lucios que matan a los demás peces. Gracias al molino, se dispondrá en la casa de conducciones de agua, fuentes y una galería donde, cuando alguien pase, el agua brote de abajo, por todas partes... Por encima de las cabezas, haremos un fino enrejado de cobre que cubrirá el jardín y donde estarán prisioneras múltiples especies de pájaros; de modo que tendrás, al mismo tiempo, una música perpetua, el perfume de los limoneros y los naranjos en flor. Además, el molino me permitirá obtener de variados instrumentos una música incesante.»[12]

El número ocho, preñado de significaciones simbólicas, que tan a menudo vemos aparecer en las arquitecturas milanesas de Leonardo, reaparece singularmente en otro tipo de creaciones en las que se complace por la misma época: la ejecución de almocárabes o arabescos. El origen oriental de esas combinaciones de tracerías, follajes y cintas es bastante evidente; por otra parte, a los dibujantes y los calígrafos europeos del Renacimiento, y en primer lugar a Leonardo y Durero, les gustaron esos sutiles juegos de la mano y el espíritu. Es natural que, al descubrir algún diseño de arabescos en azulejos, o en marcos de miniaturas, o en encuadernaciones árabes o persas, el pintor se divirtiera siguiendo con la yema del dedo o la punta del lápiz el riguroso y extraño dibujo de esos hilos entrecruzados. Los miniaturistas de la Edad Media los habían utilizado ya; los monjes irlandeses, sobre todo en los siglos VIII y IX, habían encontrado un tema magnífico para sus atormentadoras imaginaciones en esos fantásticos arabescos de monstruos entrelazados o de plantas venenosas inextricables como la prisión vegetal donde el viejo Merlín fue encerrado por un sortilegio.

La tracería irlandesa o escandinava es orgánica. El arabesco oriental es abstracto. Cuando se sume en sus almocárabes, Leonardo vuelve la espalda al mundo de la naturaleza; se sumerge con deleite en la pura intelectualidad y, al mismo tiempo, en una diversión gráfica tan cautivadora que en varias ocasiones perfila con la pluma esos tejidos de ensueño que tanto sorprendían a sus contemporáneos. Éstos no comprendían cuán considerable era la parte de «juego» que había en todas sus actividades y cómo, por su modo de jugar a ese juego, dio a la palabra «juego» un significado nuevo, muy distinto del que tiene en el lenguaje corriente, y mucho más grave, mucho más importante. En las propias mixtificaciones de Leonardo (y se divertía mucho con ellas) se alcanza siempre un terreno misterioso, algo sobrecogedor, como si él implicara en esas «diversiones» unas fuerzas cuyo control mantenía con mano férrea.

«Perdió el tiempo hasta dibujar incluso arabescos de cuerdas dispuestas de modo que llenaran el interior de un círculo; existe uno, muy hermoso y difícil, que lleva esta inscripción grabada en el centro: *Leonardus Vinci Accademia*.» Este texto es muy interesante. No nos dice nada que no supiéramos ya, puesto que los seis arabescos de Leonardo da Vinci que han llegado hasta nosotros fueron grabados y reproducidos por Alberto Durero: éste no los había inventado, ciertamente, pero como las investigaciones de su espíritu iban, a menudo, en la misma dirección que las de Da Vinci —en particular por lo que se refiere a la arquitectura militar y civil, las leyes de las proporciones y el canon de belleza del cuerpo humano—, el pintor de Nuremberg había descubierto en los almocárabes un elemento de curiosidad intelectual, de belleza plástica y de misterio que correspondía a sus propias inquietudes e inspiraciones.

Es probable, sin embargo, que si el juicio de Vasari es exacto, los arabescos de Da Vinci fueran mucho más numerosos de lo que creemos, de lo contrario el autor de las «Vidas» no habría empleado esa singular expresión: «Perdió el tiempo.» Sé muy bien que, en el lenguaje de la época, esa expresión no era tan fuerte como lo es hoy, y que significa sólo que Leonardo da Vinci consagró mucho tiempo a esa ocupación que Vasari —tan alejado de los grandes abstractos del Renacimiento, a los que no comprende— considera frívola e inútil. Dominada por el sentimiento dramático de la vida y por la traducción plástica que de él quiere dar, la época barroca vuelve la espalda al gran sueño del conocimiento universal que había sido el ideal del Renacimiento. Absorbida por lo pasional y lo afectivo, rechaza esa intensa insaciabilidad intelectual del Quattrocento. Una vez realizadas las grandes conquistas de la inteligencia, el hombre se ocupa más de su universo interior, de su modo de experimentarlo y de los vaivenes de los sentimientos trágicos que llenan con su hervor ese universo interior. Leonardo da Vinci es todavía un hombre del Quattrocento, porque espera encontrar, a través de los modos de expresión de las ciencias y del arte, la unidad del mundo, la «unidad perdida». Prolonga así los trabajos de Leon Battista Alberti y de Piero della Francesca (y sabemos que participó en las obras de Fra Luca Paccioli, discípulo y continuador de Piero della Francesca) en la búsqueda de la «proporción divina» y de la «sección áurea».

¿De qué modo el dibujo de arabescos se inserta en el esfuerzo de reconstitución de la unidad perdida? ¿Se trataba, para Leonardo, de un simple juego, como parece creer Vasari? ¿O de un juego menos gratuito y no puramente intelectual, que habría tenido por objeto proporcionar cartones a artistas del encaje o el tapiz, como cree G. d'Adda;[13] o tal vez quería inventar, según la hipótesis de A. M. Hind, que emplea esa palabra anacrónica, unos «puzzles» decorativos,[14] análogos en cierto modo a los arabescos de los artistas musulmanes? ¿No es más bien la expresión de una de las constantes del espíritu de Leonardo que se muestra aquí, al igual que en los demás aspectos de su obra de artista, de pensador y de sabio, y cuya clave se trata de encontrar?

Esta última hipótesis me parece más acertada, sin que esté excluido por ello que las tres primeras puedan ser exactas también. Por muy accesorias que parezcan, en su obra inmensa y multiforme, estas caprichosas combinaciones de curvas ligadas entre sí de modo que constituyen un verdadero laberinto nos conducen hacia una especie de santuario interior y oculto en el que se asienta el más misterioso y, tal vez, el más eficaz genio de Leonardo: de ahí el interés que tiene, para nosotros, poseer sus claves. Por grande que sea la desconfianza con que queramos contemplar todo lo que se ha dicho y escrito sobre el «esoterismo» de Leonardo, y por mucho que consideremos peligrosas, a menudo ligeras y confusas, las teorías que se han edificado sobre ese «esoterismo», nada de lo que nace de la mano y la inteligencia de ese hombre está desprovisto de significado. Aunque no alcanzara esa «unidad perdida» que él soñaba con hallar y reconstruir, Leonardo agrupó de todos modos, en sí mismo y en su obra, tantos elementos considerables y significativos que, sea cual sea la perspectiva desde la que examinemos su genio, que tiene algo, también, de laberinto, todos los caminos (y sólo quien se ha sumido con angustia y maravilla en su universo prodigioso sabe cuántos rodeos y cuántos cambios de itinerario le costó encontrar esos caminos) conducen al centro. Incluso, o mejor dicho sobre todo, los caminos que, tras haber anudado y desanudado tantos inextricables vínculos, nos conducen ante la puerta de esa capilla en cuyo frontón está escrito: «*Leonardus Vinci Accademia.*»

¿Existía realmente esta academia como un organismo colectivo formado por miembros, escasos o numerosos, cuyos nombres e identidad se conocían? Algunos comentaristas de Da Vinci lo han supuesto, aunque no exista prueba decisiva de ello, y sólo a mediados del siglo XVIII vemos aparecer la afirmación de que Ludovico el Moro había fundado una academia de pintura y arquitectura, dotándola con una subvención anual de quinientos ducados de oro. Haya existido o no esta academia, me parece difícil admitir que Leonardo le dedicara esa obra magnífica y extraña que es el laberinto. Se supone, por otra parte, que la inscripción que hizo creer en la realidad efectiva de la academia es una adición posterior, y se sabe, por otra parte, que no fue Da Vinci quien grabó las planchas, y ello por una razón material muy sencilla, porque las planchas fueron grabadas por una mano diestra y Leonardo, no lo olvidemos, era zurdo.

La academia vinciana en cuestión, lejos de representar un círculo limitado y cerrado de alumnos, discípulos o admiradores, representa el conjunto de todos aquellos que, llegados al centro del laberinto, constituyen una suerte de hermandad espiritual y son como los miembros de una «logia invisible», como los mistos pertenecientes a una secta de misterios desconocidos. Sólo quienes hayan realizado esa peregrinación, extremadamente larga y difícil, que desemboca en la entrada de la cripta sagrada —empleando aquí «cripta» en su sentido etimológico de lugar oculto—, acaban formando parte de esa colectividad que les ha precedido y que vendrá a reunirse con ellos. Desligada del espacio y del tiempo, independiente de cualquier estatuto y reglamento, esta sociedad de espíritus que han recibido la «iniciación del arabesco» —del mismo modo que los mistos de Eleusis, antaño, y los adeptos de las sociedades secretas de iluminismo del siglo XVIII, cuyo rostro visible es *La flauta mágica* de Mozart, recibían la «iniciación del laberinto»—, esta sociedad, compuesta por hombres de todos los siglos y todos los países, llena el círculo mágico que Leonardo había dejado en blanco, pues no entraba en los designios de su espíritu explicitar en exceso el significado de este santuario central del laberinto, que un discípulo bien intencionado y torpe, como suelen serlo los discípulos, llenó con la pequeña frase que hemos intentado explicar.

Considerada a la luz del pensamiento vinciano, tal como lo conocemos, el laberinto propone vastas prolongaciones, que nos arrastran muy lejos de las hipótesis prácticas. Por otra parte, es muy propio de la mentalidad de la época, y también de la del propio Leonardo, ese entrecruzamiento de significaciones múltiples, que llega hasta el simple juego de palabras, al que aluden Goldscheider y Hind cuando sugieren que el nombre de Da Vinci guarda un parecido con las palabras *vinco*, que significa mimbre, y *vincire*, que quiere decir atar, enlazar, anudar, de donde deriva el equivalente italiano del castellano «vínculo»: *vincoli*. Sin embargo, ésta es sólo una singularidad más apropiada para aguzar la perspicacia de los historiadores y comentaristas que para explicar el interés que Leonardo sintió por los arabescos.

Este interés se justifica por el considerable lugar que ocupa en el pensamiento de la Antigüedad, de la Edad Media e incluso del Renacimiento el tema del laberinto, del que los arabescos de Da Vinci son una formulación; en el siglo XVIII floreció curiosamente la afición por lo misterioso y lo críptico, que se manifiesta de muy diversas formas, desde la francmasonería hasta los laberintos vegetales, extremadamente numerosos por aquel entonces. El laberinto es, esencialmente, una maraña de caminos (algunos de los cuales no llegan a parte alguna y constituyen, así, callejones sin salida) a través de la que debe descubrirse la ruta que conduce al centro de la extraña telaraña. La comparación con la telaraña no es exacta, por lo demás, pues ésta es simétrica y regular, mientras que la propia esencia del laberinto consiste en dibujar, en el más pequeño espacio posible, un complejísimo enredo de senderos a fin de retrasar la llegada del viajero al centro que quiere alcanzar. Es comprensible entonces que algunos comentaristas de Da Vinci, como Goldscheider, consideraran el arabesco como una firma jeroglífica del artista. A mi entender, el arabesco constituye, más aún, una especie de forma simbólica de toda la búsqueda de Da Vinci en pos de la unidad perdida, una imagen del pensamiento de ese hombre, un retrato del propio hombre, un resumen de su filosofía, una proyección de las circunvoluciones de esta apasionante inteligencia.

Es importante advertir que esta forma simbólica del arabesco la han comprendido y adoptado, desde la Prehistoria, todos los pueblos y todas las épocas, en los medios culturales más diversos. Está hecha con la combinación de dos temas que se encuentran en el origen de todas las culturas, y tanto entre los negros de África como entre los escandinavos de la Edad de Bronce: la espiral y la trenza. La civilización que creó con esta combinación las más extrañas y hermosas obras maestras fue la irlandesa, tanto la de la época anterior a la evangelización como la del primer arte cristiano que produjo esa incomparable escuela de miniaturistas y orfebres a la que debemos, por una parte, manuscritos como el *Libro de Kells*, el *Libro de Durrow*, el *Libro de Armagh*, y por la otra el broche de Tara, la cruz de Congh, el cáliz de Armagh y, sobre todo, el relicario de la campana de San Patricio. Sin olvidar, naturalmente, las numerosas cruces esculpidas en piedra que se encuentran en Irlanda.

La espiral es un motivo simple: se trata de una simple línea que se enrolla sobre sí misma, a imitación, tal vez, de las numerosas espirales que se encuentran en la naturaleza, por ejemplo en las conchas. Es un motivo «abierto» y optimista: cuando se ha empezado por un extremo de esta espiral, nada es más fácil que alcanzar el otro extremo. Creo que en todas las civilizaciones primitivas en las que se encuentra la espiral —desde el cabo Norte hasta el cabo de Buena Esperanza, y en muchas civilizaciones de América y Asia e incluso de Polinesia— ésta representa el viaje que realiza el alma del difunto después de la muerte hasta su destino final.

El motivo de la trenza es mucho más complicado y difícil de definir. Está tan extendido como el de la espiral, pero tiene un significado muy distinto. De entrada porque es un motivo «cerrado» y, por eso, pesimista, a menos que consideremos como una perspectiva reconfortante y rica en esperanzas la teoría del eterno retorno, cuya formulación más simple y evidente es la figura de la trenza. La espiral, por larga y enmarañada que pueda ser, necesariamente llega a una salida; mientras que la trenza más rudimentaria es una cárcel sin posibilidad de evasión.

Pero si combinamos ambos motivos, el motivo abierto de la espiral y el motivo cerrado de la trenza, obtenemos ese motivo compuesto que es el laberinto, en el cual la trenza aporta a la andadura del viajero esos enredos inextricables en apariencia que le harán creer en un cautiverio sin esperanza, mientras que la espiral, por el contrario, le reserva al final de un largo vagabundeo y una constante paciencia el consuelo de la salvación, es decir, la llegada a la cámara interior.

¿Qué encontrará en esa cámara interior? Ésta es la pregunta fundamental, pregunta a la que cada religión y cada mitología da según su propia metafísica una respuesta distinta, cuya forma simbólica es el laberinto. Si elegimos tres ejemplos de laberintos, veremos la variedad de estas soluciones. Consideremos primero el famoso laberinto de Creta, construido por Dédalo para encerrar al Minotauro, y en el que Teseo se introdujo para matar al monstruo. El laberinto cretense es un palacio que etimológicamente significa probablemente el «palacio del hacha», y, de hecho, el tema del hacha es uno de los motivos decorativos más frecuentes en estos palacios de Cnosos descubiertos por Evans. Sería abusivo, sin embargo, decir que el palacio del hacha obtenía su nombre del motivo figurado que lo adornaba. Creo, por el contrario, que también ese motivo era una forma simbólica, análoga a la del laberinto. El hacha cretense, en efecto, es una hacha doble, y verosímilmente bajo este aspecto constituye también un símbolo que podemos comparar a la fíbula de bronce de doble espiral, uno de cuyos ejemplares se encuentra en el Metropolitan Museum de Nueva York.[15]

En todas esas representaciones, sutiles o ingenuas, se percibe una muy evidente voluntad de representar el infinito bajo los dos aspectos que adopta para la imaginación del hombre, es decir, el infinito en perpetuo devenir de la espiral que, teóricamente al menos, puede ser pensada sin terminación, y el infinito del eterno retorno representado por la trenza. Es importante advertir a este respecto que, cuando la ciencia moderna quiso resumir en un signo la noción de infinito, adoptó la imagen de la trenza más sencilla, más rudimentaria, mientras que los pueblos llamados primitivos complican hasta el extremo, del modo más sabio y refinado y con variaciones de un prodigioso ingenio, ese tema universal.

Al juntarse y combinarse el tema de la trenza y el tema de la espiral, cuya reunión forma el laberinto, pierden ambos el significado del infinito que poseían cuando estaban aislados. El laberinto, en efecto, comporta un objetivo, una detención, o, mejor dicho, cuenta con dos. Para el viajero que penetra en el laberinto, el objetivo es alcanzar la cámara central, la cripta de los misterios. Pero cuando la ha alcanzado, debe salir de ella y volver al mundo exterior, conseguir, en suma, un nuevo nacimiento: ése es el contenido de todas las religiones «mistéricas» y de todas las sectas que contemplan el viaje por el laberinto como el proceso necesario de las metamorfosis de las que brota un hombre nuevo. Cuanto más difícil es el viaje, cuanto más numerosos y arduos los obstáculos, más se transforma el adepto y más adquiere, en el curso de esa iniciación itinerante, un nuevo yo. Eso es tan cierto que podríamos descubrir ahí, dibujando el esquema gráfico de los episodios de los *Años de aprendizaje* y los *Años de viaje* de Wilhelm Meister, la forma misma y más evidente del laberinto.

Lo que caracteriza, en efecto, al laberinto —ya sea éste la figura alegórica de un destino humano ejemplar, como el de Wilhelm Meister, o ya sea, sencillamente, esa maraña de caminos rodeados de muros de boj o de evónimos que se encuentra en todos los parques del siglo XVIII— es esta combinación de callejones sin salida que no llegan a parte alguna, y de encrucijadas en las que el viajero debe elegir perpetuamente su ruta entre las numerosas opciones que se le ofrecen: dicho de otro modo, caminos que no nos dejan la responsabilidad de elegir, puesto que al cabo de ese sendero que creíamos muy largo topamos enseguida con un muro, o encrucijadas que preservan nuestra libertad y nuestra independencia, pesada libertad y peligrosa independencia, puesto que al decidirnos creamos por nuestra propia elección un obstáculo que no ha sido impuesto por el destino.

Nacido del cruce entre la espiral y la trenza, participando pues de ambos infinitos, lo infinitamente abierto y lo infinitamente cerrado, el laberinto constituye un símbolo de altísimo y extrañísimo alcance. Se comprende que ese símbolo y su alusión a las más lacerantes inquietudes del alma humana hayan encontrado en el arte una infinita variedad de representaciones, unas directamente vinculadas con el relato mitológico, como los laberintos representados en las antiguas monedas cretenses, otras simples alegorías de ese interminable viaje al que la suerte somete al hombre y al que no le es posible substraerse. Este viaje, según las doctrinas hindúes, consiste en una larga cadena de nacimientos perpetuamente renovados, y para otras religiones consiste en una sola existencia con un objetivo fijo que el hombre podrá alcanzar a condición de que, iniciado durante esa existencia a la realidad suprema dentro del laberinto, sustituya por una ceremonia a la vez alegórica y eficaz el interminable viaje que los no iniciados deben realizar en el más allá. Porque al llegar a la cámara central del laberinto recibirá la última lección, explícita y definitiva, que le convertirá en un hombre nuevo.

¿Qué encontrará pues en esta cámara central del laberinto, ese santuario, el más interior, donde se celebra la más alta liturgia? En las religiones mistéricas hallará al sumo sacerdote, que enseña en pocas palabras el significado del viaje y sus resultados. El misto recibe entonces una nueva vestidura y abandona el laberinto, transformado, purificado, listo para la vida eterna y digno de recibirla, pues la iniciación le ha eximido de las espantosas pruebas que esperan al difunto en el más allá.

El mito del laberinto de Creta nos muestra a Teseo enfrentándose con el Minotauro y matándolo. Fácil es poner de relieve el sentido de esta lucha en las tinieblas, puesto que desemboca en la victoria del hombre superior, del hombre espiritual, del héroe —y no olvidemos que se llamaba héroe también, en el lenguaje de los misterios, al adepto o iniciado, a aquel que, por el propio proceso de la iniciación, había obtenido el derecho a la vida eterna—, en la victoria, pues, sobre el *hybris*, el híbrido compuesto de hombre y de bestia que representa todo ese lado animal que el hombre debe matar en sí mismo, para llegar a la sabiduría, al conocimiento, en una palabra, a la beatitud de los héroes. Victoria, pues, de lo espiritual sobre lo material y, al mismo tiempo, de lo eterno sobre lo perecedero, de la inteligencia sobre el instinto, del saber sobre la violencia ciega. La victoria de Teseo sobre el Minotauro es la victoria de Teseo sobre sí mismo, el bautismo del hombre nuevo con la sangre del toro-humano.

La palabra bautismo, tomada de la terminología cristiana, nos lleva ahora al segundo ejemplo de laberinto: el laberinto medieval, el laberinto cristiano, cuya significación es a la vez parecida y diferente de la del laberinto antiguo. La Edad Media, en efecto, dominada por el espíritu de peregrinación y el de cruzada, que vienen a ser dos formas contiguas, tuvo en cuenta los infranqueables obstáculos que impedían a la mayoría de los hombres realizar las peregrinaciones y participar en las cruzadas, aunque unas y otras dieran origen a considerables desplazamientos de población de los que no tenemos ya idea en nuestra época, salvo en el extraño mundo de los vagabundos religiosos rusos, cuya vida era por entero una peregrinación.

Siendo, pues, la peregrinación uno de los puntos esenciales de la vida religiosa de la Edad Media, era necesario ponerla al alcance de cada cual. Pero como siempre había personas que, por grande que fuera su deseo, no podían ir a Jerusalén, se decidió entonces proponer a esos sedentarios involuntarios a quienes les estaban prohibidas las aventuras lejanas una peregrinación sin moverse de sitio, dando por sentado que esta sustitución sólo sería válida si el «peregrino sin moverse de sitio» aportaba esa inmensidad de fe, de amor, de energía, de entusiasmo, que animaba al que viajaba por los países de Oriente. Adquirir tantos méritos siguiendo, por el pavimento de una iglesia, los sinuosos contornos de lo que se denominaba «la legua de Jerusalén», como realizando real y materialmente la peregrinación a Jerusalén, sólo era efectivo si el peregrino concluía en su alma el viaje sagrado. Eso es lo que hace tan bellos y conmovedores los laberintos que se encuentran en algunas catedrales, en Reims, en Amiens, en Saint-Quentin, en Saint-Omer, en Chartres, en Ravena, en Pavía, en Roma, y en otras muchas iglesias también. Era costumbre que el peregrino hiciera de rodillas el trayecto que en ciertos casos, en Chartres por ejemplo, supera, gracias a las sinuosidades del dédalo, los doscientos metros.[16]

Purgar al hombre de sus pecados y sus impurezas: ésa es la función del laberinto cristiano denominado «la legua de Jerusalén», y es la misma función que habían tenido el laberinto cretense donde Teseo «mató a la bestia», y los viajes por las cámaras tenebrosas de los misterios antiguos. En este recorrido, que simboliza también la vida humana, el viajero era amenazado por bestias peligrosas, semejantes a las que Dante encuentra en la selva oscura donde se inicia la *Divina Comedia*, y que son alegorías de los pecados y los vicios. En el pavimento de la catedral de Saint-Omer se encuentran animales más o menos fantásticos que son, sin duda alguna, la descendencia del Minotauro, y que el peregrino debe vencer si desea llegar a su objetivo. ¿Cuál es ese objetivo? Jerusalén, claro está, y no sólo la Jerusalén geográfica hacia la que todos los peregrinos, cruzados o no, dirigían sus miradas, sino más aún la Jerusalén celestial, que significa la vida eterna, la beatitud en Dios. La ambivalencia de la «legua de Jerusalén» no necesita ser explicada, puesto que la peregrinación que sigue las sinuosidades del pavimento representa el viaje a Tierra Santa y, también, el viaje simbólico de la vida humana, cuyo término debe ser el Cielo, la salvación.

Llegado al objetivo, el peregrino de la legua de Jerusalén se hallaba ante una inscripción que precisaba que el lugar que había alcanzado era, unas veces, *Sancta Ecclesia*, o el Cielo —algo que era fácilmente inteligible para el fiel menos avisado—, y otras una alusión al dédalo de Cnosos, que sólo los hombres cultos podían comprender y traducir al sentido cristiano: *Casa de Dédalo*, como en Amiens, o también *Labarintus id est domus Dedali*, como en Hereford. En Pavía, lo que hay es un centauro, símbolo de la *hybris*, de la monstruosa aleación de lo humano y lo animal, personificado por el Minotauro en el mito de Teseo. En otras catedrales, Dédalo, el arquitecto original, el padre de todos los maestros de obra pasados y futuros, figura en su «casa». En algunos otros templos, esta figura humana, en vez de ser la de un Dédalo imaginario, es el retrato del arquitecto de la iglesia que, de este modo, pone su firma en el monumento y perpetua su presencia, eterniza su actualidad, en la cámara central del laberinto, presintiendo así su ulterior entrada en la Jerusalén celestial, entre los elegidos.[17]

¿Qué significa para Leonardo da Vinci la forma simbólica del laberinto? ¿Qué quiere decir cuando compone su propio laberinto, ese dédalo en cuyo centro coloca una capilla ideal a donde invita a quienes son dignos de ser miembros virtuales de esa ideal academia vinciana? Es difícil explicitarlo en pocas palabras, y tanto más difícil cuanto que para Leonardo las cosas son, por lo general, «eso y lo contrario de eso». Admito la hipótesis de los arabescos como un juego, juego de la mirada, juego de la mano, juego de la imaginación. Admito también la otra hipótesis, la de que fueran patrones para bordadores, tapiceros, encuadernadores, orfebres; es perfectamente verosímil y, al igual que la primera, adecuada al espíritu del artista. El creador multiforme debió de divertirse mucho trazando esos arabescos, destinados, tal vez, a decorar un vestido de mujer, en una de las espléndidas y extrañas fiestas de la corte de Milán. Pero lo que confirma, aún más, la importancia espiritual y mística que Leonardo atribuía a esas formas, es que proyectó en la bóveda de una de las salas del Castello Sforzesco el más fantástico arabesco que imaginarse pueda, que es una maraña de árboles cuyas ramas están extraordinaria y racionalmente entrelazadas, mientras que a esos nudos de ramas se añaden lacerías de cuerdas, exactamente parecidas a las de los grabados. Por otra parte, aunque no exista ningún documento que revele que Da Vinci participó en la composición del laberinto que había en el jardín de Ludovico el Moro, en Vigevano, conocemos un dibujo suyo que es un boceto para el pabellón octogonal que ocupaba la cámara central del laberinto, y que fue construido o debía ser construido por Da Vinci. Tenemos pues, por una parte, los arabescos grabados de la academia vinciana, por la otra, el laberinto vegetal del jardín, y uniéndolos a ambos, combinándolos de un modo inefablemente ingenioso y sorprendente, la decoración de ese techo de la Sala delle Asse, que es a la vez, un arabesco de cordones como el primero, y un arabesco de ramas como el segundo.

Mantengo aún, y probablemente hago mal, cierta desconfianza con respecto al uso abusivo que se ha hecho a menudo del simbolismo de los números. Es demasiado fácil manejar las cifras de tal modo que se las obligue a decir lo que se desea oír. El misterio que rodea la obra y la personalidad de Leonardo ha suscitado también sobre su esoterismo demasiados comentarios, algunos de los cuales parecen lúcidos y, en cierto modo, probatorios, y otros simplemente insensatos, de modo que no puede evitarse pisar ese terreno con legítima suspicacia y, en todo caso, con una prudente reserva. Sin embargo, por lo que se refiere a arabescos y laberintos, sin adentrarnos más en el simbolismo de los números —que Da Vinci, al menos voluntaria y conscientemente, no parece tener en cuenta—, es conveniente advertir la repetición de cierta cifra, repetición que ciertamente no es fortuita y que tenía en su pensamiento un significado bastante claro: la repetición de la cifra ocho. Las puntas de los arabescos de la accademia son treinta y dos, que es un múltiplo de ocho, y existe otra, copiada por Durero, que tiene dieciséis puntas, otro múltiplo. El número de troncos de árboles de donde nace el arabesco vegetal del Castello Sforzesco es también de dieciséis. El pabellón central del laberinto del jardín de Ludovico el Moro era un octógono.

Iríamos demasiado lejos si quisiéramos seguir todas las prolongaciones del octógono y de la cifra ocho en el simbolismo de las formas y en el de los números: basta con advertir el hecho y que cada cual extraiga las conclusiones convenientes. Es preciso recordar, sin embargo, que el pilar central cuyos restos figuran, aún, en medio del laberinto de la catedral de Chartres, era un octógono. El octógono, además, es la forma que suele preferirse, por razones simbólicas, para las fuentes bautismales. El octógono, finalmente, aparece una vez más al menos en la obra de Leonardo: cuando construye esa extraña cámara de espejos de ocho lados que multiplica hasta el infinito la imagen del hombre que se halla en el centro de la cámara. La invención de esta singular cámara de espejos, creadora del más fabuloso laberinto que imaginarse pueda, data de 1490, al menos el dibujo figura en el Manuscrito B del Instituto de Francia, que es de esa época. Y durante este mismo año 1490 Leonardo realiza con Francesco di Giorgio el viaje de Pavía, y dibuja letras para el tratado de Fra Luca Paccioli sobre la «proporción divina». Curiosa época esta, donde le vemos trabajar, al mismo tiempo, en el Cenáculo de Santa Maria delle Grazie, en la estatua ecuestre de Francesco Sforza, y sumirse en los estudios de proporciones, de armonía geométrica, de equilibrio de los números que le proponen las obras del sabio discípulo de Piero della Francesca y de ese Francesco di Giorgio, tan insigne como geómetra y matemático que como pintor y como arquitecto.

La elección de una rotonda con ocho pilares como santuario central del laberinto no es una fantasía y debe compararse con la invención contemporánea de la cámara octogonal de los espejos. ¿Por qué? Porque el foco central del entrelazado no es, como en el antiguo laberinto, el lugar del combate con la *hybris*, ni como en el laberinto cristiano, la Jerusalén celestial; no es ni la cámara del combate con el doble monstruoso de uno mismo, ni el lugar de la beatitud infinita y la contemplación de Dios: es el lugar de la contemplación de uno mismo. Por eso el nombre de Leonardo se inscribió en el centro del arabesco.

El laberinto fue ciertamente para Da Vinci un perpetuo objeto de atracción y repulsión. Es, en cierto modo, una transformación del jardín cerrado, un símbolo intelectual y abstracto del *hortus conclusus*. Para el espíritu cristiano medieval, simbolizaba también el mundo de las formas, el mundo de los sentidos donde el alma permanecería prisionera y sería devorada por el Minotauro, si no mataba a éste. Tras haber recorrido todo ese largo laberinto de la vida carnal y sensual expuesta a todas las experiencias y a todos los peligros de los sentidos, con la angustia que comporta, tanto en el laberinto vegetal como en la existencia del hombre, esa dificultad de opción en los cruces de los senderos, todos semejantes (opción que sólo puede realizarse de un modo favorable por medio de la intuición del bien y con la ayuda de la gracia), tras esas recaídas en el pecado, esos errores en los que es preciso volver atrás porque se ha entrado en un pasadizo sin salida, se encuentra a veces en el centro, como en el laberinto de la Villa Reale de Strà, una torre a cuya cima se sube y desde donde se descubre entonces toda la extensión del dédalo cuyos giratorios y equívocos caminos se han seguido.

«La reflexión debe planear por encima de los sentidos», escribió Leonardo. Así planea sobre todo el panorama de la vida pasada la mirada de la reflexión una vez que, tras haber atravesado de punta a cabo el laberinto de los sentidos, el hombre ha trepado a esa torre. Así la reflexión se sitúa en lo alto de la experiencia dedálica como, para Leonardo, la práctica domina y condena las andaduras del intelecto.

Pero el laberinto y el arabesco representan también para el artista creador y el sabio experimentador, suspicaz siempre con respecto al pensamiento abstracto, una especie de prisión intelectual. El arabesco, con sus simetrías rígidas y sus sinuosidades severamente iguales, es lo opuesto a lo sinuoso libre y diverso, lo flotante, es lo contrario de esos estudios de aguas burbujeantes y de cabelleras ondulantes en las que tanto se complacieron el ojo y la mano de Leonardo en todos los períodos de su vida. En el arabesco, el tumulto orgánico queda fijado por el espíritu, inmovilizado por el intelecto. De ahí, al mismo tiempo, una tentación y una amenaza.

Encerrado en su círculo, el arabesco es, a su modo, un espejo redondo en el que el espíritu se contempla y se complace. Pero el famoso escudo redondo, en el que el joven Leonardo pintó el monstruo, era también un espejo donde el hombre veía hormiguear, bajo formas horribles, todo el mal que llevaba en él, toda la *hybris* que le habitaba, era el Minotauro que debía destruir so pena de ser devorado por él. *Velut in speculo*. El hombre es convocado, pues, a una confrontación consigo mismo y a un duelo consigo mismo en pleno laberinto. El hombre que sale del laberinto no es el mismo que el que entró en él: la salida, por lo demás, es extremadamente fácil, incluso en los laberintos vegetales del siglo XVIII; no es más importante que una simple formalidad, pues los dos acontecimientos principales consisten en el recorrido de los senderos tortuosos desde la entrada hasta el centro, y en la estancia en el centro, sede de la lucha, mítica o real, contra un monstruo que es el «doble» del héroe.

Este nuevo nacimiento era, en las sociedades mistéricas, la iniciación, y en la vida cristiana es el bautismo. Resulta natural, por consiguiente, que el baptisterio, las pilas bautismales, se encuentre en el centro del laberinto, del entrelazamiento, de la «legua de Jerusalén». Si ese centro tiene forma circular, recuerda la forma de la matriz en la que el individuo se forma para el nacimiento. Si es hexagonal, lo es porque el hexágono, en el simbolismo antiguo y en el simbolismo cristiano heredero de éste, es la cifra de la muerte; en la mayoría de las tumbas antiguas de personas notables, especialmente en la de Diocleciano, encontramos el hexágono. Si el centro es octogonal, simboliza la resurrección y recordamos, entonces, el famoso texto del insigne obispo de Milán, san Ambrosio, sobre la relación del octógono con el bautismo, cuando evoca la vida eterna que se alcanza sumergiendo al neófito en la pila octogonal. (Tratado sobre san Lucas, 2/53.)

Los baptisterios y las fuentes bautismales son, por lo general, de planta hexagonal u octogonal, para recordar por una parte la tumba de la que el hombre sale por su renacimiento, por su acceso a una vida nueva, a la vida espiritual; y no es raro, entonces, que ciertas representaciones fúnebres estén asociadas a la planta hexagonal, como para subrayar más aún y hacer más evidente el simbolismo funerario asociado al bautismo. Podemos afirmar, sin exageración, que el arabesco de Da Vinci, al igual que la cámara octogonal de los espejos y el pabellón octogonal del laberinto sforzesco, es un baptisterio, el lugar del nuevo nacimiento, que el viajero alcanza al cabo de esa lenta andadura durante la que ha recorrido todos los entrecruzamientos del sendero. Pero hay que recordar finalmente la extremada importancia que tiene la diferencia (fundamental en el espíritu de Da Vinci y también para el simbolismo de las figuras) entre el laberinto y el arabesco. El primero ofrece, en su planta, una maraña de corredores a través de los que el viajero es guiado por el azar, la suerte o la gracia. Puede alcanzar con más o menos rapidez el centro, y dispone para ello de combinaciones de caminos infinitamente numerosas; lo que confirma la alegoría según la que cada hombre debe llegar, con mayor o menor rapidez y facilidad según sus cualidades y talentos personales y según las gracias que se le han concedido, a la vida eterna. Cada hombre es libre de elegir su camino en el laberinto. En el arabesco, por el contrario, sólo existe un camino que el hombre debe haber recorrido por entero sin esquivar ninguno de los meandros para alcanzar el centro. Los innumerables nudos representan los embrollos de la fatalidad, pero en el espíritu de Da Vinci constituyen, sobre todo, las necesarias etapas de la práctica y de la ciencia, de la experimentación y del pensamiento. Cada etapa, como en *Wilhelm Meister*, tiene el sentido y el alcance de una verdadera prueba, de una intuición que completa y perfecciona esta creación del hombre total, que sólo estará por entero terminado cuando, tras haber recorrido minuciosamente todas las revueltas del arabesco, sin error y sin desfallecimiento, llegue al centro, a la capilla de la academia.

Símbolo del proceso seguido por el propio Leonardo da Vinci, el arabesco, con planta octogonal o construido de acuerdo con los múltiplos del octógono, aparece como el baptisterio donde el artista adquiere el supremo conocimiento de la realidad, donde nace a una vida nueva, a la vez estética, ética y metafísica. El arabesco, como el laberinto, es el lugar de la iluminación y de la transfiguración, el punto central donde la visión del hombre abarca en su totalidad y en su unidad el sistema del universo y descubre sus secretos, y donde el orden sublime de la naturaleza se le revela en su construcción armoniosa, cargada de alto significado.

En ello, como en otros muchos dominios, Leonardo da Vinci se muestra como el heredero de la Edad Media en la que se hunden las raíces de su pensamiento. Ver cómo un hombre tan «moderno» como él utiliza el antiguo simbolismo numerario y aplica a esas creaciones ricas de sentido que son los arabescos —en los que sus contemporáneos y sucesores, por lo general, sólo veían, como Vasari, un pasatiempo caprichoso y una fantasía nacida de su prodigiosa originalidad— ese orden complejo de ideas que se vinculan al octógono, demuestra una vez más cuán innumerables e inmensamente variadas eran las corrientes que alimentaban su filosofía y su arte. Heredero de esta larga y valiosa tradición medieval de la que sus contemporáneos, lo reconozcan o no, siguen siendo deudores, recibidor, no ya de primera mano sino por refracción, de los descubrimientos y adquisiciones del humanismo, representante por sí mismo de la prefiguración del barroco, Leonardo retomará con singular fidelidad de la inteligencia y el corazón los grandes temas religiosos y hasta las plantas arquitectónicas del cristianismo primitivo, operando en sí esa prodigiosa síntesis de la Edad Media y la Antigüedad, del paganismo y del cristianismo a la que aspiraba todo el Quattrocento. En ello es el continuador de Marssillo Ficino y de Pico della Mirandola, pues tiende el puente entre el presente y el pasado, vivifica a este último con la comprensión profunda que tiene de él, y se esfuerza así por reconstituir la unidad perdida.

Pero, hasta entonces el arabesco era sólo un trazado abstracto sobre una hoja de papel, una alegoría, un jeroglífico. Da Vinci lo lleva a su más alta enseñanza y revela con claridad la esencia de su sistema del mundo cuando asocia a la gran pintura de la Sala delle Asse, en el Castello Sforzesco, el arabesco de los cordones tal como figuraba en los dibujos y el laberinto de las ramas. Ese fantástico cenador de arbustos con sus ramas entrelazadas, compuesto siguiendo un orden extraordinario, traduce al dominio de lo orgánico, de lo vegetal y de lo vivo lo que era sólo una invención del intelecto. Asocia toda la naturaleza a las creaciones del espíritu humano, invita a las ramas del árbol a entrecruzarse y a anudarse siguiendo las leyes estrictas del arabesco, y dispone esta magnífica colaboración de la naturaleza y de la inteligencia humana.

Y de este fresco que conserva, a pesar de las restauraciones, la imagen misma del pensamiento del artista, se desprende, además del simbolismo del laberinto del que acabo de hablar, todo ese complejo y poderoso sistema de la naturaleza que tan gran papel desempeña en la filosofía de Leonardo y en su estética. Las relaciones del hombre con la naturaleza habían evolucionado de un modo singular desde la Antigüedad clásica y a través de la Edad Media. Al obtener un conocimiento de la naturaleza más vasto y más preciso gracias a los progresos de las ciencias, el Renacimiento estableció relaciones nuevas con la naturaleza, en particular —y sobre todo Leonardo— con lo que podemos denominar el alma vegetativa del mundo. Leonardo sólo se sentirá cómodo y seguro en el universo de lo movedizo —tan a menudo representado por él en sus dibujos mediante cabelleras o corrientes de agua—, en el momento en que alcance el propio centro de esa alma del mundo, lo estable, lo fijo, lo inmutable. Dividido entre su deseo de formular la ley que ordena el universo y su aspiración a compartir todo el enorme impulso vital y vivificante de la naturaleza, incluso en la confusión de sus movimientos y en el indescifrable plano del caos, Leonardo es el descendiente de los filósofos presocráticos, el precursor de los «filósofos de la naturaleza» alemanes.

El dibujo de Leonardo tiene a menudo los mismos movimientos violentos y enigmáticos, las mismas reticencias abruptas que las sentencias de los presocráticos. Al igual que éstos, es hermético y está preñado de un significado secreto, difícil de elucidar, y no hablo aquí de sus alegorías que son, a veces, jeroglíficos, *concetti*, juegos complicados de palabras o de ideas, que hasta tal punto gustaban a los hombres de aquel tiempo que los hacían bordar en sus vestiduras. Pero ningún texto de Leonardo es tan revelador, a este respecto, como el fresco del laberinto: significa, en efecto, la reconciliación entre lo intelectual y lo natural, el regreso a la unidad, el restablecimiento de la armonía. Si sabemos entender como es debido esa decoración única en el mundo, que es algo muy distinto a un capricho de la imaginación, y si a través de esta «celosía» compuesta por ramas entrelazadas y nudos dorados, enmarañados según un plan riguroso e infalible, leemos claramente la suprema lección de Leonardo da Vinci, lección que completa y culmina la que habíamos recibido de la lectura de los arabescos grabados.

Puede parecer presuntuoso determinar con una fórmula precisa lo que el artista quiso expresar en el techo Delle Asse. Esta enseñanza presentada en una forma alegórica, «jeroglífica», por el propio pintor, que deja a cada cual libertad para interpretar su obra sin ocultar por ello que existe un sentido. Y dicho sentido, que puede entenderse en la doble acepción de «dirección», si consideramos el desarrollo del arabesco, y de «lección», si nos colocamos en el centro del laberinto, sería aproximadamente éste:

La naturaleza está construida de acuerdo con un orden (vegetal, vegetante, *naturans*) que reproduce el mismo esquema que el de la inteligencia humana. La vida fluye desde las raíces de los troncos hasta las últimas ramas del mismo modo que el espíritu llena todas las sinuosidades y todos los nudos del arabesco. Ocho pequeñas ventanas circulares se abren, a intervalos regulares, en la maraña de verdor, y permiten ver el azul del cielo, que también aparece aquí y allá entre los resquicios de las ramas y las hojas. Esa frondosa selva que parte de dieciséis troncos de árbol simétricos y regularmente espaciados desemboca en un inextricable enrejado de ramas donde todos esos árboles se confunden, se entremezclan y forman sólo un vegetal gigantesco y único. En esta cúpula de verdor, la identidad de los puntos de partida, de los troncos, se ha perdido: ya sólo hay un único vegetal, el universo, habitado por una sola alma, que es el alma del mundo.

Pero en vez de la cámara vacía que se encuentra en los arabescos, en el laberinto, en la legua de Jerusalén, donde el espíritu viajero, llegado a su objetivo, se contempla y se realiza en medio de ese laberinto vegetal, se encuentra una prieta abundancia de vegetación. Los ocho pequeños *oculi* abiertos en el verdor eran agujeros de aireación necesarios para que la mirada, el pensamiento y, yo diría también, la respiración pudieran llegar más allá del bosque, alcanzar el cielo, el aire libre. Pero en el mismo centro de la bóveda, allí donde esperaríamos, por parte de alguien que no fuera Leonardo sino un decorador del Renacimiento o del Barroco, un orificio que desgarrara las ramas, un tragaluz que nos pusiera en contacto directo con el cielo, como harían Mantegna o Correggio, no hay más que el tejido más tupido y prieto, hostil a cualquier evasión.

¿Qué nos quiere dar a entender eso? Que tras haber trepado por los troncos, tras haber seguido, como la savia ascendente, todas las bifurcaciones de las ramas, llegamos al corazón más tupido del bosque. Ciertamente, en ese momento estamos perdidos si el viaje a lo largo del laberinto no nos ha transformado, si alcanzamos esa jungla central con nuestro cuerpo de hombre y nuestro espíritu de hombre, pues el bosque ya sólo es para nosotros una cárcel sin salida. Pero, por el contrario, si nos hemos ido convirtiendo en el árbol a medida que ascendíamos, si nos hemos transmutado en vegetal a lo largo de ese prodigioso crecimiento vegetal, si nos hemos dejado penetrar por el bosque mientras penetrábamos en él, si somos ya uno con el bosque, recibimos entonces el beneficio de la metamorfosis. Conocemos la naturaleza, no ya de un modo teórico y discursivo sino gracias a una total comunión.

La andadura por el laberinto del bosque no debe inspirarnos el deseo de salir del bosque sino, por el contrario, el de convertirnos en bosque, y por ello, al final de la ascensión, aparece la más compacta y tupida espesura vegetal. Si hemos deseado mantener nuestra identidad aislada de la del bosque, nos encontraremos cada vez más ajenos a éste e incapaces de acordar nuestro ser con el suyo. Pero si, en una larga y complaciente ósmosis, hemos aceptado perdernos en lo vegetal para encontrarnos y realizarnos en él, alcanzamos el propio corazón de la naturaleza y ya formamos una unidad con ella.

La operación es realizable, puesto que —y esto es lo que nos enseña la identidad del laberinto vegetal con el arabesco de cuerdas doradas— el alma del mundo y el espíritu del hombre tienen el mismo signo y siguen el mismo camino hacia el mismo objetivo, el objetivo donde culmina la comunión, la armonía en la que el alma individual encuentra su sentido y su naturaleza, que es, como la del alma del mundo, una *misteriosa energia spirituale*.

CAPÍTULO NUEVE

Ícaro

¿Cómo evadirse de este laberinto que es el mundo visible y pensable? ¿Cómo sobrevolar ese universo finito donde a cada paso topamos con barreras, para contemplar desde arriba su forma y, al conocer la forma, conocer también su esencia? La liberación por el conocimiento está en el origen de todas las búsquedas científicas de Leonardo. La creación artística es una liberación más completa aún, pues le da al hombre la posibilidad de igualar, casi, al Creador, de añadir por lo menos a su Creación otros seres, nacidos éstos del genio del hombre.

Desde su infancia, Leonardo consideraba el pájaro como el ser libre por excelencia; ahí estaba el origen de la ternura y la solicitud que mostraba, en cualquier circunstancia, hacia esos animales de una naturaleza distinta a la de los demás. Aunque sintiera una especie de veneración afectuosa y un respeto casi religioso por el caballo, se complacía en dominar, en domar a este cuadrúpedo. Por el contrario —sus contemporáneos lo cuentan—, el pájaro sólo le inspiraba el deseo de liberarlo de la cautividad en la que los hombres lo mantenían. En esa época y en ese país, todos, a excepción de san Francisco, claro está, trataban con bastante dureza a nuestros hermanos inferiores, de modo que la costumbre de Leonardo de comprar pájaros a los pajareros para liberarlos y alegrarse viéndoles emprender el vuelo parecía un capricho bastante notable, y merece la pena señalarlo.

No se menciona, sin embargo, que hubiera sentido la tentación de liberar a los animales que estudiaba en los jardines zoológicos. Dedica toda su solicitud sólo a los pájaros, como si el hombre que más sufrió a causa de los límites que le imponía la condición humana reconociera en ellos a sus hermanos en sufrimiento y desempeñara de buena gana el papel de liberador, de redentor de esos seres alados. También es posible que la visión que tuvo de niño le inspirara una suerte de sentimiento de comunión, casi de identificación con el animal fantástico, semidivino, que tocándole la boca le había revelado su suprema vocación. En el origen de las grandes vocaciones de conquistadores y reformadores religiosos hay, casi siempre, un animal sobrenatural, que «consagra» al niño y le asigna un grandioso destino. ¿Acaso Leonardo recordó inconscientemente el águila de los emperadores romanos, el perro de santo Domingo, la paloma de Cola di Rienzo? Es poco probable, y no es necesario buscar algún precedente histórico a la célebre visión que para toda su vida le marcó con el signo del pájaro. El acento religioso con el que relata ese recuerdo de infancia en un pasaje célebre, y a menudo citado, del *Codex Atlanticus*,[1] muestra cuánta importancia le daba. Al parecer, el acontecimiento fue, junto con el de la caverna, uno de los momentos capitales de su vida, que condicionaron toda su existencia y revistieron, por ello, un inmenso valor simbólico.

El niño estaba aún en su cuna cuando sucedió el acontecimiento; se hallaba pues en su más tierna infancia y nada se opone a que un ser real —un pájaro y, probablemente incluso, un ave de presa— se hubiera aproximado a ese bebé al que, con bastante descuido, habían dejado en un rincón del jardín. Se trata, en efecto, de un ave de presa, un *nibbio*, según Leonardo, es decir, uno de esos depredadores de corrales y gallineros que no vacilan en atacar a las aves, incluso las de gran tamaño. En el recuerdo que el pintor guarda de este encuentro, no parece que el *nibbio* manifestara intenciones hostiles para con el bebé: el hombre no recuerda haber tenido miedo del extraño visitante. Recuerda, sí, que el *nibbio* le abrió la boca con las plumas de su cola que movió varias veces antes de emprender el vuelo.

En muchas religiones antiguas, la «apertura de la boca» es una ceremonia sagrada que se refiere a la creación de la vida y a la resurrección. Esta operación era uno de los momentos importantes del ritual funerario egipcio. Es comprensible que ese recuerdo, al que los psicoanalistas dan una significación particular,[2] produjera una gran impresión en el espíritu del niño y, luego, del hombre. ¿Cómo no ver en este extraordinario acontecimiento el signo de una elección especial? ¿Cómo este artista, tan sensible al valor simbólico de los hechos y las formas, podía no percibir en aquella visita el «paso de un dios»? Ganimedes arrebatado por un águila es el hombre raptado por Dios, poseído por Dios, y es interesante encontrar en santa Teresa de Ávila el relato de una visión en la que fue arrebatada por un águila.[3]

Los estudios de Leonardo sobre la mecánica del vuelo, que ocupan en sus escritos un lugar considerable, no tienen por objeto la construcción de un vehículo aéreo concebido como un instrumento de utilidad práctica o de récord deportivo, sino la búsqueda de un medio de «unirse al pájaro». Aspira, en suma, a identificarse con esa especie de «padre celestial» que encontró en su infancia, y el único medio de unirse con el ser es convertirse en ese ser. Esta andadura del espíritu vinciano es muy semejante a la de ese pintor japonés a quien los monjes del templo, cuyas salas decoraba, divisan, cierta noche, agitando rítmicamente los brazos en su celda. Y cuando le preguntan qué está haciendo, el pintor responde: «Estoy convirtiéndome en el pájaro que pintaré mañana.»

Hombre de ciencia tanto como artista, Leonardo quiere identificarse con el pájaro, primero comprendiendo de qué modo está hecho el cuerpo de éste y, particularmente, los órganos del vuelo: a estas investigaciones está consagrado el tratado sobre el vuelo de los pájaros.[4] Luego, cuando haya adquirido analíticamente esta ciencia, podrá a su vez convertirse en pájaro, es decir, construir una máquina voladora que le proporcione los órganos que le faltan para igualar al pájaro.

Se advertirá que, a pesar de esta predilección por el pájaro, éste está casi ausente de la obra pintada de Leonardo, a menos que uno acceda a descubrirlo ingeniosamente, como hace Freud, bosquejado en los ropajes de la *Santa Ana*. El único pájaro que pintó es el cisne, ave acuática, ligada al signo del agua y al mito de Leda. Pero los dibujos que hace de él se refieren al estudio de la técnica del vuelo. Por lo tanto, Leonardo no se identifica con este animal que podía ser su tótem pintando su retrato, sino imitándole en sus movimientos, creándose una naturaleza, un comportamiento de pájaro. Eso es muy importante y debe recordarse, a fin de no colocar a Leonardo en el mismo plano que los diversos constructores de máquinas voladoras. Prueba de lo dicho es la obstinación que pone en inventar un aparato de alas móviles, es decir, un cuerpo de pájaro, en el que se coloca y donde realiza los mismos gestos que el pájaro. En efecto, sólo concibe el vuelo al modo del pájaro, fabricándose un cuerpo de pájaro y haciéndose, para habitar este cuerpo, un alma de pájaro. Pues el cuerpo sin el alma no es nada y, por otra parte, el alma sola es incapaz de realizar la metamorfosis que él desea.

La leyenda de Ícaro le inspiró, aunque conocía la inutilidad de las alas emplumadas, que por otra parte resultaron fatales para la empresa del hijo de Dédalo. Estudia las corrientes aéreas capaces de impulsarlo y sostenerlo en su vuelo; ese estudio le lleva a inventar subsidiariamente el anemoscopio y el paracaídas, corolarios de sus descubrimientos sobre la resistencia del aire. Había encontrado, en los trabajos de Alberti y Nicolas de Cues, lo esencial que era el hidrómetro para el examen de la velocidad y la humedad del aire. Les añade un inclinómetro pendular cuyos planos se reconocen en el *Codex Atlanticus* (249 v.a).[5]

Por lo que se refiere al paracaídas, le da la forma tradicional, que no ha sido mejorada desde entonces, y que elaboró ya en su primera estancia en Milán, cuando trabajaba en la construcción del *tiburio* del Duomo, como prueban las notas que redactó por aquel entonces. Este paracaídas tendrá la forma de una pirámide cuadrada de doce brazas de altura, es decir, algo más de siete metros, cuyos costados tendrán la misma dimensión. Con este ingenio, afirma, «será posible lanzarse de cualquier altura sin hacerse el menor daño».[6]

«No concebía saber verdadero alguno al que no correspondiese cierto poder de acción. Crear, construir eran, para él, indivisibles de conocer y comprender», escribió Paul Valéry.[7] Pero es fácil convencerse, dada la insistencia con la que vuelve a esos proyectos, del particular significado que tenía para él la máquina de volar, sin relación alguna con sus demás inventos mecánicos, como la máquina de trefilar o la máquina de tejer. Volar no es para él una hazaña, una dificultad técnica que debe vencerse. Cuando habla del «vuelo del gran pájaro», su acento cambia y adopta ese tono misterioso, religioso, que toma en cuanto aborda el terreno de lo sagrado, los misterios del mundo subterráneo o del agua. El elemento con el que el vuelo va a ponerle en contacto o, mejor dicho, en comunión, es un elemento sagrado entre todos: el aire. Es posible que, realizada la «conquista del aire», hubiera podido adaptarla a utilizaciones prácticas, como la de los viajes aéreos, por ejemplo, pero ese ingeniero militar, tan hábil en la disposición de máquinas de guerra y que inventó el submarino como ingenio de combate —a riesgo de turbar la santidad de otro elemento sagrado, el agua—, no pensó en la guerra aérea, en la posibilidad de que sus hombres voladores lanzaran bombas sobre el enemigo del mismo modo que sus submarinistas iban a hundir las flotas adversarias. El vuelo sigue siendo, en su pensamiento, una operación religiosa, mágica: el modo de confundirse con el «gran pájaro». Son palabras graves, solemnes, preñadas de un misterioso poder y anunciadoras de una acción sublime las que acuden a su pluma cuando, por dos veces, habla de ese «gran pájaro» que es él mismo. «El gran pájaro emprenderá el vuelo, por primera vez, en la espalda del gran Cecero, llenando el universo de pasmo, llenando con su renombre todo lo que de él se escriba y adquiriendo una gloria eterna en el nido donde nació.» El monte Cecero, cuyo nombre significa monte del Cisne, está próximo a Florencia, y Florencia, su «nido»,[8] será inmortalizada por esta victoria sin precedentes. En el mismo manuscrito anuncia por segunda vez el sensacional acontecimiento. «De la montaña que lleva el nombre del gran pájaro emprenderá su vuelo el famoso pájaro que llenará el mundo con su gran gloria.»[9] Emplea ahora, como puede verse, para designarse a sí mismo y para designar al Cisne, el nombre de la cima desde la que ha decidido emprender el vuelo. Esta asimilación con el cisne, hipóstasis divina de Zeus, tal vez le fuera sugerida por la elección del lugar que consideraba más adecuado para sus experiencias, pero creo más bien que escogió el monte Cecero, prefiriéndolo a cualquier otro, a causa de su nombre y de la asociación que éste le sugiere con la figura de Leda que, en una de sus composiciones más reveladoras, aparece como una de las introductoras del mundo sobrenatural, vinculada al mismo tiempo al elemento aire y al elemento agua.

El «piadoso» Leonardo veneraba el aire, como es debido, y el pájaro, personificación de este elemento, representaba al mismo tiempo un símbolo de todas las propiedades que tiene el aire y el modelo que el hombre debe imitar para escapar a la cárcel terrenal de lo finito, de lo limitado. Por sus propios medios, el hombre no puede volar. Lo hará si material y espiritualmente se convierte en pájaro. Pero para un espíritu tan positivo como el de Leonardo, la identificación, el «convertirse en pájaro» que preconizaba el pintor japonés (algo que es conforme al pensamiento budista) no resulta convincente. No cree en las metáforas mágicas. No cree, sobre todo, en una conversión en la que no interviniera el esfuerzo, el movimiento, a la que el cuerpo, en una palabra, no estuviera asociado. Prepara así la conversión de sí mismo en el «gran pájaro», de un modo tan preciso y meticuloso como en todos sus demás trabajos. El deseo no basta para crear, la voluntad tampoco, y no existe fórmula secreta que permita al hombre elevarse por los aires.

La resistencia de los elementos es un hecho que no puede negarse; habrá que vencer, pues, esta resistencia y, ante todo, a fin de vencerla, habrá que conocerla. La fuerza del viento, la pesadez son otros tantos obstáculos que deben superarse. Sólo el sabio lo logrará, cuando haya adquirido un conocimiento completo de todas las dificultades que el propio pájaro encuentra y de los medios que el pájaro utiliza para triunfar sobre ellos. Si resulta indispensable crearse un alma de pájaro, no es menos necesario haber agotado metódicamente el tema antes de intentar la aventura del monte Cecero. Incansablemente, durante toda su vida, Leonardo prosigue sus estudios y sus experimentos sobre los complejos problemas que plantean el medio aéreo y el mecanismo que permita volar.[10] Son dos órdenes de búsquedas, próximas, es cierto, pero muy complicadas ambas, y que realiza en paralelo con su obra de pintura, sin cansancio, sin desaliento.

Es cierto que construyó máquinas de volar: los dibujos son tan completos, están tan avanzados, que pueden considerarse diseños de máquinas y, de hecho, siguiendo sólo los dibujos y las indicaciones de Leonardo se han podido realizar curiosos aviones, muy distintos, claro está, de lo que designaron con este nombre los ingenieros del siglo XX que inventaron los aeroplanos, pero utilizables.[11] Estos aparatos son de dos clases. En los primeros permanece fiel a su idea inicial de hacerse un cuerpo de pájaro, es decir, moverse por medio de alas que los brazos del hombre accionan, del mismo modo que los músculos del pájaro hacen mover sus alas. En los segundos, renuncia a esta disposición que tenía una intención simbólica y adopta un sistema más práctico, el de la hélice. El avión que dibuja en el Manuscrito B es un helicóptero, desarrollo del principio del ala cuádruple que esbozaba en dos bocetos del *Codex Atlanticus*.[12]

Sustituir el ala por la hélice corresponde a una modificación profunda en los planes de Leonardo. Renuncia a la imitación mecánica del pájaro. Imagina un dispositivo más práctico, más eficaz, pero que tiene, desde el punto de vista simbólico, el inconveniente de alejarse de la figura del pájaro: con ese aparato tal vez vuele, pero volará como un hombre volador, ya no como un pájaro, y eso representa una división profunda, la renuncia a la identidad mecánica que deseaba. Cuando estudiamos la evolución de los planos de aviones en los manuscritos de Leonardo, advertimos que se alejan cada vez más del modelo ideal.

Su primer proyecto era meterse en un cuerpo de pájaro, por decirlo de algún modo, y agitar sus alas por la mera fuerza de los brazos. Este aparato, que se parece mucho a una máquina de remar, se encuentra en el Manuscrito B, 54 v. Verosímilmente, se remonta a 1488 y Leonardo lo reprodujo casi sin modificaciones en el *Codex Atlanticus*, 302 v. El texto que lo acompaña explica su funcionamiento: «*a* tuerce el ala, *b* la gira con una palanca, *c* la baja, *d* la eleva y el piloto de la máquina tiene los pies en *f d*; el pie *f* baja las alas y el pie *d* las eleva. El pivote *M* tendrá su centro de gravedad fuera de la perpendicular, de modo que las alas, al caer, bajen también hacia los pies del hombre; pues eso es lo que hace avanzar al pájaro... Es necesario también que la bajada de las alas se lleve a cabo por la fuerza de ambos pies simultáneamente; así podrás regular el movimiento y mantener el equilibrio bajando un ala más deprisa que la otra según las necesidades, como ves hacer al milano y a otros pájaros; además, el movimiento descendente de ambos pies produce dos veces más fuerza que uno solo. Cierto es que el movimiento es proporcionalmente más lento. La subida está determinada por la fuerza de un resorte o, si así lo quieres, por medio de la mano, o llevando hacia ti los pies, lo que sería preferible, pues así mantendrías más libres las manos».[13]

No se puede ser más preciso. Prudentemente el inventor añade: «Esta máquina tendrá que probarse sobre un lago y llevarás un ancho odre alargado que te sirva de cinturón para evitar ahogarte en caso de caída.» Ésa es, en efecto, la precaución que Da Vinci aporta a todas sus investigaciones, adaptando la confianza en sí mismo a lo que conoce de sus posibilidades, y renunciando a cualquier fantasía quimérica. Nada es más conmovedor que imaginar al genial artista en la soledad de su taller, tendido sobre su «máquina de remar» y agitando los brazos y las piernas para producir los movimientos que ha determinado.

Advirtió en la prueba que esa postura boca abajo era muy fatigosa y que no permitía un largo esfuerzo. Por otra parte, previó tan bien el cansancio o un defecto del aparato que recomienda experimentarlo sobre el agua para no aplastarse en el suelo si, contradiciendo sus cálculos, el funcionamiento de la máquina no es tan perfecto como creía. Dotado de un valor místico considerable, puesto que en esta posición el hombre puede creer que se ha convertido en pájaro, este primer avión es técnicamente inutilizable, ya que el motor humano es insuficiente para el peso total de la máquina, por muy ligera que se construya, de madera delgada y fina tela.

Dividido entre la fidelidad del creyente en la «forma simbólica» y el deseo de progreso natural en el inventor, a pesar de su renuncia a la mística y al símbolo, abandona el proyecto inicial y, también en el Manuscrito B, descubrimos un aparato muy distinto al primero, más complicado y menos «naturalista». El hombre se halla en una especie de concha semejante a una cesta, está de pie y «pedalea» en cierto modo para accionar las cuatro alas situadas en lo alto, por medio de palancas y poleas. También la cabeza actúa en el mecanismo, pues Leonardo ha calculado que la fuerza ejercida por la cabeza contrarreste exactamente el peso de su cuerpo. «El movimiento de las alas —especifica— será cruzado, como el paso del caballo.» En el juego de la cabeza y en el entrecruzar de las alas reside el gran progreso: «He aquí por qué sostengo que ese método es mejor que otro.» La descripción del aparato se completa con la indicación de las dimensiones de las alas y de la cesta, hecha de tela y juncos.

Nada queda del pájaro en este mecanismo, ciertamente ingenioso desde el punto de vista técnico, aunque desprovisto de cualquier parecido con el animal que Leonardo desea igualar. Parece que el artista haya renunciado a reproducir la figura de su modelo. La posición vertical, reconocida como más ventajosa, es una concesión que el sentimiento de identidad hace al espíritu de utilidad. Tal vez el creador haya sido arrastrado por su creación y apartado del pájaro por el hecho de inventar una forma abstracta. Claro que conservar un alma de pájaro en esta máquina en la que se está sentado será más difícil que en aquélla donde la posición horizontal determinaba esa comunión buscada por el pintor japonés. El helicóptero es la última concesión que el naturalista hace al mecánico, que el *homo religiosus* hace al «técnico».

En el helicóptero, en efecto, la máquina tiene más importancia que el hombre: éste es un piloto y un mecánico, no un animal. Está de pie o a caballo sobre una silla. Avanza verticalmente: no se mueve acostado en el aire como en un elemento benefactor; no está ya paralelo al aire, sino perpendicular. Hay más diferencia entre el primer proyecto de Leonardo y la última versión del avión vinciano que entre ésta y el avión de hoy.[14] ¡Con qué cuidado había compuesto la estructura de las alas, de tafetán almidonado y montado sobre maderas de un abeto «no llegado a la madurez todavía», de fustán cubierto de plumas, como las plumas de Ícaro! ¡Cómo procuraba, en todo, acercarse al pájaro, parecerse lo más posible a él, tanto en la composición del aparato como en la economía del movimiento! Cuando no se han leído los textos que acompañan los dibujos del *Codex Atlanticus* y del Manuscrito B, no se sospecha con qué prodigioso ingenio fueron estudiados todos los detalles, las alas perforadas o unidas, la naturaleza de los juncos empleados para las articulaciones, las correas de piel de gamuza para fijar al hombre al aparato, y los «alerones» que se mencionan en el Manuscrito L que servirán de gobernalle, y la idea de ajustar unas escalas a las piernas del piloto, pues Da Vinci ha comprobado que «el vencejo, una vez posado en el suelo, no puede tomar impulso porque sus patas son cortas». Qué minuciosidad también en la fabricación de esas escalas curvas «para que correspondan al cuerpo», de punta cónica «para que no encuentren obstáculo», y provistas de ganchos bajo los pies «que actúen al modo del que salta de puntillas; así no quedará aturdido como si saltara sobre los talones». El inventor vuelve sin cesar a la naturaleza orgánica, para tomar de ella sus instrumentos y sus procedimientos, puesto que la naturaleza no se equivoca y el cuerpo del ser vivo, hombre o animal, es el modelo perfecto de un mecanismo exactamente adaptado a la acción necesaria. Incluso cuando parece apartarse del mecanismo muscular del pájaro, Leonardo vuelve a él por mil ingeniosos rodeos, lo mismo que vuelve al sistema muscular del hombre, cuya perfección le han demostrado sus estudios anatómicos y también su creencia antropocéntrica.

¿Volaron los artefactos de Leonardo? Nadie lo sabe. Lo que el artista escribía sobre la gloria eterna que aguardaba al «gran pájaro» permite creer que si el éxito hubiera coronado semejante tentativa, la recompensa hubiera sido inmensa. Ninguna voz se levantó para hablar de ello. ¿Mantuvo en secreto sus experiencias advirtiendo un día las aplicaciones mortíferas que podrían dárseles y no deseando mancillar el aire, al igual que no quería profanar el agua con sus submarinos? Ninguna crónica habla de un intento de vuelo, y la anécdota que nos muestra a su colaborador Zoroastro de Peretola rompiéndose la pierna durante un intento frustrado es apócrifa y poco digna de fe.[15]

No podemos creer, sin embargo, que Leonardo no hubiera probado sus aparatos, y por consiguiente lo imaginaremos transportando sus ingenios con gran secreto y ayudado por el bueno de Zoroastro hasta algún lugar apartado, fuera de la vista de todos, quedando el monte Cecero reservado para la experiencia definitiva, el «vuelo del gran pájaro». En sus escritos, no se mencionan fracasos ni éxitos; pacientemente, remodela y perfecciona sus máquinas, decepcionado pero no desalentado, esperando siempre que la metamorfosis va a producirse. Le daba fuerzas el recuerdo de la milagrosa visita del *nibbio*, en la gran soledad llena de luz de la granja materna rodeada del pedregal toscano.

A falta de alas de pájaro, no deseó las alas del ángel: su sueño no le llevaba tan arriba, y para él era más difícil sin duda alcanzar el ángel que unirse al pájaro. Pero su sueño se cumplió de otro modo: su genio de pintor le permitía acceder a ese infinito que no podía alcanzar con alas de madera y de tela y que sólo habría sido, en definitiva, otra clase de «finito». Sus éxitos de artista compensaron ampliamente los fracasos del sabio.

Pero ya es importante que ese sueño haya sido imaginado, que se haya materializado en la medida de lo posible, en todos los terrenos.

Poco importa, en cambio, que los trabajos científicos de Leonardo hayan permitido los progresos del conocimiento puro o de la técnica; no era ése su terreno. Su esfuerzo apuntaba en una dirección muy distinta. No aspiraba a dominar y dirigir las fuerzas de la naturaleza sino, por el contrario, a integrarse en ellas, a adaptarse a su movimiento y a su ritmo. Por esta razón, el conocimiento científico le pareció, en todos sus aspectos, un medio y no un fin. Un medio que de entrada estaba al servicio del arte, que es la suprema finalidad de su quehacer. Pues aunque de vez en cuando ciertas gestiones de su curiosidad parezcan muy alejadas de ese objetivo único, siempre se vinculan, sin embargo, a la obra de arte. De un modo fortuito y accesorio, y porque siente placer en manifestar su habilidad, su fuerza, su destreza y su ingenio, se aparta por un momento de esa vía real del arte para divertirse con inventos que se emparentan entonces, como diríamos hoy, con el bricolaje, aunque podamos preguntarnos si, cuando compone un despertador extraño y eficaz que arranca al durmiente de su sueño, no lo hace para sí mismo, porque tal vez sea proclive a quedarse demasiado tiempo en la cama por la mañana. Esos pequeños inventos son siempre extraordinariamente prácticos, de una indiscutible utilidad cotidiana: constituyen la «calderilla» de un prodigioso genio creador que se distrae de sus grandes obras modelando, con sus dedos mágicos, pequeños aparatos que son, al mismo tiempo, juegos de su fantasía y cómodas novedades.

Sus «patrones» sin duda le estimaban más como ingeniero que como pintor, salvo Francisco I que, sin embargo, se complació viéndole trabajar en aquella red de canales que debía unir por vía acuática todas las grandes residencias reales. Todos apelaban sin cesar a esa inagotable fecundidad. ¡Lástima que no le dejaran pintar tranquilo, en vez de exigirle tareas que los especialistas hubieran realizado tan bien como él, probablemente, y sin perjuicio para esa obra importante que él se veía obligado a abandonar! La condición del artista era tal que no podía rechazar las inoportunas exigencias de los grandes personajes que le empleaban. A cambio de una pensión poco costosa, ¡qué futilezas imponían a sus pintores y escultores! La universalidad de Da Vinci era tan admirable que abusaban de ella con desvergüenza, y él mismo cedía a estos caprichos hallando en la alegría que sentía al multiplicar sus posibilidades una justificación para la más lamentable dispersión.

De todos modos, se le escapa un grito de pesadumbre y casi de rencor cuando al finalizar su estancia en Roma —que fue de hecho muy estéril para su arte, y donde todo lo que emprendió se saldó con un fracaso— escribe rabiosamente en su cuaderno: «Los Médicis me han hecho y me han deshecho.»[16] Hay que tener en cuenta la prodigiosa fuerza de desgaste que tenía su inestabilidad, y lo desastrosa que era para su arte su afición a interesarse por todo, una afición que sus patrones explotaban diestramente. Dividido entre las exigencias de los Médicis y los Rovere, que le reclamaban sus tumbas, la vida de Miguel Ángel fue una serie de tormentosas recriminaciones y de incesantes querellas y, sin embargo, los trabajos que le encargaban, tanto de un lado como de otro, no le apartaron de su verdadera vocación. Solitario, de una feroz independencia, nunca llegó a doblegarse a esta existencia de pintor de corte que soporta de buen grado y que solicita incluso, a veces, con cierto servilismo. Podemos interpretar entonces como una exclamación de pesadumbre y quizás incluso de remordimiento, como un reproche que se hacía sabiendo que lo había merecido, el famoso «si estás solo, serás dueño de ti mismo». Leonardo no tuvo el valor de añadir a la soledad moral, que le hacía sufrir, una soledad material que le hubiera liberado de pesadas obligaciones. Y, sin embargo, no podemos reprocharles a esos exigentes dueños el que empujaran a Leonardo a desarrollar su genio en todas las direcciones, pues todos esos caminos convergían, en definitiva, hacia el más secreto centro de sí mismo. Todos respondían a una necesidad tanto material como espiritual, y a veces ambas cosas. Sus conocimientos y ansias de saber universales no eran para él objeto de vanagloria o de vanidad, sino condición indispensable de la comunión con la naturaleza, y se vinculaban por otra parte a la búsqueda de la excelencia en su arte. Si llevó tan lejos el estudio de la anatomía fue para ser más verídico cuando pintara personajes o animales. Asimismo, la botánica o la hidráulica le ayudaron a representar con la exactitud requerida las hojas y el agua. Es preciso preguntarse, entonces, si la propia pintura, punto en donde se reúnen en haz sus tan diversos trabajos, no será también un medio, un instrumento de comunión creadora con la naturaleza. El arte ya no sería pues, para Leonardo, un fin en sí mismo, el último término de la creación, sino un fin provisional que lleva a otro fin: el estado de armonía perfecta del individuo con el cosmos. Así se explica que, tras haber empleado todas sus investigaciones científicas para la pintura, emplee ahora la pintura para esa vasta investigación espiritual que es la razón de ser y el objetivo de su esfuerzo.

Admito que quizá se enorgulleciera al pensar que iba a ser el primer hombre que volara como un pájaro, pero esta satisfacción del amor propio parece pueril comparada con la aspiración principal que le impulsa-

ba al vuelo. Del mismo modo, todas las actividades de su inteligencia
constituyen un hilo en el inmenso y complicado tejido de su creación.
Ésta sólo puede interpretarse si se contempla su prodigiosa diversidad
como la de un organismo viviente, en cuya vida tantas fuerzas y mecanismos deben participar. Que la mayoría de esas actividades fueran «su-
perfluas» para un pintor como Rafael o Tiziano, digamos, nadie lo niega, pero es indiscutible que todas fueron indispensables para Leonardo,
y en esto se distingue, por lo demás, de los artistas de su tiempo y de
todos los tiempos

Cierto es que, para la mayoría de los grandes pintores, un Rembrandt, un Velázquez, un Delacroix, la pintura no estaba unida a tantos
conocimientos precisos y múltiples, de modo que no sintieron esa necesidad de conocimientos científicos, pero ninguno de ellos, en cambio,
alcanzó a expresar, como lo hizo Leonardo, todo lo que es humano y
que, al mismo tiempo, supera lo humano. Los esfuerzos encaminados a
construir una máquina de volar figuran entre las actividades principales de su mente. Le acercaron a su objetivo. Gracias a ellos realizó su
alma de pájaro, aunque no proporcionara a esa alma el medio material
para elevarse en el espacio. Creo que el fracaso práctico de su intento
evitó, en cierto modo, a su aspiración espiritual el desencanto que, sin
duda, habría acompañado a su éxito. ¿Qué habría ocurrido en efecto, si,
colmando sus esperanzas, Leonardo hubiera conseguido volar? Habría
medido, en este mismo éxito, la infinita distancia que separaba ese pla-
neo pesado, torpe y precario del vuelo libre, magnífico y seguro del pájaro. La decepción de una realización poco satisfactoria habría sido más
dolorosa que la búsqueda infructuosa que, al menos, preservaba la esperanza. Con los medios de que disponía, Leonardo no podía convertirse
en el «gran pájaro» de su quimera; sólo en un terreno, el del espíritu, le
estaba permitido elevarse por el espacio sin sufrir la fatal suerte de Si-
món el Mago y de Ícaro.

CAPÍTULO DIEZ

Loanza del agua

Los elementos tienen una triple función en la mente de Leonardo. Son, de entrada, materia de experiencia y de utilidad; sirven para el placer y las ventajas de los hombres; constituyen los instrumentos de su actividad. Sin la tierra, el agua, el aire y el fuego no habría vida humana posible. La deuda del hombre para con los elementos es pues inmensa, e inmensas también las ventajas que puede obtener de su empleo. Es importante pues que este *homo faber* que cava la tierra con una azada para depositar en ella sus semillas, que enciende las ramas bajo la presa que está asando, que recoge en una copa de arcilla o de cuero el agua del riachuelo para su bebida, que llena de aire sus pulmones con poderosa alegría, es importante que este utilizador de los elementos conozca, por haberlo probado, de qué modo y en qué condiciones estos elementos proporcionan los mejores servicios.

El *homo sapiens*, diestro consumidor y elaborador de los elementos, se plantea cierto día una cuestión: se pregunta cuál es la substancia de la que están hechos estos elementos, de qué modo su estructura condiciona su funcionamiento. Hombre científico, escruta las relaciones entre causa y efecto, imagina leyes. Añadiendo el conocimiento de los elementos a su utilización pragmática, construye para satisfacción de sus necesidades intelectuales —y ya no de sus necesidades naturales para las que bastaba la utilización de los elementos— una teoría de la organización de la naturaleza, de las relaciones que implica, del dominio que ejerce sobre todos los seres y las cosas que participan en la vida de los elementos.

Le es fácil concebir este mundo elemental desde el estricto punto de vista material y materialista, observar mecanismos y examinar su funcionamiento, registrar y codificar las leyes que este funcionamiento descubre y que satisfacen plenamente al ser razonable y racional. El *homo religiosus*, en cambio, es más exigente; su alma tiene más necesidades que su mente. Constata que entre él y los elementos existen otros vínculos que los prácticos y científicos. Se siente unido a ellos por una suerte de filiación común. Adivina que la tarea que desempeñan en la creación es tanto la conservación y la prolongación de la existencia del hombre como la de la existencia del universo. Ya no se los apropia con esa ingenua presunción que inspiraba al *homo faber*, ni con esa pretensión de explicarlo todo que llena de orgullo al *homo sapiens*. El *homo religiosus* se siente muy próximo al propio corazón de los elementos, en su ser físico se siente tierra, agua, aire y fuego, pero al mismo tiempo, en su ser mental se representa esas fuerzas materiales como mayores y más diferentes. Los elementos son eternos, omnipotentes, invencibles; el hombre nunca posee más que una ínfima parcela de ellos, sólo conoce la superficie más delgada de su gigantesco cuerpo. Dominado por los elementos, descubriendo que representan, además de algo útil y conocible en cierta medida, lo inaprensible e ininteligible, reconoce en la naturaleza de los cuatro elementos algo de la naturaleza de los dioses, y los asimila a los dioses.

El espíritu de Leonardo participa de esas tres actitudes: experiencia, razón, devoción, que corresponden respectivamente a la utilización, al conocimiento y a la veneración religiosa. Pero siguiendo el orden cronológico de esas tres operaciones, coloca la experiencia ante todo. «Recuerda, al comentar las aguas, atestiguar primero la experiencia y luego la razón.» No le es preciso hablar de devoción; está arraigada con fuerza en él y dirige todos los movimientos de su alma. Sin embargo, no «antropomorfiza» el agua al modo de san Francisco, que le reconocía virtudes humanas. «Hermana agua, que es humilde, útil y casta...» El Pobrecillo veía los elementos a imagen de su alma seráfica. Leonardo, en cambio, conoce un agua devoradora, nefasta para los hombres, devastadora para las obras de la civilización: el agua de las tormentas marinas, de las inundaciones fluviales, de los diluvios. Ningún pintor expresó con tan verídica vehemencia los furores monstruosos del agua. El visionario y el sabio intercambiaron sus experiencias en la composición de esas escenas del diluvio, de una belleza horrenda y fantástica. El *mysterium tremendum* consustancial a casi todas las religiones, en la obra de Da Vinci presta a la religión del agua la grandeza de los cataclismos cósmicos. En todos los ámbitos de su religiosidad naturalista, Da Vinci siente el temblor sagrado; ante la naturaleza más que ante lo sobrenatural, al que apenas roza y en cuyos parajes, prudente o desdeñosamente, se niega a entrar.

La loanza que san Francisco dirige al agua se refiere a tres virtudes, una de las cuales es de orden práctico y las otras dos de orden moral. La utilidad del agua, para el Pobrecillo, era ante todo la de lavar los pies mugrientos quitándoles el polvo de la tierra, llevar desde el cuenco de la mano a los labios el vivificante brebaje. Leonardo, en cambio, sabe muy bien todo lo que puede obtenerse del agua. El dominio de los elementos, en él, es total y de una exigencia despótica: para el agua, sobre todo, que es fácil de conducir y de someter. El fuego se le escapa e intentó, en vano, la conquista del aire. El agua es su elemento preferido, tal vez porque es más manejable y tiene más numerosas aplicaciones, pero también, sin duda, por otras razones. Su sentimiento religioso natural, que gracias a su amistad original, a su comunión primordial con los elementos, sabía muchas cosas que no había aprendido, celebraba en el agua el propio principio de la vida. De ahí los importantes servicios que le exige y la devoción que le tributa, primero a cambio de sus beneficios, y también porque ha reconocido su naturaleza divina. Como les ocurre a los seres verdaderamente religiosos, en su actitud frente al agua se alían la familiaridad y el respeto, la intimidad que nace de la comunión y el «sentido de las distancias» que mantiene todo verdadero creyente.

Respeta el agua, asimismo, porque es la «sangre de la tierra». Su intuición de la unidad cósmica y su afición por las analogías le hacen insistir en este parecido entre el hombre y la tierra, recorrido el uno por el sistema sanguíneo, vivificada la otra por las redes de circulación del agua. Numerosos pasajes de sus cuadernos, y fragmentos del *Tratado del Agua* que escribía,[1] expresan esta idea. «Al igual que del estanque de sangre proceden las venas, cuyas ramas se extienden a través del cuerpo humano, así el océano llena el cuerpo de la tierra con un número infinito de venas acuosas...»

Siguiendo su intención, por lo demás, el *Tratado del Agua* se iniciaba con unas consideraciones sobre la constitución del universo, y con una demostración de la analogía general del hombre y el mundo. «Los antiguos llamaron al hombre un microcosmos, y, en verdad este epíteto se aplica bien a él. Pues si el hombre está compuesto de agua, aire y fuego, lo mismo ocurre con el cuerpo de la tierra; y si el hombre tiene en sí un armazón de huesos para su carne, el mundo tiene sus rocas, soportes de la tierra; si el hombre oculta un lago de sangre donde los pulmones, cuando respiran, se dilatan y se contraen, el cuerpo terrestre tiene su océano, que crece y decrece cada seis horas, con la respiración del universo; si de este lago de sangre parten las venas que se ramifican a través del cuerpo humano, el océano llena el cuerpo de la tierra con una infinidad de venas acuosas.»[2]

Por lo que se refiere al agua, esta analogía es mucho más evidente aún. «El agua que brota en la montaña es la sangre que mantiene con vida a la montaña. Si una de sus venas llega a abrirse, ya en ella, ya junto a su ladera, la Naturaleza, deseosa de ayudar a sus organismos y compensar la pérdida de la materia húmeda que fluye, prodiga un socorro diligente, como lo hace también en el lugar donde el hombre ha recibido un golpe. Se ve entonces, a medida que acude el socorro, que la sangre afluye bajo la piel y forma una hinchazón, para reventar la parte infectada. Asimismo, cuando la vida se ha atrincherado en la cima de la montaña, la naturaleza manda sus humores desde sus más bajas sedes hasta la extrema altura del lugar, y éstos se vierten allí, de modo que no la deja privada, hasta el final de su vida, del fluido vital.»[3] Muchas especulaciones medievales, aliadas a nociones tomadas de los filósofos presocráticos, se combinan en estas «visiones» leonardescas con los datos más recientes de la ciencia hidráulica del Renacimiento, pero el principal maestro que instruyó a Leonardo, tanto en esta ciencia como en las demás, fue la experiencia, después de lo cual la razón razonó sobre los fenómenos captados por la observación. Al diseccionar cuerpos de mujeres preñadas, vio el feto sumergido en agua, cosa que confirmó y fortaleció su primera idea, y Leonardo lo comunicó de inmediato a su sabio amigo Marc Antonio della Torre, a quien dedicará su *Tratado sobre el Agua*, como se desprende de un pasaje de los *Quaderni*.[4]

Las diversas aplicaciones del agua son múltiples en la «industria» de Leonardo, desde el reloj hidráulico o la clepsidra, o el despertador automático que arranca al perezoso de la cama, hasta la grandiosa concepción de los canales, que ocuparon gran parte de su actividad en Milán, en Florencia, en Roma, en Amboise, es decir, durante todos los períodos de su vida. La navegabilidad de los ríos, mediante el acondicionamiento del lecho y las riberas y la regulación de los caudales es, también, uno de sus trabajos favoritos. «*Condurre acqua da un loco ad un alto...*» es ya uno de los talentos de los que presume en la carta a Ludovico el Moro.

Entre las actividades del primer período milanés encontramos, pues, acondicionamientos muy importantes de vías navegables. Desde el siglo XII, la ciudad entera estaba rodeada de fosos vastos y profundos, alimentados de agua por los ríos de Lura y de Seveso que bajaban de las montañas de Como. Las aguas del Ticino proporcionaban también agua al canal llamado el Gran Naviglio, que la llevaba hasta Milán. En el siglo xv la necesidad de transportar los bloques de mármol de Candoglia hasta los trabajos del Duomo, en construcción por aquel entonces, había llevado a excavar otro canal, el Naviglio Nuevo, que desembocaba en el pequeño puerto de San Stefano in Brolio. Puesto que los canales eran de distintos niveles, había sido preciso instalar un sistema bastante complicado de esclusas, para compensar esta diferencia. Finalmente, Francesco Sforza había encargado al ingeniero Bertola da Novate que excavara un nuevo canal para unir Milán al río Adda: se llamaba el Naviglio de la Martesana.

Como este último canal no era lo bastante profundo, y por tanto no era navegable, Ludovico el Moro utilizó las experiencias y el saber de Leonardo para concluir el trabajo: le había concedido el título de *ingegnarius cameralis*. Las innumerables notas referentes a los canales en los distintos manuscritos, H, F, K, por ejemplo, demuestran con qué celo el *ingegnarius* se entregó a esta nueva tarea. Innumerables dibujos confirman también cuánto ingenio aportó a la construcción de aparatos elevadores y esclusas, para las que inventa unas puertas dobles muy prácticas, parecidas a las que se emplean actualmente. No sólo estudia el régimen de los canales sino también las consecuencias que tendrá para las regiones vecinas la derivación de las aguas. Se trata en efecto de alimentar Milán y de permitir la circulación de los barcos y, al mismo tiempo, de facilitar la irrigación de las comarcas limítrofes.

Encontramos de nuevo aquí la constante preocupación por ser útil, por favorecer la prosperidad y el bienestar de los hombres. De la proximidad de los canales los ribereños obtendrán una considerable ventaja al no estar ya expuestos a las inundaciones, cuyas destructoras cóleras sufren, y al obtener un riego más regular y continuo de sus cosechas. En su proyecto, el canal será una fuente de riqueza colectiva: cada cual debe obtener beneficios de ello.

No olvidemos que, en la misma época en que Leonardo ejerce con tanta actividad y escrúpulo sus funciones de *ingegnarius*, se dedica también a esculpir el monumento ecuestre de Francesco Sforza, a pintar *La Cena*, a organizar las fiestas de la corte, y todo ello sin perjuicio para todas las disciplinas a las que se aplica también, anatomía, óptica, estudio del vuelo de los pájaros. Ninguna tarea le parece indigna de su talento. Calcula, como infalible contable, los gastos de construcción del canal, a tanto la braza, y diríase que ese hombre sólo se ha ocupado de cifras y presupuestos durante toda su vida. «Del canal ancho de dieciséis brazas en su fondo y de veinte en su superficie, podemos decir que tiene unas dieciocho brazas de anchura total; y si tiene cuatro brazas de profundidad a cuatro denarios la braza cuadrada, costará novecientos ducados por milla sólo en gastos de excavación, calculándose la braza cuadrada en brazas ordinarias. Pero si las brazas son las que se usan para medir las tierras, cuatro de las cuales equivalen a cuatro y media, y que la milla consiste en tres mil brazas ordinarias y éstas se convierten en esas brazas que se utilizan para medir la tierra, las tres mil brazas se verán reducidas en una cuarta parte, de modo que quedan dos mil doscientas cincuenta brazas; por consiguiente, a razón de cuatro denarios la braza, la milla resulta a seiscientos setenta y cinco ducados; y a tres denarios la braza cuadrada, la milla asciende a quinientos seis ducados y cuarto, y la excavación de treinta millas del canal resulta pues a quince mil ciento ochenta y siete ducados y medio...»[5]

¡Qué conmovedor es ver al mayor pintor de aquel tiempo, según la opinión de tantos contemporáneos, cubriendo páginas enteras de sumas y multiplicaciones, y todo por unos medio-ducados! Quienes le reprochan que desdeñe en exceso la pintura para entregarse, en cuerpo y alma a tareas que unos subalternos probablemente harían tan bien como él, no se equivocan, a mi entender. Todo ello, en fin, por trabajos que nunca terminará, que al menos no tendrá la alegría de llevar hasta su completa conclusión. No verá el agua precipitarse burbujeando en los cauces que ha excavado. Otros recogerán el mérito y el beneficio de su esfuerzo, que no escatima. Leonardo chapotea en el barro de los canales, mide las riberas del río, discute con los campesinos y los obreros, alinea cifras y, luego, de regreso a su pequeña habitación, lejos de la alegría de la corte, retoma sus cálculos y traza planos con incansable ahínco. A Bartolomeo della Valle, Giuseppe Meda, Benedetto Castelli, que se apropian de sus proyectos, reproducen sus bocetos y se ajustan a sus presupuestos, les bastará recoger más tarde los frutos de años de esfuerzos incansables e inútiles. ¿No sufre la salud de Leonardo por semejantes desvelos? No suelta los gritos de cólera y de despecho de Miguel Ángel que, tendido de espaldas, se va manchando con la pintura que chorrea de sus pinceles mientras pinta el techo de la Sixtina, y sin embargo Miguel Ángel es consciente de estar haciendo una obra inmortal, de realizar el ideal de su obra creadora. Leonardo, por su parte, no se lamenta nunca: ¿es posible que su alma creadora se sienta tan bien trabajando en las esclusas y los canales como en *La Cena* y en *La Virgen de las Rocas*?

La guerra, sin embargo, que detuvo los trabajos de *il cavallo* precisamente cuando iba a llevar a la fundición el modelo de arcilla, interrumpió al mismo tiempo los proyectos de urbanismo y los trabajos de mejora. No parece que nadie pensara en utilizar el talento de Leonardo en materia de máquinas de guerra ni de poliorcética. Los capitanes, al recuperar toda su influencia en esa Corte de Milán donde se amargaban viéndose suplantados por los artistas en tiempos de paz, hicieron el vacío al Moro. Diríase que todo lo que no afecta directamente a la guerra es condenable por inútil y frívolo; hay, por fin, en el entorno de Sforza, bastantes ingenieros militares cualificados para que pueda prescindir de los servicios de «aficionados» como ese florentino que entiende de todo, y de cuyos fracasos y pretensiones es hoy de buen tono burlarse.

Por lo demás, no es ya momento para querellas. El avance francés es tan rápido que Ludovico se apresura a ir al encuentro del enemigo desdeñando las «artes de la paz», y Leonardo, sintiéndose ahora sin empleo en una corte que se vacía, abandona Milán en busca de un asilo apacible donde pueda proseguir, lejos de los rumores de la guerra, sus trabajos.

¿Adónde irá? La duquesa de Mantua le asaetó antaño con sus encargos y peticiones, en una época en la que estaba demasiado ocupado para satisfacer a todos sus patronos. A Isabelle d'Este le gustan las artes, ha reunido un cenáculo de pintores y poetas que dirige con altiva impetuosidad. El artista al que ella cubrió de halagos para obtener los cuadros con los que quería adornar su *studiolo* está ahora libre y dispuesto a elegir un nuevo dueño. Leonardo parte pues hacia Mantua, acompañado por Luca Paccioli que busca, incansablemente, la «proporción divina». De esa estancia en Mantua data el admirable dibujo de Isabelle d'Este, que está en el Louvre.

Sin embargo, Leonardo se detiene muy poco tiempo junto a la duquesa, pues la victoria de los franceses, que han tomado Milán y enviado a Ludovico el Moro al cautiverio, resuena hasta en la pequeña corte mantuana, que se había pronunciado con ardor en favor de los Sforza, tanto porque Isabelle era la cuñada del Moro como por simpatía personal. La derrota del príncipe ante el que la joven soberana se declaraba *sfegatata Sforzesca*, encarnizada sforzesca, inspira hoy demasiadas inquietudes a sus aliados como para que éstos no piensen ya en llegar a algún acuerdo con el vencedor. Paccioli tiene muchos amigos en Venecia, donde sus trabajos son conocidos y apreciados; poco le importa al monje matemático trabajar aquí o allá, siempre que encuentre protectores y admiradores; incita pues a Leonardo a acompañarle, y el pintor, que ha encontrado sólo una atmósfera inquieta y poco favorable en esa Mantua colmada de artistas que se envidian entre sí y envidian ya a los recién llegados porque sospechan que son capaces de eclipsarles, sigue sus consejos y parte de nuevo.

Venecia, sin embargo, no está menos atestada y hay allí tan gran número de talentos que un pintor ajeno a la ciudad y a su espíritu tiene pocas posibilidades de situarse, como suele decirse. Leonardo abandonó Milán en los primeros días del año 1500; a mediados de marzo, está en Venecia. Bien visto por los Grimani, que ocupan una alta posición en el gobierno de la Serenísima, precedido por una halagadora fama, espera encontrar amigos y clientes. Paccioli, sin embargo, que frecuenta los ambientes eruditos, no parece haberle apoyado mucho en esta búsqueda, y la guerra que por aquel entonces agita casi toda Italia remueve también las aguas de la laguna. No son en absoluto los franceses quienes amenazan a Venecia, sino los turcos que, tras haber derrotado seis meses antes a la flota ducal en Lepanto, van a atacar a la República en la propia península y desembarcan en Friuli un ejército de diez mil hombres que, tras haber atravesado Tagliamento, marcha sobre Vicenza.

Venecia reina en el mar, pero necesita el Véneto de tierra firme para asegurar su subsistencia y sus comunicaciones con el resto de Italia y los Estados europeos. Cientos de marinos y soldados han sido convertidos en esclavos de la Media Luna tras la derrota de Grimani, al que han arrojado inmediatamente en prisión, para castigar su mala suerte. Tampoco aquí el ambiente es favorable a los artistas y se espera con angustia el momento en que los turbantes coronados de penachos y las brillantes cimitarras aparezcan a un tiro de flecha de Venecia.

El Isonzo, por fortuna, constituirá una sólida barrera si se sabe utilizar el río para detener el avance de los asaltantes. Se trata de fortificar la ribera y, si el ejército turco es en exceso numeroso, utilizar por fin un medio desesperado para cerrarle el camino: inundar el valle.

Ése es el proyecto que Da Vinci, haciendo valer su título de *ingegnarius cameralis* del duque de Milán y sus anteriores trabajos de canalización y acondicionamiento del curso de los ríos, propone al gobierno veneciano. Saca también de sus carpetas diversos dibujos, en unos de los cuales se ve a nadadores que avanzan bajo el agua para hundir las galeras enemigas, y en otros aparecen unas embarcaciones redondas cerradas por una tapa, que pueden, según afirma el pintor, circular entre dos aguas y llevar la destrucción al adversario. Leonardo decide, pues, ofrecer sus servicios a la Serenísima, como lo había hecho diez años antes al duque de Milán, pero sabiendo cuán suspicaces y desconfiados son los venecianos, quiere dar a sus ofertas un tono serio y convincente que les impida confundirle con el montón de inventores quiméricos que acosan las cortes con sus tomaduras de pelo. Está tan convencido de que el modo como redacte su carta tendrá un gran peso en la decisión del consejo, que en la misma hoja del *Codex Atlanticus*[6] esboza cuatro o cinco maneras de comenzarla: «Ilustrísimos señores, habiendo comprobado que los turcos no pueden invadir Italia por parte alguna del continente sin cruzar el río Isonzo, y sabiendo la imposibilidad de idear un medio de defensa que pueda prolongarse cierto tiempo...» No, eso no funciona: mejor será parecer más modesto y menos dogmático. Toma pues, de nuevo, la pluma: «Mis muy ilustres señores, habiendo examinado con atención el estado del río Isonzo y sabido por la gente del país que los turcos, sea cual sea la ruta del continente que tomen...» Pacientemente tacha, recomienza. ¿Tendrán los venecianos bastante confianza en él, ¡un extranjero y un pintor!, para encomendarle la protección de Venecia por tierra firme?

En efecto, se trata nada menos que de la dirección de las obras de defensa del valle del Isonzo; concibe ya proyectos grandiosos. Una vez más se ve llamado a colaborar con su elemento favorito en aras de la defensa de Europa y de la cristiandad. Prudentemente, da pocas informaciones sobre el empleo del aparato de inmersión, que es una verdadera escafandra, y del submarino, previendo que si esos inventos fueran divulgados y generalizados, podrían, tras haber derrotado a los turcos, causar la perdición de muchas flotas cristianas. Y además, le disgusta mancillar el agua con cadáveres de hombres y restos de bajeles.[7] La puesta en marcha de dispositivos de defensa e inundación en el valle del Isonzo, por el contrario, se vincula al tipo de trabajos que realizaba unos pocos meses atrás en Lombardía, y la experiencia que allí adquirió, los planos y los presupuestos que ejecutó no se desperdiciarían si Venecia, a su vez, le diese el título y la función de ingeniero. ¡Cuánto agradecimiento le debería la República, si gracias a él los turcos fueran mantenidos a distancia! Ciertamente, los venecianos demostrarían su gratitud al pintor tanto como al sabio, y Leonardo obtendría en esta ciudad a la que habría salvado un puesto estable, partidarios y clientes.

Su pintura, lo sabe, es del género que gustaría a los venecianos. En efecto, todo lo que le aleja de los florentinos, sus compatriotas, la afición por el claroscuro, la predilección por un material rico y untuoso, la importancia dada al color, a los efectos de luz y sombra, todo ello, efectivamente, permitiría creer que pertenece a la familia de los Bellini, Palma, el joven Tiziano y el gran Giorgione, que está en el apogeo de su gloria. Éstos parecen más capaces de apreciarlo y admirarlo que los toscanos que, perezosamente aferrados a su fresco, no han comprendido el enriquecimiento que Baldovinetti —como el propio Leonardo— quería aportar a la técnica tradicional, y que valoran por encima de todo el trazo limpio del dibujo, la intelectualidad razonable, la severidad y la ironía. En Venecia, en fin, tiene mucho que aprender en materia de pintura, cosas que sus compatriotas y los lombardos no podían enseñarle, pues los venecianos, ya sean de tierra firme o de laguna, han recibido de los paisajes que tienen sin cesar ante los ojos, del propio aire que respiran, de la luz que se extiende en suave y misterioso tornasol sobre las aguas quietas, el secreto de la mágica suntuosidad que les caracteriza.

Precisamente ese año 1500 constituye el «año bisagra», por decirlo de algún modo, de la pintura veneciana. En las notas de su viaje a Venecia, adonde va por segunda vez en 1506, Durero manifiesta su estupefacción ante los cambios que encuentra; en comparación con lo que hoy contempla, le sorprende haber podido admirar, quince años antes, a artistas que le parecían tan nuevos, tan osados, tan «modernos», y que casi tienen aspecto de arcaicos comparados con los jóvenes artistas de renombre. Carpaccio sigue siendo un amable contador, elocuente, tierno y elegante, junto al viejo Giovanni Bellini —tiene setenta y un años en 1500—, que pinta tan hermosas puestas de sol, llenas de musicalidad y poesía; entre los recién llegados aparecen dos artistas de veinte años y extraño genio, el suntuoso Palma, a quien todavía no pueden llamar *il Vecchio*, y el singular Lorenzo Lotto, un espíritu inquieto, un colorista enamorado de osadas investigaciones, a la vez verídico y fantástico. Por último están Giorgione y Tiziano, apenas mayores que los precedentes ya que cuentan ambos veintitrés años, gracias a los cuales la pintura «nueva» ha hallado su auténtico camino. Comparado con éstos, ¿quién no parecería arcaizante o retrasado? Dichos pintores examinan con pasión las obras de Da Vinci, que advierte complacido que en aras de la «pintura pura» (idea que él no comparte porque no la concibe separada de las ciencias que la refuerzan o la estorban) buscan ese mismo ideal del paisaje armónico y ligado al mundo interior del ser que él mismo persigue.

Sin embargo, no pasa más que unas semanas en Venecia, sea porque su espíritu nómada le impulse a una nueva partida, o porque haya renunciado a luchar para que el Gran Consejo acepte sus planes de defensa del Isonzo, o porque se sienta aún, a pesar de todo, demasiado florentino como para encontrarse a gusto en esa atmósfera tan distinta de la de su ciudad natal. Tal vez, en fin, necesite una oposición a la que dominar, un obstáculo al que derribar, y al no encontrarlos en Venecia, sienta que su actividad laboral se demora y se paraliza en esta ciudad alegre, feliz, sensual, donde al parecer la única ocupación del hombre es gozar de la vida. La seca austeridad de Florencia, que carece de esa sensualidad muelle y fácil de Venecia y esa noción de felicidad, responde, en cambio, a ese ideal de pureza que en el fondo es el suyo, y que encuentra tan bien representado en la exigencia toscana, en ese repliegue del ser para el esfuerzo, para la lucha.

Podría creerse que ese adorador del agua caería rendido ante el sortilegio de esa ciudad construida sobre el agua, hecha de agua y de cielo, de luces y reflejos. No obstante, Leonardo se aleja y vuelve a la ciudad del Lis. En Venecia se sentía sin duda demasiado arrancado de sí mismo. Florencia, por la propia ascesis que le impondrá y por el combate contra el medio, será más favorable a la eclosión de las obras que lleva en sí y que verán la luz durante esa segunda estancia florentina: la *Santa Ana* y *La Gioconda*. Sin embargo, al verle emprender estas obras poco después de haberse instalado otra vez en la ciudad de su adolescencia, diríase que el paisaje de Venecia ha estimulado su afición por pintar. ¿Acaso los jóvenes venecianos, Giorgione sobre todo, han excitado en él un sentimiento de emulación, un deseo de alcanzar antes que ellos lo que ha descubierto, lo que buscaba? Es posible.

Sin embargo, no se decidirá a ser sólo y ante todo un pintor. El mito del agua, que trata en la imagen de santa Ana, se le impone de nuevo bajo un aspecto práctico y de utilidad inmediata.

Se deja atrapar otra vez por el espejismo del agua. Los espejos acuáticos de los lagos y los estanques, el agua corriente de los ríos y los arroyos le fascinan. Para entregarse a las tareas de ingeniero hidráulico, abandona las más cautivadoras pinturas. ¿Cuánto tiempo había pasado, en Milán, construyendo los baños de la duquesa, inventando nuevas máquinas elevadoras y fabricando, incluso, una llave de sorprendente modelo destinada a cerrar el cuarto de baño? Todo lo que se refiere al agua le atrae y le mantiene prisionero, porque le gusta participar así en el poder bienhechor del agua, bañarse en el elemento de la vida y de la resurrección. Los florentinos, en guerra con Pisa, quieren cortar el paso a los convoyes de víveres y municiones que por el agua avituallan a sus enemigos. Leonardo se ofrece enseguida a realizar una idea que se le ha ocurrido, tan ambiciosa que, por parte de otro hombre, se consideraría una quimera: la desviación del Arno.

Los magistrados del Palazzo Vecchio mueven la cabeza; fantasía de artista, sin duda, manía de imaginativo. Con cifras en la mano, desenrolla unos mapas, explica los perfiles del terreno, expone su programa, y lo que de entrada parecía insensato se vuelve en sus manos de una docilidad sorprendente: diríase que los elementos sólo pueden obedecerle. Durante meses y semanas, ha recorrido los parajes anotando cotas, dibujando montañas y valles, sondando el lecho de los ríos, estudiando la composición de los terrenos. Se le ha ocurrido la idea de convertir a Florencia en un puerto de mar, con objeto de evitar que dependa de Pisa o de Livorno para su tráfico marítimo. Es preciso, para eso, hacer navegable el Arno por medio de canales y de esclusas que permitan evitar los pasos peligrosos e infranqueables. Leonardo está convencido de que la gran corporación lanera, *l'arte della lana*, la más interesada en la libre circulación de las mercancías para la importación y la exportación, sacaría beneficios financiando el asunto.

En efecto, lo que él propone constituye un buen negocio. Ha visto, de una sola ojeada, cómo hacer rentable el asunto; los barcos pagarían peaje y los ribereños abonarían, por su lado, el derecho a tomar agua. ¡Un negocio estupendo! *L'arte della lana facci il navilio et pigli asi l'entrata...* se lee en el *Codex Atlanticus*.[8] La inversión será colosal, es cierto, pero los beneficios compensarán los anticipos: bastará con atreverse. Y además, es un buen medio para aplastar Pisa cortándole el camino hacia el mar y desviando todo el tráfico comercial con el que se enriquece.

Concibió de entrada la empresa como una operación militar; los primeros dibujos datan verdaderamente del período que pasa en el campo florentino, junto a Pisa, en 1503. El desarrollo económico del plan puramente estratégico se presentó luego. Los florentinos, que por lo general son ahorradores y prudentes, son también capaces de entusiasmarse por una obra de tanta envergadura. Ya no consideran un visionario, un charlatán o un estafador a ese hombre que les ofrece un tesoro; porque emplea la palabra «tesoro» en sus notas personales del *Codex Atlanticus* y en sus entrevistas con los priores de *l'arte della lana*. Y para justificar esa palabra en exceso brillante enumera todas las industrias que se harán funcionar gracias a las máquinas hidráulicas: las serrerías, los molinos, las papeleras, las fábricas de pólvora, las hilaturas, las fábricas de armas... Ve ciudades nuevas que se levantan en las orillas de

los canales y del nuevo curso del Arno, urbes populosas, activas, laboriosas, en las que se oye el zumbido de los telares, y se las hace ver a los
graves magistrados que siguen moviendo la cabeza, aunque ahora con
benevolencia, y que evalúan lo que con ello puede ganarse. ¡Con qué
profunda alegría elabora Leonardo esos ambiciosos proyectos, que están
a la altura de su genio multiforme! Del mismo modo que a Miguel Ángel le hubiese encantado que se le entregara una montaña para esculpir,
Leonardo, modelador más que escultor, ambiciona conseguir la completa transformación de un país gracias a su habilidad y su trabajo.

　¿Hay una alegría mayor y más plena que la que le procura la pintura de una obra maestra? Me pregunto si, en el fondo de sí mismo, no
sentía la necesidad de una alternancia entre esta introversión del artista
—que crea siempre en el interior de sí mismo, aun cuando proyecte esa
creación en el cuadro— y la extroversión del ingeniero, del trabajador
manual que experimenta una legítima satisfacción al haber realizado
una obra con sus diez dedos, como suele decirse. Tal vez encontrara un
equilibrio necesario en el hecho de satisfacer unas reivindicaciones tan
ajenas a su personalidad. No hay un solo momento de su vida, en efecto, en el que no le hallemos ocupado simultáneamente en alguna gran
obra de arte, en algún trabajo de «utilidad pública» y en algún estudio
científico «gratuito», o al menos exento de finalidad inmediata y de
aplicación práctica. Siempre se consagra al mismo tiempo a esas tres actividades, y por eso es indispensable, si uno quiere comprender a ese
Proteo de cien rostros, examinar al mismo tiempo las múltiples expresiones de su dinamismo creador. Es un artista ante todo, de acuerdo,
pero no sólo un artista sino más bien un artista en todas las artes —y
con el nombre de «artes» se designaba también a los oficios en la Florencia del siglo xv— que su curiosidad le impulsa a ejercer.

　No hace falta precisar que su curiosidad no es la del diletante. Siente curiosidad por el funcionamiento entero del universo, en todos sus
aspectos, a fin de actuar mejor y con mayor eficacia. Conocimiento y
poder para él van unidos. El conocimiento del agua le procurará poder
sobre el agua.

　Si se desea saber cómo pretendía Leonardo desarrollar sus estudios
de hidráulica (a falta de ese *Tratado del Agua* que deseaba escribir y una
parte del cual se encuentra, fragmentado, en sus manuscritos) bastará
examinar el plan de ese tratado y la enumeración de las materias que
debían examinarse en él; encontraremos en gran parte este plan y el su-
mario de los capítulos en el *Codex F* e *I* de la Biblioteca del Instituto. La

mera enumeración de los temas produce ya vértigo. Para que ningún equívoco pueda surgir en el espíritu del lector, Leonardo determina primero el sentido de las palabras que va a emplear; sus definiciones de los términos más corrientes, como fuentes, riberas, pozos, son de una precisión admirable. ¿Hay algo más científico que determinar, antes de cualquier examen, el peso y la extensión de los términos que van a utilizarse?

Si después leemos las proposiciones y las conclusiones relativas al agua, que constituyen probablemente temas de capítulos, la sorprendente penetración de ese espíritu, capaz de abarcar hasta en sus más minúsculas diferenciaciones todo lo que se refiere al agua, nos descubre paso a paso el funcionamiento de esa inteligencia admirable. ¿Cómo recopilar aquí esos resúmenes tan densos y tan compactos? Los encontraremos principalmente en el Manuscrito Leicester. Si queremos hacernos una idea del modo (que no es ya metódico sino más comparable al fluir convulso de un torrente de montaña que arrastra árboles, rocas, tierras) como las ideas acuden a la mente de Leonardo, que las anota tal como aparecen, leamos los treinta y nueve ejemplos que figuran en el reverso del folio 21. «Cómo los grandes animales hollan los lechos de los ríos y los fosos, de donde escapan las aguas lodosas que abandonan el suelo donde se demoraban. Cómo los canales pueden construirse en una región llana, cómo apartar la tierra de los canales obstruidos por el lodo, abriendo compuertas a las que el canal imprime un movimiento ascendente. Cómo hacer rectilíneos los ríos. Cómo impedir que los ríos se lleven los bienes de la gente...» Prosigue anotando con su pequeña caligrafía, fina, graciosa, nerviosa y violenta los derroteros de su pensamiento, que salta de un tema a otro elaborando mil variaciones sobre el tema único del agua... «Cómo mantener los lechos de los ríos. Cómo mantener las riberas. Cómo reparar las orillas deterioradas. Cómo regular el impulso de los ríos para llenar de terror al enemigo, de modo que no pueda irrumpir en sus valles y dañarlos...» Parece que estuviéramos oyendo el monólogo a media voz de un hombre que sueña despierto y ve pasar ante él prodigiosas imágenes.

En la mente de Leonardo, en efecto, todo toma forma de imágenes. No hay conceptos abstractos. Todo es forma y movimiento; todo es experiencia y contacto inmediato. Podría creerse que también su pensamiento piensa a través de sus sentidos; ve y describe lo que se presenta a su observación como si tuviera en las manos los pinceles o la arcilla de modelar. Todas sus consideraciones científicas tienen tres dimensiones.

«... Cómo tendrá que dividirse el río en varias ramas para permitir que el ejército lo atraviese, cómo hacer los ríos vadeables para los caballos, a fin de que puedan proteger la infantería contra el furioso impulso del agua. Cómo, por medio de odres de vino, un ejército puede cruzar un río a nado. Cómo las riberas de todos los mares que se tocan son de igual altura y constituyen la parte más baja de la tierra en contacto con el aire. Del modo de nadar de los peces, del modo en que se lanzan fuera del agua, como puede verse en los delfines, pues parece maravilloso saltar sobre algo que no es en absoluto estable, sino resbaladizo y huidizo...» Y continúa así, en un prodigioso florecimiento de imágenes e ideas, del que no es capaz sin duda ningún otro hombre.[9]

Los torbellinos, la lluvia, las olas, los distintos movimientos del agua, los medios de medir su rapidez, la naturaleza de las aguas estancadas, todo lo estudia con la misma amplitud de miras en el conjunto, la misma precisión atenta en el detalle. Tras haberlo aprendido todo así, busca aún a quién preguntar para aprender algo más o, al menos, para conversar sobre su elemento favorito. «Hablar del mar con el genovés...» ¿Y si el tal genovés fuera Cristóbal Colón? ¡Qué diálogo entre el pintor de *La Virgen de las Rocas* y el gran navegante!

En ese inmenso estudio del agua que le arrastra a todos los terrenos posibles tampoco se permite olvidar el reino subterráneo, fuente de maravillosos prodigios, mundo de terrores y de revelaciones sublimes. Brotando de la tierra, volviendo a la tierra, el agua lleva a cabo su prodigioso periplo del universo visible al universo invisible. En un inaudito pasaje del *Codex Atlanticus*, sigue esta oculta navegación con el pensamiento, con la mirada e, incluso, al parecer, sumergido por entero en las tenebrosas olas; está como en trance. La solemnidad de las frases, la asustada gravedad del ritmo, ese murmullo que se acerca al *mysterium tremendum* que le conmueve, dan al texto una belleza sobrenatural. «La misma causa que en todos los cuerpos vivos pone los humores en contra de la ley natural de su gravedad, mueve también a través de las venas de la tierra el agua prisionera en ella, y la distribuye por estrechos conductos; y al igual que la sangre de abajo sube y fluye por las venas cortadas de la frente, al igual que el agua se levanta de la parte inferior de la viña hasta el punto donde la rama fue podada, así, desde las más bajas profundidades del mar el agua alcanza las cimas de las montañas donde, al encontrar reventadas las venas, se vierte por ellas y regresa a la mar. Así va el agua, dentro, fuera, cambiante siempre, elevándose unas veces por un movimiento fortuito, bajando otras en una libertad natural.»[10]

Amó al agua como se ama a una mujer, con sus cambiantes humores y sus caprichos, incluso con sus cóleras. La intimidad que con ella tiene presenta incluso la fuerza del vínculo carnal; nunca hay nada intelectual o abstracto en sus relaciones con las cosas. Todo es posesión física y, en ese hombre que parece haber sentido un gran asco por el acto sexual, que declara que éste sería un horror si no lo iluminara la belleza de los rostros, y que lo dibuja con una especie de rabia y de repugnancia, los sentidos no sólo envuelven a un ser sino a la naturaleza entera. Conocer es poseer carnalmente, según la vieja expresión bíblica que traduce así el coito, pues el espíritu y la carne no se divorcian nunca en esa aprehensión plena de la realidad del mundo, aprehensión que exige, para consumarse, todas las facultades corporales del hombre y también todas sus facultades espirituales.

En este proceso de posesión de la naturaleza, a Leonardo se le ofrecen sucesivamente dos intermediarios: un ser humano y un animal; tras ellos se desarrolla el infinito de los elementos, que él alcanzará a través de ellos dos. Eso es al menos lo que significa, a mi entender, la Leda que fue, para él, un tema importante. No es necesario saber si la *Leda* de la Colección Spiridon es de la mano de Leonardo, o si fue concluida o enteramente pintada por uno de sus alumnos. Trató pocos temas mitológicos, pero éste le inspiró especialmente, y uno de sus más hermosos dibujos, la *Leda y el cisne* de la Colección Koenigs, constituye una clave de toda su obra. Al examinar juntas la *Leda Spiridon* y la *Leda Koenigs*, encontramos en ellas esa función de intermediario que la pareja ser humano-animal desempeña en este abrazo con que el artista abarca el universo.

Leda tiene la naturaleza del agua: por esta razón es amada por el ave acuática, el cisne. Que el cisne pertenece al elemento húmedo más que al aire, Leonardo lo pone de relieve con las plumas mojadas, la pesada arquitectura, casi de pez, del cuerpo, la extraña construcción de la cabeza y el pico. El abrazo de la mujer y del animal ante un estanque donde se refleja la caverna del fondo, resonante de truenos subterráneos, nos lleva más allá de las mitologías hasta los orígenes del mundo. Sinuosa, líquida, Leda es agua, y el cisne se posa en ella como si rozara el lago en su vuelo, con un gran estremecimiento turbado. Ciertamente, en la *Leda Spiridon* hay todavía demasiada anécdota, las flores del primer plano, los niños en sus conchas, el paisaje de casas y árboles al fondo: esos detalles atenúan y hacen desaparecer, casi, la faceta sagrada de la escena.

Pero lo sagrado permanece intacto en el dibujo de la Colección Koenigs, lleno de torbellinos. No se trata ya aquí del «cuadro de familia» bastante académico, en suma, que acabamos de ver, sino de una prodigiosa arquitectura de volúmenes en movimiento, de un vasto hervor de olas levantadas y empujadas por el viento, de dos cuerpos de naturaleza distinta, arrastrados por el torrente de una misma pasión, perdiendo sus individualidades en esta tormentosa confusión de las carnes. La propia técnica de ese dibujo, con sus curvas breves y violentas, sus ondulaciones de agua que remiten vagamente a la imagen de la mujer y el animal, evoca la incertidumbre de los orígenes, la confusión de un universo indeciso aún, donde los elementos, los animales y los seres humanos no están todavía enteramente separados.

A través de Leda, Leonardo posee ese ser del agua nacido del abrazo de la mujer y del cisne, esa criatura híbrida que se convierte en agua gracias a ese extraño acoplamiento, formada por la reunión de dos cuerpos chorreantes, ondulantes, que el agua retiene aún, en el dibujo Koenigs, donde se ven entre las cañas los juegos de esos extraños amantes, que el agua recuperará y arrastrará a sus profundidades en el cuadro Spiridon.

La gruta que se abre al fondo del cuadro, construida como una puerta gigantesca, nos hace pensar en propileos megalíticos, en algún Stonehenge construido por gigantes para servir de umbral al mundo subterráneo. Allí nos aguardan, dormidos y soñando abrazados, la mujer y el animal, confundidos en su monstruosa ternura. Podrían ser los guardianes de un universo en cuya entrada hubieran sido colocados para mostrarnos el camino y también para enseñarnos lo que debe ser nuestro descenso al mundo de los elementos: una unión carnal. Si no avanzamos hacia ellos con todo nuestro cuerpo y todo nuestro corazón, ya no les alcanzaremos: apenas tocaremos, o creeremos tocar, unos símbolos, unos simulacros, unos fantasmas. Ese ser salido de la gruta que, unido por las alas y los brazos forma un solo individuo que es a un tiempo agua, animal y mujer quizá regrese a la caverna para dirigir nuestro caminar. La llamada de la caverna es tan solemne que Leonardo da un significado altamente religioso a esta escena que habría podido ser simplemente erótica: la belleza espléndida de los dos cuerpos —siendo el del ave de sobrenatural majestad, y el de la mujer, de esa magnificencia sensual donde estalla la pureza de los sentidos— priva a la turbadora imagen de cualquier obscenidad. Hace pensar en uno de esos acoplamientos rituales cuyo significado era restituir al hombre a la armonía del mundo, esos acoplamientos en los que los animales y los dioses se unían con los humanos para dar pruebas de que el universo es una unidad que se mantiene por la comunión de todas las fuerzas que lo componen.

El lago, la caverna conducen hacia ese ámbito misterioso que, cada vez que se acerca a él, despierta en Leonardo un deseo y un temor sagrados. Pues sabe, y si no lo sabe lo presiente, lo que encontrará al final de ese descenso a través de la noche de las rocas: el corazón de todas las cosas, la matriz donde los seres elaboran sus nuevos nacimientos, en esos lagos subterráneos cuya agua vivificante baña los cuerpos y las almas y los devuelve, renovados, a la vida. Leonardo ha descrito ese trayecto incesante del agua desde la superficie de la tierra hasta las profundidades y su regreso a la superficie, de la que desaparece otra vez para regresar de nuevo. Eso mismo hace el hombre. Y Leonardo navegando con la fantasía por esos grandes ríos que se imaginaba rápidos, rugientes y negros bajo las bóvedas de basalto, se hunde hacia ese mar interior, principio de toda existencia terrestre y humana.

¿Qué criaturas habitan este mundo subterráneo? Leonardo no sabe qué nombre darles. Presiente sólo que se asientan allí, majestuosas, terroríficas, ciegas tal vez, acogiendo en su seno todos los seres y todas las formas, destruyendo y construyendo, disociando y modelando, purificadoras y vivificantes, pasivas como el agua que no tiene movimiento por sí misma y que obedece a todos los movimientos de la tierra. Las Madres, tal vez. «Las Madres, qué extraño suena eso...», decía Fausto.[11]

Leonardo vislumbró las Madres, sentadas en la penumbra verdosa de un lago subterráneo, bañadas por los reflejos de las aguas movedizas y de la indefinible refracción de las olas sobre sus rostros y sus ropajes, hechizadas en un sueño solemne y sonriente, soñando en el mundo, tal vez, y remodelándolo en su sueño, y las pintó así, irreales y empapadas de la única verdadera realidad, ausentes y preñadas de la más viva presencia, ociosas y sin embargo indefiniblemente laboriosas. Cada vez que contemplo el cuadro que representa a santa Ana, la Virgen y el Niño Jesús, vuelven a mi memoria las frases de Goethe describiendo, para el buen Eckermann estupefacto y encantado, a las misteriosas Madres que se hallan en el centro del reino de los abismos. Este texto y el cuadro están iluminados por la misma luz sobrenatural, bañados por las mismas tinieblas translúcidas.

Muy goethiano de acento es, también, ese pasaje del *Codex Atlanticus* que evoca el agua «siempre unida a sí misma, girando en una continua revolución», que es el propio flujo de la vida. «De aquí, de allá, arriba, abajo, corriendo, nunca conoce la quietud, ni en su curso ni en su naturaleza; nada tiene suyo, pero se apodera de todo, adoptando tantas naturalezas diversas como diversos son los lugares atravesados, al igual que el espejo acoge en sí tantas imágenes como objetos pasan ante él. Así, en perpetuo cambio, a veces de sitio y a veces de color, tanto se impregna de olores y sabores nuevos como retiene esencias o propiedades nuevas; unas veces mortífera, otras generadora de vida, se dispersa en el aire, y otras veces soporta que el calor la atraiga hasta la fría región donde ese calor que la guiaba se halla circunscrito...»[12]

El descenso se hace más profundo. Arrastrado por el río subterráneo, el visionario alcanza el núcleo central de la tierra, donde habita la misteriosa energía que es el alma de este globo. El artista no está lejos de adoptar la antigua creencia que atribuye a cada astro un alma distinta del alma del hombre, aunque dotada tal vez de propiedades análogas, pero incapaz de comunicarse con la nuestra. Cuando contemplaba la luna «densa y grave», y se preguntaba qué sería esa luna lívida que le impresionaba precisamente por sus más misteriosas cualidades, densidad, gravedad, pensaba ciertamente en el espíritu vigilante y activo que la inspiraba y que le daba esa extraña vida con la que nuestro satélite puebla nuestra noche.

De este modo Leonardo desciende hacia el propio principio de la vida, presente en el interior de nuestra tierra, y no es inútil recordar que la ejecución del cuadro *Santa Ana* pertenece aún a un período durante el que el estudio y el culto del agua tendían a ser la preocupación dominante del pintor. No se explicaría de otro modo la atmósfera con que envolvió esa célebre pintura que existe, como bosquejo sobre cartón, desde 1500, y que expuesta por los monjes de la Annunziata, para quienes y por cuyo deseo la ejecutó Leonardo, suscita un gran movimiento de curiosidad y de entusiasmo. En ella se descubría, en efecto, algo por completo nuevo en la pintura florentina y en la europea en general, algo tan sorprendente que la admiración producida por esta obra era más que admiración y despertaba en el espectador mil sentimientos confusos.

La idea de basar en la *Santa Ana* del Louvre un psicoanálisis de Leonardo da Vinci es ingeniosa, y Sigmund Freud desarrolló sobre el tema del Pájaro —que él encuentra incluso en esta composición— observaciones muy interesantes, aunque no me parezcan concluyentes. Este cuadro dice, en realidad, muchas más cosas de las que pudo oír Freud, cosas mucho más esenciales para el conocimiento del hombre y del artista. No niego el interés que presenta semejante interpretación, aunque me parezca insuficiente y aunque en especial la imagen del pájaro, que es su fundamento, resulte poco reconocible y sea de hecho bastante arbitraria. Si hay cierto «esoterismo» en esta pintura, es mucho más profundo; en vez de revelar sólo la presencia de un «complejo», nos introduce hasta el sanctasanctórum del pensamiento religioso de ese pintor, que expresó aquí sus creencias más hondas y el contenido íntimo de su metafísica.

En sí misma, la construcción del cuadro es enigmática y capaz de intrigar a los investigadores. La extraña disposición de los personajes sugiere numerosas hipótesis y aparece a primera vista como una plástica incierta y oscilante, cuya razón de ser consiste quizás en afirmar, una vez más, que «todo es movimiento». Incluso habrá quien considere desafortunada esa figura de la Virgen en equilibrio sobre las rodillas de santa Ana, que se inclina hacia la derecha, arrastrada por el peso del niño y del cordero a los que parece levantar para sentarlos en sus propias rodillas. Diríase que Leonardo evitó deliberadamente la arquitectura estática, erigida un poco al modo de una catedral, que Masaccio adoptó al tratar un tema análogo.[13] Masaccio, fiel a un hieratismo medieval e incluso bizantino, repetía la vieja composición, tan cara sobre todo a los alemanes, de la *Anna selbstdritt*, cuyo nombre nos recuerda de un modo inevitable la triple Hécate de la mitología antigua. Y es precisamente esta alusión la que nos permite descubrir en el cuadro algo que nos devuelve al paganismo griego, que acabábamos de encontrar en el umbral del mundo subterráneo con la figura de Leda.

Al realizar, pues, este descenso al mundo de las divinidades infernales —descenso al que nos invitaba Leda, primera alusión al reino de las aguas subterráneas—, Leonardo alcanza a las Madres, esas misteriosas potencias que reciben y recrean toda vida. Ellas son, en sus tenebrosos dominios, las dispensadoras de la existencia, pues destruyen y reconstruyen las formas, y reciben en su seno, para elaborar nuevas metamorfosis, a todo el universo creado. Las divinidades que esperamos encontrar aquí son las diosas-madre, Demeter y Perséfone, convertidas, en el mito cristiano, en santa Ana y la Virgen.

Que ellas pertenecen al mismo tiempo al mundo de la tierra y al del agua representado por las aguas subterráneas, lo dice claramente el paisaje que se ve al fondo del cuadro, un fantástico panorama de montañas, de aristas rocosas y de cascadas. La fluidez de las formas, el inestable equilibrio de las masas en movimiento, esa impresión de corrientes ondulantes que nos dan los ropajes, y ese glauco claroscuro que baña los rostros y los cuerpos confirman esa idea. Esta escena tiene, como decorado, un paraje irreal, un país de ensueño y de fantasmagoría, al que resulta natural que presidan las divinidades infernales, que son las animadoras de la vida, las dispensadoras de la fertilidad, sin las que el mundo se extinguiría y se convertiría en esa tierra seca y muerta que Leonardo describe en una página célebre. Regentes de la muerte y a la vez de la vida, proclaman que la muerte es sólo un paso hacia nuevos nacimientos y que el mundo subterráneo absorbe y devora las formas con objeto de dotarlas de una vida nueva, perpetuamente fecunda. Son las dueñas de la vegetación, como indica el paisaje boscoso a la derecha del cuadro, y el cordero se convierte aquí en atributo de la Virgen y de santa Ana, que ocupan el lugar y ejercen la función de la *potnia theron* de la Antigüedad, la Gran Madre de los Animales.

Se advertirá la analogía de ese retazo de paisaje boscoso con el fondo del *Baco* del Louvre, un cuadro que hoy en día casi todo el mundo está de acuerdo en no atribuir a Leonardo, pero que sigue siendo sin embargo una pintura esencialmente vinciana de espíritu y de carácter. Obra de un alumno, réplica de un cuadro del Maestro, el *Baco* —que en su origen era, tal vez, un san Juan— aparece en esta composición como el dios de la resurrección. Ambivalente en la más antigua mitología griega, es a la vez el príncipe del mundo subterráneo, el dios de los muertos y el principio de la resurrección, el renovador de toda vida.[14] La tierra, al recibir a los muertos, compone con ellos las existencias futuras. La analogía con la semilla que muere para renacer es evidente en todas las religiones antiguas, y el dios que preside el mundo infernal es, por eso mismo, el que favorece la vegetación. La asimilación de Dionisos a la viña es una prueba más fehaciente de ello: lo mismo que el grano de trigo, el racimo sufre una verdadera «pasión», un proceso de sufrimiento y destrucción antes de convertirse en vino, es decir, de resucitar en una forma nueva, espiritualizada.[15] Pura concepción leonardesca, el *Baco* del Louvre reina sobre una naturaleza amable, apacible, idílica, de vegetación ligera y clara, poblada por animales tranquilos. Dionisos, en esta pintura, no reviste el aspecto del Destructor, que es una de sus manifestaciones, sino el del Mantenedor de la Vida, otra cara de su cambiante fisonomía; ese follaje rumoroso agitado por brisas lentas y tranquilas, esas muelles praderas componen una atmósfera de Paraíso Terrenal. Mucho más familiar, en suma, que esas fantásticas montañas estriadas por cascadas y torrentes que sirven de fondo a la *Santa Ana* del Louvre, el paisaje del pretendido *Baco* nos devuelve a la superficie del mundo cotidiano. Al mundo del aire y no ya al reino de las aguas, subterráneas o «sobre-terrestres», en el que reina santa Ana.

Símbolos de esta vida perpetuamente nueva que las Madres distribuyen al universo entero, el cordero y el niño personifican los nacimientos que se producen sin cesar en ese profundo seno materno del agua, principio e instrumento de las resurrecciones eternas. Los tres reinos de la naturaleza se representan en el cuadro de *Santa Ana* como los beneficiarios de la virtud fecundadora de las Madres; el árbol, el animal y el hombre, que desaparecerían de la tierra si Deméter y Perséfone no cuidaran de procurar a la Creación su eterno retorno.

He hablado de la *potnia theron* con respecto al cordero que figura en el cuadro, pero podemos preguntarnos también si el hecho de que en tantas pinturas el Niño Jesús aparezca jugando con un animal no será también una alusión a la sustitución que el cristianismo hace, conscientemente o no, al reemplazar por la Virgen a la *Dueña de los animales*. Habiendo heredado del paganismo ese principio femenino que preside la creación y el mantenimiento de la vida, el cristianismo prestó, con toda naturalidad, a la única figura de mujer capaz de desempeñar este papel en su iconografía, muchos de los rasgos que la iconografía antigua atribuía a la *potnia theron*. Puede invocarse que, en otros cuadros, la Virgen ofrece al Niño una flor o un juguete, pero la flor puede ser en ese caso una transposición del tema del animal, y simboliza entonces el elemento vegetal, vegetante, objeto también de perpetuas resurrecciones. En la *Virgen del gato* —la *Madonna del Gatto*—, Da Vinci desarrolló el tema del animal de un modo muy curioso, como atestiguan los numerosos dibujos que sirvieron de esbozos para esta composición perdida —los más hermosos están en los Uffizi y en el British Museum—, y en la Academia de Venecia existe un estudio para la *Santa Ana*— en el que un animal de tamaño bastante grande, que ya no es un cordero sino tal vez un gamo o un ciervo, como en el *Baco* del Louvre, equilibra vigorosamente la composición, pues el animal adquiere casi tanta relevancia como la figura de la Virgen asentada sobre las rodillas de santa Ana.

He hablado de la extraña asociación de la mujer y el animal, y he señalado un ejemplo en el retrato de la *Dama del armiño*, que es Cecilia Gallerani. Este retrato había sido tan admirado que Isabelle d'Este había oído hablar de él en su corte de Mantua, donde estaban al acecho de todas las novedades artísticas de Italia; de modo que rogó a la propia Cecilia Gallerani que le prestara por algún tiempo la célebre pintura, lo que la amiga del Moro hizo de muy buen grado mandando el cuadro en cuestión a la duquesa de Mantua el 26 de abril de 1498. Otra curiosa manifestación de esta asociación aparece en el dibujo de la *Mujer del ciervo* (British Museum), esbozo magistral de un proyecto de composición que, según se cree, nunca fue realizada. Se distingue en él —sobre un fondo de paisajes rocosos que recuerda los croquis, verídicos o quiméricos, del Taurus en el *Viaje a Oriente*— a una mujer sentada ante un árbol bosquejado con todo el ardor nervioso y elíptico de un dibujo de Rembrandt, que está acariciando con la mano a un animal agachado, indiscutiblemente un cérvido o tal vez un unicornio pues, a decir verdad, sólo se distingue un cuerno.

El armiño de Cecilia Gallerani podía ser un atributo característico, una alusión a la fisonomía o al carácter de la muchacha. En la «dama del unicornio» del British Museum, la faceta «Dueña de los Animales» me parece más acusada, como lo es en el boceto de la *Santa Ana* de Venecia, que es conveniente estudiar, además, por otra razón. Toda la composición, en efecto, está construida sobre juegos de círculos que se articulan unos con otros, como un complejo engranaje de varias ruedas dentadas, semejante a los engranajes sabios y complicados que figuran a menudo en los estudios de máquinas inventadas por Leonardo. El artista buscaba ahí el equilibrio definitivo de ese grupo de personajes, como demuestra la figura de santa Ana representada dos veces en actitudes distintas, lo que acentúa el lado cinemático de la composición. Diríase que todos esos círculos encaballados van jugando y contrarrestándose haciendo contrapeso hasta el momento en que el equilibrio definitivo de la composición se haya encontrado. Se trata, en efecto, en esta construcción esencialmente inestable, de alcanzar la contraposición perfecta que, sin inmovilizar la masa, la retenga, la fije en una estabilidad tanto más interesante cuanto que es precaria y da la impresión de que el menor soplo hará que la masa se incline a un lado u otro.

En la *Santa Ana* del Louvre, las oposiciones y las reacciones de las formas circulares presentes en el esbozo de Venecia se reúnen y se compensan en una especie de ovoide atravesado por un eje vertical que partiendo del pie izquierdo de santa Ana (hundido, diríase, en el suelo como la base de un pivote), pasa por la rodilla derecha, el codo derecho y la nuca de la Virgen, atraviesa por fin la cabeza de la santa y termina, por encima de su frente, en su cabellera dividida. Todos los trazos del mecanismo de las ruedas en movimiento han desaparecido. Compacto, denso, con los volúmenes obedeciendo a curvas precisas pero casi indescifrables, el grupo está por completo contenido en un huevo, en un óvalo que abarca todo su contorno y recoge con firmeza a las figuras. La *Santa Ana* de Masaccio (Uffizi) llega al mismo resultado de un modo más fácil, más sencillo, pues el hieratismo arquitectónico de las tres figuras escalonadas, que se encajan un poco al modo de esos juguetes llamados «muñecas rusas», favorece la rigidez estática de la composición ovoide.

En el cuadro de Leonardo, por el contrario, a pesar del rigor del esquema y de los difíciles problemas que plantea, las formas siguen en movimiento. No descansan en su masa, su solidez no está hecha de su peso y de las fuerzas que bajan hacia su base y derivan a lo largo de los contrafuertes que Masaccio, gótico aún de vez en cuando, mantiene en su composición. Si pudiéramos poner de nuevo en marcha las formas circulares que se mueven en el dibujo de Venecia, las veríamos por fin detenerse, combinarse, entrar unas en otras para acabar encerrándose en el huevo del cuadro del Louvre. Se advertiría entonces, al hacer que se muevan los distintos elementos de la composición —algo muy fácil ahora con el cine, que descompone cómodamente la construcción de un cuadro—, que se articulan todos alrededor del centro situado en el eje vertical, en el punto que corresponde a la separación de los pechos de la Virgen y al vientre de santa Ana.

El simbolismo de esta construcción no precisa ser definido, pues es muy evidente y pone de relieve el papel eminente de santa Ana, considerada aquí como la Madre Suprema, puesto que dio nacimiento a la Virgen, Dueña de los Animales, Madre del Redentor, Madre de toda la Humanidad y por consiguiente principio y matriz del nacimiento de la humanidad a la vida espiritual, a la vida eterna. Nada hay más natural, entonces, que representar en forma de un huevo ese principio de vida universal.

Da Vinci, sin embargo, no había considerado en un primer tiempo esa supremacía de santa Ana, contraria, por lo demás, a toda la tradición iconográfica italiana. En Alemania, en efecto, la Anna *seblstdritt* tiene un significado muy distinto, pero es arriesgado hablar de una influencia de la concepción alemana en Leonardo, aunque al parecer los pintores nórdicos fueran numerosos en la corte lombarda. El gran cartón de Burlington House responde a un pensamiento muy distinto que pone en pie de igualdad, podríamos decir, a la Madre y a la Hija, que las yuxtapone en el mismo plano, atribuyéndoles la misma importancia, de modo que la composición acaba siendo simétrica, hasta el punto que

Da Vinci añadió otro niño, para «compensar» al Niño Jesús, de modo que las dos mitades del cuadro se corresponden rigurosamente, hasta casi poder superponerse, si las imaginamos dobladas la una sobre la otra.

El cartón es de una belleza majestuosa y extraña. Presenta mayor interés que un estudio, puesto que fue muy trabajado y dotado de las mismas dimensiones que debía tener el cuadro, y posee tal riqueza de colorido, a pesar de la sencillez de la ejecución, que la suntuosidad y la elocuencia del claroscuro monocromo sustituyen las combinaciones de los más brillantes colores. Además, con esa penumbra poblada por luces y sombras que remiten al fondo de los mares, evoca el medio líquido donde descansan las Madres. Al espectador le parece entrever reflejos de ligeras olas en los rostros misteriosos, y los ropajes dan la impresión de ser rítmicamente levantados e hinchados por las ondulaciones marinas. Las dos mujeres, cuyas cabezas están tan próximas la una de la otra que hasta se tocan, están absortas en una conversación a media voz acerca de temas supremos, y podrían ser hermanas por la poca diferencia de edad que aparentan. Diríase incluso que, plásticamente al menos, la Madre desaparece detrás de la Hija, retrocede hasta un segundo plano, y la igualdad en importancia de ambas figuras cesa para poner de relieve a la Virgen, bañada de luz, mientras que santa Ana se disuelve casi en las tinieblas.

Que Leonardo llevara a término esta composición, tan distinta en espíritu a la que sería la composición definitiva del cuadro, muestra que la concepción profunda de la escena no se le había ocurrido aún; que en 1501, fecha en la que ejecutó el cartón, pensaba más, tal vez, en satisfacer a los Serviti de l'Annunziata que se la habían encargado, haciendo una pintura más tradicional y más apta para complacer a sus clientes. Por aquel entonces está sumido en sus investigaciones científicas y, en particular, absorbido por las matemáticas, como se lo escribe a Isabelle d'Este Frate Pietro da Nuvolare, que describe la vida del pintor como «diversa e indeterminada». Leonardo, en efecto, acaba de llegar a Florencia. Lleno de dudas sobre su futuro, acaparado como de ordinario por sus múltiples investigaciones, parece, según dice Nuvolare, «distraído de la pintura». En esa época tiene ciertas veleidades guerreras que le hacen ofrecerse como ingeniero militar para la defensa de la Venecia de tierra firme, en Florencia se brinda a fortificar el monte del Re —la colina llamada hoy de San Miniato—, y por último le propone a César Borgia acompañarle en sus campañas como cartógrafo e inventor de máquinas de guerra. Esas preocupaciones hacen que su actividad de pintor quede casi relegada, y también, verosímilmente, su vida interior, su vida espiritual, en beneficio de una agitación absolutamente externa y superficial. Por esta razón, al responder a la invitación de los Serviti que desean una *Santa Ana* para su iglesia, propone a los religiosos una composición muy bella, es cierto, pero casi banal y de construcción piramidal, vigorosamente dispuesta en dos niveles, que por el momento le parece responder a la idea que se ha formado de esa otra «trinidad».

Todas las profundas intenciones y los sentimientos religiosos que ha puesto en el gran cuadro que llevará a Francia junto con la *Leda*, *La Gioconda* y el *San Juan*, porque son para él «cimas» de su concepción del mundo visible e invisible, están casi ausentes del cartón de Londres. Lo ha advertido tan bien que, rechazando ese esbozo que ya estaba listo para llevarlo a la tela, quebró esa simetría, esa balanza igualada entre las dos figuras de mujer demasiado matemáticamente equilibradas. Buscó un *contraposto* más original, más móvil, en un dibujo que está en el British Museum y que es difícilmente descifrable, pero en el que el segundo niño es sustituido por un animal y donde se anuncian ya las grandes corrientes circulares que animan el dibujo de Venecia. Parece que la revelación de lo que significa, en el mundo interior de Da Vinci, la figura de santa Ana, se va precisando a medida que el pintor busca una composición que ponga de relieve la preminencia de la *Madre de la Madre*. No con la jerarquía vertical de Masaccio, establecida como una especie de cuadro genealógico y en el que la primera genitora se halla un peldaño más arriba, sino con la encantadora evocación que hace, en el cuadro del Louvre, de una madona semejante a una muchacha que podría ser la hermana mayor del niño con el que ella juega casi del mismo modo en que éste juega con el cordero. Este sentimiento le empuja a depositar en santa Ana el carácter plenario de la Madre del que no osa dotar a sus madonas, ya sea a la *Madona Benois* de Leningrado, que es una niña risueña, muy joven, apenas desarrollada, o a la *Madona Litta* del mismo museo, que carece ya de ese agudo encanto de adolescente que encontramos en aquélla, pero cuyo rostro lleno de una emoción misteriosa, indescifrable, contrasta con el pesado e hinchado seno del que el Niño mama glotonamente. Diríase que la virginidad es un obstáculo para la plenitud de la maternidad, no tanto porque, como hombre de ciencia, Leonardo estudió todos los enigmas de la generación, diseccionó cuerpos de mujer, dibujó niños acurrucados en la matriz abierta, ni porque el milagro asusta siempre al hombre de razón y experiencia, sino porque, siendo virgen, María no parece del todo apta para desempeñar ese papel de Madre del universo. La fisonomía de santa Ana, por el contrario, favorece la identificación con la diosa pagana, la hace más verosímil y plásticamente más elocuente. Así acentúa el pintor, en la *Santa Ana* del Louvre, el contraste, que no aparece en el cartón de Londres, entre Demeter y Perséfone. Es bien sabido que Leonardo sentía curiosidad por los libros y las tradiciones antiguas, y se había formado sobre los dioses antiguos un concepto más profundo y más real del que tenían los filósofos y los poetas del Renacimiento italiano y también los del francés. Había obtenido este concepto de la contemplación de la naturaleza, más aún que de los libros, y había comprendido el significado de las metamorfosis gracias a su certidumbre de que la naturaleza era una y universal. De ahí que su cultura fuera más viva, más auténtica, más «orgánica». Está, también en eso, cerca de Goethe, que había adivinado el significado de la religión antigua, y en particular el del culto a las Madres al que alude el *Fausto*, y que Leonardo plasma en ese cuadro de la *Santa Ana* que llevará siempre consigo y que a la hora de su muerte tenía aún ante los ojos en el pequeño castillo de Cloux, cerca de Amboise, junto con *La Gioconda* y el *San Juan*, las más altas representaciones religiosas, sin duda, que se hayan pintado nunca.

A los pies de la Leda marina, cautiva de los tiernos abrazos del cisne, yacen quebradas las cáscaras de los huevos de los que surgen los gemelos divinos. Habían madurado en las aguas tenebrosas donde se elabora la vida en combinaciones infinitamente diversas, y podemos compararlos con ese Huevo original donde están encerradas las grandes formas generadoras del universo. Es significativo, también, que en el cuadro del Louvre se opongan en un vivo contraste la Vida activa representada por la Virgen —una vida de actividad exterior, que es movimiento hacia las cosas, aprehensión de los seres y los objetos— y la Vida contemplativa personificada por santa Ana que, contemplando su propio interior con esa extraña mirada interna que el pintor le ha dado, teje el mágico dibujo de las ideas y las formas con su poder íntimo, en esa hirviente inmovilidad que actúa por la mera virtud del espíritu.

Esta sonrisa se parece mucho a la de algunas divinidades brahmánicas, fuerzas creadoras también, actividades omnipotentes que destruyen y recomponen sin cesar la forma del mundo, en un ininterrumpido ciclo de muerte y renacimiento, de aniquilamiento y resurrección. En este sentido, Enrico Somaré tiene razón al reconocer en la *Santa Ana* «la más sublime representación que nunca se haya pintado desde que el mundo es mundo... Ante esas imágenes que, al tiempo que se nos revelan proponen un enigma, se oye la inaudita música de la perfección suprema».[16]

El enigma que nos propone es tan secreto como el de Shiva bailando y el de esas divinidades hindúes cuya sonriente impasibilidad oculta el dinamismo más formidable que haya imaginado religión alguna. Freud se aproximó a la solución cuando decía que la sonrisa leonardesca expresa la nostalgia de la sonrisa materna, pero creyó haberlo dicho todo cuando en realidad sólo entendía por madre a la campesina cuyos amores ilegítimos dieron nacimiento al artista; no comprendía que si el pequeño Leonardo pudo sentir la melancolía de una infancia privada de la ternura de una madre, para el hombre y el artista, la palabra «madre», el concepto de maternidad tenían un sentido infinitamente más amplio que el representado por la modesta personalidad de aquella Catarina a la que casi no conoció. Que le obsesionaba la sonrisa femenina, es indiscutible. En su adolescencia, nos dice Vasari, modelaba con barro figuras de mujeres que sonreían. De mujeres, porque pocas veces había encontrado en rostros de hombres —salvo si eran muchachos, de aspecto y sensibilidad todavía femeninos— esas sonrisas que son la expresión del misterio y de la certidumbre de las cosas ocultas.

Espiaba esta sonrisa lánguida y melancólica que aflora en ciertos rostros en un atardecer cálido y tormentoso; le gustaban en aquellos momentos esos semblantes «por la gracia y la dulzura que en ellos se ve entonces», según dijo. En esa hora de transición entre el día y la noche, cuando el crepúsculo cercano disuelve los rasgos en el claroscuro, le parecía que la realidad secreta de los seres ascendía hasta el rostro para florecer en él con la serenidad confiada de las flores de agua que temen el sol brutal. Esta sonrisa es unas veces el repliegue del ser sobre sí mismo, la contemplación del mundo interior y secreto que sólo ese ser conoce y que goza siendo el único en conocerlo; otras veces se posa como una máscara sobre el alma, tal vez es una sonrisa de disimulo y de mentira, pero sobre todo es una sonrisa que confiesa lo inefable y se emboza en un silencio elegante e impenetrable.

¡Qué diversas y múltiples son estas sonrisas! ¡Cuántas confesiones y reticencias en este lenguaje mudo, inteligible para tan pocos seres! En la *Santa Ana*, las sonrisas del Niño, de la Virgen y de la Madre hablan tres lenguajes distintos. La de la madona, que expresa el amor de una madre por un hijo, nada de común tiene con la de santa Ana, que engloba el universo entero y la totalidad de las cosas pasadas, presentes y futuras, en una infinita ternura cósmica. Semejante a esta divinidad budista que representa la compasión y el amor hacia todas las cosas, incluso las más insignificantes —un grano de arena que no ha entrado aún en el Nirvana impide perpetuamente que penetre en él esta suprema Compasiva que China ha personificado en una mujer, Kuan-Yin—, santa Ana es toda piedad, toda bondad, toda sabiduría. El ser al que todos los secretos del mundo le fueron revelados y que los contiene todos posee esa beatitud infinita que irradia de ese rostro, vago y preciso a la vez como un semblante contemplado en un espejo de agua nunca inmóvil, donde incesantes combinaciones se hacen y deshacen a cada instante inscribiendo cada una en su dibujo su significado único.

Es necesario haber percibido todo eso si se desea comprender la *Santa Ana* del Louvre. Es, en efecto, mucho más hermética que el cartón de Londres, que, por otra parte, cuando fue mostrado al pueblo de Florencia suscitó un entusiasmo muy legítimo del que Vasari se hace eco. Los hombres y las mujeres, los jóvenes y los viejos, dice, no dejaban de desfilar por la sala donde estaba expuesta la obra, e iban a ver «las maravillas de Leonardo, como se va a las fiestas solemnes y el pueblo entero quedó maravillado». La *Santa Ana* del cartón nada tiene que pueda molestar o desconcertar, ni en su concepción ni en su forma. Una y otra son igualmente tradicionales y, al mismo tiempo, lo bastante sorprendentes como para encantar a esos florentinos ávidos de novedades. La *Santa Ana* nada tiene de enigmático. Es una obra poderosa, noble, de un equilibrio enérgico y sutil a la vez, realizada con bastante audacia y seguridad clásica para satisfacer a todo el mundo, «y no sólo a los artistas», añade Vasari. Los Serviti se felicitaban por haber sabido elegir al pintor, y se alegraban del cuadro que había compuesto para ellos. Tiránicos como siempre lo han sido —más o menos— los «aficionados», los mecenas del Renacimiento solían atar al artista con innumerables exigencias y puntillosas restricciones. Sabemos que el cartón de *La Adoración de los Magos* no encantó a los monjes de San Donato, que habrían preferido, ciertamente, algo del estilo de Ghirlandaio, de Botticelli o incluso de Gentile da Fabriano, a aquella confusión de figuras indistintas, perdidas en el barullo de los caballos, con ese aire de misterio y esa agitación dramática tan poco en armonía con el tema del cuadro. No se concluyó nunca y la culpa la tuvo, sin duda alguna, tanto el mal humor de los monjes como el espíritu vagabundo del artista y lo magro de las subvenciones, a menudo aportadas en especies: vino, leña, trigo, pagos campesinos que no compensaban la ingerencia del «aficionado» en el encargo y la ejecución de la obra.

Las peleas que Da Vinci mantuvo con los monjes de Santa Maria delle Grazie durante la ejecución de *La Cena* nos dan una idea de lo que debió de ocurrir cuando, al recuperar su cartón y trabajar otra vez en profundidad en su *Santa Ana*, decepcionó a los Serviti y desalentó su expectación. En 1503, veinte años después de la entrega de *La Virgen de las Rocas*, sigue litigando con los «scolari» de la Concezione por incumplimiento del contrato: la Scuola le reprocha haber dejado inconcluso el cuadro. Y el litigio sólo acabará tres años más tarde, en 1506. Si en sus cuadernos el pintor hubiera mencionado la evolución de sus obras con la misma minuciosidad con que fecha los progresos, o los comienzos, en las ciencias que le interesaban, nos sería menos difícil precisar la cronología de sus cuadros.

Pero no es la cronología lo que más importa y, en una obra como la *Santa Ana*, el elemento intemporal cuenta más que cualquier otra cosa. Si alguna vez lo universal y lo eterno han sido expresados en un cuadro, lo han sido en éste.

CAPÍTULO ONCE

Bajo el signo del fuego

En la misma hoja de papel hay un triple rostro de hombre; de perfil, de tres cuartos, de frente; el mismo hombre, de barba larga y rizada, pesados párpados entornados sobre unos ojos de mirada extrañamente triste. El artista que dibujó ese rostro expresó de un modo magistral, en esos bocetos rápidos visiblemente hechos en un momento de distracción del modelo y sin real intención de hacer un retrato, el misterio de esa personalidad, tan distinta, por lo demás, en las tres actitudes. El hombre que vemos de perfil es un jefe y un conquistador, en el que la necesidad de acción y la «voluntad de poder» —en el sentido nietzscheano de la palabra— devoran, como una quemadura, toda la substancia vital. El ardor intenso e indomable, que revelan el rudo modelado de la frente y la nariz, la prominencia del mentón, la fuerza como de cascada que tiene la barba, se ve atemperado por una inquietud dolorosa. Los ojos, apenas marcados, podrían expresar el sufrimiento del mártir. En este perfil, sólo la barba está verdaderamente «realzada», como si bastara para definir la dirección del impulso vital, el irresistible movimiento hacia delante que ninguna fuerza humana podría trabar ni detener.

El personaje al que vemos de tres cuartos es un hombre distinto a ese aventurero patético: parece casi dormido, o en cualquier caso, replegado hacia el interior de sí mismo, buscando con esa mirada tanteante la solución de un enigma que está en sí mismo, que es él mismo, y cuya clave sólo él puede dársela a sí mismo. Un gorro, muy encasquetado, oculta su frente, y en esa fisonomía relajada, no feliz aunque apaciguada, se extiende la gran paz de un paisaje armonioso. Los mechones de la barba no son ya un torrente de montaña sino un río sinuoso que discurre por una llanura suavemente ondulada, sin obstáculos y sin accidentes. Esta tranquilidad, que se parece a la de los elementos en reposo, sugiere la relajación que sigue al acto violento, a la consumación que el ser necesitaba para realizarse y para alcanzar precisamente —sin que importen el éxito o el fracaso— esa serenidad de fiera satisfecha, de «devorador» saciado. Pues tras esa aparente somnolencia, tras esa ilusoria bondad, perezosa y pasiva, permanece, cual delgada llama filtrándose por los cerrados párpados, el anuncio de dramáticos despertares.

En el tercer retrato, el artista plasma una personalidad más compleja y completa que la que había sorprendido en el perfil del *condottiere*; menos explicable aún y menos reducible a un común denominador. Ahonda, con la mirada y el pensamiento, en el personaje que está frente a él. Lo conoce bien; lleva varias semanas estudiándolo en todas sus acciones y en todos sus humores. Por muy misterioso que siga siendo para todos y para sí mismo, por muy desconcertante que sea también a ojos de los observadores políticos más sagaces y atentos, el personaje ha revelado, en esos bocetos, lo esencial de sí mismo. Aunque se ignorara su nombre, se adivinaría ya el destino trágico que se despliega a su alrededor, la fatalidad que lleva en su corazón y que tiene en sus manos. He aquí que, cosa extraña, aunque Leonardo se obstine más aún en escrutar los innumerables secretos de ese hombre, y frente a él estudie la potente y móvil arquitectura de su rostro, diríase de pronto que el personaje acaba de ponerse una máscara. Una máscara tan dura como una visera de acero, que disimula todo lo que revelaba en los demás dibujos. Un silencio pesado y macizo le rodea, que no es propicio a los gritos de cólera, a las amenazas del primer dibujo, ni a las confidencias inconscientes, e involuntarias del segundo, esas que se murmura a sí mismo el hombre que, tras un duro esfuerzo, llega al lindero del sueño. Esa máscara, que imita los rasgos del hombre, sorprende por su virtud de mentira y de reticencia; no tanto porque quiera callar como porque el silencio, o ese sucedáneo del silencio que es la mentira —ya que mentir es callarse—, constituye uno de los elementos principales de su naturaleza, más aún que un arma de su política.

¿Quién mejor que ese admirable psicólogo (psicólogo de la forma y estudioso del carácter a través de la fisonomía) que era Da Vinci habría podido dejarnos un retrato verídico de César Borgia? Los pintores que intentaron alcanzar el alma del más inaccesible de los hombres sólo llegaron a captar aspectos dispersos de su personalidad. Uno de esos pintores le convierte en un Hamlet italiano del Renacimiento, otro le ve como una especie de extraña fiera política, con algo de tigre y de zorro, otro le sitúa, prematuramente, en pleno Renacimiento: sólo Leonardo da Vinci, de cuantos le pintaron, abarcó todas las virtualidades de esa conciencia inestable y movediza. El triple dibujo de la Biblioteca Real de Turín nos aporta, con sus tres rostros, una imagen de César Borgia que es sin duda la más exacta que podía trazarse; en todo caso, la más exacta que podía trazar un artista que sin duda admiraba al hijo de Alejandro VI con esa atenta simpatía y esa curiosidad aguzada que experimentaba ante todas las grandes «fuerzas de la naturaleza», pero que se sentía lo bastante lejos de él, moral y psicológicamente, para sufrir sólo en parte esa hechicera fascinación que siente el espectador con sólo examinar el retrato. Esa distancia entre el artista y el modelo, y la indiferencia que Leonardo muestra con respecto a la política de su tiempo —pues, absorbido como está por tantos problemas de técnica y de estética, no puede preocuparse por añadidura de la moral— hacen que el pintor se libre de sentir, o al menos no lo declare en sus cuadernos, esas alternativas de adoración y desprecio, de entusiasmo y decepción, que trastornaban a Maquiavelo según las vicisitudes de sus relaciones con «el Príncipe».[1]

Singulares años aquellos en los que se hallaron reunidos, en los campos de batalla y en el corazón de los más embrollados laberintos políticos, esos tres personajes gigantescos que encarnan el inmenso, complicado y fulminante espíritu del Renacimiento. César Borgia, Leonardo da Vinci y Maquiavelo cabalgaban, codo con codo, por las rutas de la Romaña, a la cabeza de ese grupo de aventureros que compartían la fortuna del duque de Valentinois. Durante varios meses, medio año tal vez, el pintor de *La Adoración de los Magos* ha compartido con César Borgia la vida en los campamentos y las fortalezas. Le ha seguido por ese inextricable laberinto de intrigas y violencia, indescifrable para cualquiera que ignorase la «plantilla», el plano secreto de esa abrasadora ambición. Ha escuchado esos sorprendentes monólogos —cuyos ecos nos hace oír Maquiavelo en sus despachos y en sus libros— que, para César Borgia, servían de conversación, como si ningún diálogo propiamente dicho pudiera tener lugar entre un hombre cualquiera y él. Cuando prescindía de ese extraordinario poder que era su silencio —un silencio que, como revela su tercer retrato, hecho de frente, debía de resultar opresivo—, César hablaba como se habla en sueños, con un aparente abandono que desconcertaba al oyente, que no sabía ya si estaba escuchando las más íntimas confidencias o si, por el contrario, esa indolencia y esa naturalidad no hacían más que apuntalar con mayor solidez la mentira y la impostura. Fingidas eran las cóleras de César, o en cualquier caso calculadas, y minuciosamente medidas en función del efecto que debían producir, y estallaban con la misma brusquedad con que cesaban. Fingidas también eran sin duda esas palabras sutiles, sencillas, preñadas de amistad e intimidad, que por su propia inocencia estaban cargadas de peligro. A menos que fuese sincero —¿quién sabe?— y a veces estuviera empujado por un singular apetito de simpatía humana, él que, herido por esa dramática maldición de ser el más solitario de los hombres, quizás aspirara a ganarse la confianza y el afecto de los demás.

El misterioso dolor que revela, en esta triple efigie, el rostro de César Borgia procede de que en el fondo este conquistador no creía en la acción ni en la conquista, y de que, antes mismo de beber el vino envenenado que matará a su padre y que estará a punto de acabar con él, ha adivinado el veneno que duerme en todas las cosas. La acción fue a menudo para él esa huida hacia delante que es el gesto de la postrera desesperación, esa violencia innecesaria y sin placer que es el modo de engañar la profunda nostalgia, la devoradora melancolía que atenaza su alma y que su rostro expresa en todos sus retratos, sobre todo en los que son obra de Leonardo.

Aunque el encuentro de César Borgia y Leonardo da Vinci sólo hubiera dado lugar a esa hoja donde el más secreto de los hombres de acción se confiesa al más secreto de los pintores, habría constituido ya, tanto en la vida del príncipe como en la del pintor, uno de esos momentos de suprema importancia. Se habían cruzado fortuitamente en 1499 en la corte de Milán, cuando en el Castello Sforzesco resonaba el férreo paso de los lansquenetes franceses y los arqueros gascones. Entre los capitanes que rodeaban a Luis XII, Da Vinci había advertido a aquel joven ardiente y triste, vestido con mayor esplendidez que los más elegantes señores, no por afición a lo suntuoso —pues de ordinario se vestía de negro y casi sin ornamentos—, sino sólo para «enmascararse» adoptando el atavío a la moda, y también para deslumbrar, con una ostentación de fasto y de esplendor, a esos caballeros del otro lado de los Alpes que para ese italiano conservan aún algo del «bárbaro», del «arribista» a quien hay que superar y eclipsar con unos medios bastante groseros.

César Borgia, por su parte, porque conocía a los hombres y por esa maravillosa intuición que poseen los verdaderos jefes, adivinaba de inmediato el carácter, el valor y la eficacia de todos los que se acercaban a él. Y aunque mostraba cierta indiferencia hacia el arte, había comprendido la excelencia única de ese hombre que era un compendio de todos los dones, todos los talentos y todos los saberes. Tres años más tarde, en 1502, mientras dirigía en la Romaña una campaña extremadamente difícil y de cuyo éxito dependía su victoria futura, se le plantearon muchos y muy complicados problemas para cuya solución hubiera debido adjuntar a sus capitanes de aventura un equipo de técnicos en todas las disciplinas. Entonces ese hombre único, dirigiéndose por instinto hacia el artista único en quien reconocía a su igual, envió un mensajero a Florencia. La invitación alcanzó a Leonardo en uno de esos períodos de inestabilidad e inquietud que, en él, precedían a la creación de las obras maestras que iban madurando en su inconsciente. En aquel momento tenía varias grandes obras en marcha y vacilaba sobre la orientación que iba a dar a su talento multiforme.

Sin embargo, no estaba en absoluto ocioso: sus trabajos científicos, que colman los períodos de menor creación artística, y los estudios de matemáticas a los que se entrega durante ese segundo período florentino con ardiente entusiasmo bastan para ocuparle. Ha sentido la tentación de volver a la escultura, a raíz del debate sobre ese bloque de mármol echado a perder por Agostino di Duccio de tal modo que sólo un virtuoso del cincel podría sacar provecho de él. Piero Sonderini, el gonfalonero en ejercicio, quisiera que la Señoría de Florencia se lo asignara a él. Como hemos visto, Da Vinci no tiene un temperamento de escultor ni, sobre todo, de tallador de piedra: es demasiado «intelectual» para ello. No tiene el instinto de ese coloquio con el material, tan natural en un Donatello y más aún en un Miguel Ángel. A sus rivales y adversarios les es muy fácil recordar el fracaso de *il cavallo* milanés —un fracaso independiente del genio del artista, al menos en parte, y debido principalmente a las circunstancias— para apartar a los magistrados florentinos de ese proyecto. Alegan que el genio de Da Vinci merece mil calificativos, pero no el de escultor. El mármol es un material celoso y exclusivo que no admite en absoluto que quien lo talla tenga otras curiosidades y otras preocupaciones. Los conciudadanos de Leonardo, según sientan simpatía u hostilidad hacia él, lo califican de ecléctico, diletante o «catacaldos». Y sin embargo se ha lanzado ya a ese proyecto con el ardor inmediato y vivo que aporta a todas las ideas nuevas y, puesto que la Señoría quiere un David, esboza algunas figuras que los historiadores del arte han considerado durante mucho tiempo copias del *David* de Miguel Ángel, pero que son con mayor verosimilitud (y es la opinión de Solmi) bocetos para la estatua que construyó en su imaginación (cf. *L.d.V.*, Florencia 1922 y *Scrilti Vinciani*, 1924).

No obstante, las dificultades técnicas son considerables. El bloque de mármol lleva al menos treinta y cinco años abandonado en la obra de la Ópera del Duomo, tan descuidado que la humedad lo ha estropeado. Fue tan torpemente desbastado que para obtener de él la estatua gigantesca encargada por la Señoría será preciso hacer trampa y utilizar trucos técnicos y plásticos que son más propios de un hombre práctico, habituado a todas las finuras del oficio, que de un «hombre universal» como Leonardo, cuya pasión por la técnica de cualquier arte y cualquier ciencia se dirige hacia las novedades seductoras y peligrosas más que a la tradición sana y ya verificada. Por eso, cuando los nombres de Andrea Sansovino y Miguel Ángel, entre otros, son mencionados, parece muy natural que se escoja a uno de éstos y no al genial inventor que inquieta tanto como atrae. De hecho, no existe ninguna escultura hecha por Leonardo, ni en aquel momento ni más tarde, que le designe como el escultor por excelencia. Así pues, Miguel Ángel prevaleció, y quizá fue lo mejor, porque su energía dura y violenta podía dominar aquel mármol ingrato y hostil para obtener la obra maestra en que se convirtió su *David*. La decisión de la Señoría que concede a Miguel Ángel el bloque en disputa es del 16 de agosto de 1501.

El amor propio de Da Vinci no parece haber sufrido por el hecho de que prefirieran a aquel muchacho: no necesita dinero, las matemáticas y las ciencias naturales, como de costumbre, le absorben, y además está ocupado realizando los «encargos» que le hace, de parte de Isabelle d'Este, el enviado de la corte de Ferrara, Manfredo Manfredi. Por consiguiente, durante esos meses de la primavera de 1502 (en vísperas de acudir a la llamada de César Borgia) se encarga de valorar unos jarrones de piedra preciosa que la duquesa de Ferrara quería comprar y que procedían de la colección de Lorenzo el Magnífico. Dos jarrones de ágata, dos de jaspe, decorados con oro, esmaltes, perlas y rubíes... Con qué placer los manejó, los sopesó, los acarició con sus manos sensibles a la vida secreta de las piedras...

Ninguna gran creación, pues, salvo la *Santa Ana*, le exigía esa dedicación exclusiva que le habría impuesto el tallado del *David*; podía proseguir libremente sus trabajos científicos incluso mientras componía para Isabelle d'Este los cuadritos piadosos que ella le pedía y cuya ejecución se insertaba sin dificultad en los meandros de una existencia tan múltiple como la suya. Nos está permitido creer que fue bastante indiferente a las ideas políticas de César Borgia; Leonardo vivía inmerso en sus preocupaciones artísticas y científicas y se interesaba muy poco por todo lo que no fuera eficaz y práctico de inmediato. Las peleas de los señores de la Romaña con el Santo Padre nada significaban para él, que había visto sin conmoverse la entrada de los franceses en Milán, y que sólo había abandonado esa ciudad porque el clima de guerra era desfavorable para la libertad de pensamiento y de acción que quería conservar. Pero aunque el programa político de gran envergadura esbozado por el duque de Valentinois le afectaba poco, el hecho de que esta campaña iba a proporcionarle muchas ocasiones de aumentar su saber y adquirir nuevas experiencias excitaba ya su imaginación.

El arte de la guerra, como todas las demás artes, atraía su deseo de conocimiento. Se había aproximado ya a él en su juventud cuando los Médicis habían querido reforzar las defensas de Florencia, y por otra parte los mayores artistas de aquel tiempo no desdeñaban añadir a sus numerosos talentos la técnica del fundidor de cañones, como Francesco de Giorgio, o la del arquitecto de fortalezas, como Sangallo. Aunque la guerra se hacía con ejércitos profesionales, afectaba directa y profundamente a la población civil, que se veía implicada en las incesantes disputas que mantenían entre sí las ciudades. Que Leonardo era desde hacía tiempo experto en las artes militares, lo demuestra suficientemente la carta que dirigió a Sforza, puesto que en ella menciona casi exclusivamente sus aptitudes guerreras. La violencia de las batallas ejercía sobre aquel hombre pacífico una extraña atracción debida, al parecer, a que en ellas se rendía en cierto modo culto al fuego. De la destrucción surgen nuevos nacimientos, y la guerra, en suma, es el gigantesco crisol donde se forman nuevas combinaciones de naciones y sociedades. El considerable lugar que en el pensamiento de Leonardo, en sus dibujos y sus escritos, ocupan los problemas que se refieren a la guerra, muestra muy bien que se trataba de una preocupación profunda y no de una curiosidad episódica. No sería imposible que, si reuniéramos todas las páginas de los cuadernos consagrados a estas investigaciones, compusiéramos una especie de tratado del arte de la guerra comparable al de Maquiavelo, por ejemplo.[2] Pero mientras que Maquiavelo, según la orientación general de su pensamiento, dirige su atención a las cuestiones del reclutamiento, del equipamiento y de la estrategia —en lo que manifiesta, una vez más, sus prodigiosas dotes de organizador y de «crítico»—, Leonardo, en cambio, aborda directamente como técnico el problema del armamento, y lo desarrolla sin tocar apenas los demás problemas, pues la táctica, para él, es sólo una consecuencia del armamento. En ello, como en todo lo demás, sigue siendo el *homo faber* que sabe que el destino de una batalla depende a menudo de la longitud de una lanza, de la torsión de una cuerda de arco, o de la mayor o menor comodidad del puño de una espada.

Convencido de que nada es insignificante, de que no hay «cosas pequeñas» y de que el destino de los Estados depende del equipamiento de un ejército en una batalla —¡cómo le hubiera gustado saber que la superioridad del arco inglés sobre la ballesta francesa había sido el factor principal en la batalla de Azincourt!—, vuelve al principio y examina, de acuerdo con los libros de los antiguos y la experiencia de los modernos, cuáles son las armas de choque o de asta más prácticas y eficaces.

Es sorprendente, en efecto, ver con qué metódica atención busca Leonardo da Vinci, entre los autores griegos y latinos, la nomenclatura y la descripción de los ingenios que utilizaban los soldados de la Antigüedad. Se muestra en eso como el hombre del Renacimiento convencido de que, en cualquier circunstancia y aunque sólo se trate de equipar a infantes y jinetes, la tradición de los antiguos conserva su superioridad. Puede decirse que pone tanto cuidado en escrutar los procedimientos y los medios de acción de la nueva arma, la artillería (que presiente que revolucionará toda la técnica de la guerra), como en dibujar unas alabardas reales o imaginarias, unos complicados puñales cuyos modelos probablemente ha visto en las colecciones de los mercaderes florentinos o milaneses que traían de Oriente toda suerte de curiosidades, y en particular en casa del tal Benedetto Dei que cierto día le mostró dibujos de templos hindúes. Podría creerse, incluso, que los extraños nombres de estas armas antiguas que se mencionan en los libros excitan su imaginación con sus extrañas sonoridades: la *mananra*, el *femisclot*, la *gabina*, los *cuncti*, la *stragula*.

Llena páginas y páginas de sus cuadernos con extractos de autores latinos o griegos, y se esfuerza en reproducir las diversas armas que éstos describen. Anota cuidadosamente cuál es la mejor madera para el ástil y el mejor modo de endurecer el hierro.

«Las danesas son más bien una especie de larga hacha, muy de moda antaño, según dicen, entre los pueblos daneses; pero con respecto a los instrumentos bélicos de hierro, es conveniente considerar que los que han sido sumergidos en aceite tendrán un filo delicado y los que fueron sumergidos en agua serán bastos y quebradizos. Los más resistentes han sido sumergidos en sangre de macho cabrío. El aceite, la cerusa y la pez preservan el hierro de cualquier óxido.»[3] Anota, como un dato importante, que el *pilum*, o jabalina, de los romanos estaba dividido a lo largo en dos partes iguales, y tenía una punta de hierro en cada extremo. Para asegurar la adherencia del hierro a la madera, «esas partes estaban soldadas con cola de pescado, y ceñidas con tripa cada medio codo». Ammianus Marcellinus le proporciona la receta de una pasta incendiaria con la que se proveerá el *malcolo*: «el fuste es de junco y, allí donde termina el junco se coloca un huso como los que sirven para hilar, y la punta se fija en él. Se colocará estopa empapada en pez en la cavidad del huso; se le prenderá fuego y se arrojará despacio para que la furia del aire no la apague. Algunos dicen que esta cavidad debiera contener una reserva inagotable de colofonia, azufre, salitre, previamente licuados con aceite de laurel o, dicen algunos, con aceite de petróleo, grasa de pato, médula de carne, hinojo, azufre, colofonia y alcanfor, rasa y estopa...».[4] Tito Livio le proporciona la forma de la *dolabra*, corta espada de doble filo. Quintiliano le describe la *bipenna*, Lucano le da las dimensiones del *arpa*, Prisciano le enseña el empleo del *mucro*, y Leonardo se pregunta si Plutarco tiene razón cuando denomina *doloni* a los látigos en cuyo mango se ocultan dagas.

Cuántas conversaciones con los humanistas de la Corte de Milán, cuántas lecturas supone ese censo de armas antiguas, desde la vulgar maza claveteada hasta la enigmática *cathegia*, que debía de ser una especie de bumerán puesto que era capaz de «volver hacia atrás a voluntad del lanzador». Es sorprendente, incluso, advertir hasta qué punto ese hombre, por lo general hostil a la erudición libresca, a la que tiene en poco comparada con la experiencia y la observación directa, concede más lugar a las armas descritas por los antiguos que a las empleadas efectivamente por sus contemporáneos. Sin duda su intención era doble. Cuando alardeaba en su carta al Moro de poseer armas desconocidas, se proponía tanto inventar algunas que nunca habían existido, como reivindicar y aplicar a las necesidades de la guerra moderna unos ingenios olvidados o perdidos, cuya eficacia, sin embargo, seguía siendo grande. De ese modo, ese sabio ducho en inventar las máquinas más complejas preconiza también el empleo de las armas más elementales, como las cruces de hierro que se lanzan contra el enemigo y que él dibuja varias veces. «Y esa arma tiene fama de ser de las más mortíferas, dado que, lanzada con o sin cuerda a las hileras enemigas nunca cae en ellas en vano. En efecto, hende el aire por el filo y cuando no alcanza al adversario con una de sus puntas, lo alcanza con dos; y si no lo encuentra en absoluto, se clava en tierra y no inflige menos daños al enemigo que si hubiese caído sobre los infantes y los caballos.» Y Leonardo añade a esta descripción el siguiente consejo: «Cuando se va al combate, se deben llevar cuatro o seis al cinto.»[5] El artista va llenando página tras página con esas explicaciones y dibujos, y su fantasía se alía con su precisión técnica para crear unos ingenios de imprevista eficacia mortífera.

Y es muy natural que César Borgia, habiendo oído hablar de la extraordinaria competencia de Da Vinci como técnico en armas y entendido en la construcción de fortalezas, y al enterarse además de que gracias a su incomparable genio inventivo era capaz de idear mil curiosos artefactos prácticos y eficaces, hubiera comprendido cuán útil le sería este universal *artifex* en la campaña de la Romaña. Él mismo pretendía llevar a cabo esa campaña con rapidez y utilizando la crueldad necesaria para obtener en el menor plazo la sumisión absoluta de esos pequeños príncipes que habían recibido sus Estados del Soberano Pontífice en calidad de gobernadores pontificios. La despreocupación de los papas que habían precedido a Alejandro VI en el trono de san Pedro era responsable de la arrogancia actual de dichos príncipes y la desvergüenza con la que, atribuyéndose una independencia que no les pertenecía, hacían oídos sordos a los mandamientos del Vaticano y negaban al Tesoro las sumas que se habían comprometido a pagar. Para establecer una Italia unida y única bajo el gobierno de la Santa Sede, César Borgia debía primero restaurar el orden en las provincias que pertenecían al Patrimonio e imponerles docilidad a los gobernadores infieles. La pacificación de la Romaña constituía, pues, el primer acto de esta vasta empresa cuyo final sería la «unidad italiana» soñada por Dante y por Petrarca, una unidad que las ambiciones de Alemania, tanto como la insubordinación anárquica de los propios principados italianos, habían impedido hasta entonces. En una expedición como aquélla, la presencia del artista universal equivaldría a los servicios de todo un estado mayor de técnicos, cada uno de los cuales tal vez no igualara, en su especialidad, la ciencia y el talento de Leonardo en su universalidad.

Bastaba encontrarse una sola vez con César Borgia para quedar preso de la extraña fascinación que ejercía. Monstruo, superhombre..., nadie sabía definirlo, pero ante él uno tenía la certeza de hallarse en presencia de una personalidad prodigiosa que nada tenía en común con la del resto de los humanos. Vivir con semejante hombre era una experiencia sin igual, incluso para Da Vinci, a quien interesaban todas las formas del genio. Ni en Florencia ni en Milán había encontrado una individualidad tan original y tan poderosa como aquélla. Aunque sin duda la fascinación que ejercía Lorenzo el Magnífico era grande, carecía en todo caso del esplendor y de aquel ascendiente casi demoníaco, «demónico» sin duda, que César tenía sobre todos los que se le acercaban, y que también afectó al escéptico y sarcástico Maquiavelo, al menos durante todo el tiempo que permaneció junto a él. En cuanto uno se alejaba del personaje, recuperaba el sentido crítico, la independencia de pensamiento e incluso sentía veleidades de resistencia y de lucha. Eso se hizo patente en la insurrección de los *condottieri*: mientras estaban lejos de César y tras los muros de la Magione, le desafiaban con imprudencia, pero cuando regresaron a su lado y cayeron bajo la tiranía de su mirada, volvieron a ser unos juguetes en sus terribles manos.

Sin esa brutalidad que aflora en el propio rostro de algunos *condottieri*, como Colleone Colleoni, por ejemplo, sin la bestial crueldad que utiliza alegre y ferozmente Barnabo Visconti, César Borgia reina y domina. Su voz es apagada, casi soñadora, su mirada casi inaprensible tras los pesados párpados —y cuando recibe a enviados extranjeros, por lo general es de noche y se oculta en la penumbra—, pero su paciencia se quiebra de pronto en cóleras furiosas y calculadas; produce a quienes se acercan a él la impresión de una energía extraordinariamente concentrada y replegada sobre sí misma, dotada de una fuerza explosiva tanto mayor cuanto que se oculta. Así lo vio y lo dibujó Leonardo da Vinci en su triple retrato, el único que nos ha quedado de los numerosos croquis que probablemente hizo durante los meses que pasó junto al duque.

Se reunió con él en Piombino, en la primavera de 1502, al parecer durante el mes de mayo. César llevaba ya casi dos años guerreando y sus victorias se habían sucedido a un ritmo extremadamente rápido. Por aquel entonces no necesitaba a Leonardo. Más que a un técnico militar necesitaba ahora a un ingeniero capaz de llevar a cabo las difíciles operaciones que debían hacer caer en manos de los Borgia el invencible bastión de Giacomo d'Appiano: Piombino. La caída de Piombino iba a consumar la ruina de los pequeños «tiranos» de Italia que eran otros tantos obstáculos para la realización del «gran proyecto». Por lo que se refiere a Leonardo, no tendrá demasiadas ocasiones de probar sus inventos bélicos, pues las operaciones militares propiamente dichas han terminado casi. Además es muy posible que los *condottieri* pontificios, Orsini, Vitelli, Oliverotto da Fermo, hubieran mirado con cierta ironía a ese artista que pretendía darles lecciones. Algunos de esos capitanes aventureros, sobre todo los viejos, los de la antigua escuela de Braccio di Montone o de Barbiano, contemplaban los cañones con sombría desconfianza: unos dudaban del porvenir de esa nueva arma, otros la des-

preciaban porque disminuía el valor humano y propinaba un duro golpe a la ética de la guerra al permitir matar a distancia a los adversarios
manteniéndose a salvo de su contraataque.

Algunos inventos de Leonardo eran, sin embargo, muy prácticos,
por ejemplo el que dotaba las lanzas de los infantes con una especie de
pequeño escudo en forma de embudo, destinado a apartar la lanza del
jinete: existe un dibujo muy bello y curioso de este ingenio.[6] Las suelas
anticlavos, que preservaban los pies de los soldados de las trampas erizadas de púas, también eran útiles y de fácil uso. «Si entre el pie y la suela del calzado, colocas una suela de paño de fibra de algodón del grosor
de un dedo, te preservarás de las trampas que, de ese modo, no penetra-
rán en tus pies.» Para los caballos, preconiza una plancha de acero tan
gruesa y ancha como la herradura, que se clavará entre la herradura y el
casco. «Si se trata de infantes, en las suelas de su calzado se fijarán unas
placas de hierro, aunque no demasiado estrechamente a fin de asegurar
el libre juego de sus talones, para que puedan si es necesario andar y correr sin trabas...» Puesto que los infantes no pueden cargar con pesadas
armaduras, inventa para ellos una cota de escamas de hierro entre dos
gruesos paños, y un escudo, ligero y sólido a la vez, de hilos de algodón
que pueden también servir para la fabricación de cotas. «Los escudos de
los infantes serán de algodón hilado y transformado en cuerdas, y éstas
estarán estrechamente trenzadas en círculo al modo de una rodela. Si
quieres, moja por completo los hilos antes de hacer con ellos cuerdas, y
úntalos luego de escorias de hierro reducidas a polvo. Más tarde, trénza-
los de nuevo dos, luego cuatro y luego ocho veces, y mójalos cada vez en
agua de bórax o de semillas de lino, o de membrillo. Una vez terminada
tu cuerda, forma tu escudo. Si haces una cota, que sea flexible, ligera e
impenetrable.»[7] Qué conmovedor es ver al genial pintor estudiando
con tan minuciosa aplicación los más ínfimos detalles del equipo militar, aunque luego se remonta desde estas elementales preocupaciones
hasta unos inventos grandiosos, imaginando un carro de asalto provisto
de guadañas al modo de los antiguos, cuyas hojas, girando de acuerdo
con una ingeniosa disposición de engranajes, siegen todo lo que encuentren en su camino, incluso los cañones.

Para su primer esbozo de los carros de asalto, Leonardo recuerda
esos «tanques» vivientes que eran en las guerras antiguas los elefantes,
esos elefantes que Benedetto Dei había visto utilizados en las Indias
como ingenios bélicos. Existe un admirable dibujo de Leonardo que representa un combate, en el que se ve cómo unos elefantes gigantescos

cargan contra los soldados, que yacen en el suelo derribados y moribundos. Esta composición, de una intensidad casi visionaria, refleja muy bien las imágenes que se desarrollaban en la imaginación del artista; Leonardo atribuía a la guerra la grandeza indomable y la ferocidad del cataclismo. Tanto sus episodios de batallas como sus escenas de diluvio son de la misma vena patética y grandiosa, vehemente hasta el paroxismo. Cuando compone un carro de asalto, su primera idea es la que aparece en la inscripción que acompaña al dibujo de la hoja 83 en el Manuscrito B: «Sustituyen a los elefantes.» Da Vinci, pensando también en producir un terror análogo al causado por los elefantes cuyos furiosos bramidos le parece oír, decide imitar el barritar de esos paquidermos por medio de unos fuelles accionados por el viento, semejantes a los que los antiguos marinos griegos y nórdicos disponían en los navíos para obtener el mismo efecto de espanto. Y al igual que se instalaban arqueros en los banquillos que el elefante llevaba sobre el lomo —desde la invención de la artillería los hindúes dispusieron allí los cañones—, Da Vinci aloja en su carro de asalto a varios escopeteros capaces de derribar a cualquier tropa. Las ametralladoras de tiro rápido que él inventó serán también muy provechosas en estos carros, y, con objeto de que los escopeteros puedan hacer un uso más eficaz de sus armas, las dota del cartucho, un adminículo que de hecho sólo se fabricará en el siglo XVIII, aunque en 1500 Leonardo hubiera definido ya con precisión su construcción y empleo, por ser un «invento extremadamente útil».

Escopeteros y ballesteros a caballo se reunirán en escuadrones y maniobrarán de acuerdo con una táctica semejante a la de los partos y los hunos que Leonardo había aprendido de los autores antiguos. El orden de batalla previsto por él, e ilustrado con un dibujo, es extremadamente ingenioso. Consciente, como siempre, de todas las dificultades que pueden frustrar el éxito de sus inventos, Leonardo advierte a sus fusileros que sólo monten caballos acostumbrados al ruido de las armas de fuego, o bien, les aconseja, «tapadles los oídos». La lentitud con que se disparaba a causa de las numerosas operaciones que exigía por aquel entonces el hecho de recargar las armas de fuego —maniobra que entre los mosqueteros, incluso en el siglo XVIII, se parece a una especie de ballet—, le incita a proporcionar a los escopeteros unas «bolsitas llenas de rollos de papel simple y atestadas de pólvora, para que, recargando a menudo, se consiga triunfar de los enemigos si son demasiado numerosos». Esos rollos no son más que el cartucho, objeto tan simple y natural que es pasmoso que no se utilizara antes: «Cuida de que estén provistas de una amplia provisión de cañones hechos de papel fino simplemente plegado y lleno de la pólvora que contendrá la bala, para que no tengan más que colocarla en el interior y hacer fuego. Dispuestos así para la acción, no necesitan ir hacia atrás como los ballesteros cuando se disponen a cargar.»[8] Jinetes e infantes podrán ir también provistos de granadas y bombas explosivas, cuya forma dibuja Da Vinci y cuya fabricación describe. Encontró en Arquímedes la fórmula del «architrueno», que le parece práctico aunque de un manejo poco cómodo. Ha hallado en los historiadores bizantinos y en los teóricos medievales las recetas del «fuego griego», que servía para incendiar fortalezas y navíos, y de distintos productos incendiarios o asfixiantes que se usaban por aquel entonces. La granada está hecha de juncos, tela, trementina, aceite de lino y pez. La bala destinada a las bombardas está hueca y constituye una novedad prodigiosa en un período en el que los artilleros sólo usaban balas macizas, de metal o de piedra incluso, cuyo único efecto era el choque. Da Vinci multiplica la eficacia de esa bala haciéndola hueca y rellenándola de metales y materias explosivas que la harán infinitamente más mortífera, o disponiendo en torno a la propia bala substancias incendiarias. «Esta bala —dice— será de pez fundida y de estopa de cáñamo prensada, para que cuando arda el enemigo no pueda robar tu invento. Esta bala medirá dos brazas y media de alto y estará llena de tubos que escupen una libra de proyectiles; para evitar que éstos caigan, el interior de los tubos estará untado de pez. Los tubos, largos de una braza, serán de cartón y estarán dispuestos como radios de rueda, cuyos intervalos se rellenarán con yeso y borra, y la bala será lanzada contra las defensas por medio de una balista; tendrá en su centro una bala de bombarda, para que los tubos estén bien apoyados. O también una bala de bronce hueca parcialmente llena de pólvora, perforada en toda su circunferencia, de modo que el fuego pueda penetrar hasta los tubos. La bala deberá estar por completo acorazada en su exterior, salvo un agujero por donde saldrá el fuego.»[9]

Leonardo da Vinci aporta a César Borgia sus numerosos cuadernos llenos de dibujos ingeniosos y de proyectos, ninguno de cuales, advirtámoslo de una vez por todas, es quimérico, ni siquiera fantasioso. Todos los instrumentos ideados por él, sean de la disciplina que sean, son perfectamente utilizables. Todos están basados en la observación y la experiencia generadora de lo «nuevo», que parte de lo que existe para construir lo que todavía no existe. Al igual que los carros de asalto, los cañones de tiro rápido y las ametralladoras imaginadas por él habrían podido fabricarse de inmediato bajo su dirección por unos obreros hábiles, los procedimientos que recomienda para vadear los ríos, para construir canoas portátiles, para descubrir las excavaciones del enemigo, edificar bastiones durante la noche, encontrar las minas, evitar las sorpresas del adversario o escalar una fortaleza al amparo de la oscuridad son de lo más cómodo y simple. Piensa en todo: encuentra de inmediato la mejor respuesta para cualquier pregunta, y los medios más económicos. Y, a veces, no para convencerse a sí mismo de la utilidad de su procedimiento, sino para convencer a sus contemporáneos, encaprichados con la Antigüedad, invoca la garantía de los griegos y los romanos, y reivindica el testimonio de los grandes caudillos de antaño: «Alejandro recurrió a este medio en la India y contra el rey Porus, al atravesar el río Hydaspe; así hizo César en la Galia (y en España) en el río Loira: al igual que Aníbal en el Po con los elefantes.»[10] Ese argumento le sirve para convencer a un príncipe erudito rodeado de esos humanistas y esos sabios entre los que Leonardo se siente siempre en estado de cierta inferioridad —pues sabe poco latín y nada de griego— y a quienes le satisface dejar mudos de asombro venciéndoles en su propio terreno a golpes de citas.

Pero no necesitará todo eso junto a César Borgia. No se ve obligado a entrar en competición con los *condottieri* por lo que se refiere al equipamiento de las tropas y a la dirección de las operaciones. El ejército, por lo demás, está inmovilizado ante Piombino, y sólo en ese momento César ha advertido la ventaja que suponían, para él, los servicios de este «maestro universal». Hasta entonces los *condottieri* habían cumplido muy bien su función: ahora maduran su revuelta y su traición, pero César tiene talla para responderles y prescindir de ellos. Tras haber constituido un ejército nacional de Romaña, fiel a su persona y colocado bajo su mando, Borgia no necesitará ya a los *condottieri*, siempre poco de fiar, como demuestra la conspiración cuyo foco está en la Magione. Por aquel entonces, Maquiavelo pone en pie un programa análogo para evitar que Florencia tenga que contratar soldados de fortuna y ejércitos profesionales. Los sustituye por milicias cívicas, animadas por un sentimiento patriótico y fieles a su ciudad, mientras que los *condottieri* sólo son fieles a su propio interés, su avidez y su ambición.[11]

Con el interés atento y profundo que pone en todas las cosas, como gran hombre político convencido de que «nada es insignificante», César hojea los cuadernos de Leonardo y se extraña ante unos textos ininteligibles; están escritos con la mano izquierda y al revés, menos para impedir que se descubran sus secretos que porque es zurdo y siempre ha escrito así. Aunque cuando es necesario, especialmente al redactar sus cartas y las notas que adjunta a sus mapas geográficos, Leonardo escribe como todo el mundo, con la mano derecha y de izquierda a derecha.

Mapas geográficos: eso es lo que César exige de él. Mientras idea vastos planes de conquista, que desea meditar con calma y que no puede estudiar sobre el terreno, necesita un buen cartógrafo capaz de trazar diestra y fielmente el mapa de una región con sus ciudades, sus ríos y todos los accidentes del terreno. Ciertamente, utilizará también el saber de Leonardo en materia de fortificación cuando se trate de derribar las murallas de Piombino y luego de reforzar los castillos conquistados por los ejércitos pontificios. En eso, el célebre arquitecto que ha trabajado para Ludovico el Moro —y cuyas obras César pudo admirar en Milán y en Vigevano cuando entró en Lombardía con las tropas francesas— puede prestarle inmensos servicios. ¿Por qué el duque de Valentinois no mantuvo a su servicio al famoso arquitecto de Siena, también un «hombre universal», Francesco di Giorgio, que puso de nuevo en pie y consolidó los fortines de la Romaña tras las victorias del ejército de las Llaves? No se sabe. Probablemente la brillante personalidad de Da Vinci le fascinó, y de los dos prodigiosos artistas que se habían encontrado juntos, como recordaremos, en la «valoración» de Pavía, prefirió a Da Vinci. A buen seguro porque Francesco di Giorgio, excelente en la fundición de cañones y en la poliorcética, no poseía los innumerables talentos que descubre en Leonardo. Éste, en efecto, apenas llegado al cuartel general de César, capta de una ojeada el conjunto de los trabajos que el duque le confía, aunque al considerar, por encima de la utilidad inmediata, el bien futuro de esta región, le preocupa la malsana y pestífera llanura que bordea este litoral del mar Tirreno. Qué magnífica y preciosa ciudad desde el punto de vista estratégico podría llegar a ser Piombino, defendida como está del lado del mar por el pequeño archipiélago que rodea la isla de Elba, si tan sólo fuera posible desecar las marismas que se extienden a su alrededor y cubren las ruinas de las viejas ciudades etruscas.

En cuanto descabalga, Leonardo va a pasear a pie por esa playa que las olas lamen y azotan, y en su mente surgen dos afanes paralelos cuya asociación es del todo característica de la tendencia de su pensamiento, como lo sería también del pensamiento de Goethe: el impulso de obtener de un hecho, de un acontecimiento, de una observación, un acto práctico por una parte y, por la otra, los elementos de una síntesis, los cimientos de una ley. Lo mismo que el cráneo encontrado por Goethe en la arena del Lido permitirá el descubrimiento del hueso intermaxilar, y el paseo por el jardín botánico de Palermo favorecerá la intuición de la *Urpflanze* (la «planta original»), ese paseo por el lindero espumoso de las olas espoleará la imaginación de Da Vinci, que se apresura a dibujar en su cuaderno los planos que permitirán desecar las marismas (por encima del dibujo escribe: «Método para desecar la marisma de Piombino»[12]), y al mismo tiempo adivina, con una de esas geniales intuiciones que suelen iluminarlo, el principio y el ritmo del movimiento del mar.

Rehabilitar para el trabajo humano y la fertilidad agrícola las tierras estériles y malsanas sigue siendo una de las grandes preocupaciones de Leonardo. El adorador de los elementos quiere que los elementos sirvan al hombre y trabajen en su beneficio. El fuego animará a las lombardas, las granadas y demás ingenios guerreros; el viento conducirá las máquinas de volar que el hombre logre construir algún día; el agua debe colaborar con la tierra para beneficio de los pueblos, retirándose de las provincias que inunda e irrigando las llanuras estériles. Los elementos, que son dioses propicios y laboriosos, como lo eran las divinidades romanas del campo y del hogar, deben obedecer al hombre sin que por ello el hombre olvide la devoción que les debe. Las divinidades de Da Vinci no son ya mitológicas e inaccesibles, sino que por el contrario están a disposición de cada cual, al igual que los catorce santos intercesores a quienes se invoca durante la jornada. Leonardo siente un inmenso y piadoso respeto por la divinidad que para él sobrepasa a todas las demás y de la que todas las demás dependen: la Naturaleza, la Gran Diosa. Para él, como para los griegos, ella es la madre del grano nutricio, la distribuidora de la fertilidad, la fecundadora universal, la que da la vida, la conserva y la acrecienta, y su desnudez ritual revela cuán anchas son sus caderas para engendrar, cuán grandes sus senos que alimentan a todas las criaturas vivas, cuán gigantesca su matriz a la que todas las formas regresan al final de su vida para renacer.

Él sabía que la tierra era divina, y he aquí que a su vez el mar, el mar «sin fin recomenzado», el mar «de innumerables sonrisas» de Esquilo, el mar «color de vino» o «que embriaga como el vino» de Homero, se le aparece, no ya como a los humanistas entre las líneas de un manuscrito, sino repentinamente rumoroso de viento y olas, justo frente a él, cara a cara, por completo ajeno a esas cuestiones de ciudades sitiadas, de torres que se derrumban, de fortificaciones asaltadas, de evoluciones de jinetes o de descargas de lombardas. Cada vez que Da Vinci se halla en presencia de un elemento que muestra el máximo de su potencia y de su belleza, siente a un tiempo una reverencia religiosa, casi supersticiosa, y esa reacción natural del hombre de razón que quiere saber, que interroga a la divinidad, la abraza y le dice, a semejanza del grito de Jacob: «No te soltaré hasta que no me hayas instruido...», puesto que el conocimiento es para este hombre de razón la bendición suprema.

He aquí, pues, a Leonardo, frente al mar en la playa etrusca de Piombino, prosternado ante la inmensidad móvil y presintiendo en su adoración el porqué y el cómo del movimiento del agua, mezclando así la religión y la ciencia, la oración y el análisis, la emoción estética con el estudio de las leyes físicas, amando el universo, venerándolo y «diseccionándolo» como disecciona el cuerpo humano para conocerlo mejor a fin de admirarlo y amarlo todavía más. Todas estas operaciones se producen simultáneamente en la mente de Da Vinci cuando se acerca a los elementos, y en ello se mezcla también ese oscuro temor sagrado que se apodera de Fausto cuando aparece el Espíritu de la Tierra. Hele aquí, pues, observando la violencia del flujo y del reflujo durante una tempestad («Agua que brota en el lugar donde las grandes masas caen y golpean las aguas, vientos de Piombino... Olas del mar en Piombino, tan espumosas...»)[13] con el desprendimiento científico del ingeniero que piensa en la fuerza de los empujes contrarios, y mientras su razón comprueba y calcula, el viejo «terror religioso» de los orígenes inunda su alma, porque tal vez el recuerdo de las antiguas catástrofes y la observación del fenómeno ocasional suscite en él la visión del diluvio.

Esta visión, tal como la sorprende su mirada interior siempre atenta a las cosas lejanas, se traduce enseguida en textos de una extraña poesía y en dibujos que no tienen equivalente, ya no sólo en el arte de su época, sino incluso en la pintura de todos los siglos. El diluvio que describe y pinta asocia en una pasmosa unidad la exactitud científica y lo fantástico. Todas las observaciones aquí anotadas representan el fenómeno tal como fue advertido y examinado; no hay una sola que no sea una verdad demostrable, pero el conjunto nos sorprende y nos deslumbra por la extraordinaria virtud lírica, por la intensidad de la convicción y la atención que manifiesta el informe del acontecimiento. «Los torbellinos del agua giran tanto más deprisa cuanto más cerca están de su centro. Las crestas de las olas marinas comienzan a bajar a su base y golpean, frotándose en ellas, las concavidades de su superficie; y el agua sometida a esa fricción, cuando cae en menudas partículas, se convierte en una espesa niebla y se mezcla con el curso de los vientos, al igual que un humo ondulado o una nube sinuosa, luego, levantada por fin en el aire, se convierte en nubes. Pero a través del aire, la lluvia golpeada y flagelada por el viento se hace escasa o densa según la escasez o la densidad del aire; provoca una inundación de las nubes transparentes y se hace visible gracias a las líneas que traza al caer, la lluvia cercana al ojo del espectador. Las ondas del mar azotan la base oblicua de esos montículos, corren, espumosas, a toda velocidad hacia su cima, y encontrando por el camino de regreso la onda que las sucede, regresan en gran tumulto como un poderoso oleaje hacia el mar de donde partieron. Grandes multitudes de hombres y animales se ven empujadas por ese ascenso del diluvio hacia las cimas de los montes vecinos de las aguas.»[14]

La extraordinaria prosa de Leonardo, densa, jadeante, ardiente, de la que no puede dar cuenta traducción alguna, expresa a las mil maravillas todos los movimientos de la visión, tanto la del ojo exterior como la del ojo interior. Aunque está hecha de estallidos y sordas resonancias, preñada de solemnes misterios cuando el sabio se vuelve vidente, su prosa sigue siendo lúcida y puede, por ejemplo en el momento en que aparece la imagen del diluvio, convertirse bruscamente, sin perder nada de su impulso y de su fuerza, en una simple nota: «Olas del mar en Piombino, espumosas... Torbellinos de viento y lluvia, con ramas y árboles mezclados en el aire.» Pero luego el espectáculo de las barcas de pesca o de guerra que la tormenta ha llenado de agua hace que el observador —que un instante antes contemplaba en el interior de sí mismo un cataclismo cósmico— se vuelva hacia las más humildes preocupaciones cotidianas: «Cómo vaciar de las embarcaciones el agua de lluvia.» (Windsor, Dibujos 12.665 r.). Da Vinci parece en ello muy distinto a Hugo, por ejemplo, en quien la intensidad visionaria provoca cierta ceguera ante la visión material y para quien lo fantástico pierde todo vínculo con lo real. Al dibujar el diluvio, Leonardo compone la escena con elementos científicos que no necesitan esfuerzo alguno para convertirlos en líricos. Por instinto, su inventiva se dirige hacia conjuntos vastos y tumultuosos, tales que ni los más vehementes románticos se atrevieron a soñar; incapaz de pintarlos (tal vez sólo porque el espíritu del tiempo y el lugar no era favorable a ello, mientras que a Altdorfer su medievalismo le empujaba a crear con toda naturalidad esos prodigiosos barullos en los que las muchedumbres chocan y se confunden), retiene esa idea en algunos dibujos, a menudo fragmentarios, raras veces completos, y en anotaciones tan precisas y completas como hubiera deseado que fuese su pintura. Hubiera sido un prodigioso pintor de composiciones dramáticas, más audaz y más patético que los propios románticos, más que Blake, Delacroix y Turner.[15]

La comparación con el gran pintor inglés no es fortuita. Menos completo que Leonardo, menos «naturalista», Turner tenía también esa curiosidad geológica que le hacía estudiar minuciosamente la naturaleza de las rocas que pintaba; y todas sus tempestades, como sabemos, fueron captadas del natural en la playa de Margate o de Brighton. Por otra parte, se encuentra también el delicado colorido y la finura de trazo de las acuarelas de Turner en los mapas geográficos que Leonardo ejecuta con aplicada exactitud y permaneciendo fiel a las exigencias de esa época que quiere que lo útil sea, al mismo tiempo, bello. Difuminados de tiernos colores, que a veces presentan, en los recodos de las corrientes de agua y de los caminos, la armonía secreta de los dibujos anatómicos, sus planos que guiarán la marcha de los regimientos y el transporte de la artillería pesada poseen una gracia extraña y gratuita, la que se encuentra en las algas y las ramas que el tiempo ha devuelto a su esencia, y también en los herbarios.[16]

Entre tanto, los ciudadanos de Arezzo, súbditos de los florentinos, se habían rebelado por instigación del *condottiere* Vitellozzo Vitelli, capitán a sueldo de César Borgia. Éste no había deseado que su nombre apareciese en el asunto para no comprometer el estado de paz, siempre precario, que existía entre la República y el Vaticano, pero no le disgustaba que Vitelli, cargando con la responsabilidad de la aventura, causara ciertas molestias a los florentinos. Contra éstos, Vitelli albergaba amargos reproches. Cuando, unos años antes, Vitellozzo y su hermano Paolo fueron contratados por la República para guerrear contra los pisanos, ambos dirigieron las operaciones con una negligencia que les hizo sospechosos de connivencia con el enemigo. La investigación realizada por Maquiavelo, secretario de cancillería, llegó a la conclusión de que existió una probable, si no demostrada, traición. A consecuencia de ello, Paolo fue asesinado por los florentinos mientras que Vitellozzo, más diestro y rápido, emprendía la huida y se refugiaba en un lugar seguro. Vengar la muerte de su hermano y vengarse de todos los daños que la República le había causado seguía siendo la constante preocupación de ese *condottiere* que se había alegrado, naturalmente, del levantamiento de los aretinos y que había ido a ayudarles con la tácita autorización de su jefe.

La ciudad ha sido ya tomada cuando Leonardo llega a Arezzo, y la población recibe con entusiasmo a esos aliados cuya ayuda le será necesaria para apoderarse de la fortaleza que sigue en poder de los florentinos. Rechazar en unos pocos combates callejeros a una guarnición que se ha hecho impopular no es cosa difícil, pero más incómodo resulta asediar una alcazaba tan fuerte como la de Arezzo y tomarla por asalto. De acuerdo con Vitelli, Leonardo pone en práctica todo su saber en materia de sitios, especialmente para la construcción de las murallas, la preparación de las zanjas y de las minas. Comunica a los ingenieros del *condottiere* la receta del explosivo que ha inventado combinando los consejos de sabios antiguos, cuyas obras ha leído o cuyos pasajes más interesantes se ha hecho traducir por alguien más versado que él en latín y griego. Estos autores son Calcedonius de Tracia, Febar de Tiro, Epímaco el Ateniense y, sobre todo, Calímaco, cuyo nombre va seguido, en el manuscrito donde figura, por el extraño epíteto de «maestro del fuego». Vitelli dio a los sitiados un plazo de cuarenta y ocho horas para rendirse; pero por si acaso ofrecían una resistencia más larga, Leonardo instala un laboratorio improvisado donde mezcla sus ingredientes y fabrica sus bombas.

Tras la capitulación de los florentinos, el artista, liberado de sus tareas bélicas hace una visita a una de las obras maestras más sublimes y sorprendentes del Quattrocento: los frescos de Piero della Francesca, en la iglesia de San Francesco. Se ven todavía nuevos y brillantes con su luz fría y mate, realzados por el tumulto de esas batallas inmóviles, enigmáticos por la analogía que hay entre la figura humana y la forma arquitectónica. En esta historia de la Santa Cruz, los grupos de hombres y mujeres aparecen como columnatas, pórticos y propileos. Un prodigioso genio geométrico bosqueja, con una especie de gélido furor, la estructura de un universo rocoso, metálico, cuyos habitantes están construidos a imagen de los cristales. Leonardo encuentra en Piero della Francesca los principios y las teorías que le habían sido comunicados por Fra Luca Paccioli, que había sido alumno del maestro de Borgo San Sepolcro y heredero de su sabiduría y su saber. Pero lo que en Paccioli eran sólo trazos abstractos, ecuaciones, alusiones a las proporciones divinas y a las leyes armónicas —evidentes u ocultas en todos los órdenes de la naturaleza y todas las creaciones del arte— se anima en Piero con una vida sorprendente, casi terrible. Para quien los contempla largo rato, esos personajes majestuosos, inmóviles, tallados en no se sabe qué roca luminosa, vibrante y sensible, que tienen los ojos abiertos de par en par y la mirada fija, macizos y secretos como pirámides, obeliscos y pilonos en el lindero de su desierto que escrutan y contemplan con desdeñosa seguridad, esas estatuas que tras su corteza de granito y de gres están agitadas por remolinos profundos y volcánicos son, en la frontera de la naturaleza y lo sobrenatural, las inquietantes creencias que no tienen lugar en el universo de Da Vinci.[17]

Tan prolijo cuando se trata de experiencias científicas, Leonardo no dice ni una palabra para calificar el valor y el alcance de una experiencia artística tan considerable como el encuentro con ese gigante de la forma y del número que es Piero della Francesca. Sin embargo, el campo que tienen en común es tan inmenso e importante que Leonardo no puede desconocer el mensaje del pintor de Arezzo. Sin duda hay acontecimientos cuyo impacto y cuya huella uno no puede explicar, aunque tal vez, fuera del ámbito de las matemáticas y la geometría Piero della Francesca y Leonardo da Vinci tuvieran pocos puntos de contacto. La estética del primero, hecha de sobriedad y de clara fuerza, sigue siendo la del Quattrocento. Su oficio nada ha cambiado en la técnica del fresquista desde Giotto y Cavallini: no comprendería un ápice de las «cocinas» pictóricas que tanto interesan a Leonardo, y despreciaría sus inútiles y molestas complicaciones. Para él, todo tiende a lo estático: las propias batallas se resuelven en algunas construcciones rocosas, y los combatientes son los bloques unidos sin remedio a la piedra original, pues la acción más mortífera no podría separar unos de otros, dada su pertenencia a la misma colectividad mineral e indivisible.

Que Da Vinci no reconociera la incomparable belleza de los frescos de Arezzo es probable y comprensible: aunque ambos pintores coincidían en una estrecha región de curiosidades científicas, sus estéticas divergían y tendían hacia direcciones opuestas. El *sfumato* y el claroscuro de *La Adoración de los Magos* y de la *Santa Ana* habrían extrañado a Piero; aunque en Leonardo hubiera admirado al sabio, le habría gustado poco el pintor, ciudadano de un mundo ajeno al suyo. La incomprensión recíproca les habría separado, y si Leonardo evoca las dos batallas de San Francesco d'Arezzo cuando al cabo pinta *La Batalla de Anghiari*, tal vez recordará esos vertiginosos encabalgamientos de masas abruptas, pero en vez de abandonarlos a su eterna ensoñación de gigantes petrificados, hará que por ellos corra el torrente de pasiones crueles que no afecta a los personajes de Piero. Sin duda, estas composiciones, mucho más «modernas» que las suyas, le parezcan a Leonardo tan arcaicas como las batallas de Paolo Uccello, pues ambas responden a unas preocupaciones formales que para él tienen escaso interés.

Es posible, por fin, que por muy enfrascado que esté en los problemas de la hora presente —que son de naturaleza militar y científica y no estética—, y acuciado quizá por el tiempo, que es, como dijo, el «ser de la nada», haya tenido pocas ocasiones de contemplar obras de arte, y le atrajera tan poco la espléndida Pieve románica como los frescos de San Francesco. En cuanto Arezzo fue devuelta a los aretinos y hubo mostrado su agradecimiento hacia el aliado que ha contribuido a su liberación, Leonardo regresa junto a César Borgia. Espera encontrar en la biblioteca ducal de Urbino —cuyas llaves pasan a manos del duque de Valentinois después de un audaz ataque que provoca la precipitada fuga de Guidovaldo— los manuscritos raros que busca desde hace tiempo y que sabe que pertenecían al célebre bibliófilo, en especial ese *Archimenide complet* que no encontrará y que buscará incansablemente durante años, siguiendo su rastro desde los armarios de monseñor de San Agosta en Roma, hasta los del hermano de éste «que vive en Cerdeña».

Ese hombre que dice ser «de pocas letras» anota minuciosamente en sus cuadernos los libros que necesita, las bibliotecas donde se encuentran, los hombres que pueden procurárselos. Leyendo sus cuadernos diríase que desdeñó visitar San Francesco d'Arezzo o que, habiéndola visto, no consideró esta iglesia (uno de los «santuarios» más venerables de la pintura del Quattrocento) digna de una simple mención. Cierto es que el arte de Piero della Francesca tenía pocos puntos en común con el suyo. La pasión que sentía Leonardo por el movimiento le llevaba a buscar el «movimiento original» —como Goethe buscaba la planta original— en todas las formas en que se manifiesta, tanto en las sinuosidades de los rizos de una cabellera como en las de una ola del mar, por ejemplo,[18] y a convertir el movimiento, en tanto que energía, en el principio mismo de la vida («en el Principio era el Movimiento...»). Por eso Da Vinci no podía comprender la rigidez con que Piero della Francesca plasmaba el dinamismo vital, ni su empeño en integrar lo vivo, lo móvil, en el plano de una estática universal. Para Leonardo, el universo fluctúa alrededor de la criatura móvil, que, incluso inmóvil está recorrida por corrientes interiores, como en *La Adoración de los Magos*. Piero, por el contrario, reduce el movimiento a arquitectura, atribuye al cuerpo humano la función de columna, simplemente para substraerlo a las incertidumbres y las angustias del *perpetuum mobile*. No comete el error de asignarle un papel de soporte que es incapaz de desempeñar: parecidas a las cariátides del Erecteion, esas jóvenes libres y hermosas cuya cabeza está exenta del peso del capitel, las figuras de Piero della Francesca, en su calma gravidez, tienen su lugar fijo en un universo de certidumbre y de seguridad.

En la obra de Piero della Francesca se advertía demasiada certidum-

bre y seguridad como para que el espíritu perpetuamente inquieto de
Leonardo viera la posibilidad de una comunión. La lección estética
de San Francesco d'Arezzo no despertaba en él eco alguno, porque era lo
opuesto de lo que deseaba oír y, en lo referente a la enseñanza científica de
Piero, éste estaba oscurecido por la celebridad de Fra Luca Paccioli. El
discípulo se había adjudicado todos los méritos del maestro, de modo
que le atribuían una originalidad de pensamiento, una profundidad de
razonamiento y de cálculo que no eran, en absoluto, atributos suyos sino
sólo la herencia que había recibido de Piero della Francesca. En definitiva, Leonardo no podía obtener fruto alguno del arte de Piero, ni según
creía tampoco ninguna eficacia científica, porque Paccioli le había enseñado hacía ya mucho tiempo lo que Piero podía revelarle hoy.

Por lo tanto, en los cuadernos de Leonardo no hay una sola palabra
sobre los frescos de Arezzo. Del mismo modo, en Urbino sólo parece
haber advertido un palomar —el 30 de julio de 1502— y también la
fantástica escalera concebida por Francesco di Giorgio, pero no comenta en absoluto la prodigiosa arquitectura del propio palacio. Idéntico silencio por lo que se refiere al Tempio Malatestiano de Rimini, obra
maestra del Renacimiento por su armonía exquisita y secreta, su incomparable asociación de gracia antigua y belleza «moderna», sutil e inquieta. Todo lo que parece haber visto de la capital de los Malatesta es una
fuente que examina el 8 de agosto y cuya orquestación sonora le gusta
tanto que apunta su melodía en términos de anotación musical. Admito que no se trataba de un viaje de turista o de diletante pero, a fin de
cuentas, quien copia un palomar puede también maravillarse ante un
palacio, y ciertamente había más musicalidad en la arquitectura de Alberti y en la decoración del templo de los Malatesta —santuario pagano
y profano erigido a la gloria de la más sangrienta de las familias de *condottieri*— que en la fuente ante la que se maravilla y donde olvida el
paso del tiempo escuchando el canto de las pequeñas cascadas.

El papel de Leonardo en las operaciones militares es de observador
por lo que se refiere a la batalla propiamente dicha, de cartógrafo por lo
que se refiere a las marchas, y de ingeniero o pontonero cuando se trata
de atravesar ríos, derribar murallas o construir bastiones. Pero en los intervalos entre esas acciones bélicas prosigue sus fascinantes investigaciones, vinculándolas siempre a los acontecimientos de los que es testigo
para que cada hecho pueda ser, para él, ocasión y materia de un nuevo
saber. Ha aumentado sus conocimientos militares viendo maniobrar los
regimientos de Vitelli, de Orsini y de Oliverotto, ha bosquejado en sus

cuadernos la confusa mezcolanza de jinetes, las contracciones de los rostros doloridos, la gesticulación de los heridos. Observa como escultor y anatomista los movimientos de los hombres y los caballos, y le mantiene ajeno a la refriega el propio hecho de no llevar armas y de ir únicamente equipado con unos lápices, unas minas de plomo o de plata, una redoma de tinta y algunas plumas. Las envidiosas burlas de los capitanes mercenarios han ahogado de una vez por todas sus veleidades de estratega. Es probable, por otra parte, que si hubiera tenido que dirigir realmente una batalla se habría mostrado tan torpe como Maquiavelo, ese ilustre estratega «de despacho» que reveló su impericia al hacer maniobrar sobre el terreno una compañía de mercenarios un día en que, por condescendencia o por malicia, un *condottiere* amigo se lo permitió.

En la guerra, al igual que en todas las demás circunstancias de la vida, Leonardo desempeña ese papel de alumno que adopta cada vez que entra en contacto con «especialistas» capaces de enseñarle algo que ignora. Nadie es menos pedagogo, menos didáctico que él. Su pasión es aprender, no enseñar, e incluso cuando en algunos de sus escritos destinados a la publicación adopta un tono profesoral, lo hace para añadir más valor a sus palabras. Éstas siguen siendo, en cualquier circunstancia, fruto de su experiencia, resultado de sus observaciones, y las presenta sin dogmatismo ni vanidad de autor.

Las ocasiones de aprender, de registrar hechos nuevos y añadirlos a los conocimientos previamente adquiridos, se le presentan a cada instante. El espectáculo de los hombres que combaten cuerpo a cuerpo le revela alguna particularidad anatómica o fisiológica que ignoraba; con objeto de asegurar que un ejército pueda vadear un río, controla y verifica su ciencia hidráulica y pone a prueba su saber teórico. Del hecho aislado se remonta a las leyes, tanto si esa ocasión de inducir se la proporciona una carga de caballería, una muralla que se derrumba o un río desbordado. En Imola, se preocupa menos por la historia antigua o reciente de la ciudad, por las hazañas de esa amazona que era Caterina Sforza a la que a Borgia le costó mucho vencer —¡y cuántas traiciones fue necesario suscitar y «pulir» para lograrlo!—, que de la propia fisonomía de esta ciudad, de la que traza un plano exacto, preciso y, al mismo tiempo, de una extraña belleza.[19]

Según ciertos biógrafos de Da Vinci, ese plano de Imola, que se halla en la Biblioteca Real de Windsor («*la prima e vera carta topográfica di une città*», dice Marcolongo)[20] y que Richter describe minuciosamente poniendo de relieve su excelencia, marca una fecha fundamental. Para nosotros, el plano representa algo más que una obra maestra precoz de la técnica cartográfica; en efecto, vemos en él algo que no me parecería inadecuado relacionar con los dibujos anatómicos de Da Vinci: la búsqueda de una realidad orgánica, el «retrato» de esta cosa viva que es una ciudad, y más aún con respecto a la región que la rodea. El plano añade a la fría objetividad de un catastro esa apasionada atención que muestra Leonardo cuando estudia las circunvoluciones de una concha de caracol o el juego de los músculos en una pata de mono: el deseo de saber cómo está dispuesto y funciona todo aquello. La «función» de las calles, de las plazas —para el interior de la ciudad—, la disposición de los edificios habitados en el cinturón de fortificaciones que es como la epidermis de ese cuerpo, la función de las carreteras que llegan hasta las puertas y zigzaguean por la campiña, los accidentes del terreno, la distribución de las parcelas cultivadas, las curvas de las corrientes de agua, todo sugiere una vitalidad intensa y profunda, social y, más aún, geográfica. Durante los trabajos de urbanista que realizó en Milán, Leonardo ya había intentado demostrar que una ciudad es una realidad orgánica, un organismo vivo y confuso dado su crecimiento fortuito, que necesita y cumple una ley.

El cartógrafo que traza este plano de Imola es aún el mismo hombre en busca de la ciudad ideal, el que inventaba calles de dos pisos para la capital de Ludovico el Moro, y que durante su estancia en Roma ideará para Giuliano de Médicis los establos modelo donde alojará espléndida y cómodamente a sus dioses, los caballos. El ardor científico que despliega en esta campaña hace que no cuestione el valor moral de las operaciones bélicas en las que participa. Ese acto de puro bandidismo que es la toma de Urbino no le preocupa más que esa muestra de astucia feroz que es el *bellissimo inganno* de Sinigaglia, con el que César Borgia hace caer en la trampa, como una atónita bandada de torpes aves de presa víctimas de su propia astucia, a los *condottieri* infieles. Indiferente a la política, ciego incluso a la ética de los acontecimientos, Leonardo planea por encima de las *combinazioni* que hacen estremecerse de júbilo el semblante inteligente y zorruno de Niccolo Maquiavelo que, por ser maestro en política, siente una admiración sin límites por el hombre capaz no sólo de concebir semejantes intrigas sino de llevarlas a cabo.

La curiosidad de Leonardo se satisface pronto a este respecto. La política se parece demasiado a un juego abstracto para retenerle e interesarle. Cuando sabe que César ha hecho caer en la trampa a los felones y ha ordenado que sus esbirros les retuerzan el gaznate, no se alegra pero tampoco le condena. Todo ocurre sin él, muy lejos y por debajo de él. La exclusiva pasión que Maquiavelo siente por la política, que para él es la única ciencia válida, el único placer, la única actividad digna, hasta el punto de que cuando se ve apartado de la escena política está a punto de morir de pena y de tedio, esa pasión no existe para Leonardo, que ni siquiera puede concebir que exista. Con el supremo egoísmo del artista y del sabio, para el que todo debe ser sacrificado al arte y la ciencia en una existencia que parece extrañamente falta de vínculos sentimentales —por lo visto, Leonardo no padeció las magníficas y dolorosas tormentas de aquella pasión que exaltó a Rafael y que doblegó a Miguel Ángel— y durante la cual sustituye la afectividad humana por una entrega total a su noción particular de lo divino, de lo sagrado, Leonardo no juzga a César Borgia, no admira su rápido y deslumbrante ascenso ni se entristece por su caída no menos rápida y fatal. Contempla las vicisitudes de los Estados con una indiferencia desdeñosa; lo único que cuenta para él es poder trabajar tranquila y provechosamente en sus distintas obras de sabio y de artista. Sus protectores no tienen más razón de ser que proporcionarle esa paz de espíritu, esa carencia de preocupaciones materiales, necesarias para el libre y fecundo ejercicio de su genio. Cuando pierde un protector, ya sea porque éste ha sido derrotado y hecho prisionero, como Ludovico el Moro, o porque ha muerto, como Giuliano de Médicis, o bien porque patrocina a nuevas estrellas —Miguel Ángel, Rafael...—, elige enseguida a otro entre los soberanos que le ofrecen su apoyo. Deja a César Borgia cuando éste, después de haber pacificado los Estados Pontificios, entra en Roma para meter en cintura a los turbulentos barones, y Leonardo vuelve a Florencia para recuperar con toda naturalidad su lugar en la ciudad. Porque para él todos los lugares son equivalentes, siempre que pueda trabajar en paz. César Borgia, al zambullirse en el desorden inextricable de la política romana precisamente en vísperas del hundimiento de la «familia púrpura», no tenía ya empleo para su *prestante e dilletissimo Familiare Architetto e Ingegnere generale*, como dice en su carta-patente del 18 de agosto de 1502, firmada en Pavía, que concedía a Leonardo plenos poderes por lo que se refería al ejercicio de sus funciones.

Al comparar su propia vida, tranquila, intensa y dedicada a cosas profundas, con la aventurera existencia de César Borgia, llena de azares que éste en el fondo no domina a pesar de la violencia con que conduce el carro de su destino y tira de las riendas de los caballos desbocados, Leonardo da Vinci apunta en una página de sus cuadernos, el 1 de agosto de 1502 —al mismo tiempo que anota su visita a la biblioteca de Pesaro— esta frase que tal vez encontró en uno de los volúmenes que hojeó aquel día: «*Decepimur votis, tempore fallimur mors deridet curas, anxia vita nihil.*» Esas tres últimas palabras son más elocuentes que unos largos comentarios. «Una vida ansiosa nada vale.» ¿Qué vida más ansiosa que la del duque de Valentinois, hecha de batallas que es preciso ganar de nuevo, de intrigas frágiles como castillos de naipes? El retrato que Leonardo traza de él revela esta ansiedad radical, ese apetito de acción que al mismo tiempo niega que el valor tenga dudas y que la acción sea útil, ese desencanto previo que el violento movimiento de las pasiones no consigue enmascarar, esa desesperación, en una palabra, que nos hace pensar en Hamlet y en Fausto.

Y del mismo modo que Fausto, irritado y decepcionado por el resultado de la guerra, se entrega con gozo a una actividad útil que para Goethe consiste en la excavación de un canal que devuelva la fertilidad a una llanura malsana y estéril, Leonardo da Vinci, cansado y desencantado de las batallas a las que ha asistido, sabiendo que lo esencial de la vida humana está en la creación y no en la destrucción, acepta con entusiasmo realizar el proyecto que le propone César Borgia: crear un puerto que se conectará con la ciudad de Cesena, la capital de la Romaña del duque de Valentinois, y que se llamará Porto-Cesenático. Las circunstancias del terreno son favorables a la construcción, de modo que César dispondrá de una plaza fuerte con salida al mar, que podrá recibir por la costa avituallamientos y refuerzos en caso de necesidad, y que le permitirá practicar esa política marítima cuyas ventajas comprobó en Piombino: una superioridad estratégica y comercial y, más aún, la ocasión de asegurarse al mismo tiempo el control de la tierra y el del mar.

Puesto que César desea convertir Cesena en una verdadera capital —aunque de momento no es mucho más que un campamento fortificado, una base de operaciones militares—, Da Vinci tendrá la facultad de realizar ahí esa ciudad ideal cuyo plano lleva en la mente desde hace mucho tiempo, pero que no pudo recrear en Milán debido a la llegada de los franceses, a las obligaciones impuestas por la guerra y, finalmente, a la caída de Ludovico el Moro. En el caso de que César Borgia goce de un reinado más largo (y a juzgar por su fuerza y su prudencia, parece llamado a un prodigioso destino), Cesena, modesto burgo, se convertirá gracias a Leonardo en una de las ciudades más magníficas del mundo. Sobre todo si tiene en el Adriático ese puerto que será para ella lo que Ostia era para Roma, a condición, sin embargo, de que la capital y el puerto estén unidos por un canal que la arena no pueda cegar. Da Vinci está en Porto-Cesenático el 6 de septiembre de 1502, «a las quince horas», añade con una curiosa preocupación por la exactitud. La idea del canal se le presenta con esa amplitud que entusiasma a Fausto; también Leonardo ve en su imaginación las fértiles campiñas donde las espléndidas cosechas verdean y ondulan, cargadas de espigas, gracias a él.

Siguiendo la ley de alternancia, que es la disciplina de los grandes espíritus, pasa con gusto del elemento fuego al elemento agua. Las campañas de César Borgia le habían hecho vivir bajo el signo del fuego. Había conocido el ronquido inflamado de los incendios que devoran las ciudades. Había creado explosivos para las lombardas, inventado ruedas de fuego que lo destruían todo a su paso y transformaban a los hombres en antorchas vivientes. Después de haberse ocupado del modo de prender los cañones, de componer los productos incendiarios incluidos en los obuses y en las estopas atadas a la punta de las lanzas, Leonardo se había convencido de la virtud destructora del fuego, y habla de ella en todos sus escritos con una veneración preñada de terror.

El fuego, que para san Francisco era «Monseñor mi hermano el Fuego», no es para él en absoluto un elemento amistoso. Ha estudiado sus furores en las ciudades incendiadas, ha imaginado sus mortales efectos en los navíos mientras preparaba en su laboratorio ingeniosas recetas de fuego griego. «Toma carbón de sauce, aguardiente y azufre, pez con incienso, alcanfor y lana etíope, y haz que hiervan todos juntos... Añadirás a esta mezcla barniz líquido, petróleo *(olio petrolio)*, trementina y vinagre fuerte; mézclalo todo y sécalo al sol o en un horno, después de que haya sido retirado el pan. Haz luego una bola de cáñamo u otra estopa que empaparás con la mezcla y en la que insertarás por todos los lados clavos muy acerados. Deja sin embargo en la bola una abertura por donde pasar la mecha, cúbrela luego de colofonia y de azufre...»[21] Conoce tan bien la alegre cólera de este elemento que añade: «El fuego tiene tan gran deseo de arder que correrá por la madera aunque esté bajo el agua.» Ha calculado su fuerza y su duración durante la fundición de estatuas y cañones, ha dispuesto los hornos más útiles, elegido las maderas más propicias a la combustión, y la aleación de metal más fluida y que más dura se vuelve. Ha encendido fuego con espejos cóncavos enfrentados que se envían mutuamente el reflejo de sus rayos («entre espejos cóncavos de igual diámetro, el menos cóncavo reunirá la mayor suma de rayos en el punto donde convergen y, por consiguiente, encenderá el fuego con mayor rapidez y fuerza»[22]). Con la mirada puesta en el cielo ha seguido el trayecto del relámpago, ha analizado el movimiento del rayo, con esa precisión del observador científico a quien la emoción no priva de la necesaria lucidez. «En Milán vi caer un rayo sobre el lado norte de la Torre della Credenza. Recorrió todo el largo de la torre con lento movimiento, luego, separado de pronto, arrancó y se llevó una parte del muro, larga y ancha de tres brazas y profunda de dos. El muro tenía cuatro brazas de ancho y estaba construido con viejos ladrillos, estrechos y pequeños. Su arrancado se debió al vacío que provocó la llama del rayo.» Ese espectáculo le recuerda que un día asistió a un fenómeno parecido en la montaña, «en los roquedales de los altos Apeninos, especialmente en la roca de la Vernia».[23]

Cada vez que advierte la manifestación magnífica o terrorífica de uno de los elementos, su mente se remonta a las causas, a los principios: la erupción de Mongibello, que es el Etna, le hace pensar en el fuego de la Tierra, en los arroyos inflamados que corren por el mundo subterráneo, en la vida secreta de los volcanes... «Como el fuego de Mongibello es alimentado a miles de millas de su boca...»[24] Se representa el gran cuerpo de la Tierra, que para él es análogo al cuerpo humano, recorrido por ríos y torrentes ígneos que lo calientan.[25] La experiencia le lleva a una espléndida cosmogonía donde el fuego desempeña el papel del creador, del fecundador. «Donde hay vida hay calor...» y su genio poético reconstruye en su imaginación este universo cuya virtud animadora es el fuego. Cada vez que su respeto religioso por un elemento se eleva del fenómeno-consecuencia al hecho original, recupera ese acento cargado de misterio con el que, como hemos visto, hablaba de la Tierra. «El fuego es el calor del alma del mundo que corre en la Tierra, y este alma vegetativa instala su morada en las aberturas que, en diversos lugares de la Tierra resoplan en las aguas termales, en las minas de azufre y en el volcán, en Mongibello de Sicilia, y en otros muchos lugares...»[26] Discute el tema de los cinco cuerpos regulares debatido por la antigua ciencia, y la figura del tetraedro atribuida al fuego, mezclando en esta singular asociación de supersticiones medievales, de saber heredado de los antiguos y de descubrimientos modernos, la idea del fuego y de su «cuerpo», el elemento y la alegoría de ese elemento. Su afición por el símbolo le hace ensalzar la virtud de la salamandra «que afina en el fuego su rugoso caparazón», y de acuerdo con la lección de los viejos bestiarios oculta el elemento en una de esas adivinanzas que le agradan y que salpican las páginas de sus serios cuadernos de sabio, y que probablemente divertían a los hombres de aquel tiempo por sus ingeniosos jeroglíficos: «De un minúsculo comienzo se elevará lo que crecerá rápidamente; no respetará nada de lo creado, pero su poder será tal que le permitirá modificar la condición natural de casi todas las cosas.»[27] En esas horas melancólicas durante las que imagina la destrucción de todas las cosas y la desaparición del rostro del universo en esta tierra en la que hemos vivido, compone sus apocalípticos cuadros del diluvio y de otras catástrofes que acompañarán el fin de nuestro mundo, y atribuye al fuego la función de postrer sepulturero de la humanidad, en una página de incomparable belleza que tiene la solemne y secreta resonancia de los presocráticos, además de la vivacidad de visión y de objetivación del artista, acostumbrado a representar en formas plásticas los ensueños de su fantasía y también los cálculos del naturalista que se pregunta científicamente cómo terminará el mundo. «Permaneciendo el elemento líquido encerrado entre las elevadas riberas de los ríos y las orillas de la mar, sucederá, con el volumen aumentado de la Tierra que, al igual que el aire de alrededor debe ligar y circunscribir la máquina reblandecida de la Tierra, así su masa que estaba comprendida entre el agua y el elemento del fuego se hallará estrechamente comprimida y privada del agua necesaria. Los ríos se desecarán; la tierra fértil no producirá ya sus brotes; el campo no conocerá ya la ondulación de los trigales. Todos los animales perecerán por falta de hierba fresca para alimentarse; los leones devoradores, los lobos y demás bestias rapaces no tendrán ya pasto para vivir; y tras muchos desesperados recursos, los hombres se verán obligados a renunciar a la vida y la raza humana dejará de existir. Así abandonada, la tierra fértil y fecunda permanecerá árida y estéril, y gracias al humor acuoso encerrado en su vientre y por su vivaz naturaleza, continuará siguiendo en parte su ley de desarrollo hasta que, habiendo atravesado el aire frío y rarificado, se vea obligada a terminar su carrera en el elemento del fuego. Entonces su superficie se consumirá en cenizas y éste será el final de toda terrenal naturaleza.»[28]

CAPÍTULO DOCE

«La Batalla de Anghiari»

Tras la pacificación de la Romaña, el castigo de los indóciles gobernadores, sustituidos por lugartenientes del duque, y la ejecución de los
condottieri felones, la campaña había terminado. César Borgia había regresado a Roma para dar cuenta de los acontecimientos al papa Alejandro VI, y Leonardo da Vinci, provisionalmente libre y de vacaciones,
regresó a Florencia. Pero aún no había prestado todos los servicios para
los que había sido contratado. Pues según los designios de César, la guerra en la que Leonardo acababa de tomar parte sólo era el preludio de
una vasta expedición de conquista que únicamente se detendría cuando
alcanzara las fronteras de Italia. Leonardo no había pues cumplido, con
respecto a su «dueño», las obligaciones que había aceptado, y en cualquier momento podía ser llamado a volver a servir al terrible capitán, en
cuanto a éste se le antojara reiniciar la campaña. Por desgracia, el signo
del fuego bajo el que César Borgia vivía sólo incubaba, como dijo una
vidente de la época, una «llamarada fugaz»,[1] y esta llama pronto se extinguiría bruscamente por obra de los trágicos acontecimientos que seguirían a la cena del 11 de agosto de 1503, durante la que Alejandro VI
y su hijo iban a ser envenenados.

A partir de aquel momento, Leonardo vuelve a disponer de sí mismo. Tras la muerte del papa y el hundimiento de César, Leonardo dejó
de recibir los emolumentos que este último le concedía, de modo que el
pintor recurrió al capital que a su regreso de Milán había depositado en
esa banca que era el Ospedale de Santa Maria Nuova. Otros dos artistas
florentinos, empleados también por César Borgia —San Gallo en calidad de ingeniero militar y el escultor Torrigiani como soldado mercerio atraído por la rica soldada—, han regresado también a su ciudad

natal después de que la «llamarada fugaz» hubiera echado su última humareda.

A Leonardo no le faltará ocupación. En cuanto le sabe de vuelta a la «vida civil», la marquesa de Mantua solicita de nuevo algunas obras de su mano. Por su lado, la Señoría advierte que sería beneficioso utilizar para el bien de la ciudad los conocimientos militares que Leonardo sin duda ha adquirido durante los meses que acaba de pasar junto a Borgia: la guerra contra los pisanos, que hace ya varios años que dura y que tiene su origen en la rivalidad existente entre las dos grandes ciudades en el terreno comercial y político, se eterniza sin que sea posible reducir la resistencia de Pisa. Gracias a su situación favorecida por la vecindad del mar, la ciudad ha resistido todos los asaltos de los florentinos. El bloqueo que éstos intentaron, por el lado de tierra, con fortificaciones que impidieran acceder a la ciudad sitiada y, por el lado del mar, con una flota destinada a interceptar los convoyes de víveres y refuerzos enviados a los pisanos, no ha logrado su objetivo. Mientras Pisa pueda utilizar el Arno para recibir ayuda del exterior, será imposible tenerla a su merced; las barreras construidas por San Gallo no han servido de nada. Los florentinos recuerdan entonces los trabajos de Leonardo da Vinci en Milán, sus proyectos para Piombino y la ejecución del canal de Porto-Cesenatico; si un hombre es capaz de vencer a Pisa en ese terreno, sin duda es él.[2]

Los de Florencia acarician aún otro proyecto: el de pintar al fresco los muros de la gran sala del Palacio de la Señoría. ¿Por qué elegir para ello a Leonardo, cuando su habilidad como fresquista está muy por debajo de la de sus compatriotas? Sencillamente porque el gonfalonero Soderini quiere que se representen algunas de las célebres victorias obtenidas por los florentinos en recientes guerras; el artista que durante casi un año ha participado en las campañas de César Borgia parece ser el «pintor de batallas» deseado. Asimismo, ciertos espíritus quiméricos —y los había incluso en la sabia e irónica ciudad toscana— proponían que se sobrealzara el edificio más venerado de la ciudad, el viejo Baptisterio de San Juan. Empresa imposible, se dirá. Pero no le pareció irrealizable a Leonardo cuando le pidieron que presentara unos planos para su ejecución.

Mientras Leonardo proyectaba ya aceptar las tres tareas, cada una de las cuales exigía mucho tiempo y esfuerzo, la caída de los Borgia se aceleraba con una rapidez fulminante. La elección del fogoso cardenal della Rovere para el Sumo Pontificado marcaba el hundimiento de la dinastía española por la que éste siempre había sentido odio. César había desaparecido. Confiando imprudentemente en la generosidad de sus enemigos los españoles, fue a ponerse en manos del Gran Capitán, que le hizo meter en la cárcel, y sólo se evadiría de esa cárcel para morir heroicamente en un foso cerca de Viana, tras haber cargado a solas contra un escuadrón castellano. En consecuencia Leonardo podía considerar sin deslealtad y sin faltar a su palabra que su compromiso con los Borgia había terminado. Había vuelto a arraigar tan bien en Florencia, que en octubre de 1503 solicitó su inscripción en la corporación de pintores, condición necesaria para la atribución de un encargo oficial.

Hemos hablado ya del proyecto de desviación del curso del Arno, pero del proyecto de sobrealzado del baptisterio no hay gran cosa que decir, pues el asunto nunca fue seriamente estudiado y permaneció en estado de boceto. El propio Leonardo se limitó a hacer algunos dibujos audaces y vagos: las dimensiones del edificio, antigua catedral de Florencia hasta la construcción del duomo de Santa Maria del Fiore, hacían la empresa prácticamente irrealizable. Bastante difícil era, también, otro proyecto que le sugieren luego: construir unos soportes gigantescos para impedir el deslizamiento del monte San Miniato, que amenazaba con derrumbarse porque habían debilitado imprudentemente su base al abrir la Via San Niccolo.

Ya en 1500 al presentir el peligro se había reunido una comisión de arquitectos y técnicos, entre los que figuraban los maestros del *arte della lana* y algunos artistas: Jacopo Pollaiuolo, Antonio da San Gallo, Simone del Caprino y el propio Leonardo. Naturalmente, no se habían puesto de acuerdo, algo que solía suceder cuando se encargaba del asunto un gran número de personas. Puesto que el peligro parecía menos inminente de lo que se había temido, las cosas quedaron en suspenso, pero en 1503, el hecho de tener a Leonardo a mano revitalizó el asunto, sin que tampoco esta vez se llegara a una conclusión práctica. Por lo que se refiere al baptisterio, es posible que los magistrados de la ciudad sólo tuvieran pensado consolidar los cimientos antes de realizar la obra, pero Leonardo se entusiasmó ante ese proyecto, al que se refieren algunos croquis del *Codex Atlanticus*.[3] Alegando un precedente célebre —el sobrealzado de la Torre della Magione en Bolonia, a cargo de Nardi y de Fioravanti, dos arquitectos que, en esa circunstancia, se habían mostrado tan hábiles como audaces— pretendía que era posible realizar una operación semejante en el viejo baptisterio; éste descansaría entonces sobre un soporte abovedado, que pondría más de relieve la exquisita belleza de su arquitectura. Sin embargo, los florentinos no confiaron lo bastante en él: estaban demasiado apegados a esa antigua iglesia para exponerse a que se derrumbase durante la operación, y la cosa quedó ahí.

La decoración del Palazzo Vecchio, por el contrario, le había sido confiada con el unánime consentimiento de la Señoría, a propuesta de Piero Soderini que, de creer en la afilada y maligna lengua de Maquiavelo, tenía más gusto artístico que talento político. La decisión se refería sin embargo a un solo panel de la Sala del Consiglio; el otro panel, como es sabido, iba a ser atribuido el año siguiente a un joven escultor, Miguel Ángel Buonarroti.[4]

Las relaciones de Miguel Ángel y de Leonardo da Vinci eran las que pueden mantener normalmente dos artistas de igual genio y de un temperamento obstinado e intransigente. Por lo que concierne a la armonía de la decoración de la Sala del Consiglio, era de entrada un error encargar los dos paneles a dos artistas tan distintos cuyas obras, frente a frente en dos paredes opuestas, no podían sino perjudicarse recíprocamente. Por un curioso azar, la fatalidad se encarnizó imparcialmente con ambos pintores no dejando subsistir ninguna de ambas obras, pero es posible imaginar que de haber sobrevivido éstas habrían causado un efecto discordante.

Si se alega la sutil armonía que existe entre los frescos de la Capilla Sixtina, cuyos autores son pintores tan dispares como Cosimo Rosselli, Botticelli, Perugino y Signorelli, se advierte enseguida que esos maestros poseen una «unidad de estilo» y una «unidad de tono» que crean una verdadera concordancia entre sus personalidades y sus estéticas, por variadas que sean. En cambio, existe un violento contraste entre esa unidad y los frescos del Juicio Final y del techo, obra de Miguel Ángel, que son magníficos en sí mismos, pero por completo antitéticos de los de sus predecesores. El sublime efecto de los conjuntos pintados por un solo artista —como la capilla de San Francesco d'Arezzo por Piero della Francesca, las cámaras del Vaticano por Rafael, los aposentos Borgia por Pinturricchio, la Librería del Duomo de Siena por el mismo Pinturricchio, por no hablar de la capilla Scrovegni de Giotto en Padua— proviene de que en ellos se aprecia la variedad de dones y medios de expresión de un solo artista. Bien es cierto que en la basílica de Asís intervinieron varios artistas, pero la diversidad de estilos se ve superada por la común espiritualidad que hermana a Giotto, Cimabue y Cavallini. El proyecto de la Señoría florentina, por el contrario, sólo podía desembocar en un desastroso muestrario, aunque la fatalidad lo impidió antes incluso de que concluyeran las obras encargadas.

Dos anécdotas, de las que Miguel Ángel es el protagonista, describen su comportamiento con respecto a los más ilustres de sus contemporáneos. El uno nos lo muestra reprochando irónicamente a Rafael que paseara seguido por una multitud de admiradores, discípulos y aficionados, a lo que el pintor de la Escuela de Atenas replicó que él, Miguel Ángel, estaba siempre solo, «como el verdugo».[5] La otra historieta nos lo muestra peleándose con Leonardo da Vinci, que tuvo la imprudencia de someter a su arbitraje una cuestión erudita que tenía que ver con la obra de Dante. ¿Era una insolencia deliberada, una broma inocente, una broma sin maldad alguna? Sea como sea, Miguel Ángel se tomó muy mal la cosa y respondió brutalmente a Leonardo que más le valdría callarse, ya que había sido incapaz de llevar a cabo el monumento de Francesco Sforza, y que lo había abandonado sencillamente porque no había sabido cómo salirse del paso.

La situación era, como suele decirse, tensa entre aquellos dos artistas geniales a los que todo separaba. En el debate suscitado con respecto al futuro emplazamiento del *David* de Miguel Ángel, Leonardo había sugerido un lugar que no gustaba en absoluto al joven escultor, y éste se había tomado la idea como una injuria personal. Finalmente, el hecho de que Leonardo hubiera deseado, según se cree, el bloque de mármol del que el otro había cincelado el *David*, se hallaba, tal vez, en el origen de su animosidad. A algunos magistrados florentinos, dotados del espíritu cáustico de su raza, tampoco les disgustaba instituir entre ambos una especie de duelo cuyas armas serían las «batallas». En cualquier caso, ese duelo sería de orden estético, y la rivalidad de esas dos naturalezas antagónicas desembocaría, en suma, en la creación de dos obras violentas y paradójicas, en las que cada cual exageraría probablemente su originalidad y su «modernidad».

Ninguno de los dos pintores tenía intención de plegarse a la tradición de las escenas de batallas tal como estaba en uso por aquel entonces. He hablado ya de esta tradición en mi libro sobre Miguel Ángel; no volveré sobre ello.[6] Recordaré simplemente que no estaba acorde con su carácter ni su estética seguir los ejemplos propuestos por dos grandes pintores contemporáneos, Piero della Francesca y Paolo Uccello, temperamentos antinómicos entre sí y sin relación con el genio de Miguel Ángel y Leonardo. Opuesta al dinamismo nórdico y medieval cuyo ejemplo más magnífico y atractivo es la *Batalla de Arbeles* de Altdorfer, la tradición italiana del Renacimiento se remonta a la columna Trajana, evitando los patéticos intrincamientos y los conflictos sobrehumanos del Barroco helenístico y del altar de Pérgamo.

Las «batallas» de Paolo Uccello pretenden subrayar la gloria militar de tal o cual *condottiere*, cuyas hazañas inmortaliza mediante un símbolo de acción bélica que no es ninguna batalla en particular, ni tan siquiera una batalla. Los cuadros que pinta para ensalzar las proezas de Niccolo da Tolentino en San Romano o Sant'Egidio, no son más que «panoplias animadas», trofeos figurativos donde aparecen los símbolos de la vida militar, en una ingeniosa combinación de formas y objetos que, por una parte, responden a búsquedas de estilística pura, de expresión del espacio y de armonía de las proporciones, que eran el terreno preferido de Paolo, y, por otra parte, constituyen una especie de «ecuación de la batalla» desprovista de intención narrativa, a la manera de un conjunto de trofeos bélicos dispuestos de un modo original y atractivo alrededor de la tumba de un jefe. De ahí la cualidad estática de esas «acciones» condensadas en escenas enérgicas y breves que, aun animadas por gestos y gritos, resultan sin embargo sorprendentes por la extraña inmovilidad que en ellas aparece.[7]

Lo mismo ocurre, aproximadamente, en las dos batallas que figuran en los frescos de San Francesco d'Arezzo: también ahí, la vehemencia dramática se fija, se petrifica en el ordenamiento arquitectónico de las masas sobre las que asoman, semejantes a máscaras trágicas, los rostros furiosos o doloridos. Esta arquitectura de cuerpos arbitrariamente gesticulantes no es ni la culminación ni la posibilidad de un movimiento; ninguna explosión podrá dislocar este conjunto de volúmenes inquebrantables, inaccesibles al espíritu de un drama que no sea intelectual. Estas pinturas no traen a la mente la imagen de una «panoplia» o un trofeo, sino la de unos atlantes liberados de su función portadora, pero necesarios para la estructura estética, si no funcional, del edificio.

Dado su carácter y su originalidad, Leonardo da Vinci no podía enfocar el problema de un modo semejante. Primero, porque el tema, *La Batalla de Anghiari*, le había sido impuesto, y también porque la finalidad de la obra consistía en exaltar los fastos militares de Florencia. Aun respetando las razones del encargo, Leonardo da Vinci encontrará el medio de satisfacer las exigencias de sus clientes sin ser infiel a su inspiración. La ocasión de representar una batalla le seduce, porque todos sus estudios sobre el movimiento tendrán ahí un campo de acción infinitamente más amplio que en *La Adoración de los Magos*. Además, durante las batallas de César Borgia, ha respirado la atmósfera que conviene a la obra. Por eso, en vez de describir de un modo gratuito, como hará Miguel Ángel, y según su fantasía, una acción bélica cualquiera, comenzará por reunir todos los documentos necesarios para reproducir con exactitud la batalla de Anghiari, informándose sobre sus particulares y sobre los jefes que participaron en ella. Estos detalles están inscritos en las páginas del *Codex Atlanticus*[8], con una caligrafía que no es la suya y por una mano en la que algunos expertos en caligrafía han creído reconocer la de Maquiavelo, y podemos suponer, pero no probar, que el secretario de Cancillería, a quien Leonardo conoció bien durante las campañas de César Borgia, le informó de todos los detalles de una batalla que él mismo, por su lado, contaba y describía en sus *Istorie fiorentine*. Aunque no es posible establecer con certeza esa extraña colaboración.

El papel de Maquiavelo (siempre que fuera realmente el desconocido redactor de esa especie de resumen que Leonardo conserva en su cuaderno) se limitó a un breve relato de la batalla y a la enumeración de ocho capitanes florentinos que mandaban, aquel día, el ejército de la República. Por lo que se refiere a la anécdota, desconocedor como era de las necesidades y posibilidades de las artes plásticas, Maquiavelo, o el desconocido consejero, dicta al pintor la historia de los acontecimientos, como si fuera muy natural representar en un solo cuadro los distintos episodios de la gloriosa jornada. «Comenzarás —dice— por la arenga de Niccolo Piccinino a los soldados y a los florentinos exiliados...» Piccinino mandaba las tropas milanesas, a las que se habían unido, como solía ocurrir en esa época de destierros, los *fuorusciti* florentinos que, huéspedes de Milán, tomaban las armas en favor de ésta y contra la patria que les había expulsado. «Luego, le mostrarás a caballo, armado de los pies a la cabeza y seguido por todas sus tropas; cuarenta escuadrones de caballería y dos mil infantes le escoltaban.» Las cosas se complican más aún cuando el Patriarca, que es aliado de los florentinos, tras haber elevado al cielo una ferviente plegaria por la victoria de éstos, ve salir de una nube a san Pedro, y el apóstol le habla. A continuación de este acontecimiento sobrenatural, la batalla se desarrolla como todas las batallas, hasta la derrota de Piccinino, que arrastra en su fuga al ejército lombardo.

Representar todo eso es claramente imposible; para ejecutar el programa de su benevolente informador, Da Vinci hubiera debido disponer de los recursos del cine, y podemos imaginarnos que habría hecho maravillas con su gran inventiva y ese talento en el que el saber técnico

se unía al sentido artístico. Un cuadro sólo puede fijar un momento de
la batalla, aislado en el tiempo, independiente de los demás momentos.
Miguel Ángel, ante la obligación de representar la batalla de Cascina
entre florentinos y pisanos, «hará trampas», en el sentido de que dejará
a un lado la batalla propiamente dicha para retener solamente un episodio que la precedió: el instante en que los soldados florentinos, que se
bañaban apaciblemente esperando al enemigo, salen precipitadamente
del agua al oír las trompetas que anuncian el ataque pisano. El escultor
del *David* había elegido la forma de expresión que mejor convenía a su
carácter y a sus gustos; un grupo de hombres desnudos espoleados por
la prisa, el miedo, el entusiasmo, la confianza: un fragmento de escultura, en suma, sin relación alguna con la «pintura de batallas» y apenas
evocador del tema que le habían dado. Esta elección en el terreno plástico es característica del espíritu del Renacimiento: la Edad Media, en
semejantes circunstancias, prefería la anécdota. Miguel Ángel, por otra
parte, vuelve a las tradiciones romanas y etruscas que le inspiraban y seguían perviviendo entre los de su raza. Es, en su composición, infinitamente más «moderno» que Paolo Uccello y Piero della Francesca como
«pintores de batallas»; y también mucho más moderno que el propio
Leonardo da Vinci, a menos que (cosa que resulta evidente) consideráramos que éste, en su cartón de Anghiari, presagia ya al Delacroix de la
Batalla de Taillebourg.

Dada la mentalidad de Da Vinci, el tema propuesto tenía que desarrollarse en varios planos. Para el primero, realista, emplearía los recuerdos de las campañas que hizo al lado de César Borgia, sin exagerar, no
obstante, la faceta histórica del acontecimiento. Pasando, como solía,
de lo particular a lo general, Leonardo se basaría en la contienda de
Anghiari para representar la batalla en general, la batalla tipo, a la que
dotaría de todos los rasgos que la definen y la caracterizan. Una multitud de dibujos y notas, que llenan sus cuadernos, le proporcionarían los
materiales para esta representación ideal o idealizada. De esta generalización de un hecho pasaría a la lección suprema, extraída de su filosofía:
todo es lucha en la vida, y la lucha es el propio principio de la vida. Eso
es evidente en todas las manifestaciones de la naturaleza, y el fragor de
las olas encrespadas, que el propio Leonardo había escuchado hacía
poco en la playa de Piombino, le había reafirmado en su creencia de que
la lucha universal tiene lugar en todo momento y en cualquier terreno.
Así pues, su composición debía constar de tres planos que no habían de
estar separados, al ingenuo modo de los Primitivos, sino fundidos el

uno en el otro, de modo que una sola representación pudiera lograr tres cosas al mismo tiempo: recordar la fecha y el lugar de la victoria obtenida por el ejército florentino sobre el *condottiere* de Filippo Maria Visconti en un lugar concreto —es decir, en la llanura de un afluente del Tíber, entre Arezzo y Borgo San Sepolcro, región de la que Leonardo había hecho un mapa durante la última campaña—; luego, pasando a una osada generalización, poner ante los ojos del espectador la batalla «más batalla» que imaginarse pueda y, por fin, despertar en su pensamiento la idea del «conflicto» que está en la base de toda vida y que mantiene la vida tanto como la destruye.

El cuidado con el que el pintor se informa de los contendientes y del desarrollo de la batalla parece casi superfluo, pues es evidente que la faceta «batalla genérica» prevalecerá muy pronto sobre el incidente histórico. Parece también que, como de costumbre, a pesar de haber recogido tantas observaciones y experiencias Leonardo dejará al margen los recuerdos de sus aventuras guerreras o sólo conservará de ellas lo que ha quedado retenido por su imaginación visionaria. Las notas que toma para la representación de una batalla (se refieran o no al encargo de la Señoría) son esencialmente «románticas», pues insisten en el elemento pintoresco y patético, casi me atrevería a decir literario si ello no comportase una crítica y un reproche hacia Da Vinci. Los elementos que retiene y pretende incluir en la composición son los mismos que habrían tentado a un Casanova, en el siglo XVIII, y a un Géricault en pleno Romanticismo. «Ascenderán flechas en todas direcciones, descenderán, volarán en línea recta llenando el aire, y las balas de los escopeteros dejarán tras de sí una estela de humo. Por lo que se refiere a las figuras de primer plano, mostrarás llenos de polvo sus cabellos, sus cejas y todas las partes lisas que puedan retener el polvo... Si representas a un hombre caído, reproduce las marcas de su resbalón en el polvo convertido en sangriento lodo; y a su alrededor, en la tierra ligeramente líquida, mostrarás las huellas de los pisotones de los hombres y los caballos que por allí pasarán... Un caballo arrastrará el cuerpo de su dueño muerto dejando tras de sí, en el polvo y el barro, el rastro del cadáver... Haz a los vencidos pálidos y deshechos, con las cejas levantadas y fruncidas, con la piel de la frente surcada por dolorosas arrugas. Unos surcos que vayan de la nariz al nacimiento del ojo arquearán las aletas nasales...» Diríase casi un maquillaje teatral, pues esos detalles tan precisos en un cuadro que normalmente debería contener decenas de figuras, hacen que cada rostro tenga carácter y expresión propios.

Contrariamente a Miguel Ángel, que para su composición había elegido una escena previa al combate, el episodio del baño fluvial de los soldados, Leonardo aconseja subrayar, con una especie de mal gusto feroz y una insistencia en lo cruel y lo macabro, las imágenes más repugnantes del sufrimiento y de la muerte: «Cadáveres, unos medio enterrados en el polvo, otros cuya sangre después de haberse deslizado en sinuosos hilillos sobre el polvo terroso irá a mezclarse con él formando un barro rojizo. Los moribundos rechinarán de dientes, y con los ojos en blanco y las piernas retorcidas se golpearán el cuerpo con los puños... Mostrarás un río por el que galopen caballos, y entre sus piernas y sus cuerpos resaltarás la gran turbulencia de las ondas, la espuma y las salpicaduras. Pero cuida de que no haya un lugar llano donde no se descubra la huella de pasos sanguinolentos.»[9] Éstas son las recomendaciones que Leonardo se hace a sí mismo y transcribe también para beneficio de un eventual lector, referentes a la faceta emocional del cuadro: es decir, el detalle pintoresco que capte la imaginación, que turbe la sensibilidad, que suscite el horror, el temor, la piedad y el asco. Todo ello se parece en exceso, ya lo he dicho, a la «literatura». Encontraremos, por el contrario, al pintor en las notas donde trata de la reproducción técnica de ese o aquel aspecto de la batalla, sin considerar ya su alcance patético. «En una batalla, las distintas partes de los hombres y los caballos serán tanto más oscuras cuanto más cerca estén del suelo; las paredes de los pozos nos lo enseñan, pues parecen más oscuras en la parte honda, porque esa profundidad recibe menos aire luminoso que cualquier otra parte. Y el suelo, cuando es del mismo color que las piernas de los hombres y de los caballos, parece siempre más iluminado que las piernas desde igual punto de vista.»[10] Y también esta recomendación, en la que el ojo del artista y el saber del físico coinciden: «Muestra primero el humo de la artillería mezclado en el aire con el polvo levantado por el movimiento de los caballos y los combatientes. Expresarás eso como sigue: el polvo, un elemento terrestre y pesado —aunque su levedad lo levanta fácilmente y lo mezcla con el aire— tiende siempre a caer y sólo llega a su mayor altura en su parte más sutil, es decir, la menos visible, que parecerá siempre del color del aire. El humo, confundido con el aire polvoriento, tendrá, a medida que ascienda, la apariencia de una nube oscura, en lo alto de la cual será más perceptible que el polvo. Este humo adoptará un tinte algo azulado y el polvo conservará su color natural. Del lado de donde proceda la luz, esa mezcla de aire, humo y polvo parecerá mucho más clara que del lado opuesto. Por lo que a los combatientes se refiere, cuanto más grande sea el tumulto, menos se les verá y menos acusado será el contraste entre sus sombras y sus luces.»[11]

Si bien no todos los «dibujos de batallas» de Leonardo constituyen esbozos para *La Batalla de Anghiari* —puesto que pertenecen a varios períodos de su vida, anteriores y posteriores al encargo de la Señoría—, ilustran exactamente los distintos aspectos, patéticos o técnicos, que describen sus notas. Pero esos episodios bélicos no deben ser considerados aisladamente del resto de su obra, sino que están estrechamente unidos a ella, pues son otras tantas investigaciones sobre la naturaleza y la expresión del movimiento. El más hermoso y más conmovedor es el dibujo que, evidentemente, no tenía cabida en la batalla de Anghiari, porque representa un combate en el que toman parte elefantes. Esta sanguina, realzada con piedra negra sobre preparado rojo, que figura en la Biblioteca Real de Windsor,[12] data verosímilmente de 1511, y se relaciona con los esbozos del diluvio y ese conjunto de «visiones» en las que Leonardo volcaba su sentimiento apocalíptico. Los demás dibujos pertenecientes a ese período de 1503 y 1504, durante el cual Da Vinci trabajaba en *La Batalla de Anghiari*, guardan una relación directa con esta obra, aunque no podamos saber cuánto hay de ellos en el cuadro, puesto que el conjunto de la composición se ha perdido, y lo poco que de ella conocemos sólo nos ha llegado a través de una copia de Rubens que tuvo la suerte de ver un fragmento del cartón original y reproducirlo.

He dicho ya en otra parte que la mala suerte se encarnizó con el cartón de Miguel Ángel.[13] La fortuna de la obra de Da Vinci fue también desastrosa, por culpa del propio pintor y por la posterior serie de acontecimientos. Sin embargo, los dibujos que se refieren a esta composición y la copia de Rubens nos proporcionan suficientes datos para tener una idea de lo que debieron de ser el cartón y el propio fresco: una admirable lección de anatomía y de fisiología, una epopeya romántica de un movimiento irresistible y de un incomparable fulgor y, como todas las pinturas de Leonardo, un compendio de sus conocimientos de artista y de sabio, patentes en esta tumultuosa pelea en la que los florentinos podían apreciar con orgullo el valor de sus antepasados y el éxito de la República sobre los detestados milaneses.

Pese a todo, los verdaderos héroes de la batalla no son los hombres sino los caballos. He dicho ya lo que el caballo significa en la obra y el pensamiento de Leonardo, el considerable lugar que ocupa en su obra y en su vida, el papel que desempeña en esta especie de implícita mitología que es la del pintor. En todos los planos de la actividad vinciana, en efecto, descubrimos el caballo. Sus contemporáneos nos cuentan que, en su juventud, le gustaba asombrar a sus conciudadanos por los magníficos atuendos que vestía y los soberbios y briosos caballos que montaba. Existe, evidentemente, en todo tiempo, una extraña intimidad entre este hombre y el caballo; intimidad que nació probablemente en la granja de Anchiano, donde el niño, entregado a sí mismo, jugaba libremente entre los animales, los asociaba a sus acciones y a sus ensoñaciones, les atribuía un lugar eminente en su universo objetivo y en su imaginación. La nobleza del caballo, su belleza plástica, la vivacidad de sus movimientos y, también, ese misterio que lo acompaña, esa «impenetrabilidad» que a menudo nos opone, sus caprichos, sus fobias, sus «manías», debían despertar en el alma del muchachito una admiración asustada, una simpatía a menudo incomprensiva, acompañadas al mismo tiempo de una amistad y una veneración casi religiosa.

El espíritu de la tierra cuya existencia Leonardo percibió ya desde niño le presentó el caballo como una criatura enigmática, poderosa, sagrada, muy distinta de la humilde bestia que se unce o se ensilla. Así, muy pronto, el caballo se incorporó a la religión de Leonardo, aunque él ignorase todos los mitos a los que está asociado este animal. Por instinto, y porque siempre estuvo en armonía con los elementos, y porque a pesar de no haberlas estudiado había hecho suyas las antiguas cosmogonías, cuyo espíritu «sentía» profunda y ciegamente aun ignorando la letra, Leonardo aceptó el caballo como uno de sus dioses. De todos los animales es el que más le gusta dibujar, porque es el que se asocia con el mayor número de elementos: a la tierra porque brota del suelo tras el golpe del tridente de Poseidón, al fuego porque toma parte en las batallas, al agua porque las blancas olas son escuadrones de níveos corceles que desparraman sus crines y sus espumosas colas. El pájaro es el elemento aire cuya conquista Leonardo anhelará durante toda su vida realizar, el visitante misterioso que cierto día se arrojó sobre el niño, fingió querer entrar en él, le bendijo la boca con las plumas de la cola —señalando el despertar a la vida— y luego emprendió el vuelo arrastrando en su estela la imaginación, la nostalgia, la aspiración, el deseo...

Su curiosidad de naturalista le inclina hacia todos los animales; disecciona osos y monos, estudia las fieras en el zoológico de la Sforzesca en Vigevano, representa gatos jugando entre sí, conoce la acolchada suavidad de una pata de leopardo, inventa incluso monstruos combinando distintas partes de animales o ideando criaturas fantásticas; pero nunca hace intervenir al caballo en estas diversiones. Ya nos lo muestre en reposo o en plena acción, ya lo convierta en una montura escultórica y monumental, o capte casi al vuelo el galope de un semental, el caballo «guarda las distancias» y conserva algo de su carácter sagrado.

En el orden práctico, sabemos con qué aplicación inventó para él unos establos modelo, en Milán, en Roma, unos aposentos magníficos y confortables a un tiempo. Y del mismo modo que quisiera alojarlo en un palacio, lo introduce en sus pinturas, lo sitúa en el círculo más íntimo de *La Adoración de los Magos*, para que el caballo-dios presida, en cierta manera, el nacimiento del Niño-Dios. Por esta misma razón, los caballos de *La Batalla de Anghiari*, tanto en los dibujos preparatorios como en los fragmentos copiados por Rubens, son más vivos y más expresivos que los hombres, están dotados de una vitalidad terrible, casi sobrenatural, y aparecen entonces como lo que son, los elementos de los Elementos, la llama, la ola, el galope de la lava ardiente que baja por la ladera de los volcanes, las nubes que recorren el cielo, las pesadas y densas humaredas que suben de la tierra convulsa. Criaturas desenfrenadas que comparten las pasiones de los hombres y las llevan a un grado de intensidad sobrenatural, los caballos de *La Batalla de Anghiari* ya no representan los escuadrones de Piccinino o de Orsino, sino las fuerzas de la naturaleza, brutas y santas a la vez, ante las que sentimos que Leonardo se prosterna con un respeto que está muy cerca de la adoración.

Podemos preguntarnos entonces si, cuando renunció a terminar la estatua de Francesco Sforza, lo hizo acaso porque no se sentía capaz de expresar todo lo que quería «hacer decir» a ese caballo. Y el hecho de que Leonardo diera tanto realce al caballo en detrimento del jinete se advierte también en las frases de los contemporáneos que, para designar esa estatua, decían siempre: *il cavallo*, como si en el conjunto de montura y jinete contara más la primera. Leonardo tiene dibujos de caballos que anuncian a Degas, principalmente los maravillosos estudios en punta de plata sobre preparado rosa que están en Windsor,[14] dibujos documentales, diría yo, de una gracia y un realismo admirables, pero hay otros donde el caballo, sublimado, transfigurado, «heroizado», se convierte en un animal fabuloso, preñado unas veces de sutileza divina y espiritualizado hasta el extremo, otras sumido en los remolinos de la materia original, de la que apenas se distingue. Es un ser elemental que casi no llega a la animalidad, como el espléndido tiro de caballos marinos que Leonardo esbozó, en piedra negra, para el *Neptuno* que Segni le encargó, aproximadamente por la misma época en que pintaba *La Batalla*.[15]

Leonardo vivía en el convento de Santa Maria Novella, y trabajaba en la Sala del Papa que la Señoría le había atribuido como taller. Era una estancia muy amplia, donde podía desplegarse el cartón que debía tener la misma dimensión que el muro de la Sala del Gran Consiglio destinada a albergar el fresco. Disponemos de las cuentas de los obreros que establecieron primero un andamio fijo, y luego un andamio rodante, y de las facturas de los mercaderes que, a expensas de los magistrados, suministraron al pintor los rollos de papel, los colores y en suma todo el material que iba a necesitar. El cartón debía estar acabado antes del final de febrero de 1505, y mientras Leonardo lo realizaba, se le pagaría a partir del 4 de mayo de 1504 una asignación mensual de quince ducados de oro; pero si el cartón no estaba terminado en la fecha fijada, Leonardo debería quedárselo y devolver a la Señoría todo lo que de ella hubiera recibido.

Rechazando todas las solicitudes de Isabelle d'Este, que deseaba que pintase, «para descansar de su gran "maquinaria" histórica», alguna madona o algún Cristo niño, se encierra en la Sala del Papa, próxima a su habitación. De modo que, en realidad, vive entre sus personajes y sus caballos, de nuevo «bajo el signo del fuego» entre el rumor de los combatientes que se degüellan y el *basso continuo* de los grandes cañones que traquetean por los caminos y sueltan su metralla sobre los escuadrones al galope. La propia muerte de su padre, acaecida el 9 de julio de 1504, no parece haberle conmovido mucho. Anota el acontecimiento en sus cuadernos con aparente indiferencia, ¿fingida o real?, como si la pérdida apenas le afectara. Tal vez presiente que, entre los diez hijos y dos hijas que el difunto deja tras de sí, algunos pondrán objeciones si, contra toda verosimilitud, el notario ha dejado algunos bienes al «hijo natural» del que tan poco se ocupó en vida.

¿Qué importancia tuvieron los vínculos familiares para Leonardo? Los «suyos» son sus iguales en las artes y las ciencias, los hombres que llevan a cabo las mismas investigaciones que él y que albergan los mismos sueños. En aquella época en que mantiene un grave y severo coloquio con los héroes de Anghiari, se queda a solas con ellos cuando sus ayudantes, Jacopo Tedesco, Lorenzo del Faino, Raffaello di Biagio y Ferrante Spagnolo han abandonado el taller. Y en la vasta sala vacía cuyos muros están cubiertos de rostros dramáticos y sementales encabritados, se siente más solitario que nunca, aunque enriquecido y fortalecido por esa misma soledad que aparta a los humanos y le deja cara a cara con los elementos: «Y si estás solo, serás tu propio dueño...»

Durante toda su vida llevó ese manto de aislamiento que, a veces, creo, le resultó pesado, pero que le preservó de los importunos y de los molestos. No mostraba la misantropía gruñona y huraña de Miguel Ángel, sino que era sociable y acudía de buen grado a las fiestas de la corte. Amable y sonriente, se enmascara con la cortesía tanto como Miguel Ángel se oculta tras su rudeza salvaje, y esa misma amabilidad le defiende mejor de lo que haría la insolencia. La vida de sociedad, incluso la vida de placeres y de disipación, sólo es para él un cómodo disfraz. Acepta seguir la estela de los grandes, de Lorenzo el Magnífico primero, luego de Ludovico el Moro, Giuliano de Médicis y, por fin, del rey de Francia, sin confundirse nunca con la multitud de cortesanos, de poetas a sueldo, de artistas que sirven para todo. De una extraña distinción algo misteriosa y cuyo misterio se complace en acentuar jugando a ser cabalista por un momento, es sin embargo demasiado noble, demasiado distante, demasiado intimidante como para que alguien se arriesgue a forzar esta reserva. Así es como Leonardo mantiene su independencia, su laboriosa soledad, libre de cualquier molestia. Sus íntimos son el extraordinario Tomaso di Giovanni Masini, que se atribuyó el resonante y fascinante nombre de Zoroastro da Peretola; el bello Salai, maravilloso muchacho cuyas jugarretas Leonardo acepta con benevolencia, al que perdona sus incesantes bribonadas, al que viste magníficamente, y todo ello sencillamente porque es hermoso; el joven Melzi, que en los últimos años será el compañero de las horas francesas, el heredero de sus papeles y sus informaciones.

Zoroastro da Peretola, que acompañaba ya en 1482 al joven viajero, está de nuevo a su lado en ese andamio rodante de la Sala del Papa. Nadie sabe si es un ocultista o un charlatán. Pero el nombre que se ha dado revela su afición por las ciencias ocultas. Alardea de poseer la piedra filosofal y conoce algunas recetas de magia, o de «magia recreativa», que dejan boquiabiertos a los papanatas. Con su ayuda, Leonardo inventa ingeniosos artilugios y extrañas mezclas con los que sorprende y asusta a sus amigos. Es posible que, durante el primer período florentino, Leonardo rozara la sodomía frecuentando a un grupo de «chicos malos»; es cierto que con Zoroastro da Peretola se acerca a la alquimia, al «arte mayor», y tal vez incluso al «arte negro». Pese a ello nunca se entrega a la tentación de lo oculto, retenido como está por la sólida razón y por su vigoroso y prudente sentido de lo concreto. Sin embargo, no sería el sabio que es si no hubiera considerado también que «existen entre el cielo y la tierra más cosas que las que puede conocer nuestra filosofía».

No es el oro potable lo que cuece en los fogones de la Sala del Papa, sino simplemente la mezcla destinada a mejorar la técnica del fresco que desde hace dos siglos emplean los florentinos. Por una singular aberración, que sorprende en un hombre tan experimentado y tan práctico como Leonardo, éste pretende sustituir esa vieja técnica ya tan probada —que fue el vehículo de las obras maestras de Giotto, de Benozzo Gozzoli, de Botticelli, de Piero della Francesca, de Paolo Uccello, cuyas escenas del Diluvio se despliegan con todas las gamas del verde a pocos pasos de su taller— por un procedimiento nuevo que tiene la ventaja de la rapidez y de una absoluta sequedad. Según dice, ha descubierto en los escritos de Plinio la fórmula de un revoque para el muro que le permite pintar luego como sobre un panel, revisar su obra y retocarla a voluntad.

En realidad, el fresco no le gusta porque exige del pintor una rapidez y una seguridad que no posee; porque, una vez que el color ha sido aplicado al mortero fresco, no es posible hacer tachadura alguna. Puesto que le gusta repasar una y otra vez sus obras, modificarlas, retocarlas, detesta el carácter irrevocable del fresco. Intenta substraerse a él y por eso prueba mezclas que, ya en *La Cena*, resultaron muy poco afortunadas. ¿Comprendió mal la fórmula hallada en Plinio, la aplicó de un modo incorrecto? Lo que extrae de los libros le da siempre mal resultado. Pero la experiencia de Santa Maria delle Grazie no le enseñó nada: repetirá en Florencia el mismo error que en Milán, y por las mismas razones.

Terminado el cartón en el tiempo deseado, el esbozo, los andamios y todos los utensilios del pintor fueron instalados en la Sala del Gran Consiglio; en la primavera de 1505, Leonardo pone manos a la obra. Entre los suministros pagados por la ciudad, encontramos los materiales corrientes, el yeso, la *biacha alexandrina*, la *bianchetta soda*, pero he aquí que aparece una considerable cantidad de colofonia, de aceite de linaza, de blanco de plomo, más de ochenta y nueve libras de esta colofonia que se denomina *peca greca* y que nos asombra ver empleada en tan gran cantidad: ¡se trata de un fresco! Esta mezcla de colofonia, blanco de plomo y aceite de linaza es, precisamente, la que Leonardo utiliza como «soporte» de su pintura en vez de pintar sobre el simple yeso húmedo, que recibe el color *a fresco*, lo integra y le da toda su solidez, toda su inalterable frescura.

Confiando en la excelencia de su receta, Leonardo hace cubrir el muro con ese revoque, y comienza a pintar sobre esta película aislante.

Naturalmente, el pigmento y el estuco que emplea tienen un color distinto del habitual; son colores al óleo, según dice Vasari, al aceite de nuez.

No creamos que Leonardo fue tan imprudente como para emprender el gran fresco sin haber probado el nuevo procedimiento: ha pintado un cuadro de tamaño medio con ese revoque, ese estuco, ese pigmento. La pintura es clara, sólida, reluciente; mucho más brillante que el fresco ordinario y de un magnífico efecto; ha bastado con encender una gran hoguera de leña ante el cuadro para que la pintura se seque al momento. Reafirmado en sus ideas por el experimento, y confiando en la excelencia de su invento, Leonardo inicia la gran composición de la batalla esperando poder secar el inmenso muro con la misma rapidez con que secó el pequeño cuadro. Y, de hecho, el brasero encendido al pie de la pared seca de inmediato las partes que las llamas calientan, pero las partes más altas, que no reciben el calor bienhechor, permanecen húmedas y la pintura se corre, se corre lamentablemente.

El tropiezo de *La Cena* se repite, con el mismo resultado. En vez de realizar su obra en la bienaventurada serenidad que aporta el trabajo fácil, Leonardo inicia la lucha contra el muro húmedo, contra la chorreante colofonia. Esa película que debía evitar el contacto de la pintura con el muro logra, en realidad, que no se adhiera. *La Batalla de Anghiari* se convierte en una feroz batalla contra los ingredientes, y es una batalla sin esperanza. Leonardo ha infringido las leyes del material, y el material se venga, oponiéndose a los esfuerzos del artista. La única solución razonable sería volver al fresco habitual, quitar del muro el revoque a base de colofonia, recomenzar el trabajo *a fresco* de acuerdo con la vieja técnica. Leonardo no lo admite: porque no le gusta el fresco y no lo comprende —no responde en absoluto a su carácter ni a su talento—, porque cree en la excelencia de su método o, sencillamente, porque no quiere darse por vencido.

¿Había acertado Miguel Ángel cuando acusó a Leonardo de haber abandonado el «Cavallo» porque no sabía cómo terminarlo? El drama de la Sala del Gran Consiglio proviene, como el drama de *il cavallo*, de la coalición de las circunstancias externas con los materiales inadecuados y con una fatalidad interior que condena al fracaso las empresas de este hombre. Fracasó también *La Adoración de los Magos* por inconclusa. ¿Por qué no la terminó? Tocamos aquí uno de los puntos más misteriosos de la personalidad de Da Vinci, la tragedia de cierta impotencia para llevar a cabo las obras, no por debilidad ni por presunción, sino tal vez al contrario, por exceso de saber. Por falta de simplicidad. Por una fe exagerada en su omnipotencia. Por el abuso, también, de ese «espíritu de juego» que le arrastró tan a menudo. Pero, afortunada compensación, ninguna derrota le abate; posee esa maravillosa facultad de saber apartar de sí lo que no tiene éxito y emprender una nueva obra, que espera realizar con un éxito total. Así, en el mismo momento en que el desastre de *La Batalla de Anghiari* —subrayado por el gran éxito de Miguel Ángel que ha ejecutado, en un abrir y cerrar de ojos, un cartón ante el que toda la juventud se entusiasma considerándolo genial— amenaza con destrozar a Leonardo, éste se consuela estudiando el vuelo de los pájaros e imaginando unos curiosos aparatos para volar...

Cada vez que choca con una realidad hostil y dolorosa emprende la huida. Físicamente huye cambiando de ciudad y de ocupación, espiritualmente prometiéndose triunfar con el nuevo estudio al que se entrega en cuerpo y alma. En las fechas de la catástrofe de *La Batalla*, anota apaciblemente en sus cuadernos nuevos proyectos, como hombre al que una derrota no puede abatir. El vuelo de los pájaros representa para él la evasión lejos de esa Florencia irónica, burlona, que ha seguido con malvada y celosa curiosidad las etapas de su vana lucha contra el muro chorreante; es la libertad absoluta, sin límites, en el espacio entero. ¡Qué gloria obtendrá el día en que, el primero entre todos los hombres desde Dédalo, se eleve por los aires con unas alas fabricadas por él! Y qué alegría sentirá entonces al sobrevolar a esos florentinos ignorantes y retrasados...

Y he aquí que el destino, compasivo, va a ayudarle en su gran dolor y su gran humillación. En mayo de 1506, mientras renuncia a salir con dignidad del mal paso al que le ha arrastrado su imprudencia, el *deus ex machina* aparece en el cielo tormentoso bajo los rasgos de un mensajero del canciller de Francia, el conde de Chaumont, que le reclama en Milán. Diríase que el destino, al no saber qué desenlace dar a esa tragedia, hace intervenir a los dioses. La orden del rey de Francia, en efecto, es de aquellas que los florentinos, por muy puntillosos que sean en lo tocante a su independencia y su dignidad, no se atreven a desobedecer; por lo demás, Chaumont sólo pide que le den a Leonardo unas vacaciones. Naturalmente, si en la fecha fijada no está de regreso en el andamio de la Sala del Gran Consiglio —pues no se trata, aún, de abandonar definitivamente el trabajo— tendrá que pagar ciento cincuenta ducados de multa; para cubrir esa eventual multa, Leonardo da como aval el depósito que le queda en las cajas del Ospedale de Santa Maria Nuova, que asciende precisamente a esta suma.

¿Qué sucederá con el fresco comenzado? No se habla de ello. Es posible que, dentro de tres meses, las cosas vayan mejor... Para Leonardo, el asunto de *La Batalla de Anghiari* queda resuelto. Al menos no piensa más en él. Contento y aliviado, abandona Florencia acompañado por el bello Salai y el extraño Zoroastro, y parte hacia Milán para ponerse a disposición de los franceses. Ninguna melancolía, ningún remordimiento, ninguna amargura. El tiempo, al que llama magníficamente el «ser de la nada», no hace mella en él. Un nuevo día es, cada vez, la creación del mundo.

CAPÍTULO TRECE

Cosmografía
del mundo menor

El mariscal de Chaumont, Charles d'Amboise, gobernador de Milán por cuenta de Luis XII, era el sobrino del cardenal Georges d'Amboise que había acompañado a Carlos VIII en la primera guerra de Italia, y que se había traído de ella ese amor por el Renacimiento que iría a combinarse de un modo tan interesante con la tradición francesa en sus construcciones de Gaillon. Uno de los anhelos de Luis XII era contar con Leonardo como pintor de la corte, y Charles d'Amboise, tan conocedor del arte como su tío, favorecía la realización del deseo real. Los cronistas le describen como aficionado al vino y a las mujeres, *amator di Venere e di Bacco*, dice el milanés Prato, y su gran preocupación era procurar que la ocupación francesa en Lombardía no tuviera nada de hiriente y humillante para los milaneses. Ayudar a Da Vinci a salir del mal paso donde le había puesto, con respecto a los magistrados florentinos, el fracaso de *La Batalla de Anghiari*, colocar al mayor artista italiano de su tiempo en el lugar de honor que había ocupado antes de la llegada de los franceses en la corte de Ludovico el Moro, era un acto de buena política y, al mismo tiempo, un homenaje rendido al pintor de *La Cena*. Charles d'Amboise se apresuró, pues, a confirmar la donación hecha a Leonardo por el duque de Milán, consistente en un jardín contiguo a la Porta Vercellina, junto a la propiedad de los Jerónimos, y a invitarle a reunirse con él.

Entre los artistas que acompañaban al mariscal de Chaumont, se encontraba el más famoso pintor francés de la época, Jean Perréal, a quien hoy parece posible identificar con el famoso maestro de Moulins. Los italianos le llamaban Jean de París o, también, Giovanni Francese; era una fortuna encontrarse con este artista que se había distinguido por un notable sentido del color y del que Da Vinci podrá aprender bastantes cosas. Sintiendo también curiosidad por las ciencias, Perréal hablaba con Leonardo de astronomía y de problemas técnicos. Le prestó el *Speculum Mundi*, de Vincent de Beauvais, que toda la Edad Media había considerado la suma de los conocimientos que era posible adquirir por aquel entonces, y del que Leonardo, a su vez, sacará algunos datos curiosos, fabulosos más que científicos, que encontrarán lugar en su bestiario. Además Perréal había inventado un modo de pintar *a secco*, que Da Vinci consideró lo bastante ventajoso como para anotarlo cuidadosamente en sus cuadernos.[1] Un curioso pasaje del *Codex Atlanticus* (247 r a) mezcla en singular confusión el procedimiento inventado por Perréal para fabricar sal blanca y papel teñido, con toda suerte de *memoranda* referentes a la estufa de las *Grazie*, a la maqueta del teatro de Verona, a las obras de Leonardo de Cremona y a la fabricación del barniz lacado. Esta confusión es la de un hombre que se dispone a salir de viaje, «compra unos manteles y servilletas, sombreros, zapatos, cuatro pares de calzas, un gran manto de piel de gamuza, y cuero para hacer otros nuevos... vende lo que no puedas llevarte...» y Leonardo se apresura a garabatear en el papel lo que no quiere olvidar.

En efecto, algo más de un año después de su llegada a Milán, Leonardo se veía obligado a regresar a Florencia, donde le aguardaban amargos reproches referentes a su inacabado fresco, para afrontar el proceso que entablaban sus hermanos con respecto a la herencia de su tío. El artista no era un picapleitos; se había dejado despojar, sin emitir protesta alguna, de los bienes de su padre que le hubieran correspondido de no haber sido hijo ilegítimo, pero cuando sus hermanos intentaron arrebatarle también lo que su tío Francesco le había legado, su sentido de la justicia se rebeló e hizo valer sus derechos ante los tribunales.

Los sentimientos del bastardo de Ser Piero con respecto a la familia en general y a su parentela en particular no eran nada cálidos. ¿Qué ternura podía sentir por unos hermanos que cuando era niño le habían hecho notar más de una vez, sin ninguna delicadeza, que era un intruso en el hogar paterno? No se hacía muchas ilusiones sobre los vínculos familiares y solía hablar de ellos con una ironía mordaz y un amargo escepticismo, que por lo común eran muy ajenos a su temperamento naturalmente benevolente. Existe en el *Codex Atlanticus*[2] el borrador de una carta que escribió a su hermano Domenico, varios años menor que él, que acababa de anunciarle el nacimiento de su hijo. Había entre Domenico y él tan gran diferencia de edad que éste no era de los que antaño le habían tratado con hostilidad y desdén. El tono de la carta de Leonardo, pues, es amistoso —le llama «mi amado hermano»—, pero el sarcasmo con el que comenta la gran alegría que le participa, cae como una ducha helada sobre el gozo del pobre padre: «... He sabido por una carta tuya que tenías un heredero, acontecimiento que, según creo comprender, te complació mucho. Ahora bien, en la medida en que te juzgaba dotado de prudencia, heme aquí ahora convencido de que estoy tan lejos de ser un juez perspicaz como tú un hombre prudente; pues te felicitas por haber engendrado un enemigo atento, cuyas fuerzas tenderán, todas, hacia una libertad que sólo le llegará con tu muerte...» ¿Acaso Leonardo no se casó nunca para no engendrar «enemigos atentos»? La penosa situación en la que se encontró en su infancia —aunque la bastardía no fuera una señal infamante en aquella época de gran libertad sexual, en la que la sociedad miraba con indulgencia los nacimientos ilegítimos— había hecho que no sintiera un gran afecto por la familia. Puede creerse que el horror que manifiesta por la virilidad y su inmensa ternura por las mujeres son las huellas de un choque inicial que tal vez le hizo odiar a su padre, el causante de su situación irregular, y adorar a su madre, la víctima del egoísmo del joven amante y de la dureza de corazón de la familia «burguesa» que arrebató el hijo a la joven campesina para educarlo a su guisa. Sin profundizar más en ese curioso problema, interesante para los psicólogos, cabe señalar que la muerte de su padre es objeto en sus cuadernos de una mención breve y fría, como si se tratara del fallecimiento de un mero conocido, mientras que invierte una importante suma en los funerales de aquella Caterina que, probablemente, era su criada. La similitud de nombre ha incitado, por lo demás, a ciertos biógrafos a imaginar que la tal Caterina para la que desea un suntuoso entierro no era su sirvienta sino su madre, a la que habría recogido en su casa.[3]

La evolución del proceso acerca de la herencia y su conclusión nos importa muy poco. Más nos interesa saber que, durante su obligada estancia en Florencia hasta la sentencia definitiva, Leonardo se alojó en casa del escultor Rustici, en la mansión que éste ocupaba en la Via de Martelli. Le agradeció esta hospitalidad ayudándole con sus consejos y quizá también con sus manos en la ejecución de las estatuas que el escultor realizaba para la puerta San Giovanni del baptisterio: un grupo de tres figuras de bronce representando a Cristo entre un fariseo y un levita. Vinci no tenía temperamento de escultor, pero los trabajos de *il cavallo* habían despertado su interés por el modelado y le habían permitido adquirir una preciosa experiencia sobre la técnica del molde y la fundición, como atestiguan numerosos dibujos y pasajes de sus cuadernos. Según afirma Vasari en su vida de Rustici, Leonardo trabajó en las maquetas, en los armazones y, añade el historiador, «hasta que las estatuas estuvieron fundidas, nunca le abandonó; de lo que algunos deducen, aunque nadie sabe nada preciso, que Leonardo trabajó en ello con sus propias manos o, al menos, ayudó a Giovanni Francesco (Rustici) con sus consejos y su buen juicio».[4] Cuando en la primavera de 1508 Leonardo llega a un acuerdo con sus hermanos, lo aprovecha para regresar apresuradamente a Milán.

Aquel año acababa de llegar a la Universidad de Pavía un joven profesor de medicina, Marcantonio della Torre, que iba a fomentar en Leonardo la pasión que sentía desde hacía varios años por la anatomía. Este notable sabio, cuya actividad se veía interrumpida por la muerte cuando apenas tenía treinta años, descendía de una ilustre familia ya que, su padre había enseñado medicina en Padua. A pesar de su juventud, el propio Marcantonio había adquirido una gran reputación de erudito, y era lógico que esa cualidad le ganara la simpatía del maestro, ya envejecido, que quiso reanudar unos estudios que nunca había abandonado por completo, dada la curiosidad que sentía por la «cosmografía del "mundo menor"», como llamaba al organismo humano. Desde 1489 había comenzado a aprender anatomía, en Milán, como hacían los pintores para reproducir con mayor verismo y variedad los cuerpos en movimiento.

La Edad Media no se había preocupado demasiado por la anatomía, al menos en el plano artístico. El desnudo estaba casi proscrito y como casi todo el arte era religioso, lo esencial era la expresión del alma. El cuerpo constituía una envoltura de la que se hacía poco caso, algo así como una vestidura que contuviera el elemento espiritual, el único digno de interesar a los pintores. Con el Renacimiento, esta concepción estética había cambiado; bajo la influencia de la resucitada Antigüedad, el desnudo había vuelto al primer plano y la curiosidad naturalista se fijaba en la descripción física, a menudo en detrimento de la «belleza espiritual». Gracias a una nueva concepción del realismo que intentaba adaptar a los antiguos cánones de perfección los datos de la experiencia objetiva, los artistas se dedicaban a los estudios anatómicos y a copiar desnudos del natural a fin de lograr una representación verídica del cuerpo. Conciliar la verdad y la belleza ideal, cuyas leyes habían creído encontrar en las obras griegas y romanas exhumadas del suelo latino seguía siendo uno de los problemas más difíciles con los que se enfrentaba el arte del Renacimiento.

En 1500, Leonardo había asistido a las sesiones de disección que tenían lugar en el hospital de Santa Maria Novella, que además de servirle de banco se convertirá para él en un anfiteatro. Despedazar cuerpos humanos, incluso con fines científicos, era todavía considerado por la mayoría de la gente como una operación culpable y sacrílega, aunque por lo general sólo se realizara sobre cadáveres de ajusticiados, que parecían menos dignos de respeto. Sin embargo, poco a poco se fue extendiendo cierta tolerancia, hasta permitir que los enfermos del hospital fueran llevados tras su muerte a la mesa de disección. La cosa parecía legítima puesto que tenía por objeto instruir a los médicos y ayudarles así a curar a más enfermos. Lo que no se admitía fácilmente era que personas no pertenecientes a la corporación de los sanadores tomaran parte en la operación; la presencia de los artistas era condenable, o al menos inútil. Este argumento saldrá a relucir más tarde, cuando se acuse a Leonardo de diseccionar cadáveres en el hospital Santo Spirito de Roma, y el papa León X escuchará complacido la acusación de sacrilegio, tal vez incluso de magia negra, presentada contra el artista en dicha ocasión.

Entre los propios estudiantes de medicina, la disección levantaba una fuerte hostilidad. Varios alumnos de Marcantonio della Torre protestaban contra esas prácticas de su maestro, olvidando que casi dos siglos antes el famoso Mondino de Luzzi —el célebre autor de esa *Anathomia* que Leonardo conocía muy bien y cuya opinión cita en algunos pasajes de sus cuadernos— manejaba ya el escalpelo en su cátedra de Bolonia sin atraerse los rayos eclesiásticos. En la edición de la *Anathomia* de 1489, el ilustre profesor es representado, en el frontispicio del volumen, despedazando un cadáver en presencia de sus estudiantes boloñeses.

Leonardo, que durante la visita que el cardenal de Aragón realiza al castillo de Cloux, le cuenta que ha diseccionado más de treinta cadáveres de hombres y mujeres, había sentido siempre horror, físico y moral, ante esas salas atestadas de restos humanos que hedían a pudridero. Aún no se utilizaba ningún procedimiento para la conservación de los cadáveres y, en un pasaje célebre de los *Quaderni d'Anatomia*,[5] Leonardo evoca los obstáculos que encuentra para esta tarea el anatomista de buena voluntad: «Si sientes amor por esa cosa, tal vez te lo impida una repugnancia del estómago o, si eso no te aparta de ello, tal vez tengas el temor de pasar las horas nocturnas en compañía de cadáveres cortados y lacerados, horribles de ver...»[6] La curiosidad y el deseo de aprender eran tan grandes que le ayudaban a superar esta repugnancia natural y la profunda tristeza que siempre le inspiraban los espectáculos horribles o lamentables. Un deseo de conocer realmente insaciable, y también la sobreestimación del conocimiento, característica del Renacimiento tanto como del siglo XVIII, le dan la fuerza necesaria para pasar largas horas en compañía de los cadáveres que despedaza con admirable precisión técnica.

No «busca el alma en la punta de su escalpelo» como hacía un famoso materialista, pero tiene una confianza exagerada en la eficacia de la experiencia y la razón. En eso no está muy lejos del pensamiento de los enciclopedistas, aunque un espíritu tan naturalmente religioso como Leonardo habría considerado viles las bromas tontas y groseras que éstos hacían sobre la religión. Afortunadamente, su temperamento de artista le salva de la sequedad de los racionalistas y los positivistas, y está más cerca aún de los «filósofos de la naturaleza» alemanes, de finales del siglo XVIII y comienzos del XIX, que son, como él, descendientes de los presocráticos griegos. La naturaleza es, en todos sus aspectos, la verdadera divinidad a la que adora sin reservas. Le atribuye una infalibilidad y una perfección tan grandes que cuando encuentra, durante uno de sus experimentos, un hecho que podría dar pie a creer que la naturaleza se ha equivocado o ha creado algo feo, se apresura a justificarla, descubriendo tras ese error o esa fealdad un fin más alto y más noble.

Apegado al principio del conocimiento deductivo, aunque su intención original era descubrir los secretos del cuerpo humano para pintarlo de un modo más verídico, acaba, en esta ciencia anatómica como en todas aquellas a las que se dedica, haciendo del conocimiento su propio fin y su único objetivo. Para pintar cuerpos auténticos y hermosos no era necesario diseccionar tanto. Lo que arrastró a Leonardo a investigaciones tan completas como las de un cirujano de profesión fue el violento deseo de desvelar el misterio que encuentra a cada paso en sus trabajos de anatomía y de fisiología, y que se oculta tras los misterios de la respiración, de la circulación, de la vista, del oído, del movimiento: el misterio principal, el de la vida.

Ciertamente dice, en alguna parte, que es vano desear resolver el problema del origen de la vida, pero cuando se presenta la ocasión de diseccionar un cadáver de mujer encinta, examina con apasionado interés la matriz que contiene el embrión, y hace de la operación un dibujo extremadamente preciso y hermoso. Impresionado como está por las analogías que unen entre sí a los reinos de la naturaleza, dibuja junto al embrión una semilla encerrada en su cáscara. «La mujer, en la que hay un gran misterio...» Todo es misterioso en ella, y las figuras femeninas que pinta, desde Ginebra de Benci hasta la Gioconda, fascinan precisamente por este insoluble enigma que Leonardo presenta en sus rostros, sus miradas, sus sonrisas. En este texto, extraído de *De Anatomia*,[7] se refiere más particularmente al secreto de la generación, puesto que añade: «... el gran misterio de la matriz y del embrión». La palabra «misterio» revela que, en el pensamiento de Leonardo, ese secreto es mucho más serio y tiene más alcance que los simples problemas que a menudo encuentra en sus investigaciones. Este misterio, el «gran misterio», como él dice, contiene la clave de todos los demás conocimientos. De él dependen la estructura del universo y el funcionamiento de los mundos.

En un texto de sus *Quaderni d'Anatomia*[8] designa al cuerpo humano con esa magnífica imagen, «la cosmografía del mundo menor», y al comienzo de ese tratado de anatomía, en el que se propone describir en ciento veinte capítulos todo lo que se refiere al cuerpo humano, declara que seguirá el mismo método que Ptolomeo, el geógrafo, seguía en su descripción del universo. Había leído con atención la *Cosmografía* del sabio griego, que se había impreso en Ulm en 1482 y en Roma en 1490; lo utiliza abundantemente en sus consideraciones geográficas del *Codex Leicester* y en las conclusiones que de él extrae para la composición de las rocas y la estructura geológica de la Tierra. Siguiendo el ejemplo de Ptolomeo, tratará cada miembro por separado, como éste había hecho con las provincias, afirmando así una vez más su creencia de que el hombre es un microcosmos construido exactamente del mismo modo que el cosmos y sujeto a las mismas leyes.

He dicho que diseccionaba cadáveres para descubrir el secreto de la vida, pero el secreto de la muerte le preocupaba del mismo modo, y no sólo como fenómeno que ponía fin a la vida, como accidente, si se quiere, sino en su propio principio espiritual. Se inclinó sobre el lecho de los enfermos y los agonizantes con la misma curiosidad que sobre la mesa de mármol sembrada de restos humanos. Observó, sin dejarse enternecer por la compasión o la pena, los postreros segundos durante los que el alma se separa de la carne. Un curioso episodio, que se remonta a la época en que estudiaba los cadáveres que le proporcionaba el hospital de Santa Maria Nuova de Florencia, cuenta la dulce muerte de un anciano, a la que asistió. «Este viejo, unas horas antes de su muerte, me decía que tenía más de cien años y que no sentía defecto alguno en su persona, salvo la debilidad, y así, mientras estaba sentado en su cama del hospital, pasó al otro mundo, sin haber hecho movimiento alguno.»[9]

Esa «muerte dulce» (el mismo calificativo que emplea Leonardo es significativo) le interesó tanto que quiso hacer enseguida la autopsia del anciano para descubrir a la vez las razones de esta muerte y las causas de su «dulzura». La vida, la muerte: se había encontrado con ellas a cada segundo en esa pequeña sala del hospital florentino, en el anfiteatro donde profesaba Marcantonio della Torre y, probablemente también, en su taller donde solo, sin ayudante y sin testigo, aturdido por la hediondez de cadáveres en descomposición proseguía su paciente, minuciosa y empeñada investigación sobre el secreto principal del universo: el principio y el funcionamiento de la vida.

En ese terreno, como en todos los demás, iguala enseguida a los más eruditos especialistas. Su mano pequeña y fuerte maneja el escalpelo con la misma habilidad y la misma delicadeza que el pincel, y sólo abandona el escalpelo para dibujar los órganos que va separando y sacando a la luz. El libro que prepara, en efecto, no será una simple descripción de las partes del cuerpo humano: las ilustraciones acompañarán al texto, iluminándolo con concluyentes imágenes. Ha trazado exactamente el plan de su libro, que estudiará al hombre desde su concepción hasta su muerte, e incluso hasta el final de la descomposición de su esqueleto, es decir, hasta el momento en que nada quede ya de él. Desde el punto de vista físico, por así decirlo, estudiará el organismo partiendo de la cabeza para llegar hasta la punta de los pies, y partiendo de la piel hasta las partes más interiores; así, no habrá desdeñado ni dejado a un lado ni olvidado nada, y la descripción que hará tendrá la ventaja de una completa exactitud y una precisión sin defectos, puesto que el conocimiento del todo, si está hecho de la adición de los conocimientos particulares, es indispensable para explicar el funcionamiento de la parte más mínima.

Hecho esto, expondrá cómo actúan los sentidos, que son los «ministros del alma» porque informan del estado del mundo exterior. «Cómo el sentido sirve al alma y no el alma al sentido, y cómo, cuando el sentido que debiera asistir al alma falta, el alma que rige la vida no puede concebir la función de este sentido, tal como se ve en el caso de un mudo o de un ciego de nacimiento.»[10] Describirá, por fin, las demostraciones de las pasiones, los movimientos... Este prodigioso programa que abarca todos los campos de la anatomía habría bastado para colmar la existencia de un sabio, tanto más cuanto que Leonardo no hacía nada como un diletante y se sometía a esfuerzos físicos e intelectuales con una incomparable tenacidad. Los sabios le atribuyen la gloria de haber hecho progresar de un modo considerable el conocimiento del cuerpo humano, de haber realizado algunos descubrimientos importantes y de haber sido, por eso, precursor del gran Vésale, que en muchos lugares le copia y le repite casi al pie de la letra.[11]

Si se desea tener una idea del método con el que procede, obsérvense las instrucciones que da para el establecimiento de los diagramas que le ayudan a demostrar la «estructura mecánica del hombre»: «Los tres primeros tratarán de la ramificación de los huesos; uno los representará de frente y mostrará las posiciones y las formas de los huesos en sentido horizontal; el segundo los mostrará de perfil e indicando la profundidad del todo y de las partes, así como su posición; el tercero representará los huesos vistos por detrás. Luego haremos tres diafragmas más de estos mismos aspectos, después de haber serrado los huesos de modo que se vean su grosor y su hueco; tres diagramas más, también, para los huesos y los nervios que parten de la nuca y mostrándonos en qué miembros se ramifican; y tres más para los huesos y venas y el punto donde se dividen; luego tres para los músculos y tres para la piel y las dimensiones, y tres para la mujer, que muestren la matriz y las venas menstruales que desembocan en las mamas.»[12] Hecho esto, el conocimiento que se haya adquirido permitirá saber el porqué de todos los fenómenos cuya causa se propone elucidar Leonardo, y que enumera en desorden siguiendo las preguntas que en esta ciencia, como en la de la formación de la Tierra y la naturaleza del agua, acuden en tropel a su mente: «Lágrimas, estornudo, bostezo, temblor, gran mal, locura, sueño, hambre, sensualidad, cólera cuando fermenta en el cuerpo, miedo igualmente, fiebre, enfermedad. Dónde es nocivo el veneno... Por qué el rayo mata al hombre y no le hiere; y si el hombre se sonara no moriría. Por qué afecta a los pulmones. Escribe qué es el alma. De la naturaleza que, por necesidad, crea los instrumentos vitales y activos, con sus formas y posiciones convenientes y necesarias. Cómo la necesidad es la compañera de la naturaleza. Figuras representando la procedencia del esperma. De dónde viene la orina. De dónde viene la leche. Cómo el alimento se distribuye por las venas. De dónde viene la ebriedad. De dónde el vómito. De dónde la arenilla y la piedra. De dónde el cólico. De dónde el sueño. De dónde el delirio causado por la enfermedad. Por qué se duerme el hombre cuando se comprimen las arterias. Por qué un pinchazo en el cuello puede hacer caer muerto a un hombre. De dónde vienen las lágrimas. De dónde el girar de los ojos en el que uno arrastra al otro. Del sollozo.»[13]

En esa extraña sucesión de interrogantes, se desliza una pregunta que, en apariencia, no tiene más importancia que las demás y que no preocupa más, a quien la plantea, que el cólico o el bostezo: «Escribe qué es el alma.» ¿Lo sabe pues? Afirma, en otra parte, que el alma es una «energía espiritual»; si es así, ¿a qué responde esta enumeración de fenómenos puramente físicos? Si sabe lo que es —y cree conocerla ciertamente, puesto que dice de un modo imperativo: «escribe»—, ¿dónde lo ha aprendido? ¿Se atiene al catecismo de su infancia, a las discusiones de los filósofos o a sus propias reflexiones?

Apenas ha abordado el tema cuando se aleja de él y, en otra parte, dirá que no es necesario estudiar la naturaleza y el origen del alma pues nada podemos saber de eso. El problema de lo divino, cuando lo encuentra durante sus estudios de anatomía, se limita a un breve saludo a Dios, a quien llama el Inventor y a quien agradece haber creado el cuerpo humano. ¿Concibe, como los gnósticos, un Dios trascendente, distinto del demiurgo inmanente que creó el mundo, o los considera confundidos en una sola persona? Evita pronunciarse sobre estas cuestiones, por prudencia ante una autoridad religiosa siempre muy suspicaz y que hace pagar caro el menor rastro de herejía; por respeto hacia lo no conocible; por indiferencia tal vez. Alguno ha denunciado, en el pensamiento de Da Vinci, «la atrofia de uno de los sentidos más magníficos del hombre creador: el sentido de la trascendencia».[14] Y Falcandro añade: «Precisamente con él comienza la agonía de esta grandiosa dimensión del espíritu humano, agonía cuyas catastróficas consecuencias enumeramos hoy.» Parece, en efecto, que este sentido estuvo atrofiado en Leonardo; quedó obnubilado, en cualquier caso, por otros sentidos, y encadenado por una fuerte sensualidad que no imagina una «cosa espiritual» por completo independiente del cuerpo; analiza el cuerpo con tanto empecinamiento, no porque crea aprehender así el alma como un elemento material, sino probablemente porque espera encontrar el punto donde la energía física y la energía espiritual se unen y se informan mutuamente. Destruyó, es cierto, la preciosa armonía que el pensamiento medieval había establecido entre lo inmanente y lo trascendente, y, al intentar reconstruirla sobre bases científicas, agravó más aún su divorcio. Poner en el mismo plano, y en la misma serie de problemas, la definición del alma y la explicación del giro de los ojos, reforzará la opinión de quienes ven en Leonardo a un materialista para el que el alma sólo sería el elemento coordinador de las funciones físicas. De ser así, sin embargo, el pintor de *La Gioconda*, del *San Juan*, de la *Santa Ana*, poseería por conocimiento intuitivo esa otra alma que baña los rostros de sus personajes y florece en su sonrisa.

Esta sonrisa, en efecto, es la compensación de todas las miserias humanas de las que, más que otro cualquiera, es un atento y amargo observador cuando habla del «estiércol» que se estanca en el mesenterio, de ese «saco de basura» que es el intestino del hombre, con una aspereza de pesimista, una cólera de asceta. Cuando se leen sus invectivas contra las imperfecciones del organismo o cuando se miran sus caricaturas, extraña la virulenta amargura de esos anatemas lanzados contra la carne. ¿Sufre, acaso, viendo la belleza encadenada a tanta fealdad? ¿Aspira a librarse de su propia sensualidad y la flagela con esos cuadros repugnantes, parecidos a los que evocaban los Padres del Desierto para mortificar sus sentidos? ¡Cuántos sórdidos recovecos en esa «cotidiana habitación» que es nuestra carne!

Algunos críticos han señalado la fealdad de los rostros en los dibujos que hizo de personajes copulando, y hay en esas hojas de anatomía[15] una frase arrojada al papel con una especie de rabia feroz, que ofrece a los biógrafos de Leonardo un tema de curiosas meditaciones. El miembro viril le inquieta, le turba y casi le asusta. Presiente en él una fuerza hostil, independiente de la voluntad y de la razón, como si fuera una especie de homúnculo unido al hombre y que lo arrastra contra su voluntad. Si comparamos esta noción con el asco que le inspira el «acto carnal», nos preguntamos si este asco no será el temor al dominio que ejerce sobre él un órgano que, al igual que todos los demás órganos, debiera estar dócilmente sometido a sus órdenes. La descripción que hace de «la verga» es muy singular: «Tiene relaciones con la inteligencia humana —dice— y a veces posee una inteligencia propia; a pesar de la voluntad que desea estimularla, se obstina y actúa a su guisa, moviéndose a veces sin la autorización del hombre o incluso sin que lo sepa; bien porque duerma o bien porque, en estado de vigilia, sólo obedece a su impulso; a menudo, el hombre duerme y ella vela; y sucede que el hombre esté despierto y ella duerma; muchas veces el hombre quiere servirse de ella, que se niega; muchas veces ella lo quisiera y el hombre se lo prohíbe. Parece pues que este ser tiene a menudo una vida y una inteligencia distintas a las del hombre, y que este último hace mal avergonzándose de darle un nombre o de exhibirla, intentando constantemente cubrir y disimular lo que debería adornar y exponer con pompa, como un oficiante.»[16]

La última frase de este texto extraordinario envuelve con una especie de respeto solemne el órgano que, por otra parte, considera «vil y horrendo». Su carácter extraño —puesto que lo considera un «extranjero» unido al cuerpo del hombre— se convierte casi en magnífico y sobrenatural: quisiera «adornarlo y exponerlo con pompa», como para mejor señalar que se desentiende de los actos de ese «otro» personaje, y por las señales de respeto, de veneración casi, que le prodiga parece intentar una propiciación, como si se tratara de un ser peligroso cuyos caprichos y amenazas pueden apaciguarse con un ritual apropiado.

Esta actitud para con el problema sexual es singular, tanto más cuanto que los contemporáneos pensaban y actuaban libremente en semejantes materias, que la licencia de costumbres era tan grande que a veces se extendía hasta los hombres de Iglesia, y que el abandono a la pasión carnal, propio de los pueblos del Mediodía, quitaba cualquier rastro de hipocresía de unas relaciones que no escandalizaban a nadie. ¿Acaso el proceso en el que se vio mezclado el joven Leonardo en su adolescencia había provocado esta especie de fobia que le domina en algunos momentos, y también esa discreción con la que oculta todo lo que puede referirse a su vida sentimental y sensual? No creo que el factor moral haya sido determinante en este caso; me inclino más a ver, en la feroz reserva que mantiene durante toda su vida, el deseo de salvaguardar la parte superior de sí mismo, la razón y la voluntad, contra los instintos y los impulsos de la carne. Tal vez tenga el supremo orgullo del hombre que, sin ser ayudado a ello por el sentimiento cristiano de la ascesis, quiere estar por encima de las conmociones sensuales y pretende dominar esa parte malsana, impetuosa, insurreccional de su yo practicando una especie de castración intelectual, anulando las tendencias sexuales. La creación de este ser ideal, asexuado, que al no ser hombre ni mujer no puede, ni debe, atraer los deseos de uno u otro sexo, aparece como uno de los fundamentos de su arte.[17]

Por lo general, se ha visto en la atracción que siente por lo «andrógino» la prueba de algunas perversiones sexuales. Nada es menos evidente. Por el contrario, creo que al imaginar una especie de ser que aunara los encantos de la feminidad pura y virginal con los de la adolescencia masculina, libera a ese ser de la tiranía de la sexualidad. Lo dota de una belleza intocable, casi divina, en todo caso sobrehumana, de modo que parecería innoble y casi sacrílego representársela entregada a la unión sexual, en la que ve algo de bestial y de monstruoso, capaz de apartar al hombre del deseo de la reproducción. «El acto de la cópula y los miembros que en él concurren son de una fealdad tal que, si no fuera por la belleza de los rostros, los ornamentos de los actores y la contención, la naturaleza perdería la especie humana.»[18] La traducción atenúa el acento de hirviente cólera y de repulsión que llega hasta el vómito, presente en el texto italiano, que es de una vehemencia frenética. En esta condena del amor carnal puede buscarse hasta el infinito una indicación sobre la vida sexual, totalmente desconocida, de Leonardo. Me basta con subrayar que, por fortuna, la humanidad se ve salvada por la belleza de los rostros.

El rostro, en efecto, es de naturaleza distinta a la del resto del cuerpo; por eso el pintor Leonardo le reservó su más tierna atención, su solicitud más activa. Pintó pocos desnudos, y en este tema no supera en absoluto el nivel de los artistas de su tiempo. Al contrario que los griegos, que volcaban todo su talento en la expresión del cuerpo y trataban el rostro casi de un modo abstracto, Leonardo, aun proclamando que el cuerpo humano es la obra maestra de la creación, encuentra el mayor deleite en el semblante, como si la belleza carnal sólo contara cuando se le añade esta belleza espiritual cuya infinita gracia se refleja en el rostro. El cuerpo, en suma, está para él cargado de excesivos problemas. Es un tema de estudios anatómicos que casi no encuentra ya lugar en el terreno estético de Leonardo, incluso haciendo abstracción de las impurezas y las fealdades que lo desfiguran.

Un concepto particular de la belleza se manifiesta, en esa época, en sus dibujos de anatomía. Su perfección plástica realza su exactitud científica, como si una especie de belleza emanara del propio órgano. Leonardo lo representa con tanta viveza que parece animado, en particular el corazón y la laringe; el cráneo, con su arquitectura de arcos y bóvedas, evoca un edificio extraño y terrorífico, una especie de caverna en la que quizá resuenen unas voces sonoras y singulares. El menor órgano se convierte, así, sin perder nada de su exactitud analítica, en una especie de síntesis de actos y energías. El corazón, «instrumento admirable inventado por el Soberano Maestro»,[19] es semejante a una masa vegetal erizada de ramas y raíces, y al mismo tiempo es un abismo subterráneo en el que los ríos se precipitan sin cesar, se confunden con las aguas profundas y remontan en frescos manantiales hasta la superficie. El esqueleto es una estructura leñosa que evoca tanto un techo complicado como un barco, o un misterioso mecanismo de pesas e impulsos sobre cuyos armazones los músculos, pesadas cuerdas entrelazadas, ejercen poderosas tracciones.

Cada vez que se inclina sobre el cuerpo humano, piensa en la Tierra entera, descubre en el «mundo menor» la misma disposición eficaz y diestra que en el «mundo mayor». La red de las arterias y las venas le recuerda esos finos trazados de ríos y canales que anotaba en sus mapas geográficos. Los huesos delgados y precisos evocan la estructura secreta del globo con sus travesaños de roca, y el «gran misterio» de la matriz repite, en pequeño, el océano central que baña en eternas tinieblas la parte más interior de la Tierra.

El fenómeno de la vida, en todos sus aspectos, le reconduce al principio de esta vida y a sus manifestaciones cósmicas. Lo infinitamente pequeño es el hermano menor de lo infinitamente grande, todo es uno, «el ombligo es el punto de unión del brote con el tegumento que lo reviste, se ramifica y está unido a la matriz como un botón a un ojal, un abrojo a un abrojo, o la gavilla a la gavilla». En los cuerpos de los animales descubre analogías con el cuerpo del hombre: hay una expresión humana en la faz de un león, y comparando esqueletos de patas y de piernas, descubre el punto en que la articulación, doblada en nuestros «hermanos inferiores», se endereza y asegura al «rey de la Creación» esa postura en pie que le permite contemplar el Cielo.

¡Contemplar! El gozo de la mirada es la demostración misma de la excelencia del hombre. Leonardo estudió minuciosamente el órgano de la vista, sus propiedades y su funcionamiento, y canta la *Loanza del Ojo* con ese lirismo inspirado por el sentimiento de un religioso agradecimiento hacia el Inventor y una ferviente admiración por su invento. «El ojo por el que la belleza del universo se refleja en quienes la contemplan...»,[20] es el órgano más noble y el más valioso. «Quien lo pierde deja el alma en una oscura prisión donde pierde cualquier esperanza de ver otra vez el sol, luz del universo entero.» Cuando habla de la luz, Leonardo la entiende en sentido platónico, a la vez como luz material y luz espiritual. ¿Cómo podrían existir la una sin la otra? Por esta razón, en un párrafo extremadamente hermoso del *Codex Atlanticus*,[21] llama al ojo la «ventana del alma», puesto que por medio de este órgano el brillo de la luz exterior penetra en el cuerpo hasta el corazón, hasta el cerebro, despertando los sentimientos y los pensamientos adormecidos, y manifiesta hacia el exterior la expresión de la alegría, del amor, de la cólera, del deseo. Por el ojo, el alma del mundo envía su fulgor a cada individuo, y por el ojo el alma individual expresa, mejor que con la voz o con el gesto, en un silencio respetuoso y recogido, su devoción al alma del mundo, y comulga con ella en ese sublime intercambio de dos luces.

La «virtud visual», como él dice, es tan activa y potente que administra, a veces, la vida y la muerte. Gran lector de viejos bestiarios, Leonardo recuerda lo que cuentan los libros medievales sobre los animales cuya mirada mata, y sin sospechar que esa afirmación no es nada científica para los hombres de hoy, intercala entre las más eruditas observaciones referentes a la naturaleza y al funcionamiento de la vista (concediendo tal vez el mismo valor a esas tradiciones de la credulidad popular que a sus propios descubrimientos más rigurosamente exactos) unas fábulas acerca del lobo cuya mirada vuelve afónicos a los hombres, acerca del basilisco que extingue la vida de cualquier ser sobre el que pose su mirada, la araña que incuba sus huevos con la mirada y el pez llamado *linno*, que habita las aguas de Cerdeña y que de noche ilumina sus ojos «al modo de dos candelas», haciendo que mueran todos los demás peces que entren en el círculo de esta luz.

La anatomía humana conduce inevitablemente a Leonardo a la anatomía general y la anatomía comparada, claro está, pero también al juego de las equiparaciones y las analogías sobre las que los alquimistas, de los que con tanta crueldad se burla, habían asentado su teoría de la unidad del universo. Leonardo no se aparta de la experiencia y de la razón, sino que multiplica las observaciones, sierra huesos, fabrica un corazón de cristal para estudiar en él la circulación de la sangre, llena los órganos huecos de cera fundida para obtener un moldeado exacto, repite el funcionamiento de los músculos sustituyéndolos por hilos de metal que fija en los miembros del esqueleto, y de este modo crea el método científico de análisis y de demostración anatómica moderna, adelantándose en varios siglos a los progresos de las generaciones futuras. Pero, como no separa nunca la intuición creadora de la experimentación que verifica y corrige las inspiraciones de la intuición, y como es incapaz de concebir una ciencia que no abarque la totalidad, Leonardo descubre los secretos de la naturaleza universal. Se maravilla ante la simetría, el equilibrio, el orden y la economía que presiden la distribución de los órganos. Le vemos escrutando las leyes del funcionamiento del cosmos en ese cuerpo de mujer abierto cuyos órganos contempla, comprobando su interdependencia, anotando de qué modo útil y eficaz actúan el uno sobre el otro, fijando incluso en su dibujo[22] la espléndida arquitectura de esas masas vivas, su armonioso ordenamiento, su perfecta concordancia, y haciendo brotar una extraña belleza, casi sobrenatural, de ese admirable paisaje surcado por ríos, hinchado de montañas, recorrido por valles y que tiene en la base de esa prodigiosa disposición «la gruta de los orígenes», la matriz universal de donde la vida de cada ser y la vida del universo entero extraen el ardor de las nuevas resurrecciones.

Impaciente sin cesar por descubrir las leyes, aplica al cuerpo humano las reglas de la proporción divina que tanto preocupaban a su amigo Fra Luca Paccioli y que, tras haber obsesionado a la Edad Media y a los arquitectos góticos, pasaron al Renacimiento, convencido éste de que los griegos, padres de toda belleza, proporcionarían a quienes les interrogaran convenientemente esas leyes de la armonía que los maestros de obra aplicaban por instinto, tradición o de un modo empírico en sus obras maestras perfectas.

Siendo el hombre el centro del universo, la maqueta, por así decirlo, del cosmos, que está reflejado y repetido en todas sus partes, en él se descubrirá la «fórmula» de la perfección visible, las medidas de la armonía universal. No se trata sólo, para Da Vinci, de fijar un canon de belleza más o menos personal y arbitrario, sino de descubrir una ecuación válida para todas las cosas partiendo del ser humano. Instala para ello, en el centro de un cuadrado contenido a su vez en un círculo, una figura humana que no es una figura ideal, cuyo rostro expresa una especie de energía fulgurante, de indomable voluntad, cuyos flotantes cabellos recuerdan la melena del león y cuya mirada posee una fascinante vivacidad.[23]

De todos los personajes dibujados por Da Vinci, éste es el más misterioso. Esta obra se remonta con toda probabilidad al período comprendido entre 1485 y 1490, es decir, al primer período milanés, que concuerda con la época en que conoce a Fra Luca Paccioli y bajo su dirección se interesa por la «proporción divina». Durante este mismo período, estudia asimismo a los caballos, midiéndolos para descubrir también en ellos la clave de la belleza perfecta. Varias veces y en varios cuadernos vuelve a examinar este problema de las proporciones armoniosas. Pero es sobre todo en sus *Quaderni d'Anatomia* donde multiplica las mediciones, las observaciones referentes al lugar de los órganos, a sus dimensiones, a sus relaciones entre sí, tomando como unidad de medida unas veces la longitud del pie, y otras la separación entre los ojos, y anotando incluso ese fragmento de cartílago al que llama *pincierolo*, «que se encuentra en el interior de la cavidad de la oreja, hacia la nariz», y que está, observa, a medio camino entre la nuca y la ceja.

Los griegos sólo habían buscado en su arte estatuario un canon de belleza plástica. La Edad Media había creído hallar en las relaciones de los números la propia expresión de lo divino. Leonardo, por su parte, combina ambas teorías y las amplía. Busca tras el fenómeno la presencia de la idea, pero ante todo persigue el descubrimiento de esta combinación de cifras (en el mismo sentido en que decimos la «combinación» de una caja fuerte) que, repitiéndose hasta el infinito en un fantástico juego de operaciones, explica la estructura del universo y su funcionamiento.

El rostro violento del hombre en el círculo demuestra la intensidad de esta interrogación. Nos mira con esa fijeza feroz, pero más allá de nosotros contempla la extensión sin límites del cosmos, al que pretende imponer su regla y su compás. Abierto él mismo como un compás y semejante a la figura simbólica de los alquimistas, abarca entre sus miembros el espacio total. El texto que acompaña este dibujo que reproduce las proporciones fijadas por Vitrubio es el mismo de este sabio, que Leonardo se ha limitado a traducir. Las proporciones vitrubianas son bastante distintas de las medidas por el propio Da Vinci y anotadas en los *Quaderni*, porque Vitrubio pensaba en cierta armonía arquitectónica, inmóvil, fija, mientras que Leonardo no concibe al individuo más que participando del eterno movimiento. El canon del arquitecto se centra en una perfección intelectual, mientras que el del pintor nace en primer lugar de la experiencia y la observación, y luego tiene en cuenta todos los desplazamientos de plano y de volúmenes durante los que el movimiento irá ampliando y aumentando la belleza de las formas.

El valor simbólico del hombre vitrubiano es considerable; éste, en efecto, sólo presenta una de las leyes de las proporciones que la Antigüedad y el Renacimiento formularon, y es importante advertir que Leonardo la acepta, temporalmente al menos, pues en esa época sólo está en los inicios de sus estudios de anatomía. Se dedicará con ahínco al estudio de esta materia durante su segunda estancia florentina, profundizará en ella durante el segundo período milanés, y seguirá buscando adquirir más conocimientos cuando, ya sexagenario, reside en Roma al servicio de Giuliano de Médicis; prueba de ello es el escándalo que los bienpensantes armaron al conocer la asistencia del pintor a las lecciones de disección.

Por otra razón, también, el dibujo de la Academia de Venecia me parece especialmente notable. Si consideramos un autorretrato del artista el famoso dibujo de Turín que representa al anciano de barba tumultuosa y cráneo rocoso semejante a una misteriosa petrificación, nos sorprenderá su parecido con el hombre simbólico de Venecia. Éste tiene de treinta a cuarenta años: la misma edad que tenía Leonardo cuando realizó este dibujo. El poderoso modelado del rostro, el arco de la boca, la abundante y libre cabellera, la cualidad de la mirada, enérgica, dominadora, casi terrible, nos impulsan a creer que esa imagen es un retrato de Da Vinci hecho por sí mismo. Al menos en lo que se refiere a la cabeza, pues según la tradición Leonardo era más bien de poca talla, y resulta significativo el pasaje del *Trattato della Pittura* en el que recomienda al pintor que conozca sus imperfecciones físicas para no prestarlas a sus personajes, pues indica en mi opinión que Leonardo no ignoraba las suyas —si las tenía— y se esforzaba más que nadie en plasmar la belleza ideal del cuerpo y el rostro, belleza que él mismo no poseía.

Si al mirar al hombre de Venecia intentamos definir en una palabra el carácter de lo que ese rostro expresa, nos viene a la memoria el lema que Leonardo apuntó en una página de sus cuadernos, aproximadamente en la misma época en que leía y traducía a Vitrubio. Sobre un dibujo a pluma realzado con tiza azul y lavado con humo, que representa un arado,[24] Leonardo escribió: «*ostinato rigore*». En la misma hoja dibujó una brújula, acompañada de «*destinato rigore*», y una linterna de la que brotan múltiples rayos; junto a ella figura la célebre divisa que con razón podemos considerar el *motto* propio de Leonardo da Vinci, «*nona revolutione chiattale stella effisso*».[25]

Las numerosas alegorías dibujadas por Leonardo tienen orígenes diversos. Unas estaban destinadas a figurar en carros de carnaval, en vestidos de teatro e, incluso, en trajes de ciudad, pues a los elegantes les gustaba que en el pecho o en las mangas les bordaran con hilos de oro y piedras preciosas ingeniosas divisas acompañadas de figuras que las explicaban. Los poetas de aquel tiempo derrochaban mucho ingenio para inventar lemas llamativos y singulares, que luego solían grabarse en los cuadrantes solares y que tenían su origen en los escudos de armas medievales. El halago cortesano se derrochaba a espuertas en estos elogiosos jeroglíficos; algunos de los que Leonardo compuso alaban las virtudes que Ludovico el Moro poseía —o que le atribuían—, la prudencia, la justicia, la sinceridad, la habilidad política. Las fiestas celebradas con ocasión de las bodas principescas —y hubo varias durante la primera estancia de Da Vinci en Milán— se prestaban a una profusión de cuadros alegóricos y disfraces en los que siempre era posible deslizar diestros cumplidos a los espectadores.

Hay constancia de que se encargó a Leonardo, pintor de corte de los Sforza, semejantes decorados «parlantes» y hacia el fin de su vida introdujo en las fiestas reales de Amboise, para sorpresa de los caballeros franceses, sus alegorías y sus autómatas, tan admirados entonces que todos los embajadores extranjeros los describían en sus despachos. Muchas de estas fábulas y de estas *facezie* que abundan en sus cuadernos eran sin duda proyectos de divisas o de composiciones alegóricas.

Hay otras, sin embargo, que no parecen haber tenido una finalidad práctica y en las que el pintor vertió, de una manera atractiva y dramática, ciertos aspectos de su filosofía de la vida: todas aquellas, por ejemplo, en las que figuran la muerte y la envidia. La envidia porque su genio le exponía a ella más que cualquier otro, y la sufrió durante toda su vida. La muerte, porque la huida del tiempo constituía una de sus preocupaciones fundamentales, y, en algunos períodos de su vida, llega incluso a convertirse en una especie de obsesión. Algunas de sus composiciones simbólicas no son sino «caprichos», diversiones de la imaginación y de la mano, como la que representa una lluvia de instrumentos de cocina que cae sobre la tierra desde unas nubes en las que creemos distinguir también figuras humanas. En la misma época en que Pieter Breughel derrochaba tanto talento pictórico para ilustrar los proverbios populares flamencos, Leonardo se divierte a su vez ilustrando ciertas locuciones tradicionales que recoge metódicamente en algunos de sus cuadernos, diestras adivinanzas con las que seguramente en sus horas de descanso excitaba la curiosidad de sus alumnos y amigos.

Los tres emblemas del dibujo de Windsor tienen otro significado, y los textos que los explican reflejan tan bien el espíritu de Leonardo que no podemos dudar de que los compuso pensando en sí mismo; sobre todo los que representan el arado y la brújula. Tal vez la linterna no sea de la misma época; la ejecución es distinta y tiene poco que ver con las otras dos. La divisa «*nona revolutione*»..., en efecto, no se refiere a ella, sino a la brújula, y completa el texto «*destinato rigore*». La estrella mencionada en esta fórmula es el astro que dirige su rayo a la aguja de la brújula. Observaremos también que la brújula está unida por un engranaje a una especie de rueda provista de paletas comparables a las que, antes del invento de la hélice, servían para propulsar los barcos. Las olas del mar, por fin, están claramente representadas al fondo del dibujo.

Es fácil comprender entonces que esta composición ilustra la divisa «*nona revolutione*». La estrella dirige con su rayo el movimiento de la brújula que, a su vez, por sí misma y sin intervención humana, crea y dirige la marcha del navío. La brújula actúa, en suma, como un instrumento de transmisión entre el astro y la substancia actuante. Significa la razón humana comunicando al cuerpo las órdenes del espíritu. Siempre que mediante ese rayo la razón siga en contacto con el espíritu, el hombre no se engañará ni errará nunca. La brújula desempeña, en esta circunstancia, el papel del ojo humano fijo en la estrella, y al seguir las evoluciones de ésta, dirige los movimientos del ser. La sentencia «*destinato rigore*» se remite a una exigencia procedente del exterior, impuesta por el destino: todo hombre tiene su «estrella» que rige su destino y, como decía el antiguo oráculo, «los astros conducen a quien consiente, fuerzan a quien resiste». Según esta convicción, al hombre le basta con seguir la ruta que le señala su estrella, en otras palabras, si confía en su horóscopo alcanzará su objetivo; sólo estará expuesto a las «revoluciones» si deja de «fijarse» en su estrella, si rompe ese vínculo de luz mediante el cual se produce el influjo espiritual, la dirección sobrenatural. Símbolo del hombre, la maquinaria del navío aquí representada está formada por dos partes, el órgano del movimiento —la rueda y los engranajes que la maniobran— y el órgano de comunicación y de mando, que recibe los impulsos celestiales y los transmite al mecanismo motor.

Esta dirección espiritual, astral, de la que aquí se habla, constituye la parte ajena al individuo; a éste sólo le proporciona la orientación. Es conveniente que el hombre obedezca sus órdenes para que no se extravíe pero, por lo demás, el hombre está solo y únicamente debe contar con su fuerza, su talento, su tenacidad, su energía para avanzar por el mar (cuando se trata del navío sugerido por el primer emblema), o para trazar su surco, como se ordena al arado representado en el segundo.

La alegoría de éste es mucho más simple y se entiende sin necesidad de comentario por la mera yuxtaposición de la imagen y el texto. ¿Qué instrumento expondría mejor que el arado ese «rigor obstinado» del que el hombre nunca debe prescindir? Al elegir el emblema de la brújula, Leonardo confesaba su dependencia de los astros para la conducción general de la vida; pero al representarse a sí mismo en la reja que penosamente hende el suelo para que el grano pueda ser sembrado y germinar, da un dramático retrato de ese Leonardo al que nos gusta imaginar como un Fausto al que todos los espíritus obedecen y cuyo talento se aplica a todos los conocimientos humanos, como ese artista que sin esfuerzo y sin trabajo crea obras maestras, inventa aviones, desvía ríos, fertiliza tierras estériles, pulveriza ejércitos, tal que un «mago prodigioso» que dominara los elementos levantando su varita.

La Virgen, el Niño Jesús y santa Ana. 1510, Museo del Louvre, París.

La Virgen de las Rocas. 1483-1486, Museo del Louvre, París.

La Adoración de los Magos. 1481-1482, Uffizi, Florencia.

Primer estudio para *La Adoración de los Magos*.

La Cena. 1498, Convento de Santa Maria delle Grazie, Milán.

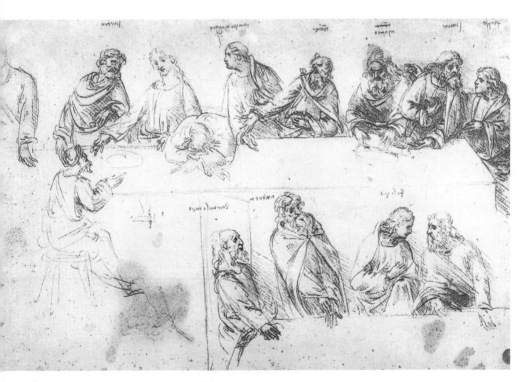

Estudio para *La Cena.*

La Gioconda. 1503 y 1506, Museo del Louvre, París.

San Juan Bautista. 1513-1516, Museo del Louvre, París.

Autorretrato. 1512, Biblioteca Reale, Turín.

Es mucho más justo verlo como ese «labrador» que obstinada y penosamente empuja su arado a lo largo del surco que se ha fijado, y que tiene tanto más mérito cuanto que el campo por labrar se le hace cada vez más vasto a medida que va descubriendo otras ciencias fascinantes. No niego que poseía dotes, «facilidades» que no se conceden a los demás hombres, pero si se calcula la cantidad de trabajo que realizó, materialmente hablando —por sólo fijarnos en la materia—, parecen maravillosos el número y la diversidad de ocupaciones que consiguió llevar a cabo en las breves jornadas y los breves años que constituyen la existencia humana. De modo que quien aparece ante nosotros no es ya el artista genial prodigiosamente dotado, de una fuerza hercúlea y una inteligencia sin igual, sino el pobre labrador que, a veces, fatigado, suelta el mango del arado y, molido por tantos esfuerzos, se pregunta el porqué de todo ello y si es necesario penar tanto. *«Lionardo mio... perché tanto penate...»*, escribe en una frase enigmática, conmovedora si le atribuimos un acento de confesión, del *Codex Atlanticus.*[26]

Emblema supremo de Da Vinci, «armas parlantes» de ese genio multiforme que eligió para representarse a sí mismo el útil más simple, el más primitivo, el que exige del hombre la más dura labor, el arado corresponde perfectamente a ese «rigor obstinado» del que hizo su ley de vida. La estrella conduce al navío, que marcha solo, pero el arado sólo se mueve si el hombre con ambas manos lo empuña, lo empuja, lo hunde en la tierra. Se pueden inventar toda suerte de máquinas para la guerra, para volar, para la fabricación de cuerdas, de hilos de metal, de telas, pero en el prodigioso derroche que hizo de su talento inventivo, Leonardo no pensó, al parecer, en la máquina agrícola. Probablemente porque para él el arado seguía siendo, al mismo tiempo que un instrumento útil, el objeto sagrado que era en las religiones antiguas. Todas las grandes civilizaciones agrícolas —y en eso se oponen a las civilizaciones cazadoras— divinizaron el arado; el año chino se inicia con un roturado simbólico, vinculado a los ritos mágicos de fecundidad, llevado a cabo por el propio emperador, hijo del cielo e intermediario entre la tierra y el cielo, dispensador por ello de la fecundidad. Leonardo, ciertamente, no sentía por el arado sólo el respeto del campesino, sino también una veneración religiosa. Si lo contempló como el instrumento de su creación, unas veces feliz y otras dolorosa, consideró el objeto de madera y hierro en el que se desollaban sus palmas como el agente de la fecundidad, como el acto y el medio del acto, sin el cual las Madres que presiden el nacimiento y la resurrección de las formas serían impotentes.

El *Hombre* del dibujo de Venecia no mira al cielo ni a la tierra; abarca al uno y a la otra entre sus extremidades. Toma posesión del espacio con sus miembros extendidos hacia los cuatro puntos cardinales. Llena el universo, lo domina. Pero esa realeza sólo se obtiene a costa del «rigor obstinado» con el que esa mirada clavada en nuestros ojos y hundida hasta lo más profundo de nuestro corazón se hinca en el mundo como una reja de arado. Si algún día nos preguntamos cuál es, en su formulación más breve y más inmediata, la lección esencial que debemos extraer del ejemplo y de las enseñanzas de ese hombre, este dibujo —sea o no un retrato del artista— es su retrato moral más elocuente y contiene su acuciante mensaje.[27] En la imperiosa tozudez de este hombre, cuyos ojos quieren grabar en nuestra memoria cada letra de esta frase, se escucha el *leitmotiv* de una existencia que, hasta las últimas horas de su vida terrenal, repitió: «Continuaré.»

CAPÍTULO CATORCE

Comentarios de viaje

«Salí de Milán hacia Roma el 24 de septiembre de 1513, con Giovanni-Francesco de Melzi, Salai, Lorenzo e Il Fanfoia...» Brillante caravana la que escolta al maestro, ya sexagenario, en este viaje hacia la Ciudad Eterna que le reserva no se sabe qué gloria o decepción. Si en esa época existe una ciudad en la que se consagran las famas y las celebridades, ésta es sin duda la capital pontificia. Venecia no es aún el «paraíso de la pintura» en el que se convertirá muy pronto; Florencia ha perdido la primacía artística de la que se enorgullecía bajo los Médicis. Cierto es que los Médicis están hoy en Roma, instalados en el trono de san Pedro con León X, que ha colocado muy bien a sus parientes y llevado al Vaticano la atmósfera de alta cultura y gustos refinados que reinaba, antaño, en el palacio mediceano de Via Larga y en los jardines de Careggi. Con toda naturalidad, la clientela de los Médicis ha seguido a sus protectores, y encuentra en Roma, donde ambas olas chocan con cierta animosidad, a los artistas ya alojados a la sombra del palacio pontificio.

Los viajeros se detienen en Florencia, apenas el tiempo de saludar a algunos amigos y, para Leonardo, de ingresar en el Ospedale que le sirve de banco los trescientos florines de oro que le ha reportado su última estancia en Milán. Después vuelven a ponerse en camino, en estas hermosas jornadas otoñales que dan al paisaje esa dulzura difusa, esa gracia melancólica y empañada que a Leonardo le gusta por encima de todo. Las brumas matinales ascienden de los campos, la noche cae bastante pronto. La fuerte luz de mediodía se matiza con irisaciones fantásticas. El follaje otoñal dora y enrojece los bosques. Belleza sin cesar renovada, piadosa y profunda alegría de cada día en la contemplación de los esplendores de la naturaleza, y total comunión con el alma del mundo.

Cada viaje le da la ocasión de volver a experimentar, con la misma intensidad y la misma embriaguez que en la adolescencia, esa maravillada sorpresa de los amaneceres y los ocasos en las llanuras y las montañas. Avanzando en pequeñas etapas, los viajeros vagabundean a su guisa, se detienen ante cada espectáculo magnífico o curioso y avanzan al tranquilo paso de los caballos, mientras que los apuestos jóvenes caracolean alegremente en torno al solemne maestro, que intimida, con su larga barba ensortijada como la de ese dios Nilo que los romanos esculpían, con sus pesados párpados entornados que ocultan casi su mirada, con sus amplias y singulares vestiduras, cortadas según cierta moda exótica y desconocida. Grave, imponente, es cierto, pero también aficionado a las bromas, las chanzas, las mistificaciones. Cuando el largo camino amenaza con resultar aburrido, propone a sus compañeros algunas de esas sutiles adivinanzas que compone para distraer su mente cargada de inquietudes y de problemas. «En los cuernos de animales se verán acerados hierros que arrebatarán la vida a muchos de su especie...», y son las vainas de cuchillos talladas en astas de animal. O bien: «Los que mejor hayan trabajado serán los más golpeados, sus hijos serán raptados, desollados o despojados, y sus huesos quebrados y triturados...» ¿Quién ha adivinado que se trata de los nogales cuyas nueces se varean?

Compone fábulas de gran sabiduría filosófica con las que divierte de vez en cuando a sus amigos. «El perro dormía sobre una piel de cordero. Una de sus pulgas, habiendo venteado el olor del sebo, consideró que era un lugar donde se viviría mejor y más al abrigo de los colmillos y las zarpas de aquel perro del que venía alimentándose. Sin reflexionar más, abandonó al can e intentó, a duras penas, deslizarse hasta la raíz de los pelos del cordero, empresa que, tras muchos sudores, resultó baldía, pues eran tan densos que se tocaban y la pulga no encontraba lugar alguno para llegar a la epidermis. Entonces, después de muchos esfuerzos y fatigas, deseó regresar a su perro, pero éste se había marchado. Tras largo arrepentimiento y amargas lágrimas, se vio reducida a morir de hambre.»[1]

Todos se ríen de la imprudente pulga, y luego cada cual cuenta recuerdos de viajes agradables o singulares. ¿Viajes reales o viajes imaginarios? ¿Dónde está la frontera entre lo vivido y lo soñado? Fantaseando a su modo cuando suelta las riendas de su inventiva, Leonardo ha compuesto una extraña novela de aventuras, que a la hora en que cae la noche relata de buena gana a sus amigos, ya sea en el taller donde se ha hecho imposible pintar, ya sea en los monótonos caminos donde los caballos, cansados tras una larga carrera, acortan el paso. Leonardo aporta a esos relatos una vivacidad visionaria tan convincente que sus oyentes, y también algunos de sus biógrafos, compartiendo el pasmo de los hombres que le han oído referir como en sueños esos extraños acontecimientos, se preguntan si realmente los ha vivido y en qué período de su vida sucedieron. En esa existencia ardiente y activa quedan muchas épocas oscuras, cuyas huellas Leonardo quizás haya disimulado a sabiendas o de un modo involuntario. Es posible, al fin y al cabo, que las aventuras sean verídicas, ¿y quién sería en todo caso capaz de describir con tanta exactitud, con tanta precisión en los detalles, lugares que no hubiera visitado nunca?

«Ese monte Taurus —cuenta Leonardo, tan naturalmente como si relatara su subida al monte Rosa— es considerado por algunos la cresta del Cáucaso; pero, deseando ilustrarme sobre ello, conversé con varios habitantes de las riberas del mar Caspio; me dijeron que, a pesar de que sus montes lleven el mismo nombre, éstos son más elevados, y me confirmaron que aquí estaba el verdadero monte Cáucaso, pues en lengua escita Cáucaso significa "altitud suprema". En efecto, no hay conocimiento de que existan, en Oriente o en Occidente, montañas tan elevadas; lo demuestra el hecho de que los habitantes de los parajes que se hallan a poniente ven los rayos del sol iluminando una parte de su cima durante el último cuarto de la más larga noche; y lo mismo ocurre en los países que están a oriente.»[2]

Uno de los oyentes le pregunta la razón de ese viaje —¿lo emprendió Leonardo por sí mismo, acudió a la llamada de un monarca de Asia...? Se sabe que el gran sultán le había rogado que fuera a construir un puente en Constantinopla—, y él responde con la mayor sencillez que el Devatdar de Siria, lugarteniente del Sagrado Sultán de Babilonia, le encargó cierta investigación en esos países lejanos. Para verificar algún lugar o alguna fecha de los que duda (y no para confundir a los que sospecharan de su veracidad) abre el cuaderno en el que conserva los borradores de sus cartas al Devatdar. «No debo, oh Devatdar, ser acusado de pereza como tus reproches parecen insinuar, pero el afecto sin límites que te incitó a concederme tus beneficios me obliga a buscar con gran cuidado y a estudiar con diligencia el origen de un fenómeno tan grande y tan sorprendente, y para ello he necesitado tiempo...» Mentira, juego de la imaginación; invención artística, compensación análoga a la que desea la facultad de volar como los pájaros..., ¿cómo definir la

naturaleza de esas sorprendentes composiciones? Todo es posible por
parte de semejante hombre y en esa época en que los grandes personajes
viajaban mucho. ¿Acaso acompañó, en una de sus expediciones, a los
mercaderes florentinos que iban a negociar a la India o al Oriente Próximo, o se limitó a vagabundear con la imaginación a lo largo de las rutas
de uno de esos «sueños despiertos» durante los que los imaginativos
se cuentan aventuras extraordinarias para darse la ilusión de haberlas
vivido?

Sus descripciones, sin embargo, nada tienen de la nubosa ambigüedad de los sueños y las ensoñaciones; su relieve es preciso y sus colores,
vivos. Todo parece visto más que imaginado; o habrá que suponer, entonces, que este hombre misterioso tiene un poder visionario que los
hombres ordinarios no poseen: «La sombra de esta cima del Taurus es
tan alta que, mediado junio, cuando el sol está en el meridiano, llega
hasta las fronteras de Sarmacia, que están a doce jornadas; y mediado
diciembre se extiende hasta los montes hiperbóreos, viaje de un mes su-
biendo hacia el norte. Las nubes y la nieve cubren siempre la vertiente
opuesta al viento que sopla, desgarrado en dos por las rocas que ha gol-
peado; en cuanto se ha reunido, más allá de éstas, arrastra las nubes hacia todos los lados, dejándolas sólo en los lugares que azota; y como está
siempre cargado de rayos a causa del gran número de las nubes reunidas, la roca se ve agrietada y llena de grandes ruinas...

»Esta montaña está, en su base, habitada por pueblos muy opulentos; está llena de ríos, es fértil y abundante en bienes de toda suerte,
principalmente en las partes orientadas a mediodía; cuando se han su-
bido unas tres millas, se empieza a encontrar bosques de grandes abetos,
pinos, hayas y otros árboles semejantes, y más allá, en un espacio de tres
millas más, encuentras praderas e inmensos pastizales; y todo lo demás,
hasta el pico del Taurus, son sólo nieves eternas que no desaparecen en
ninguna estación y se extienden hasta la altura de unas catorce millas
en total...

»A partir del nacimiento de la cumbre, a una milla de altura, las nubes no pasan nunca, de modo que se extienden sobre una quincena de
millas, a una altitud de unas cinco millas en línea recta; y a esta misma
altitud, poco más o menos, encontramos las cumbres del Taurus; a mitad de camino el aire comienza a caldearse; ni un soplo de viento ya;
nada podría vivir mucho tiempo allí, ni tampoco nacer, salvo algunas
aves de presa que anidan en las profundas grietas del Taurus y descienden más abajo que las nubes, en busca de pitanza entre los montes her-

bosos. Aquí todo es sólo roca desnuda por encima de las nubes, y la blancura de la roca deslumbra; no se puede trepar a la cima, pues el ascenso es duro y peligroso...»

Los viajeros han dejado las riendas colgando sobre el cuello de los caballos. Creen respirar el aire enrarecido de las cimas. A su alrededor no está ya la llanura de Umbría desplegando sus muelles ondulaciones, sino cordilleras del Asia, pirámides nivosas a las que las nubes sirven de zócalo y de basamento. Sobre todo cuando se observa el Taurus desde esa ciudad de Calindra, en Armenia, donde el cegador brillo de los glaciares hace que los extranjeros supongan que un meteoro gigantesco atraviesa el cielo. «La extremada blancura de la nieve la hace brillar con viva luminosidad y, para los armenios de estos parajes, es como un hermoso claro de luna en medio de las tinieblas... Desde gran parte del occidente se ve ese pico iluminado por el sol después del ocaso, durante la tercera parte de la noche. Y él es quien, entre nosotros, en tiempo sereno, fue considerado primero un cometa y en la oscuridad nocturna se nos apareció bajo distintos aspectos, unas veces divididos en dos o tres partes, otras largo y otras breve...

»Para estudiar ese extraño fenómeno y descubrir sus causas, el Gran Devatdar de Siria, lugarteniente del Sagrado Sultán de Babilonia, me confió la misión de visitar esos lugares por los que pocos viajeros se aventuran, y darle cuenta de lo que allí pasaba —explica Leonardo—. De ahí el informe que le hice y las cartas, largas, minuciosas, que le escribí...»

¿Se trata solamente de divertir a sus amigos? ¿Quiere hechizarles por medio de un mito ingenioso, o es arrastrado por una singular afición a la mentira, él que es ante todo «hombre de verdad»? ¿Qué es lo cierto? ¿Y acaso no puede considerarse cierta, con igual motivo que el informe de los acontecimientos reales, la hermosa y diestra ficción que encadena a los hombres? ¿No son ciertas y reales las figuras pintadas, en una tela o un panel, aunque tengan sólo dos dimensiones, aunque no reproduzcan los rasgos de fulano o mengano? ¿No es verdadero el maravilloso rostro nacido de la virtud creadora del artista, al igual que son verdaderas las triviales fisonomías de esos campesinos con quienes nos cruzamos por el camino?

Inventor de formas, inventor de máquinas, Leonardo es también un prodigioso inventor de acontecimientos inauditos y de seres extraordinarios. Prolongando hasta el infinito, al albur de la imaginación, los límites del mundo perceptible, se encanta con aventuras ficticias, cuyo tejido compone con esa mezcla de realismo preciso y fantasía visionaria que descubrimos en su obra pintada y en su actividad de científico. La hipótesis creadora y la observación rica en enseñanzas se aúnan en esta inmensa investigación de lo real que prosigue incansablemente. Todo es alimento para esa inagotable facultad de invención; objetos curiosos traídos de países lejanos, representaciones de insólitos paisajes. En torno al menor indicio organiza los numerosos y cambiantes rostros de un universo desconocido.

Hay algo de novelista en este pintor y este naturalista, y no es posible decir sin equivocarse en qué momento imagina y en qué momento recuerda. El viaje a Oriente puede ser tanto la experiencia de unas expediciones por Asia, realizadas durante esos años oscuros en los que los biógrafos pierden su rastro, como un desahogo de esa afición por contar, por novelar, que le asalta a veces, o también el signo de cierta mitomanía que sólo sería un modo de evadirse, de escapar a la estrechez de la vida cotidiana. A menudo, elabora sólo para sí mismo esos mentirosos relatos, garabateados al azar en sus cuadernos, y los cuenta únicamente porque esta ficción, alimentada por la repetición, se ha vuelto tiránica, obsesiva, y sólo puede liberarse de ella arrojándola fuera de sí para comunicarla a los demás.

Nada hay gratuito, por otra parte, en estas novelas, suponiendo que sean novelas. Los «caprichos» más estrafalarios, al igual que los de sus dibujos, siguen las secretas sendas de su pensamiento, remitiéndose a sus trabajos de geógrafo o de paleontólogo, o incluso a sus observaciones sobre la fisignomía. Por muy indiferente que sea a la vida política de su tiempo, es demasiado sensible a todo para no sentir las consecuencias de los acontecimientos sociales o religiosos. ¿Qué hay más importante en esta Italia del Renacimiento, desde el punto de vista religioso y social, que la «revolución» de Savonarola, que ha doblegado y arrastrado con su tormentoso soplo a grandes artistas como Miguel Ángel y Botticelli? ¿Y es posible suponer que eso ocurriera sin que un hombre como Leonardo se sintiera conmovido e inquieto?[3]

Era demasiado pagano para ceder a la tentación de seguir a Savonarola en su insensata aventura; lo acepto. Pero en todas las regiones de Italia sólo se hablaba de la guerra que el monje de Ferrara hacía contra los Médicis, contra el papa Alejandro VI, contra el Renacimiento. Las prédicas de Fra Girolamo trastornaban demasiado las conciencias, incluso con sus lejanos ecos, como para que los oídos de Leonardo permanecieran absolutamente sordos a ellas. Me inclino a reconocer, en algunas de sus invectivas, de sus visiones apocalípticas, la repercusión de las palabras de Savonarola, que atravesaban como un torrente de fuego la asustada Italia. Que un mensaje tan capital, desde el punto de vista de las relaciones del hombre con lo divino, no fuera escuchado por Da Vinci me parece absolutamente inverosímil.[4]

La historia del profeta desconocido, que nunca ha sido escrita, pero que tal vez él relató, o que en todo caso, imaginó para sí mismo de un modo bastante preciso y detallado, puesto que conservamos el guión, sólo adquiere todo su significado si la consideramos una paráfrasis muy novelada de la vida de Savonarola. Como sucede cada vez que se apodera de un tema, Leonardo desborda y supera la anécdota; la historia se amplía hasta convertirse en una especie de epopeya de universal alcance, en la que se proyectan, como en un espejo, las preocupaciones espirituales de Leonardo, sobre las que siempre se mostró tan discreto, tan reticente, por no decir mudo. Y los sermones que reclamaban para la impía Florencia el fuego del cielo, el diluvio y los horrores de la guerra, no son sin duda ajenos a esos visionarios pasajes donde los cataclismos causados por el agua, el fuego o el terremoto se describen con terrorífica intensidad.

Sabríamos si la historia del profeta tiene alguna relación con la predicación y la muerte de Savonarola, si pudiéramos fechar el texto del *Codex Atlanticus* que a ella alude. El resumen de la vida y el final del profeta precede las notas referentes al *Viaje a Oriente* que, de creer a Richter,[5] serían el fiel relato de las misiones llevadas a cabo por Da Vinci al servicio de Kait-Bai, gobernador de El Cairo para el sultán de Egipto, en un período impreciso situado por Richter entre 1473 y 1486. En ese caso, Leonardo habría recibido, de aquel a quien llama el Diodario de Siria, el encargo de realizar una investigación sobre los manejos del profeta en cuestión, así como de aclarar un fenómeno atmosférico acontecido en la región del Taurus. Solmi, por otra parte, señala en sus *Fonti*[6] que hacia 1501 había aparecido en Armenia un nuevo profeta llamado Sha-Ismael, al que Leonardo pudo conocer por medio de las mismas personas tal vez que le habían procurado un plano de las grutas de Elephanta, cerca de Bombai, y dibujos de las magníficas esculturas que allí se encuentran.

Leer o escuchar los fantásticos cuentos de Leonardo nos proporciona una ocasión más de maravillarnos ante la fecundidad sin igual de la imaginación de este investigador que no tiene otro parangón que Goethe, una imaginación que ni las artes plásticas ni las ciencias que estudia consiguen satisfacer o agotar. Leonardo poeta es, en su conjunto, el complemento de Leonardo pintor y naturalista, y para describir su completa personalidad no debemos silenciar una de sus manifestaciones más curiosas e importantes, que es aquella atmósfera encantada y mágica que le rodeaba y que cautivaba a sus alumnos y a sus amigos.

El paso monótono de los caballos durante las tediosas etapas por las llanuras sin accidentes anima al narrador a desarrollar más el cuento, menos para divertir a los compañeros de camino que para dar salida a su fantasía creativa. La mente jamás en reposo de ese infatigable amasador de formas evoca bruscamente al Gigante, ese Gigante que, en cierto y enigmático modo, se vincula al *Viaje a Oriente*: Leonardo, en efecto, afirma haberlo encontrado en el Levante, cuando estaba al servicio del Devatdar de Siria. Este ser procedía de los desiertos de Libia y gozaba de una longevidad extraordinaria, puesto que lo primero que Leonardo dice de él es que «combatió a Artajerjes con los egipcios y los árabes, los medas y los persas». Al comienzo de la anécdota se sitúa pues en la historia, pero pronto deriva hacia la pura fantasía: «Vivía en el mar y se nutría de ballenas, grandes cachalotes y navíos...»[7]

En cuanto se le identifica con el mito, ese Gigante que tiene quizá como punto de partida la figura de Goliat, se convierte en un personaje inverosímil y fabuloso. El retrato que de él hace Leonardo, dibujado con un trazo tan agudo como el de la mina de plata, es realista y a la vez fantástico, y hace pensar en esas imágenes de monstruos que pinta para sorprender y asustar a sus visitantes: verdaderos en sus elementos constitutivos, posibles en la reunión y disposición de estos elementos: «A primera vista, el rostro negro es horrible y terrorífico de ver, sobre todo los ojos hinchados e inyectados en sangre bajo las cejas pavorosas y fruncidas, que hacen que el cielo se oscurezca y tiemble la tierra... La nariz respingona como un hocico, con vastos orificios de donde salía gran cantidad de pelos, coronaba una boca arqueada de labios carnosos, cuyas comisuras tenían bigotes como los gatos; tenía amarillentos los dientes y su empeine era más alto que las cabezas de los jinetes...»

El compañero de guerra de Artajerjes, a medida que el relato avanza, pierde todas las proporciones humanas y se hace cada vez más monstruoso. Será acaso el mismo gigante libio, o bien otra de esas criaturas monstruosas hechas con el lodo ardiente del caos, el que aparece en la visión interior de Da Vinci como un jinete infernal que atraviesa, sin dejar otras huellas, otro cuaderno.[8] «Era más negro que un abejorro; sus ojos tenían la rojez de las brasas y montaba un gran semental de seis palmos de ancho por más de veinte de largo, con seis gigantes atados al arzón de la silla, y otro en la palma de su mano, al que roía con sus dientes; tras él iban los verracos, cuyos colmillos sobresalían de su boca unos seis palmos.» Dante, en su *Infierno*, lectura cotidiana de los florentinos, que marcó como un hierro al rojo vivo tanto la imaginación de Leonardo como la de sus conciudadanos, nunca concibió demonios más horrendos que éste.

En el relato que hace a Benedetto (se trata ciertamente de Benedetto Dei, aquel viajero por los países de Oriente cuyas colecciones examinaba Leonardo con tanta curiosidad y pasión) de las hazañas del Gigante, el visionario lo muestra acosado primero por la curiosidad de la multitud, luego por el furor de ésta, y a continuación rebelándose salvajemente contra su acoso. «Puesto que su posición inmóvil se le hacía pesada y quería librarse de la importuna muchedumbre, su rabia se convirtió en furor y, dando con sus pies libre curso al frenesí que agitaba sus poderosos miembros, penetró entre la multitud y a talonazos comenzó a tirar por los aires a los hombres, que caían unos sobre otros como una densa granizada; y numerosos fueron los que, muriendo, dieron muerte a otros. Este salvajismo duró hasta el momento en que el polvo que levantaban sus grandes pies acabó con su furor diabólico y nosotros seguimos huyendo...»[9]

«Nosotros.» Leonardo vuelve a la primera persona. En esta extraordinaria historia, tan reveladora del mecanismo de su imaginación, inventa un suceso inverosímil del que pretende haber sido testigo. La descripción del gigante es magistralmente convincente. Y he aquí que, de pronto, cambiando de tono tras esa admirable página de novelista, bifurca hacia una especie de paráfrasis lírica, que tiene los acentos del comentarista y casi el desapego de una «pieza de lucimiento». «¡Oh cuántos asaltos dirigidos a ese demonio rabioso contra el que cualquier ataque era en vano! ¡Oh gente desdichada, ni las inexpugnables fortalezas, ni las altas murallas de vuestras ciudades, ni vuestro número, ni vuestras casas o vuestros palacios os sirven de nada! Sólo os quedan los pequeños agujeros y los sótanos subterráneos, como los cangrejos, grillos y demás animales semejantes, donde podéis encontrar vuestra salvación y vuestra evasión. ¡Oh cuántos padres y madres desgraciados fueron privados de sus hijos! ¡Oh cuántas mujeres infelices privadas de su compañero! En verdad, mi querido Benedetto, no creo que desde la creación del mundo se hayan visto lamentaciones o dolor público acompañados de tanto terror. Ciertamente, en este caso la especie humana puede envidiar a todas las especies animales; el águila, es verdad, tiene vigor bastante para triunfar sobre los demás pájaros, pero éstos no son vencidos gracias a la velocidad de su vuelo; las rápidas golondrinas escapan de la rapacidad del halcón, y los delfines, por la celeridad de su huida, evitan la persecución de la ballena y de los grandes cetáceos; pero para nosotros, miserables, ninguna fuga vale, pues el paso lento de ese monstruo supera con mucho la velocidad del más ágil corcel...»

Tras haber dicho eso, cambia otra vez de tono y parece revivir el suceso, pues su espanto se nota en el confuso balbuceo; el narrador (hasta entonces fuera del alcance del monstruo al que observa y juzga sabiéndose al parecer en lugar seguro) se ve convertido, no sabemos por qué, puesto que vive aún para contar su aventura, en víctima del monstruo. Tres líneas sólo, pero tales que ningún poeta visionario ha hecho una descripción tan horrible y tan real: «... No sé qué decir ni qué hacer; tengo la impresión de que nado con la cabeza baja en las inmensas fauces y que, vuelto irreconocible por la muerte, soy enterrado en el gran vientre...»

Experiencia de la muerte en el abismo, vértigo, sensaciones de aniquilación, todo ello, como el recuerdo del abismo subterráneo que he mencionado ya, se vincula ciertamente a antiguas experiencias, a terrores de niño. Un psicoanalista las remitiría sin duda, mezclando el tema de la madre y esa aleación de atracción y de horror que inspira la gruta, a la huella de angustias prenatales, pero estaría fuera de lugar intentar hacer un diagnóstico de Leonardo a través de esos relatos fantásticos.

La historia del Gigante es, sobre todo, un admirable poema, realista y fabuloso según el doble carácter del espíritu de Leonardo. El fin del monstruo, en particular, es de una atroz belleza. Singularmente, para evocar la caída del coloso por fin derribado, Da Vinci recurre a la mitología: «Plutón —dice— se fue aterrado a los infiernos y Marte, temiendo por su vida, se refugió bajo el flanco de Júpiter.» ¡Qué singular mezcla de énfasis, de sencillez, de alegoría, de naturalismo! Lo que domina, sin embargo, todas las fantasías de ese «imaginífico» —para retomar una expresión cara a Gabriele d'Annunzio—, es su curiosa objetividad, ese sentido de lo concreto que, por lo común, les falta a los autores fantásticos. La descripción de la batalla entre el coloso y los minúsculos humanos coaligados frente a él bastaría, a falta de cualquier otra prueba de su genio, para que el pintor de *La Gioconda* mereciese una gloria de poeta. «La violencia del choque le había dejado postrado en el suelo llano, como inmovilizado por el estupor; el pueblo, que lo creyó fulminado, comenzó a girar en torno a la gran barba; y como hormigas corriendo de aquí para allá furiosamente entre la maleza abatida por el hacha del robusto campesino, así la gente se apretuja sobre sus enormes miembros y los lacera con numerosas heridas... Entonces, el gigante, recuperado el sentido y viéndose casi cubierto por la multitud, sintió de inmediato el ardiente dolor de los pinchazos y lanzó un rugido que fue como un espantoso trueno; con las manos en el suelo, levantó su espantoso rostro y llevando una mano a su cabeza encontró la multitud de hombres pegados al cabello, como los insectos que en él nacen. Estos hombres agarrados a la cabellera y que intentaban ocultarse allí, eran como marinos en la tormenta, que trepan por las cuerdas para cargar la vela y amortiguar la violencia del viento; sacudió pues la cabeza y mandó a la gente volando por los aires como el granizo arrastrado por la ráfaga, y muchos resultaron muertos por aquellos que, como la tormenta, cayeron sobre ellos; entonces, incorporándose, los holló con sus pies.» Esta frase, la última del fragmento C. A. 311 r.,[10] tiene el «cuño» dantesco, ese relieve de medalla, claro, abrupto, violento, preciso y, al mismo tiempo, cargado de sonoros ecos.

No hay ahí literatura alguna: no es posible imaginar descripción más concreta vista por unos ojos de pintor, que sabe mirar y que plasma y registra con la misma precisión y la misma claridad tanto las imágenes exteriores como las interiores, lo percibido como lo imaginado. Esta objetividad presta a los cuentos de Leonardo una fascinación que, en la literatura italiana, no se había encontrado desde Dante y que falta por completo en las novelas medio burlescas, medio caballerescas, continuación y caricatura de las canciones de gesta, como el *Morgante Maggiore*, de Pulci, en el que Leonardo habría podido inspirarse. Sus descripciones, en efecto, son tan realistas que nos preguntamos si cierta página, que creíamos de pura imaginación, no habrá sido dictada por una experiencia vivida. Ése es el caso, entre otros, del atractivo modo de anotar una observación que sólo es propio de un navegante, como: «Cuando estaba en la mar, a igual distancia de una ribera plana y una montaña, el costado de la ribera parecía mucho más lejano que el de la montaña.»[11] Una frase del *Viaje a Oriente*, como la siguiente: «Al abandonar la costa de Cilicia, hacia el sur, descubres la belleza de la isla de Chipre...», puede ser el recuerdo de una descripción hecha por un viajero florentino, pero es pasmoso observar, como hizo muy acertadamente Mac Curdy,[12] que las experiencias contadas por Leonardo son literalmente las que relataría un viajero que fuera a Chipre partiendo del puerto armenio de Khelindresh, que es la Calindra de la que él habla en este relato.

Está bien amar la ensoñación y sus prestigios, la imaginación y sus caprichos, la fantasía creadora de sorprendentes fantasmas, pero no hay que abandonar por ello el mundo de la realidad objetiva, de la realidad vista con la mirada exterior. Cada paso en el camino, cada mirada lanzada a la derecha o a la izquierda del sendero os reserva una maravilla. Alabanza del ojo, el más ventajoso y bienhechor de los órganos, que nos mantiene sin cesar al unísono con el esplendor del mundo creado. Por esta «ventana del alma» el hombre se comunica con el esplendor de las cosas exteriores, y quien no sepa abrir esta ventana ni mirar a través de ella ignorará perpetuamente el más magnífico espectáculo que Dios haya creado para felicidad de los hombres.

De esta inagotable riqueza, de esta abundancia de maravillas que están a nuestro alcance, el viajero mejor que nadie descubrirá la infinita extensión, sin cansarse ni sorprender nunca repetición alguna en los aspectos de la naturaleza. ¿Quién la conoce mejor que aquel que la tradujo en sus más íntimos estremecimientos, que anotó en sus dibujos, tan exactamente como en sus cuadernos de viaje, los juegos de la luz y de las sombras sobre el follaje, en dibujos que, adelantándose al porvenir en más de tres siglos, anuncian y preparan el advenimiento del Impresionismo? Leonardo registra la menor vibración del paisaje, la describe y la define; quiere que sus compañeros la capten de entrada, que encuentren en ella ante todo un deleite, y que más tarde la comprendan y la expliquen, pues el conocimiento aumenta y multiplica el placer. Pero el placer es lo primero, el placer de la contemplación del mundo.

En las embriagadas páginas que Leonardo escribe sobre el gozo de ver, nos parece escuchar ya la canción de Lynceus, el vigilante del *Fausto*, que lanza su grito de felicidad y agradecimiento a través del espacio: «¡Nacido para ver, situado para contemplar, atado a la torre, el mundo me place! ¡Ah, bienaventurados ojos míos, cuántas cosas no habréis visto! Suceda lo que suceda, era sin embargo tan hermoso...» Como un eco, Leonardo entona el himno a la belleza visible. «Qué es lo que te impulsa, hombre, a abandonar tu casa de la ciudad, a abandonar parientes y amigos, a marcharte a los lugares campestres, por montes y valles... si no la natural belleza del mundo, la única —considerándola bien— de la que sólo se goza por el órgano de la visión...» Recomienda a sus compañeros de viaje que miren a su alrededor con los ojos bien abiertos, con una atención sin fallo, una curiosidad siempre ávida, una felicidad nunca saciada. Cuando se acercan a los lejanos bosques y montañas hace observar enseguida a sus discípulos cómo «la montaña

distante del ojo, que parecerá de un hermoso azul, será la que por sí
misma sea más oscura, y la más oscura será más alta y más boscosa, pues
bajo los grandes árboles, hay arbolillos que parecen oscuros, ya que la
luz de arriba les es arrebatada por los grandes árboles; además, los árboles silvestres son por su naturaleza mucho más sombríos que los árboles
cultivados; los robles, los abedules, los abetos, los cipreses, los pinos,
son más oscuros que los olivos y otros árboles frutales».[13]

Para impresionar las mentes y hacer que los sentidos se vuelvan más
prontos y vivos, halla sorprendentes comparaciones. Invitando a sus
compañeros a seguir con la mirada el vuelo de un pájaro, les hace observar que «al igual que el hombre que se apoya con los lomos y los pies
entre dos paredes de muro para deshollinar las chimeneas, así hace el
pájaro con la sección de la punta de sus alas contra el aire en el que se
apoyan».[14]

Percibe por instinto la analogía pintoresca, el trazo del que nace una
imagen y que, al mismo tiempo, contiene y expresa una verdad científica, puesto que la propia diversión debe servir a la ciencia y alimentarla.
Invita a quienes le piden consejo a interrogar sin cesar a la naturaleza,
que nunca se equivoca. No les da esas cómodas recetas que, para muchos, hacen las veces de saber. Les remite sin cesar a la madre que disciplina e instruye. Si se detienen ante un hermoso y viejo árbol, les hace
admirar su conjunto y estudiar de qué modo el curso de la savia lo alimenta, al igual que la sangre que circula por todo el cuerpo lo hace vivir
y lo mantiene. Da Vinci demuestra la diversidad de todos los vegetales,
la infatigable fantasía de la creación que nunca fabrica dos seres absolutamente semejantes: «La naturaleza es tan ingeniosa y tan fecunda en su
diversidad que, entre los árboles de la misma esencia, no hay uno solo
que se parezca a otro...»; recoge flores y frutos, propone que mediten de
qué modo las hojas obtienen su color de la luz y de la sombra. «Aunque
las hojas de superficie lisa sean del mismo color por el anverso y por
el reverso, la parte vista por el aire participa del color del aire, tanto más
cuanto que el ojo está cerca y ve en escorzo. Las sombras parecen
más negras en el anverso que en el reverso, por la comparación que se
hace con lo brillante que confina con la sombra. El reverso tiene un
tono más hermoso: de un verde tirando a amarillo; eso se produce
cuando una hoja se interpone entre el ojo y la luz, que la ilumina por la
parte opuesta. Así pues, tú, pintor, cuando pintes los árboles de cerca,
recuerda que estando bajo el árbol verás tal vez las hojas por el reverso y
por el anverso. Por el anverso serán tanto más azuladas cuanto más las

veas en escorzo: alguna hoja se presentará, a veces, una parte por el anverso y otra por el reverso; por eso la harás de dos colores.»[15] Y, como corolario de esta perpetua referencia a la naturaleza, Leonardo enseña a los mismos que podrían sentirse tentados a imitarle (que le imitarán al menos en lo que pueda ser copiado y adaptado por pintores de talento menor que el suyo) el deber de renovar sin cesar la pintura, de crear de acuerdo con el propio carácter y temperamento: el deber de ser uno mismo y de hacer de la propia obra la expresión auténtica de una individualidad sin par.

Que cada generación y cada individuo de cada generación debe aportar un lenguaje expresivo nuevo se desprende claramente de una enseñanza que, por precisa que sea, no tiene más razón de ser que liberar al individuo, ayudarle a realizarse con la ayuda de la naturaleza y en la línea de la naturaleza. Aprender a mirar y a traducir lo que se ha visto, ésta es la primera lección de Leonardo, y la más importante. Él mismo rompió con la tradición florentina, porque se marchitaba y se empobrecía. El respeto y la imitación de los antiguos que era, en el primer Renacimiento, el mandamiento principal de los pintores y escultores, que medían con aplicación fragmentos de bajorrelieves romanos creyendo encontrar allí quién sabe qué sublime ciencia, no obsesionan a Leonardo que ha formulado ya los principios del arte barroco; por mucho que podamos aprender de los maestros que nos han precedido inmediatamente, hay que volver la espalda al pasado. Los humanistas eran, demasiado a menudo, los embalsamadores y los necrófagos de un pensamiento muerto. Al revés que ellos, y rompiendo también con las recetas de escuela, Leonardo preconiza un arte liberado de influencias y doctrinas. «La pintura va declinando y perdiéndose de época en época cuando los pintores sólo tienen como autor la pintura precedente. El pintor tendrá una obra poco excelente si toma como maestro la pintura de otro; pero si se inspira en la naturaleza, obtendrá buen fruto. Vemos desde los romanos que los pintores se imitaron el uno al otro, y así, época tras época, ocasionaron siempre el declive de ese arte.»[16]

Sólo dos nombres acuden a sus labios cuando pasa revista al arte de los siglos pasados. Giotto, que «no sólo superó a los maestros de su tiempo, sino a los de muchos siglos pasados» y, tras él, Masaccio, «que mostró, por su obra perfecta, que quienes toman por autor a alguien distinto de la Naturaleza, maestra de maestros, se esfuerzan en vano». Es preciso correr el riesgo del fracaso, como le ocurrió en el asunto de *La Batalla de Anghiari*, siempre que el arte avance, progrese y se renueve. Leonardo no enseña tanto una estética como una técnica: aquélla derivará de ésta, y según los medios empleados, surgirán nuevos modos de expresión y nuevas cosas que expresar.

Ésas son las enseñanzas que, al azar del camino y según las ocasiones que se presentan, Leonardo imparte. Mezcla sus consejos técnicos con anécdotas divertidas y, buceando en sus recuerdos, cuenta los notables acontecimientos que le han sucedido. Cómo descubrió un navío prehistórico excavando un pozo en Candia di Lomellina, en casa de Gualtieri di Bescapé, un barco muy grande, de una madera negra y espléndida; tan hermoso que Gualtieri hizo ampliar la boca del pozo para que pudiera extraerse entero. Remontándose más aún en la historia de la Tierra y de sus habitantes, describe la profusión de conchas y corales que se encuentran en el campo, soldados a las rocas, en las montañas de los alrededores de Parma. En las aguas del Adda, se pesca una clase especial de pez, el temolo, que se alimenta de plata y por esta razón sus escamas son plateadas. Allí donde se le encuentre, puede tenerse la seguridad de que el río contiene y arrastra pepitas de metal precioso...

¿Se cree esta historia que debiera despertar el escepticismo del naturalista? Ha diseccionado y examinado demasiados pescados para ignorar que ninguno de ellos puede alimentarse de un metal cualquiera, pero cuenta la anécdota tal como la oyó de los habitantes de la Valtelina, «valle rodeado de altas y terribles montañas...».[17]

El tiempo pasa deprisa, en amenas y substanciosas entrevistas como éstas. Por la noche duermen en el albergue o en algún castillo, y a la mañana siguiente se ponen en camino al amanecer, a la hora en que los caballos tiemblan aún de frío en la niebla del alba.

CAPÍTULO QUINCE

Roma

La elección del cardenal Giovanni de Médicis para el pontificado supremo había sido seguida, como de costumbre, por una invasión de florentinos. Del mismo modo, españoles y catalanes habían ocupado la corte papal durante el régimen de los pontífices Borgia, y eso es comprensible. Además del deseo, muy legítimo, de hacer participar a la familia de la gloria y la prosperidad que acompañaban la posesión de la tiara, era muy natural que el papa, soberano espiritual y temporal, expuesto, como todos los soberanos, a complejas y peligrosas intrigas, quisiera tener a su lado a hombres de fiar.

El nuevo papa, en efecto, estaba amenazado por los celos y el rencor de los rivales a los que había apartado, por la desconfianza y la envidia de los cardenales impacientes por sucederle. La posesión del patrimonio temporal había hecho que el muy espiritual poder del sucesor de san Pedro se doblase de poderío material sobre sus dominios, imponiéndole la carga de administrar un Estado con todas las cualidades políticas (que en muchos casos son, desde el punto de vista moral, defectos) que exige el talento de gobernar a los hombres. La inmoralidad política era corriente por aquel entonces, en una Italia gobernada principalmente por soldados de aventura cuyos éxitos militares les habían elevado a la categoría de príncipes. En la mayoría de los principados, el sentimiento cívico, tan fuerte en la Edad Media, se había atenuado con el ascenso de los poderes del dinero, y no había, en realidad, ninguna dinastía legítima, como en los demás países de Europa. Era pues importante que el soberano estuviera rodeado de colaboradores unidos a su suerte por los vínculos del interés, naturalmente, pero también por un vínculo familiar, único garante —¡y a duras penas!— de una larga fidelidad.

Por esta razón, imitando a Alejandro VI, que había hecho de su hijo César Borgia el gonfalonero y el jefe de las tropas pontificias, León X entregó la mayor parte del poder temporal de la Santa Sede a su hermano Giuliano. León X, en efecto, no tenía las ambiciones de Julio II ni aquella terrible «voluntad de poder» que animaba al papa Rovere. Le bastaba con velar por la administración espiritual de la Iglesia y, siendo de natural pacífico y poco proclive a las intrigas políticas, deseaba reservarse los ratos de ocio necesarios para el cultivo de su arte preferido: la música.

Sólo la música despertaba cierta emoción poética en ese hombre gordo de mirada soñadora, tan débil que se dejaba manejar por los bufones profesionales o inconscientes que pululaban por el Vaticano y le acompañaban como una grotesca escolta. Su capilla de tocadores de laúd y cantantes se mezclaba con una cohorte de payasos y bromistas, cuyas salidas, carcajadas o palmadas en las posaderas se detenían bruscamente tras una señal del maestro, para dejar que ascendiera la armonía cristalina de un motete flamenco o un *ricercare* veneciano. No había nada que un músico no obtuviese de ese pontífice melómano, y en el fondo desengañado, que sólo había heredado del humanismo paterno una especie de literatura artificial, de pura forma, decadencia de aquella «escuela de la sabiduría» que celebraba sus sesiones en los jardines de Careggi durante las noches toscanas, cuando el perfume de las rosas suavizaba el amargo aroma de los cipreses.

León X, sin embargo, no tenía el ardor poético ni el exquisito gusto que habían inspirado el mecenazgo de su padre, Lorenzo el Magnífico, y de su bisabuelo, el viejo Cosme. Proseguía la tradición familiar con una displicencia algo fatigada, algo indiferente, dejando que floreciera a su alrededor una elocuencia hecha de verbalismo, una poesía de corte llena de tópicos. Intrigantes de mediocre talento se veían favorecidos gracias a su misma mediocridad y a su buena disposición para adular servilmente. El agudo sentido de la excelencia y la perfección que reinaba en el palacio medíceo de Via Larga había dado paso a una caricatura del humanismo, hinchada, afectada, sin originalidad ni talento. Por fortuna, los artistas, más que los poetas, siguieron siendo dignos de la gran tradición. Bramante, Rafael, Miguel Ángel han conservado el favor de León X que no puede prescindir de ellos, pues son los «ilustradores» de su reinado y de su «casa» al mismo tiempo.

Tal vez esa brillante «brigada» de genios bastaba, en el espíritu del papa, para inmortalizar el pontificado de León X. Éste permite que Bramante eche abajo el viejo templo de san Pedro, sus venerables piedras constantinianas y sus recuerdos de la antigua Iglesia, puesto que la nueva basílica celebrará al apóstol. Apadrina al joven Rafael, que Bramante ha traído de Urbino y cuyo arte elegante, sobrio y mesurado se adapta mejor a su estética que el ardor tumultuoso e inquieto de Miguel Ángel que, desde hace unos meses, ha terminado los frescos del techo de la capilla Sixtina y está muy atareado esculpiendo la magnífica tumba de Julio II. La sensualidad elegante de Sodoma, la grandeza lírica de Peruzzi no hieren sus gustos, tan conmocionados como su susceptibilidad por la intransigencia del pintor de la Sixtina. León X se muestra favorable, en suma, a un tipo de «clasicismo de corte» análogo al que Le Brun hará triunfar bajo el reinado de Luis XIV, y por las mismas razones. ¿Qué podía esperar Leonardo da Vinci de semejante corte y semejante soberano?

El recuerdo de la amistad que el padre del pontífice había demostrado al pintor de *La Adoración de los Magos* y la universal celebridad de Leonardo, hubieran debido impulsar al papa a dedicarle una acogida especialmente benevolente. Se habían conocido en Milán, a finales del siglo anterior, cuando los Médicis, expulsados por la dictadura de Savonarola, estaban exiliados allí. No siempre es oportuno evocar tales recuerdos. Podemos estar seguros, por otra parte, de que los artistas preferidos de León X no iban a apretujarse de buen grado para hacer sitio a un recién llegado. Salvo Rafael, que tenía el corazón demasiado cándido y noble para rebajarse a esas disputas profesionales, todos le ponían la proa, en especial Bramante, que era celoso, colérico, exclusivo y que había demostrado en sus relaciones con Miguel Ángel lo poco que deseaba compartir con nadie el favor del papa. Éste iba a recibir de uñas a Leonardo y a sembrar de obstáculos un camino que, desde el comienzo, se revelaba difícil.

Hacía ya treinta años que una lira de plata de extrañas sonoridades había servido de pasaporte a Leonardo ante el señor de Milán. Pese a su hermosa voz y a la afición que había conservado por los instrumentos, Da Vinci no era lo bastante músico como para entrar en competición con los compositores y los virtuosos que a León X le gustaban. Además, tenía una reputación de hombre «extraño» que habría podido despertar la curiosidad del papa, pero no estaba en disposición de consentir que se hiciera de su extrañeza un objeto de diversión. En fin, Leonardo era célebre, pero también estaba rodeado por una singular atmósfera de mala suerte, un rumor de fracasos, a consecuencia de la frustrada Batalla de Anghiari. Su hostilidad hacia los profesionales del humanismo, que nunca había ocultado y que le había impulsado a decir de sí mismo que no era un «hombre de letras» antes que confrontar su cultura profunda, esencial, con la de ellos, verbal y superficial, le hacía de antemano el blanco de la antipatía de un Bembo, de un Castiglione. Éstos temían sus burlas y las «contundentes salidas» que, como todos sabían, eran habituales en él. La pandilla de partidarios de Bramante y los literatos al modo de Inghirami no dispondría al papa en su favor.

Para que Leonardo abandonara Milán y se dirigiera directamente a Roma era preciso, sin embargo, que estuviese seguro de ser bien recibido. ¿Adónde habría ido? Florencia le ponía mala cara desde el infortunio de la Batalla. Francia alimentaba demasiados proyectos guerreros para dedicarse al mecenazgo artístico. Isabelle d'Este, como muchos de sus admiradores, se había cansado de solicitarle en vano y se volvía hacia la ascendente estrella de Rafael. Pero también es posible que Leonardo hubiera comprendido, con esa suerte de adivinación que poseía y ese presentimiento de lo que su destino reclamaba, que la experiencia romana le era necesaria en aquel momento. Tal vez hubiese recibido ciertas seguridades y una invitación en debida forma, no del papa, ciertamente, sino del hermano de éste, Giuliano de Médicis, gonfalonero de la Iglesia y administrador de la política pontificia.

El hecho de que Leonardo hubiese pertenecido a la casa de los Médicis en la gran época florentina de esta familia hacía ya prever una acogida favorable. Su fama, por otra parte, le permitía hablar de igual a igual con los príncipes de la Iglesia y los príncipes a secas, sin que tuviera necesidad de formular ofertas de servicios análogas a las que antaño dirigía a Ludovico el Moro. Pero el hecho de que Giuliano le acogiera con simpatía se debía, como suele suceder, a un malentendido y a que aquél tenía la esperanza de hallar en ese hombre universal el colaborador que deseaba para ciertas empresas.

Los trabajos para desecar las marismas de Piombino, iniciados en el período en que Leonardo estaba al servicio de César Borgia, y la desviación del Arno que había emprendido para la república de Florencia en tiempos de la guerra contra Pisa, designaban a Da Vinci como el único ingeniero capaz de realizar el gran sueño al que Giuliano quería asociar su nombre: la mejora de las marismas pontinas. Generoso y sabiendo por añadidura que podía meter la mano a su guisa en el tesoro pontificio, Giuliano había advertido cierto día que adquiriría eterna gloria si devolvía su antigua fecundidad a las marismas que eran, para los Estados pontificios, una vergüenza y un peligro. Y además, si faltaba dinero para tan colosal empresa, Leonardo sería el hombre capaz de compensar los préstamos hechos al tesoro pontificio, porque era capaz de fabricar oro.

El misterio con que Leonardo rodeaba sus trabajos y su vida, esa afición al secreto que aportaba en las relaciones con sus patrones y con los demás artistas, su escritura disimulada, su preferencia por los criptogramas, sus investigaciones en el orden de las ciencias naturales que, por aquel entonces, no estaban aún separadas de las ciencias ocultas, yendo la química a la par con la alquimia, la astronomía con la astrología —hasta el punto de que nadie imaginaba que una pudiera ser «gratuita» y no sirviese para conquistar poderes sobrenaturales—, todo ello, hasta la originalidad de su atavío y su comportamiento, hacía que sus contemporáneos le miraran como una especie de brujo lo bastante hábil para disimular bajo la apariencia de inocentes investigaciones ciertos trabajos ocultos.

El interés que Giuliano sentía por la alquimia era conocido por todos sus contemporáneos. Fácil es comprender que el gonfalonero esperaba hallar en Leonardo un colega en la cábala, un asociado, un colaborador. Como por aquel entonces no se bromeaba en absoluto con lo que tuviera olor a brujería o magia, se disimulaban esas actividades que podían conducir a la hoguera. Leonardo era bastante imprudente en esta materia, y su imprudencia era absurda porque no practicaba, en realidad, las artes ocultas —aunque la mera reputación bastaba para que la Iglesia aplicara todo su rigor—, y se divertía pasmando a sus amigos con algunos trucos fácilmente explicables que, para los ingenuos o los malevolentes, tenían cierto tinte diabólico.

Comprendemos hoy que esa prestidigitación sin peligro se parecía a esos trucos de física recreativa con los que los ilusionistas dejan atónitas a las multitudes campesinas, pero el renombre de esos fantásticos inventos en los que era diestro y que utilizaba con objeto de asombrar, de mistificar a la gente, le hacían sospechoso de tener otros poderes más misteriosos todavía. Sin duda le habían contado a Giuliano algunos de esos «prodigios», que consistían en modelar pequeños animales de cera que emprendían el vuelo ante el menor soplo, o en sacar de las vísceras de los corderos unos monstruosos ectoplasmas que asustaban a sus visitantes. Su curiosidad ante las metamorfosis le incitaba también a componer pequeños animales extraños, añadiendo por ejemplo a un lagarto unos cuernos y una barba pertenecientes a otros animales, e incluso alas que un singular mecanismo elaborado con mercurio hacía que se agitaran en cuanto el animal andaba.

No se necesitaba más para que el lagarto volador y los enormes y horribles globos obtenidos de los intestinos de los corderos fueran transformados, en boca de los que habían presenciado tales trucos, en creaciones mágicas propias de un brujo. Así, mientras ridiculizaba oralmente y por escrito a quienes creían en las ciencias ocultas, Da Vinci adoptaba a veces la apariencia de un iniciado. ¿Sólo la apariencia? Es difícil pronunciarse a este respecto. Este temperamento de experimentador racionalista que tenía Leonardo era contrario al ocultismo, pero es imposible creer que, enamorado como estaba de todas las ciencias, ávido de conocer todos los aspectos de la vida y todas las formas del saber y del poder humanos, haya permanecido siempre al margen de lo oculto.

Hay ahí un enigma que nunca ha sido resuelto, pues en sus escritos Leonardo afirma con tanta energía que siente asco y desprecio por estas investigaciones, que los comentaristas se satisficieron con dicha aseveración. ¿No será ésta tan categórica porque quizá Leonardo no obtuvo de las ciencias ocultas todo lo que esperaba, y su cólera se tradujo en decepción y despecho? Reconozcamos que nuestra ignorancia se extiende también a la vida sentimental y sensual del artista, pues ningún hombre se ha mostrado tan secreto como él a este respecto. Sé muy bien que en aquella época no había tanta curiosidad indiscreta y bastante malsana hacia la vida íntima del artista, y que por lo general sólo se pedía a las biografías que hablaran de su arte, mientras que, en nuestros días, se rebusca en sus diarios, en su correspondencia y en todo lo referente a la faceta humana y se menosprecia, por así decirlo, lo que atañe a la faceta artística. La vida de Leonardo, como la vida de aquellos de sus contemporáneos que no tomaron la precaución de contarla ellos mismos, —como Cellini en sus memorias y Miguel Ángel en sus poemas—, tiene muchas zonas oscuras. Por consiguiente, ignoramos si fue adepto a las ciencias ocultas o sólo tuvo la reputación de serlo.

Parece que Giuliano de Médicis se vio decepcionado, pues no queda ninguna huella de aquellos trabajos para los que había deseado la presencia de Leonardo. León X prescinde del artista durante los tres años que éste pasa en Roma; no figura entre los artistas empleados en la construcción y decoración de San Pedro; ni tampoco se le menciona en las obras del Vaticano y de la Farnesina. Parecen olvidar que es pintor y resulta curioso ver que Baldassare de Castiglione se lo reprocha a él, cuando es la corte pontificia la que no le ofrece ninguno de los encargos que convendrían a un pintor. «Uno de los pintores más excelentes del mundo —escribe fríamente el autor de *El cortesano*— desprecia el arte en el que es un maestro y se sume en la filosofía, y ésta le ha inspirado ideas tan extrañas y quimeras tan extraordinarias que nada obtendrá de ellas, nunca, para su pintura.» ¿De quién es la culpa? De los que le excluían de las grandes obras en las que se habría distinguido. Pero los aficionados de menor envergadura, por su parte, no olvidan que es pintor y no le permiten olvidarlo. Ejecuta el retrato de la duquesa de Avalos, y dos pequeñas madonas, que se han perdido como tantas otras pinturas suyas, para el oficial pontificio Baldassare Turini da Pescia. Habría pintado también, según Antonio de Beatis, un admirable retrato de mujer, una florentina amada por Giuliano, que habría encargado esa obra, pero parece ser que Beatis la confunde con *La Gioconda*, y no sabemos nada más.

Los únicos trabajos auténticos que Leonardo hizo para su protector fueron de ingeniero y no de artista: la construcción de inmensos establos, un aparato para acuñar monedas, nuevas fortificaciones en Piacenza y en Parma. Hay que añadir a ello dos grandiosos proyectos que ni siquiera tuvieron un principio de ejecución: el desecado de las marismas pontinas y la reconstrucción del puerto de Civitavecchia. Ése es el balance oficial de las obras realizadas, en tres años, por Leonardo da Vinci por cuenta de los Médicis.

Debo decir que las ejecutó de buena gana, con ese ardor y esa aplicación que ponía en todo lo que hacía. No sólo ya para complacer a un dueño al que necesitaba, sino sobre todo porque toda creación, fuera la que fuese, despertaba en él una especie de entusiasmo activo. Y también porque esos encargos oficiales no eran absorbentes hasta el punto de impedirle proseguir los estudios que llevaba a cabo por su propio placer, y en los que ponía todo su ardor y todo su talento: acústica, óptica, anatomía, aeronáutica, hidráulica eran, por así decirlo, las constantes de su pensamiento y de su actividad. Como siempre estaba dispuesto a aprovechar todas las ocasiones que los encuentros fortuitos, las estancias en una ciudad nueva y el empleo de nuevos materiales le ofrecían para adquirir nuevos saberes, utilizará su estancia en Roma para estudiar una ciencia a la que hasta la fecha sólo había echado una somera ojeada: la botánica.

Añadamos a ello unas investigaciones fisiológicas, muy relacionadas con las predilecciones del papa León X, sobre la voz y el canto, de las que sacará como de costumbre un tratado, y una singular pasión por los espejos, hasta el punto de que instala en el alojamiento que Giuliano le ha asignado en el Belvedere un verdadero taller de fabricación de espejos, que iba a ser para él una fuente de enojosas complicaciones e incesantes disputas.

Por lo que se refiere a las marismas pontinas, nos queda sólo un plano de la región dibujado por Leonardo con esa minuciosa precisión que al mismo tiempo anima de un modo extraño los paisajes. La cartografía nunca es, para este naturalista, algo abstracto; diría incluso que le ayuda a comprender mejor la fisionomía y el alma de la Tierra. El conjunto de las montañas y los llanos, de las cuestas y las corrientes de agua se convierte para él en algo vivo, extraordinariamente humano. Su talento analógico reconoce el trazado de las circunvoluciones cerebrales en las sinuosidades de un río y sus afluentes. Siente palpitar las pulsaciones de la vida en el menor alzado de valles y colinas, no sólo porque encuentra en ellos la historia de la formación de la Tierra (al igual que se lee la vida de un hombre en las arrugas de su rostro), sino también porque el paisaje, contemplado idealmente desde esa altura a la que Leonardo se remonta imitando el vuelo del pájaro, se convierte en un retrato, en la huella de un destino, en la marca de una incesante batalla entre la tierra y el mar, entre el aire y las rocas, batalla donde los elementos aparecen con su composición física, pero también con esas propiedades y esas virtudes mitológicas que Leonardo, con su alma pagana, adivinaba tan bien.

El conjunto de mapas geográficos que pertenece a la Biblioteca Real de Windsor y en el que figura el dibujo de las marismas pontinas no tiene equivalente alguno. En él el sabio y el artista aúnan sus conocimientos para producir algo semejante a unas planchas anatómicas en las que, además del entrecruzado de los músculos y el sistema sanguíneo, aparece como por milagro el carácter del personaje leído en transparencia, sus humores y sus pasiones. El dibujo de las marismas pontinas describe ya los campos fértiles, los caminos recorridos por carros muy cargados, las apacibles aldeas, las felices ciudades que sustituirán a los lodos pestilenciales. Cuando se trata de un terreno más variado, los alrededores del lago Trasimeno, por ejemplo, los pliegues montañosos se levantan como una pasta que se cociera; se siente en ellos la acción del fuego central y de las fermentaciones químicas. Entre esas hinchadas alturas se deslizan insidiosamente como puntas agudas de nervios sensibles, como venitas llenas de espesa sangre, las delgadas corrientes de agua ramificadas hasta el extremo que desembocan todas, tras un trayecto más o menos largo, dramático como una existencia humana, en el lago que las absorbe. Cuando uno se inclina sobre esos dibujos, diríase que el hombre que los creó con su pluma, que les añadió el delicado y sensible color que les da vida y realidad, diríase que ese hombre se valió de algún prodigio mágico, de una alfombra voladora o unas alas de ángel para abarcar de una sola mirada ese organismo infinitamente complejo, tanto en su totalidad como en la innumerable variedad de sus detalles, en estas miríadas de vidas que se ordenan en una vida única que les da su más pleno sentido, su más alta eficacia.

Por desgracia, el destino de este hombre le condenaba a no poder dar remate a las obras por las que más predilección sentía. Íntima maldición que ordena, «no irás más lejos» al audaz que rechaza los límites. Maldición interior del ambicioso visionario que, por haber aspirado a la totalidad del saber humano, recibió como castigo no ver nunca concluida la obra a la que se había entregado con pasión.

Tal vez Goethe pensara en Leonardo da Vinci cuando imaginó el entusiasmo de Fausto, entregado también a «hacer fértiles» unas marismas estériles y contemplando con los ojos de la imaginación —¡los únicos que le quedan!— el paisaje futuro que nacerá de su esfuerzo. «Una marisma se extiende a lo largo de las montañas; infecta todo el suelo ya conquistado; desecar además esta charca pestilente sería la última y más hermosa conquista. Abro a millones de hombres espacios donde habitarán, no con seguridad sino en una libre actividad. Las campiñas son verdes y fértiles, y los hombres, los rebaños, se sienten de inmediato bien en la nueva tierra, se establecen de inmediato en la base de la colina, elevada por una industriosa y osada población. ¡Aquí, en el interior, un verdadero paraíso! ¡Que allí fuera las olas azoten la ribera! Si el agua abre una brecha para invadirla violentamente, el esfuerzo común se apresura a cerrar la abertura. Sí, me entrego por completo a este pensamiento: es el fin supremo de la sabiduría. Sólo merece la libertad, como la vida, quien cada día debe conquistarla. Así, rodeados de peligros, niños, hombres, ancianos pasan aquí sus valerosos años. Si me fuese dado ver semejante movimiento en un territorio libre, con un pueblo libre, diría al momento: "¡Detente, eres tan hermoso!" La huella de mis días terrestres no puede perderse en la sucesión de los siglos...»[1]

Generalmente considerado como el «arquetipo» del hombre de la época barroca, Fausto aparece también como un personaje representativo del Renacimiento, pues en él la acción domina perpetuamente a la inquietud, y no obstante el verdadero héroe barroco es Hamlet, en quien la incertidumbre paraliza perpetuamente la acción. El hombre del Renacimiento opone a la angustia que florecerá en el Barroco una especie de ceguera moral y psicológica, una impenetrabilidad a los «problemas». En eso coincide con los griegos de la época clásica, a los que tomó por modelo, pero uno sólo elige como ejemplo a seres con los que uno ya cree tener parecido. Sólo se imita lo que se es, sólo se recibe lo que ya se posee. El Barroco divinizó lo problemático; hizo de la investigación de los problemas una razón para vivir, y, a fin de contribuir a ello, lo transformó todo en problemas. Esta faceta «problemática» de *Fausto*, que sería absurdo negar, se posa sobre una naturaleza esencialmente renacentista que era, en el fondo, la propia naturaleza de Goethe.

Goethe rechazó el Romanticismo, que es en sí una forma del Barroco, porque contradecía ese espíritu renacentista que constituía la dominante de su ser. El hombre del Renacimiento, en efecto, es el que dirige las minas de Ilmenau, el que administra las finanzas del ducado, el que preside los destinos del teatro de Weimar. Es un hombre vinciano, que elabora la teoría de los colores, que imagina la metamorfosis de las plantas, que descubre el hueso intermaxilar. De ahí procede también que en Fausto haya tanto de Goethe, y que Fausto —cuyo nombre se ha convertido en el epíteto que califica a cierta naturaleza de hombre: «el hombre fáustico»— sea tan vinciano como fáustico, tan clásico-renacentista como barroco-romántico. Fausto y Da Vinci se encuentran en las marismas pontinas, y su sueño es el mismo... El mismo es también su fracaso.

La empresa de fertilización, en efecto, sólo se hizo realidad en el papel. Giuliano de Médicis estaba demasiado ocupado por la política y por sus placeres para pensar de un modo activo en este gran proyecto y llevarlo a realización. La muerte, además, pronto iba a arrancarle de los dedos ese bastón de mando que Miguel Ángel colocó en las manos de su estatua, en la capilla Médicis de San Lorenzo. La empresa de Civitavecchia no tuvo mayor éxito, y por las mismas razones, puesto que León X deseaba simplemente fortificar la ciudad de modo que pudiera dominar estratégicamente esa porción de la costa y servir de base naval en caso de guerra marítima. (En la misma época, aproximadamente, Luis XII creaba con la misma intención un puerto de guerra en Toulon, y allí se armó y se equipó la flota francesa que apoyó al ejército de invasión.)

Se confían pues los trabajos a Antonio da San Gallo, que es un especialista en arquitectura militar, tras haber encargado los planos a Bramante, que no toleraba que se hiciese nada en lo que él no interviniera. Como colaborador de San Gallo nombraron a Da Vinci, en recuerdo de los magistrales éxitos que éste había obtenido en Romaña por cuenta de César Borgia. En cuanto se interesa por el proyecto, Leonardo lo amplía considerablemente. Es importante advertir que, por aquel entonces, estudia lo que llama las «antiguallas» no sólo en la propia Roma sino también en Tívoli y sobre todo en la Villa Adriana, que en aquella época estaba mucho mejor conservada que hoy. En cuanto Leonardo se apodera de una idea o, mejor dicho, en cuanto una idea se apodera de él, la desarrolla convirtiéndola en una construcción gigantesca.

Para San Gallo, Civitavecchia sólo será un puerto de guerra, de acuerdo con las instrucciones del papa. Leonardo, en cambio, proyecta, alrededor del pueblo, una ciudad antigua, resucitada con todos sus monumentos, bañada por una luz dorada, animada por una activa muchedumbre. Mejor que los dibujos del *Codex Atlanticus* que esbozan esta Civitavecchia, algunos cuadros de Claude Lorrain y, mejor aún de Turner, nos dan una idea de lo que soñaba Da Vinci. Al igual que reconstruía los grandes animales prehistóricos partiendo de algunas osamentas fósiles recogidas en sus vagabundeos infantiles alrededor de Da Vinci, o bien en los aledaños de la Campana de Parma adonde, en septiembre de 1514, regresa para examinar las fortificaciones de la ciudad, así los mármoles antiguos contemplados por él en la *campagna* romana, bajo los cipreses de Tibur o esparcidos por el valle de Tempe, recuperan su lugar en un inmenso complejo arquitectónico e incluso urbanístico.

Nada hay en ello de «arqueológico»: Leonardo lo es todo salvo un arqueólogo. Para él, el capitel antiguo, la base de la columna, el fragmento de arquitrabe tienen la misma vitalidad que una roca, una planta, un pájaro; son los elementos vivos, las células de una totalidad orgánica; basta con devolverlas a su lugar para que esta totalidad orgánica se organice de nuevo a su alrededor. Más que en un Viollet-le-Duc, hace pensar en el Victor Hugo dibujante, que es todo lo contrario, que reintegra a la vida el fragmento y el documento; les transfunde una sangre nueva, dotándolos así de una prodigiosa vitalidad que es, a la vez, el reflejo del modelo elegido y una realidad nueva, autónoma, vigorosamente independiente de ese modelo.

De nuevo sus planos eran demasiado ambiciosos, el ideal en exceso colosal, alejado de las realizaciones fáciles. Sólo se ejecutan en Civitavecchia las obras necesarias para dotar a la ciudad de medios de defensa. La espléndida ciudad antigua, soñada por Leonardo, en la que pensaba ya construir la ciudad ideal que había inventado durante su primera estancia milanesa, sólo tuvo un inicio de ejecución en el desecamiento de las marismas pontinas. Si Giuliano hubiera vivido más tiempo, ¿habría ayudado a Da Vinci a llevar a cabo esos grandiosos programas? No lo sé. Aquel hombre bien dotado y no desprovisto de talento tenía algo de veleidoso, y Miguel Ángel lo mostró muy bien al dar a la estatua del duque de Nemours esas manos hermosas pero débiles, incapaces de sujetar el cetro o la espada, porque la propia vida no le había atribuido bastante fuerza, energía, voluntad y constancia para que pudiera presidir la realización total de la obra que, con él, se quedó en el estadio del proyecto.

Mientras que la «pandilla bramantina» trabajaba activamente y monopolizaba todos los encargos, Leonardo, a quien sólo se le había permitido construir un establo e idear una prensa para acuñar monedas, vegetaba en la penumbra como un artista olvidado, desconocido, incomprendido. Vegetaba: la palabra sólo es justa si la tomamos en el sentido de la falta de éxito material y práctico que tiene en el lenguaje corriente. A mi entender, esa actitud vegetativa, favorecida por la indiferencia de la corte pontificia, beneficiaba a fin de cuentas el que Leonardo se dedicara a toda una serie de actividades nuevas que sólo eran posibles gracias a los recursos encontrados en Roma. En el plano material cabe señalar que Giuliano de Médicis le había atribuido un cómodo alojamiento en el Belvedere, y una asignación mensual de treinta y tres ducados, sin exigirle trabajos que ocuparan todos sus instantes. Estaba bastante libre y tenía tiempo para proseguir sus investigaciones personales, que no serían de ningún provecho para su protector. El apoyo del papa, a cuya «casa» pertenecía, le facilitaba también ciertas tareas. Nunca hubiera podido desarrollar sus descubrimientos botánicos si no hubiese tenido a su disposición los jardines del Vaticano y sus colecciones exóticas. El papa tenía también un zoológico más rico e interesante que el de los demás príncipes italianos, y en él Leonardo podía examinar a su gusto los animales vivos y diseccionar los animales muertos. Y, puesto que hablamos de disección, es evidente también que la acusación de haber profanado un cadáver habría podido tener muy enojosas consecuencias para el inculpado si la protección del soberano pontífice y su hermano no hubiera impuesto silencio a unos policías demasiado celosos.

En el plano espiritual, aunque no le gustara Roma y se llevara de ella un mal recuerdo, Leonardo se encontró allí cara a cara con la Antigüedad, tal como nunca la habría conocido en Milán y en Florencia. Reprocha a los Médicis haberle «destruido», pero a lo sumo se mostraron unos mecenas poco exigentes, y si le amargaba el hecho de que le dejaran de lado, su situación era mejor, en definitiva, que la de Miguel Ángel, tiranizado por León X que quería su capilla y por los herederos de Julio II que reclamaban la tumba del «papa-tormenta». La experiencia romana fue, desde muchos puntos de vista, extremadamente fructífera para Leonardo, pero el ideólogo de las grandes obras se lamentaba de que la provincia saneada y la ciudad antigua resucitada no llegaron a hacerse realidad por culpa de sus amos.

Entre los beneficios que Giuliano de Médicis otorgó a Leonardo, hallamos la concesión de un salario mensual de siete ducados a uno de sus ayudantes llamado Giorgio Tedesco (es decir, Giorgio *el Alemán*) al que el pintor había contratado en Roma, puesto que no figura entre sus compañeros de viaje mencionados en el Manuscrito E I r: Giovanni, Francesco de Melzi, Salai, Lorenzo y el Fanfoia. Encontramos también en el taller de Leonardo a un extraño personaje, alemán también, Giovanni delli Specchi (Juan de los Espejos). Como indica su apodo, este artesano que iba a ser la causa de tantas complicaciones para su maestro era especialmente hábil en la fabricación de espejos, que Da Vinci necesitaba para sus instrumentos de óptica y sus estudios de astronomía. El ingenioso espejero, considerando sin duda insuficiente el salario que se le pagaba, quiso hacerse con su propia clientela abriendo en el Belvedere una tienda de espejos, en vez de trabajar exclusivamente para su señor, como el compromiso exigía. Este comercio causó serios problemas a Leonardo, tanto más cuanto, sabiéndose culpable de utilizar en su propio provecho el tiempo de trabajo y los materiales que le proporcionaban, Giovanni delli Specchi decidió tomar la ofensiva contra Leonardo, y le denunció como sospechoso de profanación de cadáveres. Encontramos, en los cuadernos de Leonardo varios borradores de cartas dirigidas por éste a Giuliano, para defenderse contra las calumnias que hacía correr el alemán, y para quejarse, a su vez, de las fechorías del ingrato que había llegado incluso a soliviantar contra su maestro, tal vez por solidaridad de raza, al alumno Giorgio Tedesco.

Entre los principales reproches que le hace Da Vinci a Giovanni delli Specchi, está el de pasar todo el tiempo que no emplea en su beneficio personal celebrando banquetes en el cuerpo de guardia del Vaticano con los suizos pontificios, yendo con ellos a cazar pichones entre las ruinas de Roma, serio reproche por parte de Leonardo que adoraba los pájaros y compraba a los que veía cautivos en las pajarerías para devolverles la libertad. «Me ha perjudicado en mis trabajos de anatomía difamándome ante el papa y también en el hospital; ha llenado todo el Belvedere de talleres de espejeros y obreros y ha hecho lo mismo en el apartamento de maese Giorgio. Nunca ha ejecutado trabajo alguno sin departir todos los días con Giovanni que, luego, hacía correr la noticia y la proclamaba en todas partes, declarando que se había vuelto un maestro en ese arte; sobre la parte que no comprendía, afirmaba que yo no sabía lo que deseaba hacer, arrojando así sobre mí la condena que su ignorancia merecía. Nada puedo ejecutar en secreto por su causa, pues el otro está siempre a su lado, dado que ambas habitaciones se comunican. Pero su designio era tomar posesión de ambas para trabajar en los espejos. Si yo le mandara hacer mi modelo de espejo curvo él iría publicándolo.»[2]

Por culpa de ese quisquilloso, que parece sentir rencor por Leonardo porque éste le ha suplantado en el favor de Giuliano, varios de los trabajos encargados no pudieron ser ejecutados. Por su culpa también, ese «golfo alemán» que es Giorgio fue apartado de su trabajo, hasta el punto de que, para impedirle vagabundear con los guardias, y también para impedir que curioseara en los secretos de su obra, Leonardo había proyectado instalarle un banco bajo la ventana de su laboratorio, desde donde pudiera vigilarle. La impaciencia con que Giorgio solicitaba los «modelos de madera, exactamente como debían ser los de hierro, para llevarlos a su país», tenía por objeto robar los inventos de su señor. Éste lo comprendió tan bien que no se prestó a ese capricho. «Me negué, diciéndole que le daría un dibujo con la anchura, la longitud, el grosor y el contorno de la pieza que debía ejecutar; y quedamos así en malos términos.»[3]

¡Los espejos! Ocupan un lugar importante en el pensamiento y en la obra de Da Vinci. Éste consideró siempre con apasionada atención el enigma de los reflejos. Se interesó, en particular, por el curioso fenómeno de la multiplicación hasta el infinito del mismo objeto mediante dos espejos que se reflejan el uno en el otro, e imaginó lo que produciría cierto número de espejos dispuestos en círculo: «Cada uno se reflejará en el otro una infinidad de veces, dado que cuando una imagen alcanza la otra, rebota hacia atrás hasta su principio, luego, empequeñeciéndose, vuelve a saltar hacia el objeto, regresa, y así sucesivamente hasta el infinito.»[4] Había imaginado también una habitación octogonal cuyas paredes estarían constituidas por espejos, de modo que el individuo que se hallara en el centro de esa habitación vería su imagen repetida un número incalculable de veces en todas direcciones. ¿Quién podría decir, entonces, cuál es más real de todos esos individuos absolutamente idénticos: tiene uno de ellos una realidad distinta a todas las demás? Entre el hombre y el universo se establece un juego de intercambios por el que «el ojo envía por el aire su propia imagen a todos los objetos que están frente a él y los acoge en sí, es decir, en su superficie, de donde los toma el intelecto, los juzga y comunica a la memoria los que le parecen agradables».[5]

La época barroca, apasionada por los prodigios, hará un singular y fantástico uso de los espejos. El Renacimiento los considera también unos objetos bastante misteriosos, y Van Eyck cuelga uno en la habitación del matrimonio Arnolfini para plasmar su propia imagen en el cuadro que está pintando, e imagina una suerte de proyección de sí mismo del otro lado, en la superficie pintada, en ese universo ilusorio y real del que quiere ser habitante. *Hic Johannes fuit.* Aunque la idea que Leonardo tiene del espejo es la de un hombre de experiencia y de razón, medieval y renacentista al mismo tiempo, examina las propiedades científicas de este instrumento y, como suele hacerlo, no abandona el tema de la reflexión y de la refracción hasta haberlo agotado por completo. Por otra parte, le reserva, en el repertorio de los objetos alegóricos, el lugar que le adjudicaban los artistas de la Edad Media, y las mismas atribuciones. El significado simbólico del espejo es que «quien aspira al favor debe mirarse en sus virtudes».[6] Ésa es, por lo menos, la acepción que le da en el escudo de armas que compuso para un noble veneciano, Antonio Gri, en el que incorpora un espejo. El espejo, sin embargo, no es nada en sí mismo y sólo vale por la imagen que refleja. Por eso, en sus fábulas, Leonardo imagina a un espejo que se enorgullece porque refleja la imagen de la reina: «Al partir ella, permanece él en su vileza, dice.»[7] Técnicamente, estudió la mejor composición del azogue, cuya fórmula escribió entre las recetas para el moldeado de piezas de bronce: treinta de estaño por cien de cobre, «pero clarifica primero los dos metales, sumérgelos en agua y granéalos, luego opera la fusión del cobre y ponlo sobre el estaño».[8]

El *Codex Atlanticus* contiene una serie de preguntas referentes al espejo, que el artista se hace a sí mismo, en ese tono curioso y confidencial con el que inicia un diálogo con objetos enigmáticos, pero son preguntas relativas a la óptica. ¿Qué interrogantes se le ocurrieron cuando contempló su propia imagen en el espejo? Ciertamente, se despojó entonces de esa especie de distanciamiento científico que ponía en el examen de un objeto cualquiera. Se trata del yo, en efecto, de ese ser desconocido que los demás ven y nosotros mismos ignoramos, que sólo conocemos por medio del espejo, siempre a condición de que el espejo nos devuelva una imagen fiel, y que esa imagen nos sea inteligible. Puesto que el espejo tiene el privilegio de ofrecernos el aspecto visible del hombre, y con ello todos esos datos sobre su realidad invisible que la forma exterior revela, ¡con qué apasionada curiosidad el hombre interesado por conocerse a sí mismo debe de escrutar los espejos!

Pienso en Rembrandt, en las largas sesiones que este explorador de almas pasó frente a su espejo en una confrontación implacablemente atenta, de la que dan fe tantos autorretratos; pienso en la lúcida tenacidad de este partidario del libre examen que, más que la envoltura carnal perseguía las huidizas chispas de la conciencia y del inconsciente; pienso en la paciencia con que espiaba la red de las arrugas, el fiero fulgor de la mirada, la llama de la audaz juventud y la lenta descomposición que altera la identidad del ser al mismo tiempo que descompone sus tejidos. Existe más de un centenar de autorretratos de Rembrandt, teniendo en cuenta que a varios de los personajes de sus cuadros bíblicos o históricos les prestó sus rasgos, de modo que cada uno de ellos es Rembrandt, no la máscara del momento, la fantasía de la mueca, sino el ser profundo y total, colocado en aquel instante, en determinado punto de las coordenadas de su destino, y «siempre igual a sí mismo en el seno de sus perpetuas metamorfosis», como Goethe decía de sí mismo. Pienso en aquel protestante holandés, en las brumas de sus *polders* y la penumbra rojiza de su habitación, incansable explorador de la faz humana, tal vez porque ésta fue creada a imagen de Dios, y por eso es a Dios a quien también persigue por el meandro de ese paisaje de carne. En ese encarnizado roturador de la jungla del yo, que busca su camino por la selva virgen de las pasiones y las desesperaciones, acosando a su alma más allá de los macizos rocosos de su frente, de sus órbitas, de la boca, amasando con oro y barro la carne feliz, la carne culpable, la carne moribunda, para arrancar su secreto al más impenetrable de los seres, a ese otro yo puesto en el espejo como la sombra de una nube, dispuesto a huir, presa cazada y cazador al mismo tiempo, parlanchín interlocutor de un interminable coloquio, personaje elusivo, equívoco y, a pesar de su inmutable presencia, ausente.

No es fácil representarnos semejante diálogo entre Leonardo y su espejo, y oír lo que se dijeron entonces el hombre de carne y el hombre reflejado. En primer lugar porque esa devoradora curiosidad psicológica que invadió el Barroco era casi ajena al Renacimiento. Sin duda fue precisa la Reforma y la conmoción de la vieja religión tradicional para despertar, en los reformados y en los propios católicos, arrastrados por el movimiento, esa atenta interrogación del yo. Al consumar la Reforma el Barroco colocó al hombre en el centro del universo. El hombre carnal y espiritual al que la estructura social y religiosa de la Edad Media había ahorrado las incertidumbres que nacerán más tarde, cuando esa estructura se vea trastornada y se encuentre solo en el mundo de las formas y las ideas, con la preocupación de recuperar su lugar, un lugar que antaño ocupaba por instinto y sin debates y que ya sólo reconoce a duras penas.

El Renacimiento había pensado al hombre como un ente bastante abstracto; un término cómodo para las discusiones, el hombre universal, el hombre en sí: eso le había dispensado de consultar el yo. Se decía «el hombre» como se decía «la naturaleza» sin referirse a un hombre determinado. El retrato apenas comenzaba a convertirse en algo válido por sí mismo. Y se comprende entonces que el retrato, como tal, no ocupara un lugar importante en el arte y el pensamiento de Da Vinci; se comprende también que, a diferencia de la mayoría de los artistas, nunca hubiera pintado un retrato de sí mismo que fuera cierto e indiscutible. La cabeza de anciano, considerada generalmente como un autorretrato de Leonardo y que se encuentra en la Biblioteca Real de Turín, es indiscutiblemente de Leonardo, pero sólo una inscripción tardía y que no es de la mano de Leonardo apoya esa tradición, repetida tantas veces que ya es incontestable. Eso es todo. Algunos autores, sin mayores pruebas, ven un retrato del joven Leonardo en el adolescente que está de pie en *La Adoración de los Magos*, del que ya he hablado. Hasta que se pruebe lo contrario, es preciso decir que no conocemos un retrato auténtico de Leonardo, y menos aún un autorretrato. ¿Acaso fue tan inútil la atención que el pintor y sabio prestaba a los espejos? ¿Era indiferente a su imagen? ¿Le daba miedo? ¿Desdeñaba, sencillamente, vincularse a algo fragmentario y perecedero, cuando sólo lo eterno y lo universal le atraían?

Aunque el dibujo de Turín sea realmente un autorretrato de Leonardo y si, de acuerdo con los datos técnicos y estilísticos, el dibujo data aproximadamente del año 1512 o 1513 —a comienzos pues de la estancia en Roma—, ese dibujo no representa a un hombre de sesenta años sino al Anciano de los Tiempos, una especie de imagen alegórica de la vejez, a un hombre del que puede decirse con el refrán popular que es «viejo como el mundo», y cuya humanidad, en efecto, corresponde a un paisaje de rocas y agua de una edad incalculable e indescifrable, con ese inverosímil chorrear de barba y cabellos en torno al macizo petrificado de la nariz, con esas mejillas surcadas por cataratas, esas cejas tenebrosas como bosques suspendidas sobre la arista de la montaña, coronando el abismo de la mirada. Por otra parte, ¿es el patriarca israelita de Windsor (B 2.499) el verdadero Da Vinci, rabino sutil, taimado usurero? Es un perfil casi inaprensible en un espejo, el perfil de algún viejo modelo profesional cuya sonrisa, al igual que la *pettinatura*, es también profesional...

De esta confrontación consigo mismo que tal vez intentó, en ese pabellón de los ocho espejos, o en el de los innumerables espejos, que era el objetivo último, la cámara central del laberinto, en cuyo corazón el investigador, decepcionado o colmado, sólo encontraba en definitiva, a sí mismo, ¿qué aprendió sobre sí mismo? Sólo el autorretrato nos lo diría, y el dibujo de Turín, en el caso de que fuese un autorretrato, calla obstinada y hoscamente, se oculta tras los acantilados y las cascadas...

Al Gabinete de Dibujos del Louvre pertenece la extraña composición alegórica del «hombre del espejo» que tal vez, convenientemente interrogado, nos librara algunas claves.[9] Un hombre, sentado en un paisaje rocoso que deja adivinar perspectivas megalíticas comparables a las de *La Virgen de las Rocas*, recibe en un espejo el reflejo del sol y lo proyecta hacia una maraña de monstruos que combaten ferozmente. Un dragón ataca con las alas desplegadas a una especie de felino al que devora, mientras que otros felinos se disponen a arrojarse sobre él. Con el cuerno bajo, un unicornio corre hacia el grupo de los combatientes, y de una grieta de la roca se ve salir el hocico de un jabalí o un cerdo que va, evidentemente, a reunirse con ellos. El hombre se protege tras el espejo que le sirve de escudo y aparta su mirada de la atroz batalla sin por ello mostrar miedo ni asco; por la misma técnica del dibujo, parece que ese hombre y la bestial maraña no pertenezcan al mismo universo, a la misma actualidad.

Pocas veces se han dado interpretaciones satisfactorias de las alegorías de Leonardo, de entrada porque se las ha estudiado con nuestra mentalidad de hombres modernos, para la que el simbolismo se ha convertido en algo singular e incomprensible. Tal vez no se ha advertido que algunas épocas sólo vivieron de símbolos y sólo se expresaron simbólicamente; en tales épocas —la Edad Media es una de ellas, el Renacimiento también— la alegoría era una forma de expresión muy natural, muy espontánea. Hoy en día nos es necesario un gran esfuerzo intelectual para recuperar el propio espíritu del simbolismo y su vocabulario inmediato. Es probable, además, que para el propio Leonardo, como para el hombre que sueña, estas figuras no tuvieran un significado simple ni un significado único. Muchos elementos espirituales y afectivos entraban en juego, tanto como la fantasía, el espíritu de capricho y no se sabe qué oscuros instintos que subían a la superficie del consciente. Por consiguiente, los comentarios que tengamos que hacer sobre esas composiciones alegóricas que agotaron la sutileza y el ingenio de los exégetas, serán por fuerza incompletos. Es significativo, sin embargo, encontrar en este dibujo la «caverna» que habíamos ya hallado en muchas obras de Da Vinci, y hay que suponer que el camino bordeado de megalitos que conduce a ella alude a los senderos de un laberinto cuyo centro sería el circo rocoso. La finalidad del laberinto es poner al individuo frente a sí mismo, confrontarle con un aspecto de su yo que debe destruir, abolir (es el sentido que encuentro en el mito del Minotauro). Es posible pues que el combate de las bestias feroces represente aquí los bajos instintos del hombre, el subsuelo hormigueante de animales desconocidos y malignos que es indispensable sacar a la luz para librarse de ellos. Los psicoanalistas, creo, aprobarán sin duda esta definición. Utilizando el espejo que le ha acompañado por el laberinto como un escudo y un arma al mismo tiempo, el hombre fatigado por el largo camino —está pesadamente sentado en una piedra—, incapaz de combatir solo contra esos monstruosos adversarios, reclama la ayuda del sol —*sol invictus*— cuyo mero reflejo borra los monstruos; éstos, por el modo como son tratados, tienen ya mucha menos realidad que el hombre.

Este hombre, en vez de contemplarse en el espejo, capta en él la imagen de Dios (el sol) y derriba, gracias a esa especie de cabeza de medusa, a los enemigos con quienes, solo, no hubiera podido acabar. Diríase, incluso, que ocultándose tras el espejo con un gesto a la vez prudente y desdeñoso, el hombre pretende ponerse fuera de la cuestión, y que el conflicto se limita entonces al sol, que es luz, y a las fuerzas de la oscuridad, personificadas por las bestias. Todo ello, lo reconozco, es problemático, pero cuando te acostumbras a la trayectoria de la imaginación de Da Vinci, sabes con qué fecunda oscuridad se envuelven sus concepciones plásticas o literarias, y qué arbitrario sería asimismo resumirlas en una conclusión voluntariamente simplista. Los *Caprichos* de Goya, en los que «el sueño de la razón engendra monstruos», encontrarían aquí su contrapartida, con una sentencia que afirmase: «la vigilia de la razón aniquila los monstruos».

Pero ¿se trata aquí, en efecto, de la razón? No ciertamente en el sentido en que la entendemos a partir del siglo XVII. No se trata de las «luces» de las que tan orgulloso estaba el siglo XVIII, sino de la luz, con todo el significado grave, profundo y completo que podían otorgarle los ocultistas, los místicos incluso. Para Leonardo, el sol era un elemento divino. Cada vez que habla del sol, lo hace con un acento de piedad y recogimiento. «Mira la luz y considera su belleza.» «La luz es lo que da más alegría a quien la contempla.» (*Cod. At.* 203 r. a.), y también «Sumir las formas en la luz es sumirlas en el infinito...», algo que podría ser el *motto* del dibujo que acabo de describir. Como muy bien ha dicho uno de los mejores exégetas de Leonardo, Fumagalli, la luz para él «no es algo material, es una *virtu spirituale*, es decir, una potencia misteriosa que emana de la combustión del sol y que, en estado de reposo, constituye la oscuridad».[10] De ahí la particular eminencia del espejo que, como el ojo humano, posee el extraordinario privilegio de recibir la luz. Mucho más, pues, que una superficie en la que el individuo se contempla, Leonardo considera el espejo una especie de proyector que, tras haber recibido la luz, la vierte a su alrededor; es el valioso ayudante de sus experimentos de óptica y, en el plano del símbolo, la figura de la inteligencia humana, que al contemplar lo divino multiplica su luz sobre todo lo que le rodea.

En su natural religiosidad, que no se inclina a divinizar los elementos, sino, más bien a reconocer en ellos los dioses que los habitan, y por lo tanto es pagana —si es ser pagano encontrar lo divino en toda la naturaleza—, Leonardo, como pintor, como hombre de la mirada, hombre del ojo, otorga una particular importancia a la visión y, naturalmente, siente una piadosa veneración por el sol.

Los pasajes de sus manuscritos en los que celebra al sol son extremadamente numerosos, y los hay que están empapados de una verdadera religiosidad, comparable a la de un «filósofo de la naturaleza» griego o uno de esos poetas de finales del paganismo, como por ejemplo Sinesio de Cirene, que honra con un espíritu naturalmente cristiano a los dioses del paganismo. «Quisiera —dice— encontrar palabras que me permitan condenar a quienes ponen el culto a los hombres por encima del culto al sol; pues no veo en el universo cuerpo mayor y más poderoso que él, y su luz ilumina todos los cuerpos celestes esparcidos por el universo. De él proceden todos los principios vitales, pues el calor que está en las criaturas vivas deriva de él, principio vital; y no hay otro calor ni otra luz en el universo, como mostraré en el cuarto libro, y ciertamente, quienes quisieron adorar a los hombres como dioses, Júpiter, Saturno, Marte y demás, cometieron un grave error: dado que un hombre, aunque fuera grande como nuestro mundo, sólo sería un punto en el universo como una de las más pequeñas estrellas, y dado también que los hombres son mortales, putrescibles y corruptibles en sus tumbas».[11] Se refiere, por lo demás, a dos autores célebres del siglo XV, Marullo, autor del *Liber Hymnorum*, y Goro Dati, autor de *Spera*. «La *Spera*, y Marullo, y muchos otros alaban al sol», añade. Su heliocentrismo, que le hace afirmar, contrariando la creencia de su época, que la «Tierra gira alrededor del Sol», es el resultado de esta fe religiosa en la eminencia del astro supremo. «El sol está inmóvil», dice perentoriamente,[12] y esta afirmación no es tanto la conclusión de una investigación astronómica como el reconocimiento de una certidumbre interior, inquebrantable, preexistente en la conciencia del hombre, basada en una intuición que se incrementa con el sentimiento de lo sagrado. El sol está inmóvil porque es el centro del universo, la potencia superior, sentada como un dios en el propio foco del cosmos.

Si por algún cataclismo el sol se apagara bruscamente, ¿qué sería de los hombres, los animales, las plantas, de todo lo que, en una palabra, tiene vida gracias al sol? Leonardo está cada vez más convencido de ello mientras que, durante su estancia romana, se zambulle en las ciencias naturales gracias a la privilegiada situación que ocupa su alojamiento del Belvedere en el recinto del Vaticano, que le da libre acceso al jardín zoológico y al jardín botánico, uno de los grandes orgullos de León X. La insaciable curiosidad con la que Leonardo examina todas las cosas que están al alcance de su mirada y de su inteligencia le hace sentir un vivo interés por los árboles exóticos reunidos en este jardín, que no había visto ni en Milán ni en Florencia y que, al igual que los animales salvajes de la casa de fieras, han sido regalados por soberanos extranjeros.

Hizo pocos amigos en Roma. No se le conocen muchos más que el camarero del papa, Battista dell'Aquila, para el que escribe su *Tratado de la Voz* (perdido como tantos otros manuscritos en los interminables vagabundeos de ese nómada) y Baldassare Turini quien, para adornar su villa del Janículo —hoy la villa Lante—, le encargó dos madonas igualmente perdidas. Le imaginamos, pues, reducido a la compañía del joven Melzi, de Salai, del Fanfoia y de Zoroastro de Peretola.

A nadie le gustaba menos que a Leonardo la vida de corte. Le divertía bastante, naturalmente, porque era una fuente de observaciones interesantes, pero le fatigaba, le agotaba exigiéndole tareas menores como la organización de fiestas, la creación de decorados y de trajes para las mascaradas. Más de una vez, es cierto, inmerso en estas ocupaciones divertidas y estériles, tuvo que lanzar ese suspiro de tristeza que hallamos anotado en una página de manuscrito.[13] «He malgastado mis horas...»

Nunca consideraba una pérdida de tiempo lo que le permitía adquirir un nuevo conocimiento, pese al extremado eclecticismo de sus investigaciones. Sólo constituía un irremediable despilfarro lo que no le había instruido ni educado.

La corte pontificia, llena de los favoritos de León X, le dejaba en libertad. Podía pues proseguir a su guisa, en el jardín botánico del Vaticano, los fecundos paseos que cierto día originaron esas prodigiosas observaciones sobre la naturaleza de las plantas y sobre las analogías entre la anatomía humana y la fisiología vegetal. Quería representar fielmente los vegetales que pintaba en sus cuadros. «Pon tu celo en representarlo todo según la naturaleza...» En las plantas examina en primer lugar la forma, la disposición y el color de las hojas. En el jardín, elabora nuevos sistemas sobre la naturaleza de las plantas, los grupos a los que pertenecen: todo empíricamente y guiado sólo por el espíritu de observación. Anota las diferencias de los árboles y sus parecidos funcionales, lo que le hace, por ejemplo, clasificar el cerezo y el abeto en la misma categoría. «El cerezo —dice— es de la naturaleza del abeto, puesto que sus ramas se escalonan a lo largo del tronco. Crecen en grupos de cuatro, cinco, seis, unas opuestas a las otras; y, en su conjunto, su copa forma una pirámide equilátera desde su centro hasta su extremo. El nogal y el roble forman una semiesfera del centro a la copa.»[14] Termina aquí, con el estudio de los árboles exóticos como el cacao (que ciertamente sólo vio en el jardín del papa), su análisis individual de algunos árboles, el sauce, el olmo, el nogal. Dibuja los árboles, las plantas, las flores, con esa especie de realismo visionario que, más allá de la imagen objetiva, alcanza y expresa una verdad superior.

Qué interesante resulta comparar los dibujos de árboles y flores de Durero con los de Leonardo. Los primeros son los de un hombre cuya mirada es extremadamente aguda y cuyo espíritu es objetivo. Durero tiene una verdadera pasión por los objetos: su dibujo es una obra de entusiasmo y amor mediante la que define el objeto, lo envuelve, detalla todas sus partes, las reproduce con amorosa minucia, pero no llega hasta el alma. La anécdota es encantadora y, sin superar nunca la pura anécdota, está llena de ingenuidad, es fresca e inocente. Con Leonardo sucede algo muy distinto, pues le anima un poder de aprehensión de las cosas casi romántico, un deseo evidente de captar lo universal, lo eterno, y al mismo tiempo de retener el más breve instante, el fenómeno más único. Esta dualidad en ninguna parte es tan evidente como en ciertos dibujos de bosquecillos, de frondas que, aun siendo de un perfecto rigor científico, permiten presentir a Rembrandt y sus «retratos espirituales» de árboles. Sobre todo los dibujos en los que estudia los efectos de la luz sobre los troncos y las hojas parecen mucho más del siglo XIX que del XV.

En esa afición, algo pedante, que tiene a veces por la exactitud, llega a recomendar al pintor que si pinta hojas utilice la misma hoja como paleta y pruebe en ella sus tonos.[15] No se puede llevar más lejos el amor por la verdad, un amor algo extraño, tiránico y puntilloso.

Muy pronto, sin embargo, el espíritu de Leonardo despliega sus alas y sobrevuela el tema. Incluso en los dibujos que pueden suponerse hechos para ilustrar el tratado *Degli alberi e verdure*, que constituye el libro V del *Codex Vaticanus*, el alma de la planta aparece, transparentándose, detrás de su forma. Siempre más allá del ser, Leonardo persigue la esencia. Llevada al extremo, esta investigación analítica llega a la síntesis. El examen de los vegetales le conduce a descubrir que en su estructura y su morfología existen analogías entre éstos y los hombres. Al igual que Goethe, en el jardín botánico de Palermo, descubría los principios de su teoría de la metamorfosis de las plantas, partiendo del *Urpflanze*, la planta original, de la que todas las demás son sólo modificaciones resultantes, así Leonardo advierte, al dibujarlas, que las ramas se disponen como los bucles de una cabellera y, llegando más lejos, compara esos bucles con los movimientos de las aguas. El empuje de la savia le sorprende por su analogía con el impulso del agua canalizada, e integra victoriosamente la germinación vegetal en su gran sistema de unidad cósmica, el día en que encuentra en la semilla el cordón umbilical. No hace falta más para asimilar el niño en la matriz al germen que duerme en la tierra, y celebrar el espíritu universal que se manifiesta del mismo modo en todos los reinos de la naturaleza.[16]

Goethe encontraba en toda planta la planta original. En cada planta ve Leonardo un elemento análogo al proceso vital único que va de la roca a la estrella, del animal más humilde hasta el hombre, de lo terrestre a lo espiritual. ¿Le había enseñado eso su experimentación de sabio? ¿O fue el Poimandres del Hermes Trismegisto? ¿No sería, más bien, que había intuido el orden supremo que rige el mundo entero como si fuera un solo cuerpo?

CAPÍTULO DIECISÉIS

El ser de la nada

«Oh tiempo, rápido expoliador de las cosas creadas, a cuántos reyes, cuántos pueblos has deshecho, cuántos cambios de estado y de condición se sucedieron desde que la forma sorprendente de este pez murió aquí, en este escondrijo cavernoso y sinuoso... Ahora, destruida por el tiempo, yace paciente en este lugar cerrado, y su osamenta despojada, puesta al desnudo, se ha convertido en el armazón y el sostén de la montaña que se levanta sobre ella...»[1]

En las figuraciones plásticas del Renacimiento y del Barroco, el tiempo y la muerte suelen estar representados por la misma imagen: la de un anciano armado con una guadaña, que siega el destino de los seres humanos. Cada vez que el hombre piensa en la huida del tiempo, considera tras él la extensión de los días pasados y contempla ante sí el objetivo hacia el que se encamina toda existencia: la muerte. Diríase que estas dos nociones están tan estrechamente unidas que no puede pensarse en el tiempo sin pensar en la muerte, siendo la muerte el fin del tiempo para cada uno de nosotros, la culminación y la abolición del tiempo.

El curioso fragmento del *Codex Arundel*, que acabo de citar, le fue inspirado a Leonardo por la contemplación de uno de esos peces fósiles, cuya forma encontraba impresa en la roca en las regiones montañosas, un fenómeno que preocupó tanto a Da Vinci que, lo mismo que cualquier otro ámbito, quiso hallar la solución de esta sorprendente paradoja. Atraído como estaba por el misterio de las existencias antediluvianas, seducido por las extrañas formas de estos animales prehistóricos, se decidió a escrutar la historia desconocida de las primeras edades de la Tierra, y se inclinó con pasión sobre esas fascinantes tinieblas.

Se comprende que, rumiando el número de siglos y de milenios que habían sido necesarios para que esos animales se transformaran en rocas, evocara como contraste la brevedad de la existencia humana. El apetito por lo eterno, el amor por la vida —no tanto como objeto de gozo cuanto como instrumento de conocimiento— marcaron siempre con un pronunciado acento de tristeza esas consideraciones sobre el tiempo. Nunca encontró en ello una incitación a *esser lieto*, como se dice en la canción de Lorenzo el Magnífico. Su espíritu histórico y universal, que no quería desvincular su propio destino del común destino de la humanidad, le hizo abarcar en la propia noción de la muerte su propia desaparición, la aniquilación de los demás individuos, la eliminación de los pueblos y las civilizaciones y la desaparición de las especies animales que antaño poblaban la Tierra.

Aunque Leonardo sabía que esas investigaciones requerían más tiempo del que abarca la existencia humana, confiaba en tener por delante muchos años de vida y en poder llevarlas a cabo; sin embargo sentía que la hipoteca del tiempo no le sería cancelada. No tenía de la muerte la misma concepción que Miguel Ángel que, obsesionado por la destrucción había llegado a afirmar: «No hay un solo rastro de mí en el que no esté esculpida la muerte.» Leonardo era ciertamente menos sensible, pero más filosófico. Y también científico, pues había construido relojes, clepsidras, cuadrantes solares, instrumentos todos ellos destinados a medir el tiempo, es decir, a repetirnos a cada segundo que el tiempo vuela y que cada segundo nos acerca a la muerte.

La vida nómada que había llevado le había hecho más evidente la precariedad del ser, pues había consistido en una serie de separaciones. En ningún lugar se había arraigado durante largo tiempo, y las amistades, tal vez también los amores, que habían iluminado esta existencia, habían tenido la misma fugacidad. En ese siglo de artistas vagabundos, vagabundeó más que nadie, y el destino de este sabio que tanto amó y admiró el agua, tiene la naturaleza del agua: fugaz, inaprensible, incapaz de detenerse... Las vicisitudes de la política, el hundimiento o la muerte de sus protectores le condenaban a partir antes de haber podido concluir las obras encargadas por un mecenas que desaparecía demasiado pronto. Muchas de sus obras y todos los períodos de su vida presentan estas sucesivas rupturas, y si examinamos sus notas descubrimos en ellas el rastro de numerosos viajes que no eran de placer, sino que eran desplazamientos a los que le obligaba el interés o el capricho de sus patrones. Tenía que acompañar al príncipe al que servía en todas sus expediciones, estar siempre a su lado para organizar una fiesta, reforzar torreones o defensas, excavar un canal, construir un establo.

Sin embargo, el tiempo arroja sobre él su lenta polvareda. Pese a la eterna juventud de su inteligencia, la vejez y la enfermedad devastan su cuerpo. Tiene apenas sesenta años y todo el mundo lo toma por un septuagenario. «¡Oh tiempo, consumidor de todas las cosas!, envidiosa vejez que lo consume todo...»

Leonardo ha cerrado el libro en el que acaba de leer el texto latino que le ha inspirado esta hermosa y noble paráfrasis italiana, infinitamente más bella por el ritmo y la música de las palabras de lo que una traducción podría expresar. «*O tempo, consumatore delle cose, e, o inviosa antichità, tu distruggi tutte le cose, e consumate tutte le cose dai duri denti della vecchiezza, a poco a poco, con lenta morte, Elena, quando si specchiava, vedendo le vizze grinze del suo viso fatte per la vecchiezza, piagne e pensa seco per ché fu rapita du'volte.*»[2] Comparar la versión vulgar con los versos de Ovidio que parafrasea, es descubrir en Leonardo a un prodigioso artista de la lengua italiana, un poeta nato cuyo trazo escrito tiene la misma soltura, la misma energía que el trazo dibujado o la pincelada. He dicho ya que sus más graves meditaciones le conducían al canto, y que sus apóstrofes a la naturaleza, a la divinidad, al arte o al tiempo tienen una magnitud de canto coral o de lamento. La vivacidad de la imagen y la grandeza melodiosa de la expresión crean una forma poética que no tiene igual en la literatura de su época, ni siquiera en los sonetos de Miguel Ángel, cuya inspiración, sin embargo, es muy semejante a la suya. En la firmeza constante de su escritura, la emoción levanta por instantes una llama lírica, comparable, entonces, a esa ondulación de los cabellos que, en ciertos dibujos, corona a los personajes como con lenguas de fuego. La inspiración arrastra al filósofo que medita sobre la vida, y en estos momentos de ardiente tensión la profunda conmoción del alma se derrama y se aguza en una trenza poética hecha de cristal y fuego. «*L'acqua che tocchi de'fiumi è l'ultima di quella che ando, e la prima di quella che viene: cosi il tempo presente.*»[3] Se oye en esta frase chorrear el agua que fluye y que en un instante desaparece con rumores de arroyo y rugidos de catarata al fondo, en un bajo continuo.

En la primavera del año 1517, cuando llega a Francia, sólo le quedan dos años de vida, y pese a todo, semejante a un joven aprendiz dando una vuelta por Europa, se instala en un país extranjero al que nunca había visitado, decidido a aclimatarse a los usos y modos de una nación singular, muy distinta a la italiana a pesar de los esfuerzos que hace por italianizarse. Comparada con Roma, Florencia e incluso con la Lombardia, Francia es nórdica, y ha conservado una especie de brutalidad medieval, de rudeza gótica, pero tiene un mérito inestimable para Leonardo: la juventud.

Nos preguntamos por qué Leonardo eligió Francia para establecer allí su último asilo, en un clima que no le gustaba en absoluto y en una atmósfera que, a pesar de todos los refinamientos de la civilización —y tal vez a causa, precisamente, del ardor de los franceses por adquirirlos— seguía conservando, para un italiano procedente de tan viejas culturas, algo de bárbaro. León X, es cierto, había solicitado la mano de una princesa francesa para su hermano Giuliano, y Luis XII, benevolente, le había concedido a Filiberta de Saboya, a la que llevó triunfalmente a Roma en febrero de 1515. Leonardo lo anota de su propia mano en su diario.[4] El 17 de marzo, el recién casado había muerto y Leonardo, privado de su protector, no tenía ayuda alguna que esperar del papa, que nunca le había manifestado más que indiferencia. Es interesante señalar que el artista visita la basílica de San Pedro en el mes de agosto como aficionado, atento sólo a anotar sus dimensiones.[5] No toma parte alguna en los trabajos de la iglesia. Ningún encargo le llega del Vaticano. Incluso sus amigos parecen haberle olvidado. ¿Por qué va a quedarse, pues, en Roma?

Recuerda entonces que pertenece a la «Casa» del rey de Francia. En calidad de artista vinculado a la persona del rey —que era entonces Luis XII— pudo abandonar Florencia tras el fracaso de *La Batalla de Anghiari*, y a pesar de las reclamaciones de los magistrados municipales permaneció alejado de la ciudad tanto tiempo como deseó. Luis XII murió el 1 de enero de 1516; ¿seguirá Francisco I, su sucesor, concediéndole su protección? Un pintor francés, a quien Leonardo cuenta entre sus amigos, Jean Perréal, así lo afirma.

¿Es Francisco I un hombre capaz de comprender el talento de Leonardo y de alentarlo? Voluptuoso, amable, gran cazador, Francisco I se ha enamorado de las «grandes obras». El espíritu del Renacimiento le ha ilustrado.[6] Sueña con poblar sus palacios de artistas italianos que aporten un nuevo sentido de la belleza, de la gracia, de la felicidad. Ha comprendido que nacía una edad nueva, que las formas y las ideas del gótico moribundo se agotaban. Tal vez duda de que los artistas franceses sean capaces de crear, sin la emulación del extranjero, este arte moderno al que quisiera vincular su nombre. Ya Luis XII había recogido en sus campañas italianas a toda clase de diestros artesanos, bordadores, tejedores, decoradores, que daban un nuevo sentimiento al ornamento de la vida. Los castillos franceses conocieron los motivos clásicos, los temas tomados de la mitología y de la historia romana. Primero sobre el viejo cuerpo gótico se posó una fachada a la italiana, que recordaba a los hombres que volvieron de la península con deslumbrantes recuerdos de Nápoles, de Florencia y de Milán, con la revelación de esplendores nunca vistos y el sueño de otro modo de vivir, más ligero, más gracioso, más bello. Luego el italianismo se deslizó en las costumbres, en la manera de vivir, en los sentimientos. Comenzaron a disgustar los palacios fortificados, las habitaciones minúsculas alojadas en los enormes muros, las oscuras galerías y todo aquel aspecto militar y feudal que evocaba una existencia dura y peligrosa. Tras haber tomado de Italia lo que unos turistas incultos y frívolos reciben sin esfuerzo de un país extranjero, el lujo de los vestidos y de las joyas, nuevas artes de «placer», y hasta ciertos oficios singulares como los criadores de loros, los franceses advirtieron que podían adquirir otras cosas que esos amables artificios. Es posible que ese gusto por el exotismo y esta xenofilia, no siempre ilustrada, hicieron que los aficionados al arte juzgaran injustamente a sus compatriotas, pero es cierto que hasta el mismo Perréal tenía rasgos de la Edad Media, con sus límites y sus inhibiciones. El entusiasmo que se manifestó entonces por los artistas italianos siguió siendo en su esencia profundo, sincero y auténtico. Y el favor del que gozarán en Francia Cellini, Rosso, Primaticcio y Andrea del Sarto demuestra que entre Francia e Italia podía establecerse una verdadera cooperación, que no se trataba de un país que daba y un país que recibía, sino de dos civilizaciones, dos culturas capaces de influirse mutuamente. Francia fue muy valiosa, muy enriquecedora para los artistas italianos que se establecieron allí, pero también se enriqueció al acogerles. Creo, en efecto, y lo he demostrado,[7] que Francia e Italia, por aquel entonces, se necesitaban de manera recíproca para el desarrollo de sus estéticas. En el ambiente francés, el admirable Niccolo dell'Abbate, el tumultuoso Rosso, el espléndido Primaticcio llevaron su arte a un grado de magnificencia y perfección que tal vez no habrían alcanzado en Italia, precisamente a causa de ese «aire de juventud» que adoptó el Renacimiento galo por aquel entonces, menos preñado de recuerdos antiguos, menos cargado de ambiciones «clásicas» que el Renacimiento italiano.

Resulta justamente que, de todos los artistas italianos que fueron a trabajar a Francia, y sobre todo a Fontainebleau, los que más desarrollaron su talento fueron aquellos que, en el fondo, tenían más disposiciones para recibir y asimilar una influencia extranjera. No veo qué habría hecho la Francia del siglo XVI con Miguel Ángel, temperamento antinómico del temperamento francés. Rafael, en cambio, se habría adaptado perfectamente. Por lo que se refiere a Leonardo, estaba al final de su vida y no podía esperar ya metamorfosis alguna, por muchos lugares y seres que le aportaran inspiración.

Leonardo, por lo demás, se sentía poco dispuesto a emprender grandes conjuntos decorativos, aun suponiendo que se los hubieran encargado. Desgastado por la enfermedad, paralizado del brazo derecho —lo que no le molestaba en exceso para pintar o para escribir, puesto que era zurdo—, empleará los dos años que le quedan de vida a poner en orden sus manuscritos; algunos están ya listos para la publicación y sólo queda entregarlos a los ingenieros que manejan las nuevas máquinas de multiplicación de escritos, a quienes se llama impresores. Algunos de estos tratados necesitan una revisión, adiciones y correcciones, pues Leonardo no deja de hacer experimentos que confirman o desmienten sus antiguos descubrimientos. Está dispuesto también a pintar algunos cuadros, y se ha llevado con él —como prueba de su habilidad y también porque son obras que tienen para él un significado mucho mayor que el estético, y porque se siente atado a ellos como lo está el creyente a las imágenes más veneradas de sus dioses— tres cuadros: el *San Juan Bautista*,[8] la *Santa Ana* y *La Gioconda*. Quiere, en su último retiro y en esas jornadas en que el individuo se encierra en sí mismo y hace la cuenta de sus horas pasadas, de sus horas futuras, mantener a su alrededor los tres mayores testimonios de su genio de pintor, las más sublimes expresiones de su pensamiento filosófico y religioso.

Tal vez espera también de ese nuevo país un impulso creador que no siente ya posible en esa Roma que es fuente de decepciones y de rencores. En Florencia, las pinturas de Vasari en los muros del Palazzo Vecchio marcan el lugar donde sufrió su más humillante desengaño. Milán está en manos de los franceses... Lo mismo da estar en Francia. Además, Francisco I le place por ese aire de juventud, de grandeza y de afabilidad que hay a su alrededor. Tal vez sea mejor comprendido por esos hidalgos ardientes y distinguidos, jóvenes en su mayoría, que escoltan al rey de Francia, que por los cardenales romanos y los tenderos florentinos. Tal vez espera de Francia una cura de renovación, de rejuvenecimiento, favorecida por el cambio de ambiente, por el esfuerzo que tendrá que hacer para acostumbrarse a otra lengua, a otros hábitos. Para el hombre que se siente irremediablemente viejo, esta atmósfera de juventud sólo podría ser antipática y opresiva, pero Leonardo no se siente viejo, sino que experimenta por el contrario el impulso de una perpetua juventud, está impaciente por beber en un manantial desconocido una transformación de su personalidad. Y para mostrar que no va a recluirse como un inválido en el pequeño castillo de Cloux que el rey le ha designado como alojamiento, no lejos del castillo de Amboise, se apresura a participar en las fiestas de la corte y a reflexionar sobre las grandes obras de ingeniería que quizá podrá emprender.

Se ha alejado de Roma con el supremo desafecto del creador que no ha encontrado terreno propicio para su creación. Dará vacaciones a Salai, el petulante muchacho que tan caro le cuesta en vestidos y adornos —¡veinticuatro pares de zapatos en un solo año!—, que le ha jugado tantas malas pasadas, que tan mal ha agradecido a su maestro su inagotable indulgencia y su incansable generosidad, pero que a cambio le ha entregado —¿y quién ha ganado más en el pacto?— su juventud, su belleza, esa gracia de ángel algo perverso, esa delicadeza a la vez femenina y viril, sus caprichos de cortesana en exceso consentida, su ingenuidad, fingida o real, de muchachita...

¿Qué fue Salai para el pintor del *San Juan*? No despertemos rumores escandalosos. Nos basta saber, para estar eternamente agradecidos a ese exquisito e insoportable muchacho que encarnó esa «cosa de belleza» que el corazón y el espíritu de Leonardo (tal vez también sus sentidos) perseguían al aspirar a la belleza ideal, a ese algo que le vemos sorprender, perder, atrapar de nuevo, dejar escapar otra vez en tantos y tantos dibujos. Parecería lógico que, deseando como él deseaba la unidad en todas las cosas, le repugnara esa clasificación arbitraria de la belleza en femenina y masculina. ¿Soñaba acaso en el andrógino de Platón anterior a la división de los sexos? ¿Imaginaba tal vez que un solo ser podría contener en sí la belleza de las mujeres y la de los hombres o, mejor dicho, una belleza que no sería ya femenina ni masculina, sino humana, suponiendo que la humanidad pudiese alcanzar alguna vez tan alto grado de perfección?

Obsesionado por ese apetito de una belleza que sería carnal y espiritual tanto como masculina y femenina, inventa un ser que es, en efecto, ese «hijo de la tierra y del cielo» del que hablan las plegarias órficas, ese superhombre cuya belleza sería, al mismo tiempo, celeste y terrenal, angélica y humana, ¡demasiado humana!... Multiplica los bocetos, toma de alguno de los rostros hermosos que ha visto los elementos con los que compondrá esa belleza ideal. Al hacerlo, actúa exactamente del mismo modo que cuando construía, para asustar a sus visitantes, un monstruo perfecto añadiendo a un lagarto vivo todos los apéndices horribles que tomaba de otros animales. Ninguno de los seres que encontró poseía esa perfección deseada, que ya Botticelli había procurado reconstituir mezclando la gracia de Venus con la de las madonas: la frescura, algo rústica y a veces algo perversa, de sus apuestos aprendices, y el esplendor, entrevisto en sueños, de algún ángel. ¿Sabremos alguna vez si Salai, el más bello, tuvo una alma bella?

¿Para qué le sirve al alma la belleza? Los griegos no se habían preocupado del alma, sabiendo muy bien que era necesario excluir la inquietud para que pudieran verse unos rostros sin arrugas, unos cuerpos perfectos. Como ellos, creo que Leonardo mantuvo al margen los «venenos del alma», con una especie de altiva negativa a considerar lo que puede atentar contra el equilibrio y la armonía. Una armonía que es muy difícil de adquirir, y de conservar una vez adquirida, y a la que no hay que poner en peligro exponiéndola a las tormentas de la angustia.

Un ambiente agradablemente ligero, libre de hipocresía, delicadamente voluptuoso, sensual sin brutalidad, reinaba en la corte de Francisco I, más equilibrada que las cortes italianas, menos plagada de literatura, más natural en una palabra. Sin duda Leonardo no será comprendido allí por completo; al menos no explotarán su talento y su ardor inventivo. La donación del pequeño castillo de Cloux demuestra que respetarán su soledad, que sólo frecuentará la corte cuando lo desee. Es un castellano que vive en su tierra, un hidalgo; no ese doméstico que el artista era, con demasiada frecuencia, en la escolta de aquellos banqueros enriquecidos, de aquellos capitanes de fortuna convertidos, mediante la fuerza o el dinero, en príncipes italianos.

Las seguridades que unos años antes le había dado el cardenal de Amboise, el respeto y la discreción con que le habían tratado los franceses, en la época en que teóricamente estaba a su servicio, eran buenos augurios para una estancia en Francia. ¿Pensaba terminar allí sus días? Probablemente no. En su pensamiento sólo debía de ser un episodio de su vida, una escala como tantas otras había habido en su existencia de infatigable emigrante.

Salai, pues, regresará a Milán, a construir una casa en la *vigna* que Ludovico el Moro había donado a Leonardo, y de la que éste le había cedido una parte a su acompañante. Con Da Vinci ya sólo estará el fiel Melzi, que será el heredero de sus últimos pensamientos y sus manuscritos, y un criado, Battista. No es ya la alegre y pintoresca pandilla que,

cuatro años antes, le acompañaba de Milán a Roma. Zoroastro da Peretola ha abierto una tienda de orfebre en Florencia, donde obtendrá la
clientela de los Médicis. El Fanfoia ha seguido su destino, Dios sabe
dónde. Pero entre Leonardo y Melzi hay una considerable diferencia de
edad que no permite una fructífera intimidad. Por lo que a Battista se
refiere, es un servidor abnegado y nada más.

Una nota del *Codex Atlanticus* recuerda que los viajeros cruzaron el
Arve, ese arroyo atorrentado que corre por Saboya, cerca de Saint-Ger-
vais. Para un anciano debilitado y enfermo, la travesía de la cordillera
del Mont-Blanc durante el invierno o a principios de primavera —sólo
en mayo llegarán a Amboise— no es cosa fácil. A Leonardo le gustaban
las altas montañas. Le entusiasmaban por su aspecto majestuoso y salvaje, y leía en sus pliegues monstruosos la antigua historia de la Tierra. El
recuerdo que había guardado de un ascenso realizado antaño al monte
Rosa[9] se mezclaba en su imaginación con la evocación de aquel Taurus
fantástico que había visitado, según decía, para dar cuenta al Gran Devatdar de Siria de los curiosos fenómenos que se habían producido en
esa región. El lugar que concede en sus cuadros a paisajes de picos, crestas y curvas rocosas es considerable. En semejante paisaje montañoso
vivían la *Santa Ana* y *La Gioconda*, y en sus dibujos se encuentran decenas de bocetos, algunos de los cuales se parecen curiosamente a los cuadros chinos por su extraña concepción del espacio, por esas perspectivas
a vuelo de pájaro que, a veces, hacen que las montañas del segundo plano y de los planos lejanos se presenten a la mirada del espectador al mismo nivel que las cimas inmediatamente visibles del primer plano.

Las montañas desempeñan a menudo, en los dibujos de Leonardo,
el papel de personajes fabulosos. Están vivas, naturalmente: nada hay
que no viva en su espíritu y en su arte. Tienen sus personalidades singulares, sus caracteres propios; nos tentaría incluso decir que tienen su
alma, por la gran vitalidad espiritual que hay en esas agrupaciones rocosas que, para la mayoría de los pintores de la época, sólo constituían
fondos pintorescos, decorados dramáticos en contraste con la apacible y
mesurada dulzura de las llanuras. Los pintores de Ferrara habían imaginado «escenografías» sorprendentes y patéticas, muy acordes con su
temperamento tumultuoso, trágico y duro. Los venecianos, acostumbrados a las puestas de sol purpúreas y amarillas sobre las Dolomitas,
descubrirán la amplia y vasta musicalidad de la montaña y desplegarán
sus armonías de acuerdo con su propio estado afectivo.

Para Leonardo, la montaña no es una pintoresca puesta en escena ni un estado de ánimo: tiene su individualidad independiente, autónoma, su virtud de testigo de los años pasados, su eficacia como conservador de las rocas extinguidas y las especies desaparecidas. En su faceta de geólogo, Leonardo estudia como libros de ciencia las gargantas y los desfiladeros donde se inscriben las aventuras de Nuestra Madre la Tierra, sus gigantescas luchas para salir del caos de lo informe, sus sobresaltos y sus caídas, sus dramáticas convulsiones bajo el empuje del fuego central. Leonardo tiene sus propias teorías sobre el origen de las rocas y las causas del levantamiento de las montañas: las expuso muchas veces en sus tratados...[10] Cuando se encuentra en medio de ese prodigioso espectáculo, sin embargo, olvida la ciencia, sus doctrinas y sus hipótesis. Comulga con las montañas olvidando los datos técnicos de su estructura material. Participa de su inmensa soledad majestuosa, comparte la vida secreta de los abismos y las grutas, detiene a su paso el curso de las nubes, siente agrietarse su carne bajo la gélida caída de los torrentes. Tal vez incluso percibió en sí mismo la vibración misteriosa de los filones metálicos y de las piedras preciosas, adormecidas en su ganga.

El conocimiento didáctico, técnico, experimental sólo le permite recorrer parte del camino que va del hombre a las cosas. El resto de la ruta, que lleva al propio ser del objeto, lo franquea de un brinco con una especie de apasionada intuición. Comulga con la tierra como comulga con el aire, con el fuego, con el agua. Forma una sola cosa con los elementos, y son extraños retratos de sí mismo lo que nos entrega en sus bocetos de montañas, confidenciales imágenes de esa alma «*che tanto patisce*», evidentes reflejos de ese genio colosal, impaciente también por sacudir el peso de las tierras inertes y blandas a fin de lanzarse hacia el cielo con las flechas de sus más finas rocas, las más estrictas y las más duras.

Los escarpados acantilados del Taurus, imaginario o real —nunca lo sabremos— que describe en las páginas del *Codex Atlanticus*,[11] sus agudos picos, sus abismos techados por las nubes, sus mudas caras donde, al igual que en las misteriosas montañas del Polo de Edgard Poe, se esbozan rostros humanos... todo esto lo ha visto en sí mismo cuando se ha inclinado sobre el enigma de su abismo interior, con la misma curiosidad a un tiempo ávida y asustada con que escrutaba la oscuridad de la caverna que le dio acceso al mundo subterráneo. Los más anecdóticos de esos croquis rápidamente apuntados en su cuaderno al doblar el recodo de un camino, los que pertenecen, por ejemplo, al segundo período milanés y que verosímilmente datan de 1511,[12] nada tienen de documental. Se encuentran en ellos tres modos de percepción distintos: el primero, científico, capta la estructura geológica del terreno y su formación; el segundo retiene el contraste de las luces que coronan los picos, las tinieblas que se amontonan en los valles y las sombras de las nubes que se deslizan suave y ligeramente sobre las laderas; el tercero, por fin, desvela el romántico acuerdo que se establece entre la naturaleza y el artista, gracias a un paisaje que está en armonía con el paisaje interior de su sensibilidad.

Todas las cosas que Leonardo encuentra se las hace suyas, las incorpora a su propia personalidad, nutre con ellas ese ser complejo que es, a la vez, determinado hombre y la totalidad de los elementos que componen el universo. Tiene, en particular para escrutar las rocas, esa mirada adivinatoria de los románticos alemanes, que hallaban su retrato espiritual en los corredores de las minas llenos de reflejos multicolores, que se identificaban con cierta piedra extraña y magnífica, con cierto metal dotado de propiedades sublimes. Es fácil imaginar el *Heinrich von Ofterdingen*, de Novalis, ilustrado por los dibujos de Leonardo, pues ambos sondearon y amaron los secretos de la tierra en sus más subterráneas moradas.

Todo lo que ve ahora le recuerda a Leonardo la precaria condición del hombre: los rápidos torrentes, claro está, de los que cada brinco evoca la fugacidad de toda existencia, pero también las montañas, las viejas montañas, víctimas del fuego que las corroe, del viento que las desuella, del agua que las agrieta. La vida de las montañas es incomparablemente más larga que la vida del hombre, pero, a fin de cuentas, todo resulta lo mismo. Para el tiempo, «consumidor de todas las cosas», los años y los milenios no son muy distintos unos de otros. El «ser de la nada», como lo denomina magníficamente en alguna parte,[13] devora con imparcialidad las rocas más duras, las carnes más delicadas. Todo va a la nada.

Cada vez que escribe esa palabra, Leonardo parece presa del vértigo. Como científico y como artista, le es imposible pensar la nada, pero cuando las letras de esta palabra fatídica reaparecen bajo su pluma, diríase que toda la estructura de su edificio vital se tambalea por culpa de esta aspiración del abismo. «La nada no tiene centro, y sus límites son la nada.»[14] La nada, afortunadamente, no tiene ni un ápice del presente indivisible, «no alcanza la esencia de las cosas».[15] Triunfalmente, Leonardo rechaza la hipótesis de la nada en la pura dialéctica; le niega la existencia propia. Lo propio de la nada, dice aproximadamente, es no ser. Éste es el sólido puente que tiende sobre los abismos metafísicos. Así supera su vértigo, así da de antemano una respuesta tranquilizadora a una pregunta que puede convertirse en angustia. «Lo que denominamos la nada sólo se encuentra en el tiempo y el discurso. En el tiempo, se encuentra entre el pasado y el futuro y nada retiene del presente; al igual ocurre en el discurso, cuando las cosas de las que se habla no existen o son imposibles. En la naturaleza, la nada no se encuentra en absoluto: se asocia a las cosas imposibles, razón por la que se dice que no tiene existencia. Pues donde la nada existiera, habría el vacío.» Varias veces en este mismo párrafo[16] vuelve a la misma idea, adaptándola y presentándola de distintos modos, como si necesitara convencerse del no ser del no ser. Por fortuna, Leonardo no es filósofo, no es hombre de debate; siendo un artista, pertenece por completo a la prueba y a la creación que, por esencia, excluyen la nada.

Si los senderos montañosos que los caballos ascienden lenta y penosamente son propicios a las especulaciones metafísicas, el paisaje de Turena las suprime. Entre el leve verdor de los sauces y los álamos discurre un caudaloso río bajo un cielo claro, nunca abrumado por opacas nubes, nunca devorado por un sol salvaje. Todo es aquí mesura, templanza, placer de vivir, sin inquietud, sin esfuerzo. El Loira no tiene tempestades: el agua se demora perezosamente en bancos de arena, en pequeñas bahías verdeantes. Ricos viñedos cubren los cerros. Un pueblo feliz, malicioso, alegre, lúcido, habita el paraje. También los reyes lo aman, por las agradables perspectivas que en él se descubren, la maleza de los bosques, llena de caza, y esa atmósfera de sencilla elegancia, de tranquila satisfacción.

La pequeña casa solariega de ladrillos rojos ensamblados con piedra calcárea llamada Cloux tenía dos pisos y una hermosa escalera hexagonal entre las dos alas que se unían en ángulo recto. Había sido construida por el chambelán de Luis XI, Esteban el Lobo, y Carlos VIII la había comprado, en 1490, por tres mil quinientos escudos de oro. Era un castillo modesto, pero mucho más que una mansión burguesa. Ocho habitaciones albergaban al maestro, a Melzi y a su servidumbre, a la que se había unido una mujer del lugar llamada Mathurine. La distancia entre Cloux y el castillo medieval, cuyas terrazas fortificadas dominaban el Loira, no era grande. El camino atravesaba un agradable bosquecillo, al salir del cual se divisaban las pesadas torres de techos cónicos —una masa militar bastante triste y algo arisca de aspecto cuando uno llegaba de Italia— que flanqueaban el castillo de Amboise. A su regreso de Italia, Carlos VIII, muy apegado a esta morada que le había visto nacer, había emprendido su restauración y embellecimiento, sin alterar sin embargo su fisonomía general. Luis XII, a su vez, había llevado allí a artistas y artesanos italianos, especialmente a un arquitecto y un jardinero, ambos hombres de Iglesia, por lo demás, Fra Giocondo y Dom Pacello. Mientras que el primero había reformado a la italiana la vieja fortaleza, el segundo había diseñado los jardines y aclimatado, en el agradecido terruño de la Turena, algunas esencias meridionales, naranjos, en especial, y moreras.

Eso bastaba para que Leonardo se sintiera en su casa en aquel paraje acogedor y amable, donde la luz no era muy distinta a la de Milán, y donde se le ofrecían las más hermosas puestas de sol que puedan verse en los meandros del río. En el crepúsculo de su vida, al viejo pintor le gustaba contemplar en las serenas horas de los atardeceres el maravilloso espectáculo cuya melancólica suntuosidad respondía al estado de ánimo de un hombre que muy pronto iba a abandonar para siempre los esplendores visibles de este mundo.

Había muchos italianos en aquella morada real, escultores de piedra y mármol, torneros de alabastro, tejedores de damascos y brocados, joyeros, fabricantes de esencias y ungüentos, incluso criadores de pájaros exóticos que piaban en las grandes pajareras, pero Leonardo no buscaba su compañía. Siempre le había gustado la soledad y, pensando en las horas «malgastadas», trabajaba activamente en las obras que, en su opinión, iban a asegurarle la inmortalidad: sus obras científicas. «La edad que emprende el vuelo, se desliza en secreto y engaña al uno y al otro; y nada pasa tan rápidamente como los años; pero quien siembra la virtud recoge el honor.»[17] También solía decir a quienes insistían en que descansara «que estar sobre el edredón o tendido en el cobertor a nadie llevará a la fama». Se negaba incluso a dormir porque el sueño se parece a la muerte. «¿Oh, por qué no realizas una obra tal que, después de tu muerte ofrezcas una imagen de vida perfecta, tú que en vida te vuelves en el sueño parecido a los tristes muertos?»[18]

La célebre frase tan a menudo repetida: «Si estás solo serás tu propio dueño», separada del contexto parece una regla general de vida. Colocada de nuevo en el fragmento al que pertenece, adquiere un significado menos absoluto: quiere decir sobre todo que el pintor tiene la ventaja de trabajar en soledad, y eso era algo por completo nuevo en una época en que la *bottega*, el taller, con lo que comporta de trabajo colectivo y por lo general anónimo, era donde solían trabajar los artistas. Es curioso ver cómo Rafael reprocha a Miguel Ángel «estar solo como el verdugo» porque no arrastraba sin cesar tras él esa cohorte de alumnos, de admiradores y, probablemente, de pelmazos y parásitos que el de Urbino soportaba de buen grado. Leonardo tuvo discípulos ilustres, Luini, Solario, Boltraffio, Cesare da Sesto, Ambrogio da Predis, pero nunca imaginamos que trabajaran en común. Es probable, también, que la famosa y supuesta «academia vinciana» mencionada en sus arabescos, nunca haya tenido una existencia material.

«El pintor o el dibujante debe ser solitario, para que el bienestar de su cuerpo no altere en absoluto el vigor de su espíritu; y en particular cuando se entrega a la especulación y al estudio de las cosas que tiene ante los ojos y que procuran a su memoria un alimento que debe conservar piadosamente. Si estás solo, serás tu propio dueño; mas si estás acompañado, aunque sea por un único compañero, sólo te pertenecerás a medias, o menos incluso, cuanto más grande sea la indiscreción de su trato. Y si tienes más de un compañero, sufrirás más aún el mismo inconveniente. Aunque digas: actuaré a mi guisa, me mantendré apartado para mejor estudiar las formas de los objetos naturales, replicaré que te costará alcanzar ese resultado, pues a menudo te encontrarás prestando oídos a sus chismorreos; y al no poder servir a dos dueños, cumplirás mal tus deberes de camaradería y peor aún tus intentos de especulación artística. Pero suponiendo que digas: me mantendré tan lejos que sus palabras no me alcanzarán y no podrán molestarme, responderé que en ese caso serás considerado loco, y recuerda que actuando así estarás aislado. Si necesitas compañía, elígela en tu taller; tal vez te ayude a aprovechar las ventajas resultantes de los diversos métodos de estudio. Cualquier otro compañerismo puede revelarse de lo más enojoso.»[19]

¿Qué debemos deducir de esta recomendación? Que es preciso evitar a los demás pintores, que es lo que hizo durante toda su vida, y tratar sólo con los propios alumnos. No creo, por lo demás, que los tratara mucho, puesto que prefería la compañía de hombres de ciencia, de «especialistas» que podían enseñarle algo útil para la práctica de las distintas disciplinas a las que se aplicaba. Además, al estudiar sus cuadros nos parece difícil suponer que intervinieran en ellos otras manos que no fueran las suyas, a excepción, claro está, de aquellas de sus pinturas que fueron concluidas o retocadas después de su muerte. Es del todo inadmisible que como maestro aceptara una colaboración del tipo que como alumno prestó a Verrocchio. Primero por el modo de trabajar de Leonardo, hecho de retoques y modificaciones, y luego por la disposición de su carácter y su espíritu, que no podían aceptar la presencia de un tercero en ese íntimo diálogo entre el creador y su creación. Quizá fue posible por lo que se refiere a *La Batalla de Anghiari* e incluso a *La Cena*, pero en lo tocante a *La Virgen de las Rocas*, *La Adoración de los Magos*, *La Gioconda*, la *Santa Ana*, el *San Juan*, ese lento y largo diálogo del que brotaron sus cuadros no toleraba ciertamente la presencia de un intruso.

Por muy celoso que fuera de su soledad, Leonardo ponía buena cara a sus visitantes, y había muchos, estoy seguro de ello, que tomaban el camino del pequeño castillo para saludar al maestro, contemplar al hombre célebre, recibir de él alguna enseñanza o solamente charlar con él. Acogió así, el 10 de octubre de 1517, al cardenal de Aragón que, con todo su séquito, invadió Cloux. La descripción de esta entrevista fue redactada por uno de los secretarios del prelado, Antonio de Beatis da Molfetta, y, a pesar de ciertos errores —cuando convierte a la Mona Lisa, por ejemplo, en una «dama florentina amada por Giuliano de Médicis»— sigue siendo una preciosa fuente de información sobre el modo como se vivía en Cloux.[20] El cardenal hojeó, ante los curiosos ojos de sus caballeros, los numerosos tratados que estaban listos para ser impresos; escuchó a Leonardo hablar de sus estudios anatómicos y afirmar que había diseccionado más de treinta cadáveres de hombres y mujeres para aprender la estructura y el funcionamiento del cuerpo humano.

Es significativo también que Leonardo nunca se negara a participar en las fiestas dadas por Francisco I. «Nunca me canso de ser útil», decía. «La naturaleza me ha hecho, naturalmente así», escribe al bies en una de esas hojas de dibujos[21] donde se ven, junto a sentencias como ésta, curiosos esbozos alegóricos, referentes sin duda a las «fantasías» encargadas para el carnaval, las justas, los ballets y las representaciones mitológicas. En Amboise, al igual que en Milán, su talento polifacético le ha convertido en un organizador ideal de las diversiones de la corte. Como en su juventud, se complace inventando decorados y trajes, ideando carrozas y espectáculos refinados. Se reconoce su mano en los autómatas que aparecen en estos montajes, aunque el arte de las figuras artificialmente móviles ya había estado de moda durante el siglo precedente, y sobre todo en la corte de los duques de Borgoña. El parque del Hesdin, en particular, tenía varios de estos extraordinarios muñecos animados que caminaban por las avenidas, interpelaban a los paseantes y respondían a sus preguntas.[22] ¡Qué no habría sacado de la cibernética actual, si hubiera conocido los recursos que proporciona la célula fotoeléctrica!

Sus máquinas, que tan ingenuas y primitivas nos parecen, eran en cambio muy admiradas por sus contemporáneos, y después de cada una de las fiestas que Leonardo había animado con sus extrañas fantasmagorías, todos los embajadores italianos informaban a sus soberanos, con muchos detalles, de las maravillas que habían presenciado. Gran sensación causó cierto león que apareció en una fiesta dada en Argentan, en Normandía, durante la visita que Francisco I hizo a su hermana Margarita de Valois, que se había casado con Carlos, duque de Alençon. Ocurrió en los últimos días del mes de septiembre de 1517. Durante esta fiesta, un terrible león, perfectamente imitado, había entrado en la sala donde toda la corte estaba reunida, con un aire amenazador tan natural que la concurrencia quedó asustada. Tras él llegó un eremita —quizá también un autómata, pues había autómatas vestidos de ermitaño en el parque del Hesdin— que tendió al rey un bastón. Cuando Francisco I tocó tres veces con ese bastón a la fiera, el cuerpo del león se abrió y de su pecho pintado de azul brotó una profusión de flores de lis.

Días más tarde, en otra fiesta cuyo informe fue enviado a la Serenísima por el embajador veneciano Turrioni, el duque de Montmorency había ofrecido al rey un corazón que, al abrirse mecánicamente, hacía aparecer la figura del Deseo que, de pie sobre una esfera terrestre, tenía el torso cubierto por una armadura, pero el vientre y las piernas desnudos, pálidos, flacos y desgarrados. La formulación de la alegoría y el mecanismo automático del precioso juguete revelan que también aquí intervino la mano de Leonardo.

Derrochó mucho talento e ingenio al año siguiente, durante las festividades que acompañaron, en el mes de mayo, las bodas de la sobrina del rey, Madeleine de la Tour d'Auvergne, con Lorenzo de Médicis. Que Leonardo utilizara de nuevo para esta ocasión algunos de los inventos que antaño había realizado para Ludovico el Moro, y que todo el mundo en Francia se maravillara, muestra que esos prodigiosos juguetes no habían perdido su atractivo en una época hastiada que a pesar de todo conservaba bastante ingenuidad como para divertirse con ellos... y para asustarse.

¿De dónde viene la extraña predilección que Leonardo muestra por los autómatas? Escribir la historia de las figuras animadas, tales como fueron fabricadas a lo largo de los siglos desde la Antigüedad, aportaría una singular luz a esa afición, bastante universal, que descubrimos tanto en Oriente como en Occidente, y que se manifiesta sobre todo en las épocas de disgregación espiritual y social, en los «fines de siglo» ator-

mentados por la angustia y seducidos por lo fantástico. Las edades de
oro de los autómatas fueron, principalmente, la época alejandrina, que
vio surgir los autómatas árabes reseñados en algunos tratados, el fin del
Gótico, al que pertenecen los autómatas del Hesdin, el siglo XVIII, que
poblaba sus jardines con esos inquietantes simulacros —había más de
doscientos en el famoso Jardín de la Roca, en Lunéville, y todos los parques principescos de Austria y Alemania tenían los suyos—, y por fin el
Romanticismo, que con Hoffmann daría un nuevo brillo a esas imita-
ciones de la humanidad, cuyo estudio nos llevaría a adentrarnos en el
campo de las inquietudes psicológicas.

Es posible que Leonardo, hambriento de ciencia para poder un día
igualar a la naturaleza en sus creaciones, soñara con fabricar un hombre
artificial. Las viejas leyendas, desde la historia de Prometeo, presentaban este hecho como una realidad, y la tradición judía del *golem*, que
Leonardo sin duda había conocido a través de los cabalistas de Milán, lo
confirmaba. Cuando se hace un paralelismo entre los estudios anatómicos del artista y los croquis de sus máquinas, se advierte, como él mismo
había advertido, que el mecanismo es el mismo en uno y otro caso. Si
inventa un aparato para volar, hace que el movimiento de los músculos
del hombre sea idéntico al de los músculos del pájaro. Todas sus máquinas tienen así un aspecto extrañamente humano y, en cambio, los órganos del movimiento le parecen otros tantos pistones, palancas y engranajes. Si sus máquinas imitan, en su funcionamiento «industrial», los
gestos del hombre al que reemplazan, ¿por qué no concebir que dichas
máquinas podrían reemplazar al ser humano con bastante perfección
como para constituir «hombres artificiales»?[23]

Sin embargo, esas fantasmagorías mecánicas eran sólo tareas menores ejecutadas únicamente para complacer al rey, ese señor amable que
ofrecía a Leonardo una hospitalidad principesca sin exigir nada a cambio. Pocas veces el artista había tratado con un protector tan discreto,
tan generoso. Pero, puesto que le resultaba natural «servir», dando a la
palabra su acepción más alta y noble —«sea yo privado de la facultad de
actuar antes de cansarme de ser útil»—, y puesto que su espíritu le llevaba siempre a emprender esas obras colosales que habían fracasado, tanto sirviendo a Giuliano de Médicis como a César Borgia y a Ludovico el
Moro, reanudó sus grandes proyectos que tenían por tema el agua y por
objeto los canales y el saneamiento de las regiones insalubres.

La pasión que pone en modificar el aspecto de provincias enteras,
en transformar la naturaleza del suelo, en introducir cultivos útiles en

parajes áridos, es otra faceta más de esta voluntad de actuar sobre la naturaleza que, como acabamos de ver, tal vez le hubiera sugerido el deseo de fabricar hombres artificiales. «Conocer para actuar», ésa sería su fórmula. El saber inactivo, por el mero placer de conocer, es completamente ajeno a este carácter dinámico, *faber, artifex*, que sólo tiene contacto con la materia para darle otra forma, otra eficacia. Cambiar el sistema circulatorio de un país creando en él nuevas vías navegables es una de sus pasiones dominantes. Pretende disciplinar el agua en beneficio de los hombres, del mismo modo que, cuando inventa artilugios militares, disciplina el fuego para la destrucción de los mismos hombres. Y sin embargo, en sus cuadernos hay páginas en las que proclama su horror por la guerra y la repulsión que le inspiran los hombres que la imponen a los pueblos. ¡Curiosas protestas de fe pacifista por parte de un inventor que llenó cuadernos enteros de objetos mortíferos!

Esa dualidad se explica muy bien. A pesar de su corazón sensible que le hacía amar los pájaros y todos los seres vivientes hasta el punto de sentir asco por el alimento cárnico, a pesar de que adoraba la vida y por lo tanto condenaba a todos los que atentaban contra ella fuese del modo que fuera, aspiraba sin embargo a dominar los elementos. ¿Y no era muy tentador dominar al más violento, el más terrible, el más despótico de los cuatro elementos, aunque ese dominio causara la destrucción de algunas vidas humanas? Tal vez, como todos los inventores de máquinas de guerra, acariciaba sinceramente, o por inconsciente hipocresía, la utópica esperanza de que la guerra, al hacerse cada vez más destructora, acabaría destruyendo la propia guerra... Es posible, por fin, que el espectáculo de la guerra real, tal como la había presenciado mientras estaba al servicio de César Borgia, le hubiese asqueado de las armas. Pasado este período, no parece haber proseguido ese tipo de investigaciones. El anhelo de dominar el agua, por el contrario, es la constante de toda su vida. Le ocupó hasta el día postrero, al igual que su intento de dominar el aire, aunque los experimentos de vuelo que había realizado se hubieran revelado infructíferos. En sus conversaciones con el cardenal de Aragón, habla de ellos como de un viejo sueño nunca abandonado por completo, pero rechazado hacia la trastienda de sus preocupaciones. Cuando había reconocido que algo era por completo irrealizable, se apartaba de ello; no digo que sin lamentarlo. «No desear lo imposible» es una de las máximas clave que nos permiten comprender mejor a este complejo personaje tal como aparece en su resuelto pragmatismo.

Y he aquí que, desde el fondo de los espacios espirituales, le responde otra voz afirmando lo contrario: «Amo a quien desea lo imposible.» El centauro Quirón dejó caer esta frase a los pies de Fausto, pero Fausto la había tomado ya como divisa y había modelado su vida de acuerdo con este deseo.

Entre ambas frases se extiende el espacio que separa dos épocas, dos filosofías de la vida: la del Renacimiento que creía que la duración de la vida de un hombre podía conducir a la posesión de todo lo conocible en el campo de la ciencia y de la razón, y que por lo tanto consideraba imposible, superfluo e inútil todo lo que no entrase en ese campo del conocimiento; la del Romanticismo que dejó tras ella lo que se aprende por la experiencia o en los libros, «filosofía, jurisprudencia y medicina y, para mi desgracia, teología también, en todo profundicé con un empecinado trabajo»,[24] y que sólo aspira a lo no conocible; que, tras haber registrado y enumerado lo posible, desea lo imposible. «Amo a quien desea lo imposible...» El Romanticismo hizo hincapié en un orden de valores muy distinto al que animaba el Renacimiento: lo trascendente prevalece sobre lo inmanente; el hombre es un alma inquieta que se busca y que busca a Dios en una explicación sublime del sistema del mundo, pero superando ese sistema del mundo al elevar la naturaleza hasta lo sobrenatural.

Nos parece paradójico leer este precepto: «No desear lo imposible», escrito por un artista que abarcó un campo de investigaciones desmesurado, desproporcionado con las fuerzas y las capacidades del individuo, pero toda esta época tenía ese formidable orgullo y esa altiva seguridad. Ser universal no parece «imposible». Pico de la Mirandola presumía, sin vanidad, de disertar *de omni re·scibili*. Alcanzar los más misteriosos secretos de la naturaleza en todos sus aspectos y todas sus direcciones y, al mismo tiempo, realizar la obra de arte más nueva, más audaz, más moderna, no era considerado quimérico por Leonardo, ese hombre que prudentemente rechaza lo «imposible». Una serena seguridad le conduce; no ha conocido el «temblor» que es «lo mejor del hombre»; no ha sentido el vértigo metafísico, sólo aquel que se apodera de él a la entrada del abismo subterráneo o en los senderos de alta montaña. Jamás ha dudado, jamás ha vacilado, jamás ha titubeado. Se propuso un programa gigantesco, sobrehumano, y está seguro de cumplirlo, siempre que persevere en su «obstinado rigor». Cree que esta inmensa suma de saber que quiere amasar depende sólo de él. Ha pensado en la muerte, pero no la considera en su plan de trabajo como una eventualidad de cada instante. La paciencia y el método con el que procede en todas las direcciones que toma, nos maravilla y nos espanta. Es imposible que lo logre, pensamos. Él cree que ese logro es posible, y lo afirma con tanta tranquilidad que nos convence, como se había convencido a sí mismo.

La vida de Goethe fue de renuncia en renuncia: Leonardo, en cambio, nunca renunció a nada, ni en el plano de la acción científica, ni en el plano del arte. Estudió hidráulica, geología, acústica, óptica... y muchas otras ciencias, se enfrentó con todo, hasta su último suspiro. Ninguna de sus ambiciones juveniles fue rechazada por el hombre maduro al considerarla fuera de su alcance. Si le hubieran preguntado qué entendía por «lo imposible», sin duda habría hablado de los fenómenos sobrenaturales, de lo oculto que le da risa porque no entra en su campo visual o, al menos, no permanece en él si alguna vez ha entrado. Los locos, de quienes se burla, son los que esperan la solución de problemas insolubles. De una vez por todas, en su misma juventud, hizo dos partes de lo que le rodeaba: la que le pertenecía, y que comportaba todo lo posible, y la que rechazaba desdeñosamente porque constituía lo imposible. Y una vez delimitados ambos patrimonios, ya no cambió de opinión, no se desvió del surco donde había hundido la reja del obstinado rigor.

En el orden práctico, en efecto, nada hay irrealizable en los trabajos que emprendió. Su genio bastaba para concebirlos, organizarlos y dirigirlos. Si hubiera tenido la posibilidad de dar a su existencia la duración necesaria para concluir sus obras, las habría terminado. Como todos los grandes buscadores de aventuras que, con arrogante audacia, comienzan a luchar contra el tiempo, no previó que en esta batalla sería vencido. No previó, tampoco, que los hombres a quienes presentaba tan magníficos y útiles proyectos se mostrarían indiferentes, versátiles y no le ayudarían, o no continuarían ayudándole una vez comenzada la obra. En presencia de todos los obstáculos que le cerraban el camino, repetía con sublime tozudez: «continuaré». Es una de las últimas frases que escribió en el *Codex Atlanticus*:[25] está fechada el 24 de junio de 1518, el año que precedió a su muerte.

Sin duda había encontrado a Francisco I tan poco entusiasta ante su plan para desecar la Sologne como se había mostrado César Borgia ante el saneamiento de las marismas de Piombino, y Giuliano de Médicis ante el avenado de las marismas pontinas. Ése es, en efecto, el inconveniente principal de tales empresas: que exigen numerosas cooperaciones. Qué tragedia no poder, en todos los dominios de la acción, como en el del arte, actuar solo. Ejecutó los cuadros con su propia mano, y son obras maestras. Pero para lo demás necesitaba comanditarios, ingenieros, contramaestres, obreros, todos ellos gente que no estaba animada por la esperanza, la convicción, la tenacidad, la alegría que le inspiraban y le impedían ver los agotadores obstáculos que sus propios colaboradores iban a oponer a su empresa.

Le faltaba la elocuencia que convence. Su dignidad grave, silenciosa, siempre apartada, intimidaba a sus interlocutores, pero no les transportaba. Estaban fascinados por su belleza majestuosa, por las mil facetas de su inteligencia, por ese fulgor del genio que emanaba de él, pero estaban asustados, al mismo tiempo, por algo que los superaba, que no podían comprender del todo ni compartir, que seguía siéndoles ajeno, en una palabra. ¿Quién se habría sentido a la altura de un hombre semejante? Ni siquiera César Borgia, el más grande ciertamente, por la magnitud de su talento en la acción, de todos los soberanos a los que sirvió. Para los demás Leonardo no es mucho más que un artificiero, algo brujo, admirable e inquietante, un prodigioso «soñador despierto» que persigue lo imposible, un cazador de quimeras. De ahí proceden la reticencia, las desconfianzas, los abandonos que sufrió. Demasiado desconcertante para ser total y perfectamente inteligible. Es muy probable que César Borgia, al poseer las mismas cualidades y los mismos defectos que él —lo que ayuda mucho a los hombres a estimarse y trabajar juntos—, habría unido más estrechamente su destino al de Leonardo, si la «suerte verde» le hubiera permitido proseguir sus aventuras. Podemos imaginar en qué hubiera podido convertirse Italia, unificada bajo el cetro de un genio político como César Borgia, y con Leonardo da Vinci como primer ministro y «director de obras públicas»...

Los planes que expone a Francisco I son muy seductores. Unos se refieren a la utilidad colectiva del país; anuncian la desaparición de las marismas de Sologne, región a la que ya ve abonada y fértil como la Beauce. Otros planes se apoyan en lo ventajoso que sería, para el placer del rey y la comodidad de los desplazamientos de la corte, unir unas a otras por una red de vías navegables las residencias reales habitadas con más frecuencia. Los alojamientos de la corte, en efecto, solían parecer campamentos de nómadas. Iban de castillo en castillo, viajando con una muchedumbre de servidores que transportaba lo que iba a hacer habitable el nuevo domicilio: lechos, cofres, mesas y todo lo demás... La menor excursión tenía un aspecto de traslado. Hubiera sido mucho más agradable, entonces, en vez de galopar por horribles caminos llenos de baches, polvorientos o embarrados según la estación, avanzar por pequeñas etapas por los canales y los ríos, en una de esas «barcazas de sirga» que daban a los viajes un aire de ocio, de placer tranquilo y lento, de amable fantasía. De ese modo, los italianos viajaban de buena gana, para ir a Venecia, sobre las aguas mansas, flanqueadas por palacios y jardines, del canal de la Brenta que tan picantes aventuras reservó a Goldoni.

El proyecto era muy tentador, evidentemente, y capaz de convencer a un rey tan amigo del placer como Francisco I. Tanto más cuanto que el primer «tramo» de este proyecto, la construcción de un canal de Tours a Lyon, era perfectamente realizable. Partiendo del Loira en Tours o en Blois, Da Vinci señaló como etapas Romorantin, Villefranche, Bourges, Moulin para llegar al Saona en Mâcon. El canal de Ivrée, cuyos planos traza también, tiene un alcance estrechamente utilitario.

Poner remedio al mal estado de los caminos creando sendas de agua cómodas, menos rápidas tal vez —en cualquier caso la corte no tenía prisa— y más divertidas, ésa era la intención de Leonardo. Y como piensa de inmediato en la transformación total de la región cuya reforma emprende, esboza una especie de ciudad ideal en Romorantin, donde el rey tenía un castillo-pabellón de caza. Enrique IV reemprenderá más tarde el proyecto desdeñado por Francisco I, y parece ser que entonces los planos de Leonardo fueron estudiados por los ingenieros que hicieron estos canales. Leonardo había pensado también en los molinos de esta región, que serían accionados por el agua.[26]

Inventa, por fin, para comodidad de la corte, unas casas de madera transportables, «prefabricadas», que serán de muy fácil empleo. Será posible así erigir en pocos instantes una verdadera y pequeña ciudad, que acompañe en sus viajes a los gentileshombres del rey, expuestos con demasiada frecuencia a dormir al sereno, en una tienda o, en el mejor de los casos, en graneros y pajares. «Las casas serán transportadas y montadas con orden, lo que no ofrecerá dificultad alguna dado que habrán sido primero fabricadas pieza a pieza, y después ajustadas a sus vigas en el lugar donde deban permanecer. Los campesinos se alojarán en ciertas partes de las nuevas casas, cuando la corte no esté.»[27] Esta última frase supone que esas casas transportables constituyan una especie de posada, que puedan seguir en el lugar y ser utilizadas por viajeros distintos a los de la corte.

Para la propia corte, Leonardo emprende la remodelación de Chambord. Los castillos franceses del Renacimiento han conservado, de la tradición medieval, cierta pesadez, cierta sequedad y, sobre todo, una organización exterior e interior que se resiente aún de los siglos en los que un palacio era ante todo una fortaleza, donde la seguridad prevalecía sobre todas las demás consideraciones. A estas exigencias militares se añadía la necesidad de boato oficial: la comodidad, el confort, tan apreciados por los italianos, eran todavía cosas nuevas en Francia y poco extendidas.

Deseando dar a su nuevo dueño unas moradas dignas de su siglo, Leonardo esboza planos magníficos, bosqueja castillos espléndidos y habitables al mismo tiempo, teniendo en cuenta, como acostumbra, todos los detalles, calculando la resistencia de las vigas, pensando en cuántos bailarines podrán caber en la sala de fiestas y adaptando la solidez de los suelos a la muchedumbre de señores que se apretujarán en las audiencias reales. Cuando acompaña a Francisco I a Blois, se interesa por los jardines a la italiana —¡sorprendente novedad!— que Fra Giocondo ha dispuesto, e imagina añadir a ellos unos surtidores, tal vez cascadas en escalera, como en Vigevano. Será fácil alimentar los estanques y los arroyos con el agua del Loira, haciéndola subir por medio de un sifón: un dibujo del *Codex K*[28] describe de qué modo circularán las aguas de Blois.

Leonardo, en efecto, discípulo en eso de los grandes jardineros árabes, sólo aprueba un jardín si el agua lo anima con su fluir, lo hace resonar con sus cantos. El Renacimiento italiano no ha creado aún esos vastos y complejos «teatros de agua» que encantarán al Barroco. En la arquitectura de verdor y piedras que es el jardín italiano, el agua tiene una función gráfica; los pequeños canales ponen de relieve las terrazas y los arriates, las fuentes, al asociar el agua y el mármol o el bronce, avivan las curvas de los árboles y de las estatuas con una pincelada reluciente. En Francia no había intermedio entre el parque romántico de los duques de Borgoña y el huerto medieval donde las hierbas medicinales, las especias de cocina y las «flores de adorno» se codean. Grandes cazadores, los hombres de aquel tiempo vivían en el bosque, galopaban por los campos. El jardín es la creación de los humanistas, de los burgueses cultos que desean, para sus conversaciones frívolas o eruditas, un decorado de árboles, de césped y de cielo. Mientras que el jardín a la italiana es el complemento natural del arte de un Botticelli, de la poesía de un Poliziano, de la música de un Squarcialuppi —pues parece que las bellezas del arte serían menos hermosas si no pudieran gozarse al aire libre—, el jardín francés sigue siendo utilitario: los deportistas de la corte no tie-

nen mucho tiempo para merodear por las avenidas y, cuando abandonan las violentas carreras al aire libre, se encierran en las galerías donde
bailan y conversan.

La fuente ocupa su justo lugar, es cierto, en el jardín francés, pero
no está rodeada por esa preciosa y sutil maraña de caminos de agua, al-
bercas, conductos, surtidores que dan al agua tanta vida y variedad. Fra
Giocondo había compuesto los arriates de Blois al gusto de su Toscana,
pero los placeres y las fantasías del agua no parecían allí bastante desa-
rrollados para Leonardo que, en eso, representa ya al hombre barroco.

CAPÍTULO DIECISIETE

«*Bella cosa mortal pasa y no dura*»[1]

«Mientras yo creía aprender a vivir, aprendía a morir.»[2] Considerar la muerte como la armoniosa culminación de una existencia llena, y no como una separación brutal que desemboca en la zambullida en la nada o en una inmortalidad indeterminada, había sido la aspiración de Leonardo a lo largo de todos esos años magníficamente colmados de una actividad sin reposo ni cansancio. Aprender a vivir: para él todo era lección, pero al final de su vida comprueba que cada una de esas lecciones tenía un doble significado y que, al tiempo que le ayudaba a desarrollarse como ser vivo, le preparaba para construir esta filosofía de la muerte que nunca formuló explícitamente, pero cuyo testimonio llevan sus pinturas y sus trabajos científicos. La idea de la destrucción, de la disolución, que nunca estuvo separada de este «culto a la vida» que profesa con entusiasmo, se hace cada vez más acuciante. Se manifiesta en dibujos tumultuosos y angustiados, que representan sobre todo cataclismos, inundaciones, y el diluvio.

Impresionado como siempre ha estado por el poder irresistible del agua, sueña con la muerte como una corriente furiosa que le arrastrará, le quebrará, le hará migajas, preparando así las partículas de su cuerpo para nuevas organizaciones de formas. Como si fuera con los ojos de la carne, ve con prodigiosa nitidez las imágenes que obsesionan su espíritu e inspiran esas composiciones visionarias, tan auténticas como si hubieran sido trazadas por un testigo del cataclismo que, por milagro, hubiera escapado de las enormes olas, las rocas y las aguas entremezcladas que destruían al género humano.

El agua, por la que sentía una tan respetuosa veneración, es también una divinidad terrible. En varios períodos de su vida se sintió obsesionado por el diluvio. Lo describió varias veces, en borradores de cartas o esbozos de relatos imaginarios que se encuentran en sus cuadernos. Una singular objetividad preside cada una de estas descripciones. No habla de los sentimientos que despiertan en él esos terroríficos espectáculos; los cuenta con esa precisión científica que pone hasta en sus exploraciones del mundo fantástico, sin literatura, sin romanticismo, con la gravedad del hombre que ha tenido el privilegio de asistir a un acontecimiento único, y a quien ese privilegio impone, precisamente, el deber de relatar con fidelidad lo que vio.

¿Lo vio? Nada permite negar que el viaje a Oriente pudiera ser una realidad. Es posible también que proyectara sobre el campo de su visión interior las imágenes que le obsesionaban, o que las haya encontrado, incluso, en uno de esos muros destartalados y decrépitos que recomendaba a sus discípulos observar cuidadosamente porque podían descubrir en ellos toda clase de cosas extrañas y magníficas, ciudades, paisajes, ruinas que se extendían hasta el infinito.

Ese consejo muestra que cultivaba, e invitaba a sus discípulos a cultivar también, esa aptitud de visionario, esa disposición de la imaginación a sorprender en un objeto, más allá de su forma inmediata, otras formas que evoca por su parecido o por analogía. Los desconchados del muro, las porciones de piedras sin revoque, las manchas, los relieves contienen infinitas sugerencias, y es comprensible que un pintor fantástico encuentre en ellos materia para singulares inspiraciones. Pero a Leonardo no le ocurría eso, y no veo qué fragmentos de sus cuadros podrían haber sido el botín de esas extrañas contemplaciones. Me parece que éstas tenían como objeto, no proporcionar imágenes extrañas e imprevistas a sus composiciones, sino más bien mantener en él esa capacidad de proyección, esa actividad de la imaginación que un excesivo método científico hubiera podido atrofiar. Leonardo convierte así la imaginación y sus impulsos más visionarios en el contrapeso de la razón y la observación objetiva. Desea que ese mecanismo de la inventiva imaginaria conserve su flexibilidad y su disponibilidad, para preservarle de un seco positivismo, de un racionalismo árido y, sin duda, espera de lo desconocido curiosas revelaciones, y de lo irreal útiles informaciones sobre lo real.

Excitar y estimular la fantasía caprichosa que, al modo del sueño, elabora y construye sobre los datos de la experiencia es, en suma, el método surrealista, y Da Vinci se aproxima también a esos antiguos pintores chinos que bosquejaban inmensos paisajes montañosos arrojando sobre un viejo lienzo de pared una pieza de seda que se ceñía al relieve y a las asperezas y los convertía, por la imaginación del artista, en una sucesión de cimas rocosas o nevadas a cuyo alrededor bastaba con suponer jirones de niebla y trazos de lluvia para obtener una de esas pinturas intensas, secretas y magníficas que tanto les gustaban.

Leonardo tenía también, probablemente, esa otra facultad visionaria que consiste en ampliar considerablemente un paisaje minúsculo, bien suponiéndose uno mismo a la escala de ese pequeño decorado, o bien dotándolo en su fantasía de las dimensiones de nuestro universo ordinario. Humildes fuentes, cascadas de modesto caudal pudieron, así metamorfoseadas, proporcionar los elementos de estos diluvios, en los que se ve —como en varios dibujos a la piedra negra de las colecciones reales de Inglaterra— torrentes de agua que barren selvas enteras, derriban escuadrones de jinetes, hunden ciudades y castillos.[3] Esos dibujos datan todos del último período de su vida. No se refieren a ninguna obra en preparación y constituyen, pues, puras efusiones de la imaginación; no juegos de la fantasía sino refracciones de un estado de ánimo tumultuoso y ansioso, que tal vez se liberara de su obsesión reproduciéndola en el papel con ese frenesí doloroso y casi enfermizo que preside esas descripciones de fin del mundo.

Cómo no sentirse impresionado ante esas tormentas apocalípticas, ante la minuciosa precisión casi de miniaturista con la que son tratados los detalles, los árboles que la borrasca ha tendido en el suelo con un movimiento tan natural, tan exacto que ciertamente fue observado in situ, y las actitudes de los caballos arrastrados por el huracán en una mortal confusión de monturas y jinetes, aplastándose unos a otros en un espantoso desorden. Nada hay aquí de aquella vaguedad y aquel absurdo que a menudo están presentes en las elaboraciones del arte visionario: los elementos están reproducidos con una objetividad naturalista de lo más exacta, sólo es fantástico el sentimiento que arroja al torbellino del tifón toda una humanidad apacible, industriosa, feliz, arrancada de sus ocupaciones cotidianas por el fuego del cielo o las aguas de la mar que han saltado fuera de su profundo lecho.

Bien considerado, la precisión científica nunca está del todo ausente de esos «caprichos» visionarios, y los recuerdos de pasadas observaciones reaparecen —especialmente los de la tempestad de Piombino, observada muchos años antes— en el comentario literario que acompaña a uno de esos «diluvios» de Windsor.[4] El diluvio, asociado a las visiones de fin del mundo que pueblan los sueños del viejo Leonardo, le había preocupado constantemente, sobre todo en la época en que estudiaba la naturaleza y el origen de las conchas y los peces fósiles que encontraba en las rocas, objeto de sus trabajos geológicos. El *Codex Leicester* contiene largas deliberaciones sobre este tema, que constituyen una muy completa y notable exposición de conquiliología prehistórica. La prehistoria, ciencia apasionante entre todas y excitante para la imaginación, suscita también las facultades visionarias de Leonardo que, mientras maneja las conchas petrificadas que los campesinos, conociendo su pasión, le llevan a sacos, ve los extraños paisajes de aquella época en la que «el África, tras sus montes del Atlas, no mostraba aún la tierra de sus grandes planicies desnudas bajo el cielo, una extensión de unas tres mil millas, y en las riberas de ese mar se levantaba Menfis, y por encima de las llanuras de Italia, donde vuelan hoy bandadas de pájaros, los peces, antaño, se movían en bancos».[5]

La propia inacción, a la que la enfermedad y la casi parálisis de sus brazos condenan a ese hombre, gravita pesadamente sobre ese genio infatigable cuyo cerebro no cesa de elucubrar, y que plasma en el papel los ansiosos sueños que la privación de actividad hace florecer en su retiro de Turena, en su soledad húmeda y fría desde la que añora los dulces inviernos de Florencia y de Roma. Le falta también esa atmósfera estimulante que la continua presencia de artistas y sabios mantenía a su alrededor en las cortes italianas. En Francia la corte se instala en las propiedades que rodean los castillos reales, y por eso practica un perpetuo nomadismo. Cuando el rey está en Amboise, el viejo pintor recibe las visitas de los señores franceses o de viajeros extranjeros que quieren conocer al ilustre huésped de Francisco I, pero cuando el alegre tumulto de hermosas mujeres, pajes, escuderos y jinetes, en el que hay también hombres cultivados, eruditos y sabios, se va a Chaumont, a Blois, o todavía más lejos, el pequeño castillo de Cloux se convierte en una ermita abandonada y silenciosa donde, a excepción de Melzi, Leonardo sólo está rodeado de sirvientes.

Dijo, es cierto, que «las pequeñas moradas son favorables a la eclosión de los grandes pensamientos», y que «si estás solo serás dueño de ti mismo», pero esta soledad que sin duda le faltó antaño, en los períodos de su más ardiente creación, hoy le pesa. Llega, en efecto, un momento en que la compañía de los hombres es benéfica; aparta los sueños de angustia, apacigua las dudas, aporta al artista que sin cesar se siente insatisfecho de su obra el tributo de admiración que le consuela y le conforta.

Los últimos años de Leonardo habrían sido distintos si los hubiera pasado en el medio que le era propio, en esa Italia que le había alimentado y modelado, en esa agitación ruidosa de las ciudades toscanas o lombardas, tan alegres, tan felices de vivir. La triste Turena, con sus nieblas arrastrándose sobre el Loira, ensombrecía las jornadas, y la noche llegaba pronto para pegar en los pequeños cristales verdosos su cortina de terciopelo negro. La enfermedad, por añadidura, hería como una humillación, casi como una mutilación, ese cuerpo que antaño era el instrumento perfecto y dócil para todos los requerimientos del instinto creador. Leonardo siempre consideró la salud como el equilibrio, la armonía, la unidad en el organismo humano; a este respecto es de la misma naturaleza que la belleza. La enfermedad, por el contrario, es la «discordia de los elementos infusos en un cuerpo vivo».[6] Además, es escéptico en cuanto al saber de los médicos. Sus trabajos de fisiología le habían llevado a esa conclusión, poco halagadora para ellos: «Intenta mantenerte sano; lo conseguirás tanto más cuanto más evites a los médicos, pues sus drogas son una suerte de alquimia con respecto a la cual no existen menos libros que remedios.»[7] Sabía, por último, que el mal principal que sufría, la vejez y el natural desgaste de un organismo agotado a pesar de su excepcional vigor, no tenía remedio.

Como compensación la soledad en Turena era favorable a esta preparación para la muerte que es natural que el hombre realice en el aislamiento, el recogimiento, el silencio, lejos de la agitación exterior. A estas alturas ya nada le saca de sí mismo. La cháchara francesa de su sirvienta Mathurine le divierte. Hojea sus manuscritos, anotando aquí y allá, con un trazo vivo y firme todavía, las observaciones que completan, corrigen o modifican un texto antiguo. Una considerable cantidad de dibujos está en sus manos, pues nada ha tirado de todo lo que hizo a lo largo de su vida. A excepción de lo que fue robado, o se perdió durante los numerosos traslados, lo que dio a sus alumnos o a algunos aficionados, el conjunto de los documentos sobre los que se ha apoyado su existencia de artista y de sabio está ahí, cuidadosamente clasificado, atado en legajos, encuadernado en registros. Al releer esa suma incalculable de adquisiciones de toda suerte, ese botín recogido en las incursiones que hizo por todas las provincias del saber humano, se preocupa porque ignora aún muchas cosas. ¿Cómo? ¿Acaso...? ¿Por qué? Las preguntas que no han dejado de acosar su espíritu aún no han recibido respuestas, al menos en su mayoría. Del gran libro de los misterios de la naturaleza sólo ha hojeado unas pocas páginas, a pesar de su ardor y su asiduidad. ¿Qué importa? A ese anciano corroído por la enfermedad le queda bastante confianza en sí mismo y bastante esperanza para escribir, con mano firme y con imperiosa voluntad, el día de San Juan de 1518 (la última fiesta del santo patrón de Florencia que podrá celebrar aquí abajo), ese acto de fe en el porvenir que tiene por delante: «Continuaré.»

El año 1518 termina. Otro comienza. La tímida primavera francesa abre las primeras corolas. Desde hace mucho tiempo, las praderas y los jardines de Roma y de Florencia han florecido; Milán era más tardío... Agrupando los problemas más interiores del ser en esa meditación sobre la muerte que, desde hace tiempo, le absorbe, recapitula el pasado:

«Al igual que una jornada bien empleada da un sueño feliz, así una vida bien gastada da una feliz muerte.»[8] Leonardo no podía dudar de que su jornada había sido bien empleada, aunque no hubiera culminado todo lo que deseaba realizar. No había escuchado la advertencia que se hacía a sí mismo: «No desees lo imposible.»[9] No había definido los límites de lo posible y lo imposible, pero, en definitiva, había alcanzado su objetivo. Los tres cuadros colgados ante su lecho demostraban que había formulado, del modo más exacto y más preciso, el mensaje que quería dejar a la humanidad, el legado de la más alta ciencia, el secreto de las cosas visibles e invisibles.

Todos sus bienes estaban reunidos en el montón de cuadernos que mostraba con orgullo a sus visitantes, y que contenían la experiencia de una larga existencia consagrada a aprender, a experimentar, a enseñar. Varios de estos manuscritos estaban listos para ser publicados, los demás contenían, con la confusión propia de la vida, la enorme cantidad de observaciones y meditaciones que, año tras año, habían preñado aquellas páginas. Melzi tenía el encargo de recoger los escritos del maestro, ordenarlos y publicarlos. Feliz por «servir», Leonardo transmitía a la posteridad el tesoro de los conocimientos adquiridos por él, que iban a impulsar los inmensos progresos de todas las industrias y todas las ramas del conocimiento que su deseo de aprender le había llevado a explorar.

A veces, llegaba a lamentar, sin embargo, el tiempo que había consagrado a las ciencias, ese tiempo perdido para el arte, pero se tranquilizaba pensando que esas ciencias servían al arte, que aumentaban su potencia de artista y que todas las ramas del saber se entrelazan como las altas ramas de los árboles de un bosque, semejantes a aquellas cuyos entrecruzamientos cubrían, con sus arabescos simbólicos, el techo de la sala delle Asse, en Milán. Él mismo alcanzaba ahora el centro del laberinto, trepaba por la escalera de la torre, desde lo alto de la cual la confusión de los sinuosos caminos, de las callejas y los callejones sin salida revelaba, por fin, su secreto dibujo. Su vida era semejante a un laberinto: algunas de sus obras inconclusas, de sus empresas no llevadas a cabo, representaban los caminos cerrados, los muros infranqueables que obligan a volver atrás y a buscar otras salidas. El «rigor obstinado» que gobernaba toda su existencia le había preservado del desaliento, pero también de las esperanzas insensatas; no se había empecinado en luchar contra la suerte hostil cuando había visto imposible la victoria, y cuando el camino hacia el conocimiento le había parecido impracticable, había buscado otras sendas para llegar más fácilmente al mismo objetivo.

Los caminos de Francia y de Italia, los escarpados senderos de la ciencia y del arte, las sinuosidades subterráneas de la meditación sobre las cosas supremas, repetían en sus entrecruzamientos el trazado del laberinto. Había construido, como Dédalo, el laberinto en el que se había encerrado y, como Ícaro, había fabricado las alas que le permitían evadirse de él. Alas materiales, hechas de telas, poleas, varillas de madera y cuerda, que nunca le habían llevado muy arriba. Vuelos de la especulación espiritual, intuición de las secretas esencias del universo que, por el contrario, le habían llevado a una sabiduría superior, a una armonía perfecta entre el individuo y el cosmos, y hasta las regiones antagonistas de la propia individualidad que tan a duras penas encuentra su orden y sus leyes. Había avanzado sin vacilación y sin temor por los tortuosos corredores del laberinto que es cualquier vida humana, aunque la suya era más rica que las demás y estaba sembrada de más obstáculos y abismos. Con soberana autoridad, había dominado los conflictos de la carne y del espíritu,[10] del individuo y de la sociedad, del creador y de lo creado. Todo lo que puede experimentarse, lo había experimentado en el plano amplia y noblemente humano que no quería abandonar. Rechazando a los demonios de la inquietud, se había establecido en el reino de la belleza perfecta, acompañado por esos ángeles de carne y de razón que no servían en absoluto al Dios trascendente, sino que formaban el cortejo de las divinidades visibles, sensibles, que gobiernan el universo de las formas. El diluvio, para él, no era la cólera de Dios sino el divino furor del agua. El alma es «cosa espiritual», pero la sonrisa, lenguaje del alma, se posa en la materia y la ilumina, como los rayos del Amor sobre las alas de la mariposa Psyché, a la que hacen brillar. Incluso moribundo, permanecía aún en compañía de sus dioses y obtenía de sus sonrisas el consuelo postrero.

Morirá cristianamente, como está mandado, sin ostentación y sin hipocresía, contemplando más allá del crucifijo que le tiende un sacerdote francés, los tres rostros de esa Trinidad suprema que para él resume la expresión total y sublime de lo divino. Tres rostros, cada uno de los cuales devuelve a su memoria las inquebrantables certezas que escoltan al alma a lo largo de ese viaje de la vida y de la muerte, y la tranquilizan, ¡la muy endeble!, sobre los temores que siente de desaparecer y no ser ya más.

«Ningún ser va a la nada.» «Muere y devén.» La tierra bienhechora recibe el cuerpo que, por cansancio, abandona el combate, y el alma vigilante acompaña ese cuerpo que ya se deshace y se recompone para constituir nuevas formas. En el seno de las aguas tenebrosas se agitan vidas a miríadas, en esa incesante oleada de flujo y reflujo, de determinación e indeterminación, de disociación y de asociación. Morir es transformarse y pasar a nuevas combinaciones de materia y espíritu. Recomenzar en el huevo la maduración de los gérmenes vivos que crecen, se aglomeran, se desarrollan. En el fondo de ese crisol líquido, hirviente océano de innumerables existencias a la espera de su resurrección, el ser, lenta y pacientemente mecido en el sueño de las grandes aguas, acunado por ensoñaciones proféticas, elabora una forma a imagen de sus sueños. La madre carnal y la madre espiritual velan por los nuevos nacimientos. El hombre es animal antes de ser hombre, y quizá tan animal como hombre en su última constitución, y acaso tan hombre como dios, pues si él mismo no fuera dios, no conocería el camino que lleva a los dioses. En la oscuridad subterránea donde yacen las substancias perecederas, en el seno del huevo original, se realizan poderosas transmutaciones. Del Cisne, dios aéreo, y de Leda, mujer-agua, nacen los genios y los héroes, y en los antiguos misterios recibían el nombre de héroes aquellos que, tras haber renacido mediante el agua lustral, alcanzaban una vida más vasta y más hermosa.

Hay que descender pues a ese mundo subterráneo, cuando el individuo ha terminado su carrera terrenal, y aguardar en la activa fermentación de unas energías futuras, el momento de renacer, padeciendo esa descomposición que ya es el alba de formas nuevas. Objeto de la solicitud de las Madres que realizan, desde el comienzo de los tiempos, esa perpetua refundición de los organismos mortales, el hombre, al igual que todo lo viviente, conoce la marchitez de los inviernos y el renacimiento de las primaveras, pues es dócil a los ritmos de la naturaleza, sumiso a las alternancias de los ciclos. Hasta el momento en que, dotado de una nueva individualidad, asciende del seno de esas aguas profundas hacia la luz que consumará su florecimiento.

En ese momento, encuentra en su ruta al guía que le conducirá, substancia material, hasta el Espíritu que le insuflará la vida suprema. ¿Cómo dirigirse por este camino, cómo reconocer las vías que desembocan, si no en la trascendencia, al menos en esa divinidad espiritual que enciende la llama del alma en ese cuerpo adormecido aún por la larga estancia en la noche fecunda? La figura de san Juan se impone a Leonardo; es el precursor, el conductor de las almas de los muertos, en ese viaje hacia el cielo donde el hombre se sublima en su unión con lo divino. ¿Cómo no iba a extraviarse, entregada a sí misma, esa pobre y pequeña alma de la que hablaba el emperador Adriano, *animula vagula blandula*, si no tuviera, para enseñarle el itinerario preciso, la misteriosa presencia del Bautista, los consejos de la Voz que clamaba en el desierto? De ese modo, el segundo de los tres cuadros que Leonardo quiso conservar ante él hasta su muerte, para que luego fueran propiedad de ese rey francés tan benevolente y comprensivo, tampoco representa ya a la Madre de las Aguas, la Reina de las fértiles profundidades, sino a una criatura de aire y de fuego, indefinible —hombre o mujer, no se sabe, ¿y a quién le importa?—, uno de esos ángeles que significan siempre, para él, el acuerdo de la materia y el espíritu.

No se trata, en efecto, de abandonar el cuerpo en este ascenso, sino, muy al contrario, de llevarlo hasta el fuego divino que otorga la más alta vida a la substancia original. El cuerpo entero es arrastrado hacia arriba, y ese cuadro lo expresa muy bien pues, en el movimiento de un brazo flexible y voluptuosamente carnal, reproduce el ascenso del hombre material hasta el umbral del espíritu. El tierno rostro que se inclina dulcemente, la belleza soñadora de la sonrisa, la suntuosidad pagana de esos blandos hombros, la plenitud dionisíaca de una sensualidad sin pecado, todo nos advierte de que la ruta por la que se realiza el ascenso es la del Amor.

¿Amor del alma? ¿Amor de la carne? ¿Por qué distinguir? ¿Por qué separar? Las disensiones de la carne y el alma, ambas débiles y fuertes por turno, pierden cualquier significado ante esa figura que habla a cada cual el lenguaje que puede entender. La mano que san Juan apoya en su pecho alude al recogimiento interior, a la necesidad de albergar en su corazón la llama que alcanzará el brasero divino y se alimentará en él con más vastos ardores.

Esa criatura de luz aguarda al hombre para transformarlo a su vez en luz. Es el ángel en su más alta potencia, el intermediario supremo entre el mundo de los orígenes y el empíreo. Dispensador de ese elemento sin el que, en la organización del universo según Leonardo, no hay vida posible, encarna al mismo tiempo la vida material y la vida espiritual, es el trazo que une la carne y lo incorporal, las Madres subterráneas y la presencia celestial que es Dios. Leonardo había realizado durante su vida una serie de experimentos prácticos, prodigiosamente numerosos y variados, referentes a la naturaleza y la acción de la luz en el mundo físico, y a su relación con el sol, la lluvia, la nieve, la niebla y los árboles, y en su obra de pintor había planteado el problema principal de la expresión de la luz, que él es el primero en abordar en toda su amplitud y complejidad. Resulta por lo tanto evidente que sentía una especie de devoción por la luz. Hombre piadoso, en el sentido que daban los antiguos a esa palabra, el pintor extendía su piedad a todos los elementos; los veneraba en su corazón, y si no llegaba, como los griegos y los romanos, a darles una forma humana, al menos había realizado esa intensa reconciliación con la naturaleza, esa comunión casi pánica, en la que no había ya barreras entre el hombre y la naturaleza. Su devoción, no obstante, reviste un carácter más sacro, más religioso aun cuando se dirige a la luz. Incapaz de definirla física, plásticamente, la considera una *virtu spirituale* cuya substancia no es material, pero que es producida, sin embargo, por la combustión de la materia. Es la misteriosa potencia que emana del foco ardiente del sol y, al igual que el sol, ocupa un lugar particular en la cosmología y la cosmogonía de Leonardo, lo mismo que la luz «hija del Sol» participa de la divinidad del astro. Más aún: en ese mundo finito, perceptible por los sentidos y pensable por la inteligencia, la luz es lo que más vivamente sugiere la propia noción del infinito.

La búsqueda del *chiaroscuro* en las pinturas de Leonardo sólo es, como el nombre indica, la expresión de esa parte de sombra y esa parte de luz que en el orden físico se advierten en el mundo visible, y en el orden metafísico componen el ser humano, también él dividido entre la luz y las tinieblas, hecho de elementos finitos y llamado a la vida por esa chispa que, al igual que en la fábula de Prometeo, brota del infinito para desposarse con lo finito y otorgarle un alma. La plenitud de la luz es el privilegio del aire. La profundidad de los mares sólo recibe un fulgor glauco, y el germen del que nacerá el hombre se mece en las aguas oscuras. Principio de gozo —«la luz es lo que más gozo da a quien la contempla»—[11] es, ante todo, principio de vida, y vehículo hacia esa vida superior del espíritu que se une al infinito.

Mientras busca en sus cuadros la iluminación capaz de sugerir la esencia de la materia representada, lo que la supera y la trasciende, advierte que el único medio de representar lo sobrenatural, lo sobrehumano, en una composición que utilice sólo elementos humanos y naturales, es bañarlos con una iluminación que permita adivinar la presencia de otro mundo, de otra realidad. Desde que los pintores se plantearon el problema de la luz, al que Masaccio en particular a quien Leonardo consideraba uno de los mayores genios de la pintura, había dado su propia solución (me refiero a la luz contemplada como material y espiritual al mismo tiempo), como se ve en los frescos del Carmine, el arte se había enriquecido con su expresión más nueva y más sutil. La representación de la luz, en efecto, crea un sentido del espacio nuevo y remedia la falta de concreción temporal, considerada con razón uno de los límites de la expresión plástica, a la vez que constituye uno de los resortes más poderosos y eficaces del arte religioso.

Representar la luz es colocar determinado momento en la magnitud del tiempo, precisar la estación y la hora en que tiene lugar la escena representada. El instante eternizado en el cuadro no es ya un instante cualquiera, sino un momento individual, único, captado y aislado en el flujo del tiempo, tan individual y único como la forma representada. El artista amará determinado instante, al igual que ama determinado objeto, y su amor se hará melancolía cuando, tomando conciencia de la huida del tiempo, sabrá que ese instante, al caer en el pasado, está irremediablemente perdido. Se esforzará entonces por fijarlo, por inmortalizarlo en la representación que de él hace, y habiéndolo amado por su misma precariedad, lo amará más aún al haberlo substraído al tiempo «devorador de las cosas», con su arte. Estéticamente, además, la representación de la luz, al permitir una localización en el tiempo —determinado amanecer, determinado mediodía, determinada puesta de sol—, localización de la que los venecianos, los holandeses, los ingleses, los impresionistas franceses obtuvieron efectos de sublime belleza, permite también los juegos variados de los reflejos y las sombras, juegos que Masaccio había reproducido con una maestría llena aún de timidez, y que encontraron su más genial manifestación en Da Vinci, en los barrocos luego y por fin en Rembrandt, para quien, también, la luz es «virtud espiritual».[12]

Factor de determinación plástica, en el sentido de que su representación realista desemboca en el retrato de un instante mediante el retrato de una forma, la luz es al mismo tiempo factor de indeterminación;

sólo bajo este aspecto la considera Leonardo y la traduce. Para un Bellini o un Tiziano, expresar la luz es precisar con mayor evidencia lo determinado, lo finito, prolongándolo sin embargo en una musicalidad poética, llena de vibraciones y ecos. Para Da Vinci, por el contrario, bañar de luz un objeto es liberarlo de todas las categorías limitativas que lo acotan, liberarlo de su situación en el espacio y en el tiempo cronológico. «Sumir las formas en la luz, es sumirlas en el infinito.»

Así comprendido y aplicado, el *chiaroscuro* vinciano, del que toda la pintura occidental va a inspirarse durante siglos considerándolo un logro prodigioso, no es, en opinión de Leonardo, un progreso técnico, un factor de belleza de maravillosa eficacia, sino un vehículo del espíritu, un elemento de espiritualización, de sublimación. Es envolver lo finito en lo infinito, hacer que el espíritu invada la materia, llevar lo humano al contacto con lo divino. Cuando dice: «Mira la luz y considera su belleza»,[13] Vinci piensa también en la belleza espiritual que, a decir verdad, para él no se distingue de la belleza material, pues la propia noción de belleza está vinculada a esta asociación de la carne y el alma en su feliz y fecunda unión. La luz, para él, es siempre, en el sentido místico de la palabra, «iluminación», fuente de vida, tanto en el mundo físico como en el mundo sobrenatural. La ausencia de luz es la oscuridad, como la ausencia de vida es la muerte, pero él no puede pensar en la oscuridad absoluta, como no puede pensar en una muerte que no contuviese las propias substancias de la resurrección. Cuanto más luminoso es un rostro, más lleno de alma está, más tiende hacia lo espiritual, más se parece a lo divino.

Los juegos de la luz, que tan pronto se convertirán, para los sucesores de Leonardo, en una fuente de admirables artificios, siguen para él vinculados a una concepción esencialmente religiosa del ser. Si lo estudiamos con atención, observamos que no existe gratuidad alguna, ninguna parte de juego, ni siquiera de esteticismo vinculada a la noción de lo bello en su búsqueda del claroscuro: sólo esa profunda piedad de la que hablaba más arriba y que, considerando una emanación de lo divino esa luz que distribuye sobre los seres y las cosas, preserva siempre su carácter sagrado. Lejos de profanarla con objetos vulgares, la reserva para sus grandes composiciones religiosas, la *Santa Ana*, el *San Juan*, *La Gioconda*, cuyo misterio sugiere entonces lo que el artista ha querido precisamente expresar en sus cuadros: lo divino, lo infinito.

Se comprende entonces por qué no podía sentir simpatía por los humanistas, cuya supuesta piedad paganizante estaba llena de artificio y de teatralidad. Comulgar con lo sagrado de la antigua religión sólo estaba permitido a los artistas, y entre los poetas del siglo XV o del XVI, muy pocos poseían espontáneamente un alma antigua. En la mayoría, ésta, cuando existía, estaba apagada, aplastada por quince siglos de cristianismo. Para un Lorenzo de Médicis, un Poliziano, el culto de lo antiguo permanece en la superficie. Sus almas no cambian por ello: son los devotos de una religión que ya no conocen, que ya no sienten, y cuyos ritos no tienen ya para ellos más importancia que las figuras de un ballet; y su liturgia no es para ellos más que un vocabulario cuyo significado ignoran.

Sólo Leonardo es, en cuerpo y alma, un pagano; eso se debe sin duda a esa infancia campesina pasada en medio de la naturaleza. Quienes se entristecen por la privación de ternura materna que habría sufrido y que habría dado pie a los complejos tan caros a la ingeniosa curiosidad de los psicoanalistas, olvidan que ese casi huérfano —y lo era— encontró otra madre que sustituía a la que había perdido, y a la que la esposa de Ser Piero, por muy buena que pudiese ser para con el «pequeño bastardo», no había reemplazado. La que halló en sus correteos por los olivares y viñedos, en los rodantes guijarros de los pedregales, en el dintel de las grutas, en el ardor del pleno sol y el furor de la tormenta, era esa fuerza indistinta, vagamente presentida, experimentada por la totalidad de su ser más que conocida por la inteligencia, esa inmensa presencia que escapa a toda definición, a toda localización, esa potencia cuyo contacto daba la sensación del infinito para la que el niño no tenía nombre pero a la que adivinaba en el origen de todo lo viviente, pues veía su mano, año tras año, en el florecimiento de la nueva vegetación. Si existía en el mundo algo que para aquel niño pudiera representar lo divino, era en efecto esa Madre inmensa, ilimitada, infinita que la materia y el espíritu se sentían incapaces de contener en su totalidad.

Advertía muy bien ese niño que semejante madre no era la pobre Catarina, de cuyos brazos le habían arrancado para instalarlo en la casa de una extraña a la que no le unía vínculo alguno, ni era la Virgen María, madre de Cristo, que le sonreía en la iglesia, pero cuyo rostro no encontraba en la luz, ni en el viento, ni en el torrente, ni en los abismos rocosos. Para esos italianos, la Madona conserva siempre, más o menos, el poder y las virtudes de una divinidad telúrica; a los descendientes de los adoradores de la Magna Mater les hubiera resultado incómodo unirse a una religión sin diosa; madre del género humano, la Virgen María heredó muchos de los atributos y las devociones de la Gran Madre antigua. Sin embargo, está presente en la naturaleza, y en la naturaleza, y no en la iglesia de la aldea ni en la casa paterna, buscaba el pequeño Leonardo, como ya he dicho, a su madre. La que encontró le dispensaba un amor y una solicitud infinitamente mayores de los que hubiera podido esperar de una mujer de carne y hueso. Elevándose hasta ella en la comunión con los elementos de los que está hecha, comprendió entonces que, más allá de lo finito sensible, está lo infinito presentido. Adivinó que este infinito sólo puede alcanzarse, tal vez, con la total posesión de lo finito, de ahí su vocación de sabio y de artista. Hacer que la luz descienda en los cuerpos es impregnar de infinito lo finito; es llegar a la vida eterna.

¿Qué dirección seguirá este impulso? La que le señala el índice de san Juan levantado hacia el cielo: hacia el cielo y no hacia la cruz.

No es seguro que la cruz, delgada, oscura, casi invisible, no fuera añadida más tarde, con una intención edificante que no existía en la mente de Leonardo. Tampoco aquí, como en sus otras pinturas, encontramos realmente la Cruz. El último acto de la Redención, ya lo he dicho, se representó en *La Cena*. Tal vez ese cuadro encierre, sin embargo, una ligera alusión al Dios sufriente, Cristo o Dionisos, pero es evidente que la Cruz no es el eje de la composición: sería una redundancia ante ese brazo levantado, ese índice rígido como la saeta de un reloj de sol animada por el curso del astro. El sol es también el símbolo evidente de esta perpetua resurrección, y reunirse con el sol, participar en su inmortal divinidad, es gozar con él de ese cotidiano renacimiento desde el seno de las aguas, para la gran carrera celestial a través de las deslumbradas constelaciones.

El cielo, material y espiritual, y el sol, representación del espíritu que mantiene toda vida, son el objetivo que esta mano levantada señala a nuestra inquietud. Para que ninguna incertidumbre ensombrezca y obligue a tantear en el error al alma viajera, ahí está san Juan, semejante a esos custodios del umbral de los antiguos misterios que aseguraban la marcha del iniciado. Su sonrisa invitadora, alentadora, reconforta a los viajeros temerosos, asustados por las asperezas del camino, disipa los peligros, enumera las felicidades que nos esperan al final del ascenso, y si toda una parte de su figura pertenece aún a la sombra de la que sale regenerada la criatura, de la otra parte chorrea una calidez dorada que es también fuego y luz.

La muerte no es fácil. Leonardo, que tanto había amado la vida, lo sabía bien, pero sólo es oscura para quien ignora el postrer estado de la transmutación final y la iluminación que aguarda al bienaventurado. La poesía mística tiene palabras magníficas para evocar este último pasaje. ¿Cómo podría expresarlo nunca el pintor, en esta atmósfera solar de paz, de certidumbre y gozo que rodea al artista moribundo? Es preciso que se transfigure también él, y que en esta disposición material de telas y colores mantenga atrapada, por así decirlo, a la inasible alma. Había escrito un día: «El espíritu del pintor se transfigura a imagen del espíritu divino.»[14]

Parece que esta frase contenga todo el mensaje espiritual y plástico del *San Juan*. La confianza y la bondad de Dios, la certidumbre de que la naturaleza no permite que se pierda ninguno de los «tesoros con que se adorna el universo», como decía Goethe, la íntima fe en la necesidad de la resurrección, brillan en torno a ese rostro amante, a esa mano sin vacilaciones. Leonardo había dicho antaño que aquel que se ha fijado en una estrella no se extravía: puede creerse que esta estrella está presente en el cuadro, pues la mano que la muestra parece hacerla real, y su luz cae sobre la frente y el hombro del precursor. Fueran cuales fuesen las vicisitudes de su vida, Leonardo nunca había traicionado a esta estrella, y su última mirada será para esa fina flecha de carne que la sigue en la estela de los planetas.

¿Qué más pedir a ese cuadro? Quien lo haya entendido así, habrá recibido su mensaje esencial, y creo que en esta figura no hay más ambigüedad que la que buscan en ella los espíritus indecisos. Efectivamente, la afirmación de esa reunión de la carne y el espíritu sin la cual no hay vida alguna no ha sido nunca proclamada con tanta fuerza y tanta evidencia exenta de equívoco, con tanta sencillez incomparable y dominadora como en la segunda parte de esta especie de profesión de fe que el pintor encerró en esos tres cuadros.

¿Por qué nunca quiso separarse de los tres cuadros? No es preciso preguntárselo, pues, ahora sabemos lo que significaban para él y la enorme necesidad que tenía, en las horas de cansancio y desaliento —que sin duda no le faltaron a Leonardo, al igual que a cualquier otro hombre—, de oírse repetir esas verdades principales, que son para él lo que son para el cristiano los salmos de la penitencia. Esos cuadros eran, en efecto, el símbolo de esta «jornada llena» que, según él dice añade dulzura al sueño. Y tanto más cuanto que ese sueño sólo pretende proporcionar más ardor y un vigor renovado en la hora del despertar. El trayecto hacia el conocimiento total, hacia la perfecta culminación, no se recorre en una sola existencia de hombre. Si la sonrisa de Buda revela el hambre de no ser, la sonrisa de san Juan traduce la aspiración a la perpetuidad del ser.

Leonardo filosofó poco sobre la vida y la muerte: tenía la convicción carnal de la perdurabilidad. La menor duda sobre la inmortalidad le hubiera causado una auténtica desesperación. Y por inmortalidad no entiendo (como tampoco lo hacía él mismo) esa especie de orgullosa supervivencia en la memoria de los hombres, que hallamos en la sed de renombre que abrasa a los individuos de aquel tiempo. Los artistas, los príncipes, los *condottieri* del Renacimiento querían que su nombre perdurase en los anales de la humanidad en forma de monumentos, de acciones gigantescas, de heroísmos o desmesuradas fechorías. Les gustaban tanto la literatura y la historia porque creían que los poetas y los cronistas eran los verdaderos dispensadores de esa «inmortalidad», tan breve, tan precaria.

Sólo dura el ser, y no el recuerdo del ser. Da Vinci no se hubiera contentado con ser eterno por sus obras de haber creído que, disuelto su cuerpo en oscuras transmutaciones, su alma habría gozado de una vaga beatitud en un paraíso que le era difícil imaginar, y que por consiguiente habría dejado de participar en la vida de la naturaleza, en la sublime actividad de los elementos. Aspira a una eternidad activa durante las imprevisibles metamorfosis que prolongarán esa existencia terrenal. Como garantía de esta inmortalidad, colocó en el pequeño castillo de Cloux, su última morada, el tercer cuadro que le acompañó en sus viajes desde el año 1503, cuando lo comenzó, y que es el retrato de *La Gioconda*.

¿*La Gioconda*, un retrato? Es posible; al menos así suele considerárselo, y tal vez lo fuese al principio. Así lo presentan al cardenal de Aragón el día en que va a visitar al viejo artista en su retiro de Turona. Se murmura incluso entre los familiares del cardenal, que la mujer que representa era amada por Giuliano de Médicis. ¡Qué importa! *La Gioconda* es, en verdad, algo muy distinto y mucho más que un retrato. Fascinó tanto a los hombres, que desde la época en que se pintó nacieron numerosas anécdotas referentes a su origen. Se ha contado que, mientras su modelo posaba, los músicos tocaban para disponer mejor el alma de la mujer con la atmósfera de armonía que el artista deseaba expresar, una armonía que esa sonrisa, la famosa «sonrisa», expresa visiblemente. Se ha afirmado también que, enamorado de su modelo, el pintor no quiso separarse de su imagen, y la misma obstinación del público en considerar que el cuadro es un retrato ha enmascarado, para la mayoría, su significado profundo.

Tal vez sea cierto que el punto de partida de esta pintura fuera un encargo, que la mujer que tan misteriosamente sonríe ante un fantástico paisaje de montañas y aguas vivas haya sido la Mona Lisa de la que habla la tradición, esposa del florentino Giocondo cuyo apellido lleva. Exacto también que, durante varios años, cuatro o cinco, el artista trabajara en ese cuadro con el que nunca se declaraba satisfecho, pero ante el resultado de tan larga búsqueda, de tan pacientes elaboraciones, es inevitable suponer que durante ese tiempo la obra sufrió una intensa transformación, interior y exterior. Fue cargándose de todas las inquietudes de ese espíritu atormentado, ganando en profundidad a medida que el artista se alejaba de lo anecdótico y lo accidental, y se convirtió en el recipiente de todas las meditaciones de un hombre para el que —lo sabemos puesto que él mismo nos lo dice— pintar es transfigurar, y no sólo transfigurar al modelo sino a uno mismo.[15]

No cabe duda de que *La Gioconda* es la más prodigiosa experiencia que Leonardo haya realizado en su vida de pintor. Basta con comprobar la distancia que separa a otros verdaderos retratos, como el de Cecilia Gallerani o el de Ginebra de Benci, de esa extraordinaria «confesión general» que constituye *La Gioconda*, para comprender que las consideraciones de técnica o de estética no bastan para explicar tan lenta elaboración, ese ahondamiento en el problema plástico y el problema espiritual que Da Vinci encontraba al mismo tiempo en el rostro de Mona Lisa y en su propia alma. Yo diría que la mujer que sirvió de modelo para *La Gioconda* (fuera quien fuese) y Leonardo se transfiguraron juntos, compartieron la misma metamorfosis, y no en función de un simple amor, con el que la gente adorna, como con una romántica aureola, el cuadro más enigmático del mundo y el más evidente. Buscar un carácter de mujer tras la sonrisa de Mona Lisa no nos hace traspasar la barrera de las apariencias. Que Leonardo se viera llevado a convertir a la mujer que posaba ante él en la síntesis de la mujer en sí, del eterno femenino, es una concepción que amplía el problema, lo hace más complejo y más amplio, pero no lo resuelve. *La Gioconda* se convirtió en lo que es porque, iniciada como un retrato ordinario, hecho más difícil y más seductor por la extraña belleza de la modelo, el cuadro fue primero la posesión, carnal y espiritual, de un ser atractivo por la infinita complicación de su carácter. Más tarde, a medida que el artista conocía mejor a su modelo y sentía la curiosidad de descubrir en ella a la mujer-tipo, la mujer en sí (lo que no anulaba la personalidad de aquella a la que, puesto que no conocemos su verdadera identidad, seguiremos llamando Mona Lisa de acuerdo con la tradición, sino que, la amplificaba), el cuadro se convirtió en una síntesis, en el resultado de un penetrante y sagaz análisis del individuo carnal y espiritual.

Infinitamente superior en complejidad y en profundidad a simples mujeres —si es que existe una mujer simple...— como Cecilia Gallerani y Ginebra de Benci, Mona Lisa polarizó a su alrededor todas las curiosidades y, en cierto sentido, todas las pasiones de Leonardo: la pasión de conocer, en último término. Habiendo amado a esa mujer por su belleza y su misterio, fue llevado a interrogar el misterio femenino en general, a escrutar los modos de expresión infinitamente numerosos, variados y sutiles, de los que se vale un alma de mujer para revelar o disimular su vida interior. En este retrato se advierte un prodigioso poder de disimulo que pone una máscara, lisa, impasible, inaccesible al drama, en unos rasgos que no conocemos. Esta mujer es indescifrable, y demasiado se ha hablado y escrito sobre su «secreto» para que ese mismo secreto no sea lo que primero impresione al espectador. Pero al mismo tiempo que se disimula tras la máscara, esta mujer se revela por los imperceptibles movimientos de la carne que el artista capta al vuelo y fija en los labios, los ojos, e incluso por esa especie de palpitación de todo el cuerpo que parece emanar de ella.[16]

Como de costumbre, Leonardo resumió en cierto fenómeno natural el carácter del modelo: Cecilia Gallerani es como el armiño, ese animal liso, ágil, huidizo, exquisito y peligroso al mismo tiempo que ella sostiene en sus brazos; Ginebra de Benci es como las aguas tranquilas que reposan secretas bajo la vegetación sombría y tupida que envuelve a la mujer. En estos cuadros, ya lo he dicho, el decorado o lo accesorio que acompaña al personaje es una especie de reflejo, de expresión del propio personaje, hasta el punto que no se sabe ya si las tranquilas aguas bajo las pesadas sombras son el retrato interior de Ginebra de Benci, o si, por el contrario, en ese extraño rostro debiéramos buscar el paisaje del que ella es la hipóstasis. La identidad de la una con el armiño y de la otra con un estanque oculto entre impenetrables frondas es evidente. ¿Qué expresa entonces el suntuoso y fantástico panorama ante el que, semejante a la propia alma del país, aparece *La Gioconda*?

El parecido de esa inmensa perspectiva de cimas y valles con algunas pinturas chinas del período Song es innegable. «Aguas y montañas», ésas son las palabras que, en chino, significan «paisaje»; porque esa combinación del elemento estable por excelencia y de lo esencialmente móvil, lo eternamente en movimiento, suscita ideas filosóficas, la oposición y la asociación del yin y del yang, que componen el universo en su poderosa dualidad. La belleza del paisaje chino, así entendido, no es sólo plástica; se le añade un elemento metafísico, un valor de símbolo. La contemplación de semejante paisaje, tanto en la naturaleza como en la pintura, sugiere al espectador una concepción a la vez naturalista y espiritual del universo, que le lleva a la propia comunión con el alma universal. El deleite que se obtiene de esta contemplación supera considerablemente el placer estético; va acompañado por una operación casi religiosa del alma para alcanzar el infinito. Hombre y naturaleza, materia y espíritu, finito e infinito se encuentran, así, en el esplendor grave, misterioso y lleno de sentido de esas pinturas chinas que son como puertas abiertas a lo divino. Es muy posible que el espíritu de Leonardo siguiera hasta ahí caminos análogos a los que recorrieron los artistas chinos; su filosofía de la naturaleza no está muy alejada de la que profesa el taoísmo, más aún que el budismo. Esas monstruosas elevaciones de masas rocosas, esas aristas de dientes y picos, esas cúspides anegadas por la lluvia y la niebla que dejan entrever por estrechas fallas filas interminables de cordilleras, todo ese decorado de *La Gioconda* lo conocíamos ya por las obras maestras de Wang Wei y de Chao Mong Fu. Me parece indiscutible que ese paisaje tiene en los maestros chinos y en Da Vinci el mismo significado, y el carácter metafísico del arte chino se vincula claramente a todo lo que representa, en su acepción profunda, la pintura de Da Vinci.

Retengamos simplemente, de momento, la convicción que nos inspiró el estudio de la *Cecilia Gallerani* y de la *Ginebra de Benci*, de que el paisaje o lo accesorio del cuadro es, a su modo, también un retrato del personaje representado. ¿Qué nos dirá el paisaje de *La Gioconda* sobre el alma de Mona Lisa? Ante todo, distingamos a los dos personajes: llamo Mona Lisa a la modelo del cuadro, la mujer de carne y hueso que, según el estado civil, es la esposa de Ser Giocondo, y llamo *La Gioconda* a la mujer pintada por Leonardo, la mujer del cuadro, y, por extensión, como suele hacerse, al cuadro mismo.

Si en esta pintura, como en las otras dos, el paisaje es una imagen de Mona Lisa, se comprende la fascinación que semejante mujer ejerció sobre Leonardo, y qué apasionante fue hacer su retrato y recorrer paso a paso, a medida que descubría unos fondos cada vez más inmensos, esa alma oculta que poco a poco iba revelándose. No tuvo a la modelo ante sus ojos durante todos los años en los que trabajó en el cuadro. Esos años, en efecto, si aceptamos la cifra de cuatro fijada por la tradición, son aquellos en los que se ocupa activamente del vuelo de los pájaros y de las máquinas voladoras, de la transformación de los cuerpos, de la derivación del Arno. Trabaja en *La Batalla de Anghiari* y prosigue sus ardientes gestiones para obtener la autorización de abandonar Florencia y reunirse con Luis XII en Milán; no es el comportamiento de un hombre enamorado, como se pretende, de su hermosa modelo.

El período de elaboración del retrato propiamente dicho, es decir, de la interrogación de un rostro y un alma por un artista impaciente de hacerles decir todo lo que son, fue superado, pues, bastante deprisa, al parecer. Durante esta primera etapa, Leonardo quiso fijar la imagen, total, profunda, de una mujer que es Mona Lisa. Si nos preguntamos por qué el retrato no fue entregado a Ser Giocondo, que a buen seguro era quien lo había encargado, la respuesta es que Leonardo alegó que el retrato no estaba terminado. No estaba terminado porque el cuadro había entrado, en efecto, en la segunda etapa de su ejecución, etapa en la que Leonardo no necesita ya mirar a su modelo para recalcar la personalidad prodigiosa de Mona Lisa, o para trabajar en ese otro rostro de mujer que prolonga y amplifica el primero, y que es el rostro de *La Gioconda*.

Procediendo de lo finito a lo infinito, como el paisaje del fondo, la imagen de *La Gioconda* se aparta de Mona Lisa; los vínculos que la unen con la modelo se tensan y se rompen. Leonardo ha terminado por ver en esa mujer a la mujer ideal, al continente de un ideal, lo mismo que las formas son el continente y la imagen de las ideas. La forma de Mona Lisa recibe entonces la «idea Mona Lisa», que desatándose de lo contingente, de lo tangible, de lo accidental, se convierte en *La Gioconda*. El pintor no tiene ya necesidad de mirarla: la conocerá mejor contemplando la imagen interior que de ella conserva. A medida que el significado del personaje se hace más amplio, menos limitado, puesto que ha escapado a los límites del ser que está sentado frente al caballete, la idea toma más importancia, pasa de lo particular a lo más particular del ser, y luego al símbolo. Prosiguiendo las grandes leyes generales que rigen, en todos los dominios, el funcionamiento del universo, Leonardo alcanza lo que puede denominarse el original femenino, o el eterno femenino, el principio mismo de la feminidad, la esencia mujer. El monumental paisaje que en su término sugiere el infinito no es ya la proyección de una personalidad, sino de una generalidad, de un tipo.

En esta progresión, ¿sigue *La Gioconda* pareciéndose a Mona Lisa? Nadie lo sabe, ni qué peleas suscitó el hecho de que Leonardo nunca entregase a Ser Giocondo el cuadro que éste le había encargado. La hipótesis de que lo conservara únicamente porque representaba a una mujer a la que había amado apasionadamente durante cierto período de su vida es novelería para modistillas. En realidad, Leonardo nunca se separó de ese cuadro porque nunca dejó de trabajar en él; quiero decir que, incluso cuando estuvo acabado, no dejó de añadir, no pinceladas de color en la tela, sino un significado más íntimo y más esencial en la concepción que ahora tenía de *La Gioconda*.

La metamorfosis que convirtió a Mona Lisa en *La Gioconda* no dejó de operarse en ese extraño cuadro que llegó a ser como un espejo en el que Da Vinci proyectaba los movimientos de su alma. No podía separarse de él porque, siguiendo una misteriosa transmutación mágica, el cuadro se había convertido en una parte necesaria de sí mismo, el espejo en el que había depositado su doctrina esencial del ser y del devenir, y también porque, como el creyente que quiere mantener ante sus ojos, hasta la última mirada, la figura de su Dios, necesitaba el mensaje que *La Gioconda* le repetía y que completaba el mensaje del *San Juan* y de la *Santa Ana*.

¿Había, pues, divinizado esa idea del principio femenino en el que se había transmutado, al final de su evolución, el retrato de Mona Lisa? En todo caso, había trascendido lo individual y fijado el símbolo, había expresado la super feminidad en la que había soñado durante toda su vida y que había procurado captar en las imágenes de vírgenes y ángeles desde su primera *Anunciación* donde la anécdota se carga ya de un más alto significado, revelado por la mano levantada en un gesto sagrado, el hierático retroceso. En *La Gioconda* encerró la totalidad de sus certezas que, en otras obras Leonardo sólo presenta en aspectos fragmentarios.

Walter Pater lo comprendió muy bien cuando, en una página justamente célebre de su libro sobre el Renacimiento,[17] percibe más allá de ese cuadro la suma de las experiencias femeninas realizadas en el curso de los milenios. «Es más vieja que las rocas entre las que está sentada; semejante al vampiro, ha muerto varias veces y ha conocido los secretos de la tumba; ha habitado los profundos mares y ha recogido de ellos las luces declinantes...» Ese pasaje, al tiempo que es un admirable «fragmento de lucimiento» empapado de esa musicalidad grave y tierna que adopta la prosa de Pater, sigue siendo una de las mejores descripciones que se han hecho de ese «paisaje interior» misterioso y preñado de confidencias característico de esa mujer ideal substraída al tiempo y al espacio, que es la suma de las diversas fascinaciones de los siglos sucesivos: «el animalismo de Grecia, la sensualidad de Roma, el misticismo de la Edad Media con su ambición espiritual y su amor imaginario...». Aunque haya adivinado la metamorfosis de Mona Lisa en un personaje nuevo y más complejo, y de una naturaleza muy distinta a la del modelo inicial, Walter Pater no se atreve a pronunciar el nombre que nacía en su pensamiento, y se limita a considerarla una extraña criatura inmortal, que habría sido sucesivamente —como la enigmática criatura que Apolonio de Tiana llevaba consigo— todas las mujeres, reuniendo en una sola figura todos los caracteres de la feminidad.

Es conveniente ampliar ese punto de vista y preguntarse en qué se convierte —después de dejar de ser Mona Lisa y de ser a continuación la idea mujer— esa criatura tan querida por Leonardo, en su pensamiento y su arte. Y eso sólo el propio cuadro puede decírnoslo, si lo interrogamos olvidando toda la «literatura» —buena o mala— que ha originado y si escrutamos atentamente este paisaje que es, en el plano de la naturaleza, la proyección del ser interior. Es una madre, como santa Ana, evidentemente, pero mucho más que una madre. Su divina impasibilidad no pertenece ya al universo de las formas en gestación. Pero tampoco pertenece —es decir, no exclusivamente— al mundo de la tierra y del agua. Esta figura poderosa y estática nos devuelve, mucho más, a la memoria las imágenes de la Virgen tal como aparecen en la pintura bizantina y en los primitivos italianos (que derivaban de los bizantinos, como Duccio o Cimabue), unas imágenes que en sí mismas perpetuaban una antigua tradición, más vieja aún que la Demeter arcaica o la Magna Mater romana. Trasciende el reino de las mutaciones y los renacimientos que presidía la sonrisa de santa Ana. No depende ya de esas funciones de resurrección que son las suyas. Aunque domina la creación, lo hace de muy arriba, y desde un grado del empíreo donde ser y no ser, acción y ataraxia, pierden sus diferencias. En ella se realizan todas las leyes de la generación y de la destrucción, pero sin que ella misma se vea afectada por ello. Es, al mismo tiempo, toda la humanidad y todo lo que sobrevuela la humanidad: una expresión de lo divino en sí, prodigiosamente conmovedora porque no niega nada de lo que es la carne, al tiempo que ella es todo espíritu. Su propia actitud, por mucho que se haya desprendido de la frontalidad antigua, es perfectamente sobrenatural. Su inmovilidad no es un estado entre dos movimientos, sino lo estático puro. Inquebrantable como las montañas que la rodean, descansa sobre los más profundos cimientos del mundo de la materia. No la imaginamos levantándose y andando, como una simple mujer, al igual que no imaginamos la expresión de ese rostro reflejando un sentimiento que no sea todos los sentimientos, y al mismo tiempo la propia ausencia de cualquier sentimiento. Por intensa que sea, su presencia nos hace pensar en una ausencia sobrenatural, en esa serenidad divina de antes de la emoción que encontramos en la huraña indiferencia de las divinidades arcaicas griegas, siendo lo divino, para Leonardo, algo «muy distinto» que no puede ser conmovido por los dolores ni por las alegrías humanas, porque se yergue en un plano donde dolores y alegrías no tienen ya sentido.

La primera palabra que viene a la mente del espectador es que *La Gioconda* «se yergue», más que estar sentada, en una soberana insensibilidad que, para todos los pueblos que han tenido una inteligencia profunda de lo sacro es uno de los caracteres esenciales de la divinidad, carácter que el arte de nuestra Edad Media, cuando querrá humanizar lo sagrado, atenuará tanto como pueda hasta caer en la anécdota, la afectación y el manierismo, creyendo poner a los personajes sobrenaturales al alcance de los hombres, porque los ponía a su nivel en el plano del sentimiento.

Podemos afirmar, en este sentido, que *La Gioconda* es la última gran pintura religiosa que se haya pintado, puesto que la tendencia contemporánea de los artistas cristianos es la de difuminar tanto como sea posible ese algo «muy distinto» contenido en la propia noción de lo sagrado. Qué significativo es comprobar que, en este proceso de desacralización del arte occidental que actúa desde hace varios siglos, Leonardo, después de Masaccio, recupera un sentimiento de lo divino contra el que luchaba, con un desastroso éxito, todo el arte cristiano del Renacimiento, y lo expresa en un cuadro que la tradición considera «profano» puesto que ve en él, sencillamente, un retrato de mujer.

Son las Vírgenes de Rafael —para citar sólo al mayor y más célebre de estos detestables humanizadores de lo divino— las que son retratos de mujer, aunque pretendan ser representaciones sagradas; y *La Gioconda* es la única que, a través de las vicisitudes del arte europeo, desde la Panaghia bizantina, encarna esa totalidad de lo sacro de la que se despojan las madonas con una encantadora despreocupación, rivalizando Siena con Florencia, Alemania con Francia, Venecia con los flamencos, para ver quién creará la más fútil, la más frívola, la más burguesa, la más sensual, la más teatral o la más terrena de todas ellas. El piadoso Leonardo —en el sentido en que se decía el piadoso Eneas— volvió a prender, en una figura de mujer, esa llama divina que los demás pintores apagaban con obstinación sin tener conciencia del abismo que separa lo cotidiano de lo sobrenatural.

Algunos artistas sufrieron por esta desacralización que aceptaban a su pesar, y aquel a quien más le dolió esa incapacidad de expresar lo divino en una forma humana fue Botticelli. La profunda tristeza que empapa a sus figuras «divinas», su Palas, su Venus, sus Vírgenes, habla de un irremediable exilio: exilio del mundo de lo sagrado en la figura humana, imposibilidad de encontrar, en esa belleza carnal humana, el santo fuego que se había apagado durante ese descenso a la Tierra realizado con excesivo éxito. Da Vinci, en cambio, no hizo de *La Gioconda* una Venus ni una Virgen, porque debía ser todo eso al mismo tiempo, y todas las demás posibilidades también, y porque escapa a esa localización, a esa individuación, a esa definición, esta mujer es al mismo tiempo todas las mujeres y mucho más que una mujer.

¿Una diosa, entonces? No creo que la palabra sea demasiado fuerte; es la que se impone cuando uno se ha empapado de la atmósfera profunda e intensamente religiosa de este cuadro, de la gravedad solemne, hierática, santa en el más fuerte sentido del término, de ese rostro. Para encontrar en una figura humana semejante grado de santidad, de divinidad, es preciso remontarse a los mosaicos bizantinos, a los frescos de los conventos griegos, a ciertas pinturas románicas francesas, pero sobre todo a la estatuaria arcaica griega, a los egipcios y a los sumerios, a la escultura negra y precolombina. Allí se alinean los antecedentes de *La Gioconda* y por lo que nos dicen de las divinidades que representan sabremos, por fin, quién es *La Gioconda*.

¡Afortunada Mona Lisa que fue el vehículo carnal de esa encarnación! Da Vinci le atribuye la santidad de la Gran Diosa, la sublime esencia de la Madre de los Elementos. No hay uno solo de los caracteres de ese cuadro que no afirme, con prodigiosa elocuencia, la identidad del ser aquí representado. Los cuatro elementos la asisten como otros tantos ángeles, visibles, claramente definidos, constituyendo juntos ese prodigioso coro cósmico cuya música puebla con sus voces acordes el paisaje del cuadro. Cada una de las grandes obras de Leonardo estaba colocada bajo la presidencia de un elemento, cada una de las figuras era un elemento: *La Virgen de las Rocas* era la tierra, la *Santa*

Ana el agua, el *Baco* —del que el del Louvre es una copia o una réplica— el aire, el *San Juan* el fuego. En *La Gioconda*, los cuatro elementos están reunidos y, para quien no distinga enseguida la presencia del fuego en ese paisaje prodigioso donde la tierra, el aire y el agua cantan de tan audible manera, es preciso señalar en la base del paisaje esa franja de reflejos rojizos, alusión a un invisible incendio, a un principio ígneo sutilmente disimulado.

Como Madre de los Elementos concilia en sí, en su suprema divinidad, los cuatro principios de la materia, como Gran Diosa los domina y los retiene con la espiritualidad de su sonrisa, y es también una ventana abierta al infinito donde, si miráramos bien, tal vez podríamos divisar incluso el anuncio de lo trascendente, de ese trascendente ante cuya expresión Da Vinci retrocede: «no desees lo imposible»... ¿Qué nombres llevó en los antiguos tiempos, cuando los hombres reconocían en ella el principio y el final de toda vida, la sublime ordenadora del Universo, la conservadora de la energía vital? Ser, símbolo, energía... El verdadero sentimiento religioso no conoce esos distingos; estoy seguro de que el piadoso Leonardo nunca se hizo esta pregunta. Tenía un sentido religioso demasiado natural para ser filósofo; su certidumbre era intuición, verificación, comunión. Su piedad era la del artista griego que esculpía la Demeter de Cnide, estaba arraigada en lo más profundo de su ser, brotaba en un solo impulso de su alma y de su cuerpo, precisamente cuando las certidumbres espirituales no se distinguen en absoluto de las convicciones carnales. *La Gioconda* nació de esta única armonía entre la materia y el espíritu; juntos habían reconocido lo divino, habiéndose convertido éste en la experiencia plena del ser entero.

¿Por que *La Gioconda* cristalizó, precipitó esa devoción recogida por el alma del universo concebida como un principio femenino? Las misteriosas andaduras del genio y, tal vez, la incomparable personalidad de Mona Lisa permitieron concentrar en ella el sentimiento religioso que animaba al artista. Leonardo nunca formuló expresamente, en sus textos, ese sentimiento religioso, y no tanto por los inconvenientes que semejante profesión de fe «pagana» habría podido atraerle de haber sido descubierta, cuanto porque seguía perteneciendo, para él, al dominio de lo inefable, y porque empleaba para traducirlo el vocabulario que le era natural: el del artista. Sólo el hombre de ciencia emplea la escritura, y cuando diserta sobre su arte con la pluma en la mano, lo hace sólo para hablar de técnica. La verdadera estética de Leonardo y, más aún, su espiritualidad, su piedad, se buscarían en vano en sus tratados, tan prolijos sobre todo lo demás. Sus pinturas, en cambio, nos informan con tan convincente abundancia de afirmaciones, que sería erróneo interrogar, sobre todos los problemas principales, a otros testigos que no fueran los cuadros. Sobre todo *La Gioconda*, que da, a quien sabe comprenderla, respuesta a todas las preguntas.

El 23 de abril de 1519, sintiéndose peor que de costumbre, Leonardo hizo llamar a un notario francés y le dictó su testamento. En el acta[1] legaba a sus hermanos el dinero italiano que había depositado en el banco del Ospedale, disipando así la atmósfera de discordia familiar que había seguido al proceso. Todo lo que poseía en Cloux, sus manuscritos, sus cuadros y el resto de sus bienes era para Melzi, que desde hacía tantos años había sido el compañero fiel y atento de los momentos de alegría y de preocupación. Salai recibe, en plena propiedad, la mitad de la *vigna* de Milán donde ha construido ya su casa; la otra mitad pertenecerá a Battista de Villani, al discípulo sirviente, *famulus* en todo caso, que administra su casa. Para la sirvienta Mathurine, deja buenos vestidos de abrigo y algo de dinero.

Habiendo dispuesto así de su patrimonio, según la costumbre, convocó al sacerdote y se ocupó de la «salvación de su alma». Las pinturas que le rodeaban le tranquilizaban con respecto a la suerte que le aguardaba. «Ningún ser va a la nada.» «Continuaré.» La frase de Goethe y la de Leonardo se responden como ecos. Ninguno de los dos dudó de la inmortalidad del alma. Por conveniencia, sin embargo, o tal vez incluso porque en el fondo de sí mismo seguía sinceramente apegado a la Iglesia, el pintor de *La Gioconda* hizo las paces con la ortodoxia: «*Disputando della cose cattoliche*, dice Vasari,[2] *ritornando nella via buona, si ridusse alla fede christiana con molti pianti.*»

¿Qué entendía Vasari por el «buen camino»? Es difícil decirlo. Es muy probable que el propio autor no lo entendiera exactamente, pues en la posterior edición de las *Vite* indica sólo que Leonardo: «*si vole diligentemente informare delle cose catholiche y della nostra buona e santa religione cristiana*». Ya no se habla, en el nuevo texto, de una reconciliación con la Iglesia, de un regreso al «buen camino», sino sólo de una piadosa exhortación que hizo derramar abundantes lágrimas al moribundo.

Leonardo se confesó, recibió la absolución, se levantó luego para comulgar, negándose a permanecer en el lecho para la santa ceremonia; y, como no podía mantenerse de pie, se apoyó en los brazos de sus amigos. Mal informado, Vasari cuenta luego que, tras haberse metido de nuevo en la cama, Leonardo habló con el rey que había ido a verle, error manifiesto puesto que aquel día 2 de mayo, cuando Leonardo expiró, Francisco I no estaba en Amboise sino en Saint-Germain-en-Laie, donde celebraba el nacimiento de su segundo hijo. Sólo por una carta de Melzi supo el rey la muerte del castellano de Cloux.

Leonardo, recuperando fuerzas, habló cierto tiempo con sus amigos. Es muy de lamentar que el fiel depositario de su pensamiento, Melzi,[3] no pensara en anotar las últimas palabras de su maestro. Habríamos ganado así un texto ciertamente igual al relato de la muerte de Sócrates.

Vasari reseña algunos rumores que circularon respecto a que Da Vinci manifestó en su última hora su arrepentimiento por haber ofendido a Dios y a los hombres, *non avendo operato nell'arte come si conveniva*. Pedir perdón a Dios y a su prójimo en el último momento es, para todo buen cristiano, lo que se denomina en derecho una «cláusula de estilo». La segunda parte de la frase, escrita por Vasari, es más importante y merece ser subrayada. Revela, en efecto, que aquel moribundo sentía remordimientos con respecto al propio arte, y no con respecto a los hombres. ¿En qué términos expresó Leonardo ese remordimiento o ese dolor? Nunca lo sabremos. ¿Y qué significa exactamente que «no había ejercido su arte como convenía»? ¿Quiere decir que entona el mea culpa por haber consagrado demasiado tiempo a las ciencias en detrimento de la pintura? ¿Considera que, en el plano religioso, ha traicionado su misión de artista sacro al incorporar en las representaciones de figuras cristianas ideas y sentimientos paganos?

Esta última hipótesis parece poco verosímil, dado lo que sabemos del carácter y el pensamiento de Leonardo; en una hora tan grave, cuando su forma presente se deshacía para proporcionar los materiales a futuras metamorfosis, no habría renegado de la Diosa Madre que recibe a todos los seres en su seno donde se mantiene la vida eterna. Nadie, por lo demás, le reclamaba una abjuración, puesto que su religión secreta sólo se revelaba al exterior por medio de enigmáticos cuadros, cuyo sentido era poco evidente para los hombres de su tiempo. Estaba pues en paz con Cristo y con la Madre universal y, en aquel momento menos que en cualquier otro se le habría ocurrido la idea de que era necesario elegir.

Si las palabras de arrepentimiento, de remordimiento incluso a las que Vasari alude, fueron realmente pronunciadas, por mi parte sólo vería en ellas ese grito de desesperación tan natural en el artista, en el momento en que el pincel es arrancado de sus manos. El momento en que el «anciano loco por el dibujo» que era Hoksai decía que comenzaba a saber pintar. Por muy viejo que muera, y Leonardo sólo tenía sesenta y siete años, el artista siente siempre que deja una obra inacabada, que no ha dicho lo esencial.

¡Qué humano y lacerante resulta este lamento! Lo entenderíamos mal si lo opusiéramos al «Continuaré» que Leonardo había pronunciado un año antes. Es posible que, en aquella época, el pintor se sintiera aún con fuerzas suficientes para prever una larga vida de trabajo ante sí. He dicho que, en mi opinión, ese «continuaré» contiene un significado mucho más grave y mucho más conmovedor, la certidumbre de la inmortalidad, y de una inmortalidad activa, pues para un hombre como Leonardo la supervivencia sólo es admisible si implica una sucesión ininterrumpida y fecunda de trabajos, aunque sea sólo ese magnífico y dramático trabajo de vivir. Deseaba que se deshiciera esa individualidad que, en esta porción de existencia que estaba abandonando, se había llamado Leonardo da Vinci. Devolvía a los elementos la substancia de su ser, la tierra volvía a acogerlo en su seno donde, bañado por las aguas vivificantes, aguardaría en los brazos de las Madres su próxima resurrección.

Este cuerpo que el destino iba a dispersar y disipar a los cuatro vientos, para que los elementos tomaran por completo posesión de esa substancia terrestre, fue enterrado, de acuerdo con el ceremonial que él mismo había prescrito, sólo el 12 de agosto, en el claustro de la iglesia de Saint-Florentin, en Amboise.[4] Leonardo había fijado la cuantía de las limosnas que se darían a los pobres y el peso de los cirios de cera —diez libras— que arderían durante las misas que iban a decirse, el día de su entierro, en tres iglesias de Amboise.

Así se hizo. Más tarde, las guerras y las revoluciones destrozaron el claustro donde reposaban sus despojos terrenales. Hoy, nadie sabe dónde se encuentra el menor fragmento de hueso.[5] Hay conjeturas, hipótesis; nada más. Está bien que sea así. Al desconocer la tumba sobre la que podríamos recogernos, saludaremos al ser inmortal de Leonardo da Vinci allí donde realmente se encuentra: en la canción del agua, en la alegría del fuego, en el grito del viento, en la buena tierra donde la forma finita alcanza por fin el infinito al que aspiraba.

Leonardo da Vinci:
hitos biográficos

15 de abril de 1452   Nacimiento de Leonardo en Vinci (cerca de Florencia); hijo natural de Ser Piero di Antonio y de Catarina, que se casará más tarde con Acattabriga di Piero del Vacca.

1469   Leonardo entra en el taller de Verrocchio.

1472   Se inscribe en la corporación de los pintores de Florencia (Compañía de San Lucas).

1473   Primer dibujo fechado: *Paisaje* llamado *de Santa Maria della Neve*, museo de los Uffizi, Florencia.

1472-1481   De este período florentino datan, al parecer, los dos cuadros de la *Anunciación*, el del museo de los Uffizi y el del Louvre, el *Retrato de Ginebra de Benci*, el *San Jerónimo*, Pinacoteca Vaticana, *La Adoración de los Magos*, museo de los Uffizi.

1482   Leonardo se instala en Milán al servicio de Ludovico Sforza, llamado «el Moro».

25 de abril de 1483   Recibe el encargo de *La Virgen de las Rocas*, hoy en el Louvre, para la Confraternidad de la Inmaculada Concepción.

1490   Leonardo va a Pavía con Francesco di Giorgio para la *Fabbrica del Duomo*. Trabaja en *il cavallo*, cuya maqueta se expondrá en Milán en 1493.

1495-1498   *La Cena* para el convento de Santa Maria delle Grazie.

Entre 1496 y 1498   Fecha probable del retrato de Lucrezia Crivelli.

1498   Trabajos en el Castello Sforzesco, especialmente en la Sala delle Asse. Dibujos y reflexiones sobre la mecánica del vuelo y, probablemente, prueba de una máquina voladora.

1499   Segunda guerra de Italia. Huida de Ludovico el Moro a Innsbruck. Leonardo abandona Milán.

1500   Se dirige, con Luca Paccioli, a Mantua (*Retrato* —al carboncillo— *de Isabelle d'Este*, hoy en el Louvre), luego a Venecia y a Florencia, donde dibuja el primer cartón de *La Virgen y Santa Ana* (1501, hoy en la National Gallery, Londres) para los monjes de la Annunziata, con los que se hospeda.

1502   Leonardo se convierte en arquitecto e ingeniero general de César Borgia, al que sigue en su campaña de Romaña. Se relaciona con Maquiavelo. Trabajos de cartografía.

1503   Está en Florencia y, según lo que escribe Vasari, comienza *La Gioconda* (Louvre) y tal vez la *Leda* (desaparecida).

1503-1504   *La Batalla de Anghiari* para el Palazzo Vecchio.

1506   Leonardo es llamado a Milán por Charles d'Amboise.

1507   Es nombrado pintor e ingeniero de Luis XII.

1508-1509   Leonardo vive unas veces en Milán y otras en Florencia. Estudios de hidráulica y de geología. Trabaja en *La Virgen y Santa Ana* (Louvre).

1510   Estudios de anatomía con Marcantonio della Torre en la Universidad de Pavía.

1511   Proyecto para el monumento ecuestre Trivulzio.

1513-1515   Leonardo, con Melzi y Salai, está en Roma, en el Belvedere del Vaticano, bajo la protección de Giuliano de Médicis. Trabajos de matemáticas. Estudios sobre la desecación de las marismas pontinas y para el puerto de Civitavecchia. De esa época parece datar el *San Juan* (hoy en el Louvre).

1517   Acepta la hospitalidad que le ofrece Luis XII en el castillo de Cloux, cerca de Amboise. Está ya allí en mayo, para la fiesta de la Ascensión.

1518   Organiza varias fiestas reales, creando decorados y dispositivos escenográficos. Proyecto de canal de irrigación entre el Loira y el Saona.

2 de mayo de 1519   Muerte de Leonardo da Vinci. Inhumado primero, según su voluntad, en la iglesia de Saint-Florentin de Amboise, sus cenizas fueron dispersadas durante las guerras de religión.

Bibliografía

La bibliografía vinciana es considerable.

En las notas correspondientes a cada capítulo, se encontrarán referencias a más de sesenta obras aparecidas hasta la fecha en que Marcel Brion escribió este libro.

Desde 1952, esta bibliografía, claro está, se ha incrementado con obras importantes, las de A. Chastel, J. Gantner, L. H. Heidenreich, R. Huyghe, Meyer Schapiro, A. Ottino della Chiesa, P. Pedretti, para citar sólo algunas. El lector podrá encontrarlas reseñadas en el libro reciente y bien documentado de Serge Bramly, *Léonard de Da Vinci*, Latès, París, 1988 (y Le Livre de Poche, 1990).

*Notas**

Sin tener la pretensión de añadir a este libro un aparato científico que no era necesario darle, he considerado oportuno, sin embargo, para comodidad de los lectores que quieran remitirse a los textos de Leonardo, o referentes a Leonardo, citados en el libro, indicar las fuentes de donde se han sacado. Se han utilizado las siguientes abreviaciones para designar los distintos manuscritos de Da Vinci. Los que pertenecen a la Biblioteca del Instituto de Francia, están indicados por las iniciales de la A a la M. —El Manuscrito Arundel, *Ar*, figura en la Biblioteca del British Museum, con el n.º 263 Mss Ar. —La abreviación *Cod. Atl.* designa el *Codex Atlanticus*, que se encuentra en la Biblioteca Ambrosiana de Milán.

Dell. An. = *Codici dell'Anatomia*, Biblioteca Real de Windsor.
Quad. An. = *Quaderni d'Anatomia*, Biblioteca Real de Windsor.
Fog. = Los folios A y B, que se encuentran respectivamente en París y en Turín.
Fors. = El Manuscrito Forster, en el Victoria and Albert Museum, Londres.
Cod. Tri. = *Codex Trivulziano*, Biblioteca del Castello Sforzesco, Milán.
V.U. = *Codice sul volo degli uccelli*, Biblioteca de Turín.
Man. Lei. = El Manuscrito Leicester, Holkham Hall, Nordfolk.
W. = Folios sueltos, pertenecientes a la Biblioteca de Windsor.
Ox. = Folios sueltos, en la Biblioteca del Christchurch College, Oxford.
Lu. = El manuscrito llamado *Codice Urbinate*, en el Vaticano, 1270.

---

* Las cifras que acompañan el título del manuscrito designan el folio; las letras a y r, el anverso o el reverso del folio.

1. Saludo a los elementos

1. K. n.º 1 a.

2. Windsor, 12.700. Las citas entre comillas se refieren a palabras o textos de Leonardo da Vinci.

3. Della Seta. *La visione morale della vita in L. da V.*

4. F. 72 r.

5. Por ejemplo, sobre el mono, la araña, la nieve, la ostra, la nuez, el dragón, la tarántula, la cigüeña, que pertenecen a distintos manuscritos, pero sobre todo al *Codex Atlanticus*: su traducción francesa, de Louise Servicen, puede encontrarse en el volumen de Edward Mac Curdy, publicado por Gallimard, París, 1942. Las citas que utilizo de esta obra se designan con la abreviatura *Mac.* seguida del número del volumen I o II, y el número de la página.

6. *Trattato della Pittura*, traducción y edición francesa de Péladan, París, 1910. [*Tratado de pintura*, Akal, Madrid, 1986.] He aquí el párrafo al que aludo: «No dejaré de mencionar, entre esos preceptos, una nueva invención de teoría, aunque parezca mezquina y casi ridícula, pues es muy limpia y útil para disponer el espíritu a variadas invenciones. He aquí de qué se trata; si te fijas en algunos muros recubiertos de manchas y hechos de piedras mezcladas y tengas que inventar algún paraje, podrás ver en ese muro la similitud de distintos países, con sus montañas, sus ríos, sus rocas, los árboles, las landas, los grandes valles, las colinas de diversos aspectos; podrás ver allí batallas y vivos movimientos de figuras, y extraños aspectos de rostros, de vestidos y mil otras cosas que reducirás a buena e íntegra forma. Con los muros semejantes y mezclados sucede lo mismo que con los sonidos de las campanas, cuyo doblar te hace pensar en cualquier nombre y cualquier vocablo imaginable. He visto nubes y viejos muros que me han proporcionado hermosas y variadas invenciones, y esos engaños, aunque privados en sí mismos de toda perfección en cualquier fragmento, no carecen de perfección en sus movimientos y otras acciones.» Párrafo 141, capítulo VI.

7. F. 80 a.

2. «El deseo de saber es natural en los hombres buenos...»

1. *Cod. Atl.* 119 r. a.

2. *«So bene che, per non essere io litterato, che alcuno prosuntuoso gli parrà ragionevolmente potermi biasimare coll'allegare io essere omo sanza lettere. Gente stolta!... Or non sanno questi che le mie cose son piu da esser tratte dalla sperienza che d'altrui parola, la quale fu maestra di chi bene scrisse, e cosi per maestra la piglio, e quella in tutti i case alleghero.»*

Cod. Atl. 119 r. a. *Hombre de pocas letras,* Leonardo aparece, sin embargo, como un admirable escritor, un incomparable artista de la lengua italiana. Eso es lo que puso de relieve Fumagalli en su libro *Leonardo omo sanza lettere*, Florencia, Sansoni, 1943, donde se recogen, teniendo en cuenta su valor literario, los más hermosos textos de Da Vinci.

3. El único poema en verso que conocemos de él es una especie de bufonada sobre las reglas que deben observarse para mantenerse en buena salud. *Cod. Atl.* 48 r. b. Cito de la traducción francesa dada en *Mac.* II. 464: «Quieres permanecer en buena salud, sigue este régimen: no comas en absoluto sin tener ganas, y cena ligeramente; mastica bien y que lo que en ti acojas esté bien cocido y sea sencillo. Quien toma medicina se hace daño. Guárdate de la cólera y evita el aire pesado; mantente erguido al levantarte de la mesa y no cedas al sueño de mediodía. Sé sobrio para el vino, tómalo frecuentemente en pequeña cantidad, pero no fuera de las comidas ni con el estómago vacío; ni retrases la visita a los lugares de alivio. Si haces ejercicio, que sea moderado. No te acuestes boca abajo ni con la cabeza baja y tápate bien por la noche. Descansa la cabeza y mantén tu espíritu alegre; huye de la lujuria y observa la dieta.»

4. *Cod. Atl.* 210 a. a. Consúltese a este respecto la erudita obra de Girolamo d'Adda, *L. da V. e la sua Libreria, note di un Bibliofilo*, Milán, 1873. Se encontrará la lista y el comentario de estas obras en *Mac.* II. 455.

5. *Ar.* 71 r.

6. *Ar.* 192 a.

7. *Cod. Atl.* 225 a. b. El «Vitolone» que Leonardo quiere «intentar ver en la Biblioteca de Pavía y trata de matemáticas» es el mismo Vitellio o Witelo que compuso uno de los tratados de perspectiva más eruditos de la Edad Media, del que Leonardo obtuvo tal vez esa noción suya de perspectiva, por completo opuesta a la perspectiva albertiana, universalmente aplicada por aquel entonces. Leonardo había consultado ya *Vitolone* en la biblioteca medicea del convento de San Marco, en Florencia, como prueba la nota en *Ar.* 79 a.

8. *Ar.* 132 r.

9. *Ar.* 135 a.

10. *Cod. Atl.* 225 a. b.

11. Entra en la corporación de los pintores el 21 de junio de 1472.

12. «Cuanto mayor es la sensibilidad, mayor el martirio.» *Tri.* 41 a.

13. Vasari, *Vite*. IV.

14. «*Nel seno Mediterrano, il quale, come pelago, ricevea l'acque regali de l'Africa, Asia ed Europa, che a esso erano volte e colle sue acque veniano alle piagge de' monti che lo circundavano e li faceano argine, e le cime dello Appennino stavano in esso mare in forma d'isole, circundate dalle acque salse, e ancora l'Africa dentro al suo monte Attalante no'mostraba al celo scoperta la terra de le sue gran pianure con circa a tremila niglia di lunghezza, e Menfi risedeva in su lito di tal mare, e sopra le pianure della Italia, dove oggi volan gli uccelli a torme, solea riscorrere i pesci a grande squadre.» Lei. 10 r.*

15. Una está en los Uffizi, la otra en el Louvre.

16. Viena, col. Lichtenstein, luego Washington, National Gallery.

17. Roma, Pinacoteca Vaticana.

18. Dibujo a pluma, Uffizi, Florencia.

19. Es curiosa, a este respecto, la diferencia de opiniones que encontramos en Liephart, Uzielli, Müller-Walde, Guthmann, Gronau, Seidlitz, Ravaisson-Mollien, etc.

3. «PERPETUUM MOBILE»

1. *La Adoración de los Magos* está en Florencia, en los Uffizi. Dos bocetos muy importantes de la obra, y muy distintos de la composición definitiva, se encuentran en el Gabinete de Dibujos del Louvre y en los Uffizi.

2. Acerca de la influencia ejercida por el predicador dominico sobre los artistas italianos de la época, véase mi libro sobre Savonarola, aparecido en Éditions de la Colombe, París, 1948.

3. Gilles de la Tourette, *L. de V.*, Albin Michel, París, 1935.

4. Lundt, *Ad Quadratum.*

5. *Tri.* 36 r. «*Il moto è causa d'ogni vita.*»

Una de las ideas más originales y fecundas de Leonardo es la del movimiento humano considerado «un proceso divisible y variable *in infinitum*», como lo definió Panofsky en su estudio sobre el *Codex Huyghens*. Apasionadamente interesado por el problema de los «dos infinitos», lo infinitamente grande y lo infinitamente pequeño, como mostró muy bien Duhem (*Etudes sur L. de V.*, París, II, 1909), analiza la descomposición del movimiento humano, que anuncia ya el principio de la cinematografía. Los dibujos «cinematográficos» del *Codex Huyghens* —la palabra pertenece a Panofsky— fueron copiados de los dibujos originales de Leonardo. Representan esa idea de continuidad e infinitud, particular de Leonardo, que fue, o debía ser, expuesta y desarrollada en el *Tratado sobre el movimiento* que Leonardo se proponía escribir, el «Libro del Moto Actionale». A esta noción se remiten los pasajes del *Trattato della Pittura* (en el libro XIII) referentes al «movimiento local» y «movimiento accional», y también los siguientes: «Es imposible para memoria alguna poseer los aspectos y cambios de los miembros de cualquier animal. Sea el ejemplo de una mano en movimiento; puesto que la cantidad continua es divisible hasta el infinito, el movimiento que hace el ojo que mira la mano y se mueve de A a B puede dividirse hasta el infinito: pero la mano que hace este movimiento cambia en todo momento de situación y de aspecto. Se distinguen tantos aspectos como partes en los movimientos; hay pues en la mano aspectos hasta el infinito, que ninguna imaginación puede advertir; lo mismo sucederá si la mano, en vez de bajar de A a B, asciende de B a A.» Párrafo 429.

Más importantes son aún los párrafos 462 y 463: «Los movimientos humanos son infinitamente variados en un mismo accidente único. Sea que alguien golpea un objeto. Digo que esta percusión tiene dos aspectos, a saber: aquel en el que la cosa se alza para descender en el lugar de la percusión, o el movimiento que desciende según otro modo; quién puede negar que el movimiento ha sido hecho en el espacio, que el espacio es una cantidad continua y que toda cantidad continua es divisible hasta el infinito. Conclusión, pues: todo movimiento que desciende es variable hasta el infinito... Una misma actitud se muestra variada hasta el infinito porque puede ser vista en muchos actos que tienen cantidad continua, y la cantidad continua es divisible hasta el infinito. Infinitamente variados, pues, son los aspectos que muestra cualquier acción humana.»

Podríamos creer que, con la curiosidad que sentía por los aparatos, y aficionado a los problemas ópticos tanto como a las cuestiones de movimiento, Leonardo habría podido construir sin dificultad, si no un aparato tomavistas, sí al menos alguno de esos cinetoscopios que precedieron al cinematógrafo propiamente dicho.

6. Véase a este respecto la notable obra de Raymond Bayer. *Une Esthétique de la Grâce*. Léonard de Da Vinci. Alcan, París, 1933. [Véase también *Historia de la estética*, Fondo de Cultura Económica de España, Madrid, 1993.]

7. Dibujo a pluma. Esta curiosa composición la encontramos en Windsor, 12.692. «Signos análogos se encuentran en dos grabados firmados por Ambrogio Brambilla en el British Museum.» A. E. Popham, *Les dessins de L. de V.*, La Connaissance, Bruselas, 1947. Se advertirá que Vinci no imita los jeroglíficos «estáticos» de los egipcios, ni los pictogramas de los chinos. Su propia escritura es movimiento.

8. *Tratt.* IV, 91.

9. Atalante Migliore, o Miglioretti, era un músico célebre, cuatro años más joven que Leonardo. En 1490 representó el papel principal en el *Orfeo* de Poliziano, en la corte de Mantua. En 1513 le encontramos en Roma, como superintendente de edificios de León X, que no vacilaba en atribuir a algunos músicos funciones de arquitecto.

4. EL HOMBRE UNIVERSAL

1. Citado por Nulli, en su libro sobre *Ludovic le More*, traducción francesa, Payot, París.

2. Nulli, *op. cit.*, pág. 50.

3. Marie Herzfeld reconoce la lira que L. llevó a Milán en los dos esbozos de instrumentos de música que figuran en el dibujo de la Adoración de los Magos del Louvre y en una página del *Codex Ashburnam*, fol. C., *Graphischen*

Künsten LI, 1928. Feldhaus da una descripción del curioso instrumento, del que Mazzetta, por su lado, dijo que tenía ochenta cuerdas. Feldhaus, *Leonardo als Techniker und Erfinder*, Leipzig, 1913, pág. 101.

4. El borrador de esta carta al Moro se encuentra en el *Cod. Atl.* 391 a. a. «La carta es auténtica, pero no autógrafa.» Fumagalli, Florencia, 1971, 285. ¿Hacía Leonardo, siendo zurdo, que alguien copiara las cartas en las que tenía gran interés?

5. *Cod. Atl.* 71 a. a. «*La passione dell'anima caccia via la lussuria.*» Leonardo desconfía del «placer». Dice también: «*Se piglierai il piacere sappi che lui ha dirieto a sé chi ti porgerà tribolazione e penti mento.*»

6. *Cod. Atl.* 76 r. a.

7. *Forst.* III, 14 a.

8. *Trattato.* I, 29.

9. *Cod. Atl.* 322 r. a.

10. *Cod. Atl.* 271 r. a.

10*bis*. «Quien desconoce la suprema certeza de las matemáticas se alimenta de confusión y nunca reducirá a silencio las contradicciones de las ciencias sofísticas que hacen un perpetuo ruido.» *Quad.* II, 14 r.

11. Libro I.

5. EL ESPÍRITU DE LA TIERRA

1. Berenson. *The Florentine Painters of the Renaissance*, Londres, 1896.

2. El «bestiario» de Leonardo se encuentra, principalmente, en el Manuscrito H del Instituto de Francia. Lo hallamos traducido en *Mac.* II, cap. 43.

3. Véase La Tourette, *op. cit.*

4. Antonina Vallentin, *L. de V.*, Gallimard, París, 1950. [*Leonardo da Vinci*, Gustavo Gili, Barcelona, 1971.]

5. *Ar.* 155 a. Es la página más magnífica del Leonardo escritor: un espléndido poema en prosa, misterioso y fascinante. He aquí su texto: «*E tirato dalla mia bramosa voglia di vedere la gran copia delle varie e strane forme fatte dalla artifiziosa natura, raggiratomi alquanto infra gli ombrosi scogli, pervenni all'entrata d'una gran caverna, dinanzi alla quale, restato al quante stupefatto et igniorante di tal cosa, piegate le mie reni in arco, e fermala stanca mano sopra il ginocchio, e colla destra mi feci tenebre alle abbassate e chiuse ciglia, e spesso piegandomi in qua e in là per vedere dentro vi discernessi alcuna cosa, e questo vietatomi per la grande oscurità che là entro era. E stato alquanto, subito salsero in me due cose: paura e desidero; paura per la minacciante e scura spilonca, desidero per vedere se là dentro fusse alcuna miracolosa cosa.*» ¿Experiencia vivida, sueño despierto, fantasía de la imaginación esta visita a la caverna? ¿Quién puede decirlo?

6. *Ar.* 155 a.

7. *Das Lied der Bergen*, obra anónima de un discípulo de Paracelso, publicada por Guido Manacorda en su traducción italiana, *Il Canto della Montagna*, con notabilísimas notas. Fussi, Florencia, 1946.

8. La Tourette, *op. cit.*

9. Sigmund Freud, *Eine Kindheitserinerrung L. da V.*, Viena, 1919. [«Un recuerdo infantil de Leonardo da Vinci», en *Obras completas*, Biblioteca Nueva, Madrid, 1972.]

10. Sobre los Dióscuros en la mitología indoeuropea, véanse las admirables obras de Georges Dumézil, especialmente: *Mitra-Varuna*, Gallimard, París, 1948; *L'Héritage indo-européen à Rome, id,* 1949; *Horace et les Curiaces, id.,* 1942; *Naissance de Rome, id.,* 1944. [Véase también *Los dioses soberanos de los indoeuropeos*, Herder, Barcelona, 1999.]

11. E. Motta en *Archivio Storico Lombardo*, Milán, 1893. F. Malaguzzi, *La corte di Ludovico il Moro*, Milán, 1915; L. Beltrami, *Documenti intorno la vita di L. de V.*, Milán, 1919; L. Venturi, *La critica e l'arte di L. de V.*, Bolonia, 1919.

6. «LA CENA»

1. *Lu.* 21 a.

2. Esta sanguina se encuentra en la Academia de Venecia.

3. Dibujo a la punta de plata, Londres. British Museum, hacia 1480. Berenson. *The Drawings of the Florentine Painters*, Leo S. Olschki, Chicago, 1938 (1035). [Véase también, Berenson, *Los pintores italianos del Renacimiento*, Ediciones Garriga, Barcelona, 1954.]

4. La de Munich y la de Berlín.

5. En el *Journal de Psychologie*, enero-junio de 1951. La influencia de la forma sobre la iconografía en el arte medieval.

6. El de J. M. Barrie, obra maestra de originalidad, gracia y fantasía.

7. Es el carácter general de los «travestidos» en Shakespeare, Viola en *La noche doce o lo que quieras*, Rosalinda en *Como gustéis*, Fidelia en *Cimbelino*.

8. *Lu.* 68.

9. Dibujo a tiza roja y negra, atribuido unas veces a Da Vinci y otras a un alumno del maestro. Tal vez un esbozo —o una copia— del Cristo de *La Cena*. Brera, Milán.

10. «El conde Giovanni, de la casa del cardenal de Mortaro-Alessando Carissimo de Parma, para la mano de Cristo.» *Forst.* II, 3 a. y 6 a. Tal vez una mujer; esa Giovannina, cuyo «rostro extraño» advierte, y que «vive en Santa Caterina, en el hospicio». *Forst.* II, 3 a.

11. *Forst.* II, 62 r. y 63 a. *Mac.* II, 325. «Uno que bebía deja su taza y vuelve la cabeza hacia el que habla. Otro entrelaza los dedos de sus manos y,

con las cejas fruncidas, se vuelve hacia su compañero. Otro, con las manos abiertas mostrando la palma, encoge los hombros hacia las orejas, boquiabierto de estupor. Otro habla al oído de su vecino, que se vuelve hacia él y aguza el oído, teniendo en una mano un cuchillo y en la otra el pan medio cortado. Otro se da la vuelta, con el cuchillo en la mano, y con esta mano vuelca un vaso en la mesa. Otro, con las manos puestas en la mesa, mira fijamente. Otro respira con dificultad, con la boca abierta. Otro se inclina hacia delante para ver al que habla y pone la mano como pantalla ante sus ojos. Otro hace un movimiento de retroceso tras el hombre inclinado, y entre éste y el muro, observa al que habla.» En un dibujo a sanguina, que se encuentra en la Academia de Venecia (Berenson, 1107), Leonardo buscó una agrupación original y animada, designando a los apóstoles por sus nombres. Se advertirá que, en este estudio, Judas se encuentra al otro lado de la mesa, al igual que en el dibujo a pluma de Windsor (12.542): en estos dos bocetos, la escena tiene mucho menos movimiento que en el fresco.

7. EL CABALLO

1. Se trata de una ciudad que, teniendo grandes obligaciones para con el *condottiere* que la había servido, y temiéndole al mismo tiempo, decidió hacerle asesinar para librarse de él, y levantarle luego una estatua para honrar su memoria. He contado esta historia en mi libro sobre *Machiavel* (Albin Michel); si no es auténtica, ilustra muy bien, en cualquier caso, las difíciles relaciones que los capitanes de aventura tenían con los Estados a los que servían.

2. La carta se cita, cap. III.

3. Se hallará el *Paragono* o discusión sobre el respectivo valor de las distintas artes, al comienzo del *Trattato della Pittura*, véase la edición y traducción francesa de Péladan, París, 1910.

4. *Trattato*, cap. V, párrafo 94.

5. *Trattato*, cap. V, párrafo 95.

6. *Trattato*, cap. V, párrafo 108. «Si quieres hacer una figura de mármol, hazla primero de arcilla. Una vez acabada, colócala en una caja que, retirada la tierra, sea capaz de recibir el mármol en el que quieres descubrir una figura semejante a la de arcilla. Puesta en la caja la figura de barro, toma unas varillas que entren justo por sus agujeros, empújalas para que toquen la figura en distintos lugares; tiñe de negro la parte de esas varillas que sobresale de la caja y haz una marca en la varilla y en su agujero; saca luego la figura de arcilla de la caja, sustitúyela por tu bloque de mármol y quítale al mármol lo que convenga para que todas las varillas desaparezcan en sus agujeros hasta las marcas. Y para mejor hacerlo, que la caja pueda levantarse dejando su fondo bajo el mármol, así podrás quitar con hierros, fácilmente.»

7. *Cod. Atl.* 323 a. b.

8. Sobre el papel del caballo en las religiones indoeuropeas, véanse los libros de Georges Dumézil, especialmente *Loki*, Maisonneuve, París, 1948: Sobre el viaje funerario en los etruscos, véase el estudio realizado sobre el relieve de Cipollina, por E. Galli, en *Studi Etruschi*, 1934, pág. 143. La solemnidad grave y triste de las pinturas que representan a los jinetes etruscos está vinculada a la idea de que el caballo era la montura infernal del difunto. La misma noción se encuentra en S. Ferri, que estudia (*Bollettino d'Arte*, 1927-1928) el templo de Marasa-Locre donde están representados dos difuntos a caballo, sobre el mar y viajando hacia las Islas Afortunadas. La tradición del caballo conductor de las almas de los muertos es corriente, también, en toda la antigüedad nórdica, y se prolongó más tarde en las creencias populares de los países germánicos.

9. «Animal funerario por excelencia, pues transporta las almas de los muertos», escribe el eminente historiador rumano de las religiones, Mircea Eliade, en *Le Chamanisme et les techniques archaiques de l'extase*, Payot, París, 1951 [*El chamanismo y las técnicas arcaicas del éxtasis*, Fondo de Cultura Económica de España, Madrid, 2001.]. Véase también L. Malten, *Das Pferd in Totenglauben, Jahrbuch des Kaiserlich-deutschen archaelogischen Institut*, vol. 29, Berlín, 1914, págs. 179-256.

10. *Cod. Atl.* 335 r. a., borrador bastante confuso de una carta de Leonardo a Ludovico el Moro, quejándose de que no le pagan.

11. *Forst.* III, 88 a. y al margen de los dibujos de Windsor, 12.294 y 12.319.

12. *Forst.* III, 88 a. *Mac.* II, 325. «El *morel* florentino de *messer* Mariolo, un gran caballo, tiene un hermoso cuello y una muy bella cabeza. El semental blanco del halconero tiene hermosos lomos. Se encuentra en la puerta Comasina. Gran caballo de Cermonino, perteneciente al *signor* Giulio.» Se encuentra el famoso «Siciliano» de Galeazzo San Severino en los dibujos del *Codex Huyghens*. En los estudios de proporciones en los caballos, Leonardo buscaba, como en el cuerpo humano, la «unidad intrínseca del organismo vivo», para vincular las proporciones a la recíproca interacción de los miembros y los órganos. Sobre la diferencia entre los dibujos de caballos de Leonardo y los de Durero, véase E. Panofsky, *Dürer, op. cit.*, pág. 109 y también K. Kurthen, *Zum Problem der Dürerschen Pferdekonstruktion, Repertorium fur Kunstwissenschaft*, XLIV, 1924, pág. 77.

13. Dibujo a pluma. Windsor, 12.326.

14. *Cod. Atl.* 145.

8. Dédalo

1. *Leonardo pensatore*, págs. 197-199.
2. Véase mi libro sobre Savonarola.
3. Manuscrito B. 39 r.
4. Manuscrito B. 36 a.
5. *Cod. Atl.* 65 r.
6. *Cod. Atl.* 65 r.
7. *Cod. Atl.* 96 r.
8. Manuscrito B. 12 r.
9. Manuscrito B. 14 r. He aquí el texto que acompaña el dibujo de uno de los muros de la cocina. «*c*, estufa que recibe el calor de la chimenea de la cocina, por un tubo de cobre de dos brazos de alto y una braza de ancho; en verano, para utilizar la estufa, se pondrá encima una tablilla de piedra; *b* será el lugar donde se conserve la sal; en la separación *a*, habrá la abertura de un conducto en la chimenea, para colgar las carnes saladas y otras cosas análogas; el techo estará provisto de numerosos tubos para el humo, con diversas salidas en los cuatro costados de la chimenea; si la tramontana amenazase con ser molesta, el humo podría así escaparse por el otro lado; distribuyéndose a través de los numerosos tubos, mejora las carnes saladas; lleva a la perfección las lenguas, salchichas y demás géneros semejantes. Pero cuida que cuando empujes el portillón *a*, pueda abrirse enfrente una ventana para dar luz a la pequeña estancia. Eso se hará por medio de una vara unida a la puerta y a la ventana, así.» *Mac.* II, 347.
10. Manuscrito A. 50 a.
11. *Ar.* 141 r.
12. *Cod. Atl.* 217 r.
13. G. d'Adda. «*Essai bibliographique des anciens modèles de lingerie, dentelles et tapisseries*». *Gazette des Beaux Arts*, 1864. Y también, del mismo autor, *Leonardo da Vinci, la gravure milanaise...*, *id.*, 1868. Por otra parte, George Bain, autor de una obra muy recomendable sobre los arabescos irlandeses *Celtie Art. The Methods of Construction*, Maclellan, Glasgow, 1951, descubre un modelo de arabescos de Leonardo da Vinci en la túnica de Enrique VIII, en un retrato de este rey de la escuela de Holbein (Walker Gallery, Liverpool).
14. A. M. Hind. *Catalogue of early Italian Engravings in the British Museum*, Londres, 1910.
15. Se encontrará una reproducción de esta fíbula entre las ilustraciones que acompañan el artículo de Ananda K. Coomaraswamy, «The Iconography of Dürer's "Knots" and Leonard's Concatenation», en *The Art Quaterly*, Londres, 1944. El ensayo contiene observaciones muy útiles y originales referentes al significado de los arabescos de Leonardo y su relación con la concepción antigua y medieval del laberinto. Recordemos, por otra parte, que G. Golds-

cheider (*Leonardo da Vinci the Artist*, Oxford, 1943) contempla los arabescos como una especie de «firma jeroglífica» de Leonardo.

16. Véase H. R. Hahnloser, *Villard de Honnecourt*, Viena, 1935, y también W. R. Lethaby, *Architecture, Mysticisme and Myth*, Londres, 1892. Por lo que se refiere al laberinto en general, S. H. Hooke, *The Labyrinth*, SPCK, Londres, 1935, y W. H. Matthews, *Mazes and labyrinths*, Longmans, Londres, 1922.

17. Se encontrarán reproducciones de estas «leguas de Jerusalén» en el artículo de Coomaraswamy, citado anteriormente.

No tengo lugar para hablar aquí de los aspectos asiáticos del laberinto, del mandala hindú o tibetano, por ejemplo, que tan fuertes afinidades presentan con el laberinto griego o cristiano, por una parte, y con los arabescos de Leonardo por la otra, ni de recordar los singulares parecidos entre la teoría de los nudos en la mística hindú, en los escritos del pseudo Hermes Trismegisto y en Dante: todo ello fue estudiado con notable claridad y un inmenso saber por el gran esteta hindú Ananda Coomaraswamy, y publicado en un ensayo extraordinariamente interesante que apareció en *The Art Quaterly* hace unos años. Eso nos llevaría mucho más lejos de lo que podemos ir aquí. Lamento, sin embargo, renunciar a examinar estos aspectos de la cuestión.

Quiero decir, no obstante que esa especie de marcha sin orden ni concierto y un poco al modo de las sinuosidades del propio laberinto, no nos ha alejado de nuestro tema, que es Leonardo da Vinci como dibujante de arabescos. Él ha permanecido en el centro de todas nuestras investigaciones, se refirieran al mundo antiguo o al mundo medieval, dado que Leonardo, hombre del Renacimiento, había surgido del mundo medieval, muchos de cuyos atractivos rastros conserva en sí mismo, y que, como todos sus contemporáneos, se volvió hacia la Antigüedad, y (dígase lo que se diga y haya dicho él mismo) se alimentó de ella, a menudo de segunda mano, pero se alimentó de todos modos. No hay que tomar en serio esa definición, humilde y orgullosa a la vez, que da de sí mismo cuando se llama un «hombre de pocas letras». Por esta frase pone de relieve su alejamiento del humanismo, del saber libresco y teórico, que sólo se adquiere por medio de las letras: él era el hombre de la experiencia, de la *pratica*, pero las letras, no nos quepa duda, no le faltaban. Había leído y leído mucho; y, por lo que a escribir se refiere, sabemos cuán numerosos son sus manuscritos...

9. Ícaro

1. *Cod. Atl.* 61.
2. S. Freud, *Eine Kindheitserinnerung des L. da V.*, Leipzig y Viena, 1923.
3. Recuerda este hecho Sedlmayr, en *Grosse und Elend des Menschen*.
4. El *Codice sul volo degli uccelli* fue estudiado por R. Giacomelli, *Gli*

Scritt di L. da V. sul volo, Roma, Bardi, 1936. Existe también una edición francesa de Ravaisson-Mollien, Rouveyre, París, 1893.

5. Véase Giacomelli, *The aerodynamics of L. da V.*, Journal of the Royal Aeronautical Society, vol. 34, diciembre de 1930.

6. *Cod. Atl.* 381 r.

7. Paul Valéry, prefacio a la traducción francesa de los *Carnets de L. de V.* de Edward Mac Curdy, Gallimard, París, 1950. [Véase también, P. Valéry, *Escritos sobre Leonardo da Vinci*, Visor, Madrid, 1987.]

8. *Volo.* cubierta interior.

9. *Volo.* 18 r.

10. G. Bilancioni, *Le leggi del volo degli uccelli secondo Leonardo*, Pisa Mariotti, 1927.

11. L. Beltrami, *L. da V. e l'aviazione*, Allegretti, Milán, 1912, y *L'Aeroplano di L. da V.*, Trèves, Milán, 1910. Véase también Ivor B. Hart, *The Mechanical Investigations of L. da V.*, Londres, 1925.

12. R. Giacomelli, *I Modelli di macchine volanti di L. da V.*, L'Ingegnere, vol. II, 1931, Roma, 1931.

13. Manuscrito B. 74 r. Véase texto importante en *Mac.* I. 441.

14. En el Manuscrito B, 83 r., se encuentra un dibujo de hélice que gira alrededor de un eje vertical, acompañado por el siguiente texto: «Que el extremo exterior de la hélice sea de alambre grueso como una cuerda; y que tenga ocho brazas de la circunferencia al centro. Me parece que si el instrumento provisto de una hélice está bien hecho —es decir, hecho con una tela cuyos poros hayan sido obturados con engrudo y limpiamente torneados—, esa hélice trazará su espiral en el aire y subirá hacia arriba. Toma como ejemplo una regla ancha y delgada, blándela con mucha rapidez en el aire; verás cómo tu brazo es guiado por la línea del filo de esta superficie plana. El fuselaje de la tela tendrá que ser de juncos gruesos y largos. Harás un pequeño modelo de cartón cuyo eje esté formado por una fina laminilla de acero doblado con fuerza, y al soltarlo hará girar la hélice.» *Mac.* I. 442-443. [Véase también «Leonardo da Vinci: las máquinas voladoras», en *Obra Completa*, tomo 13, Planeta-De Agostini, Barcelona, 1995.]

15. Cardan, sin embargo, escribe: *«Leonardus tentavit, sed frustra.»*

16. *Cod. Atl.* 159 a. c. Mac Curdy supone que esta frase apunta más a los médicos *(medici)* de los que Leonardo suele hacer juicios escépticos, irónicos o severos. Por ejemplo en el Manuscrito F. 96 r. y en *Ar.* 147 r.

10. Loanza del agua

1. El *Trattato dell'acqua* fue publicado, en una excelente edición, por Favaro y Carusi, Zannichelli, Bolonia, 1923.

2. *Ar.* 54 r.; véase el texto en *Mac.* II, 18.

3. Manuscrito H. 77 a. *Mac.* I, 71.

4. *Quaderni* III 8 a.

5. Manuscrito H. 91 a. *Mac.* II, 123.

6. *Cod. Atl.* 234 r. c.

7. Se encontrará en el capítulo siguiente la descripción de los artilugios de guerra marítima inventados por Leonardo.

8. *Cod. Atl.* 398 a.

9. *Lei.* 22 r. Pueden leerse estos «treinta y nueve ejemplos» en *Mac.* II, 95-96.

10. *Cod. Atl.* 171 a. «*Di quà di là, di su, di giu scorrendo, nulla quiete la riposa mai, non che nel corso nella sua natura...*» Todo el párrafo debe compararse con el canto V del *Infierno* de Dante: parece que Leonardo hubiera recordado, conscientemente o no, el famoso pasaje que describe la carrera de los condenados: «*Di quà di là di giu di su gli mena...*» El movimiento poético es el mismo.

11. Goethe. *Conversaciones con Eckermann.* Véase lo que digo sobre las Madres en mi libro *Goethe*, Albin Michel, París, 1949. [*Goethe*, 2 tomos, Salvat, Barcelona, 1989.]

12. *Cod. Atl.* 171 a.

13. Masaccio, *La Virgen, Santa Ana y el Niño Jesús*, Uffizi.

14. Para Heráclito, Dionisos y Hades son una sola persona.

15. «Dionisos era el dios de la embriaguez feliz y del amor más encantado. Pero era también el Perseguido, el Sufriente, el Moribundo, y todos aquellos que lo amaban y lo acompañaban debían compartir con él su trágico destino.» Walter F. Otto. *Dionysos, Mythos und Kultur*, Frankfurt del Maine, 1934 [*Dionisio: mito y culto*, Sirvela, Madrid, 1997].

16. *L'arte di L.*, Milán, 1939.

11. Bajo el signo del fuego

1. Véase el retrato de César Borgia por Maquiavelo en mi *Machiavel*, Albin Michel, París, 1948.

2. Sobre Maquiavelo, teórico del arte de la guerra, véase la misma obra.

3. Manuscrito B. 9 r.

4. Manuscrito B. 45 r.

5. Manuscrito B. 44 r.

6. Venecia, Academia. *Berenson*, 1104.

7. Biblioteca Nacional. Man. 2037, 7 r.

8. Manuscrito B. 8 r.

9. Manuscrito B. 37 r.

10. Manuscrito B. 61 a.

11. Sobre la organización de las milicias cívicas florentinas, véase mi libro *Machiavel.*

12. *Cod. Atl.* 139 a. c.

13. Dibujo Windsor 12.665.

14. Dibujo Windsor 12.665.

15. Diversas composiciones que representan el diluvio. Windsor 12.379 y 12.378. La más curiosa es a piedra negra, tinta amarilla y bistre, Windsor 12.380.

16. Por ejemplo, el plano a vuelo de pájaro de la región de Arezzo, a pluma lavada con acuarela, Windsor 12.278, y el trazado del curso del Arno, a pluma, aguada humo y azul. Windsor 12.277.

17. Sobre Piero della Francesca, véase la excelente obra de Jean Alazard, Editions d'Histoire et d'Art, París, 1950.

18. Como se ve en el extraño dibujo (Windsor 12.579 a.) acompañado del siguiente texto: «Observad el movimiento en la superficie del agua que parece el de los cabellos que tienen dos movimientos, uno de los cuales depende del peso de los cabellos, el otro de la dirección de los bucles. Así el agua forma dos torbellinos, uno de ellos se debe al impulso de la corriente principal, el otro al movimiento fortuito y al reflujo.»

19. Dibujo a pluma y acuarela, Windsor, 12.284.

20. R. Marcolongo, *L. da V. artista-scienzato*, Nápoles, 1943, y J. P. Richter, *The Literary Works of L. da V.*, Londres, 1939, 1051.

21. *Cod. Triv.* 43 a.

22. *Ar.* 86 r.

23. Manuscrito E, I a.

24. *Leic.*, 18 a.

25. Manuscrito A, 54 a. «Los antiguos llamaron al hombre un microcosmos, y en verdad que el epíteto se le aplica bien. Pues si el hombre está compuesto de agua, aire y fuego, lo mismo ocurre con el cuerpo de la Tierra; y si el hombre tiene en sí un armazón de huesos para su carne, el mundo tiene sus rocas, soportes de la tierra; si el hombre alberga un lago de sangre donde los pulmones, cuando respira, se dilatan y se contraen, el cuerpo terrestre tiene su océano, que crece y decrece cada seis horas, con la respiración del universo; si de ese lago de sangre parten las venas que se ramifican a través del cuerpo humano, el océano llena el cuerpo de la Tierra por una infinidad de venas acuosas... etc.» *Mac.* II, 17.

26. *Leic.* 34 a.

27. *Cod. Atl.* 370 a.

28. *Ar.* 155 r.

12. «La Batalla de Anghiari»

1. Una anciana, dotada de la facultad de «profetizar», muy venerada por el pueblo y consultada a menudo por los grandes, había declarado que César Borgia pasaría como «una llamarada fugaz».

2. Ya he dicho (cap. 10) cómo se había desarrollado y concluido la empresa de desviación y canalización del Arno.

3. En especial el folio 293.

4. Los florentinos se habían burlado de la debilidad y la falta de energía de Soderini en un epitafio irónico que cito en mi libro sobre Maquiavelo, mandándole «al limbo de los niños».

5. He contado esa anécdota en mi libro sobre *Michel-Ange*, Albin Michel, París, 1939.

6. Véase en la misma obra la descripción del cartón de Miguel Ángel.

7. Se advertirá la curiosa analogía de formas, de construcción, de equilibrio de masas y de simbolismo guerrero en las batallas de Uccello y en los bajorrelieves de los arcos de triunfo romanos, el de Orange, por ejemplo: sobre todo los fragmentos que representan trofeos.

8. Pueden encontrarse en Mac Curdy, *op. cit.* II, págs., 319-320.

9. Biblioteca Nacional. Man. 2038 31 a. y 30 r.

10. Manuscrito G, 15 a. *Mac.* II, 236.

11. Biblioteca Nacional. Man. 2038 31 a. *Mac.* II, 224.

12. Windsor 12.332. Sanguina y piedra negra sobre preparado rojo. Esta composición, puramente imaginaria, data aproximadamente de 1511.

13. Véase mi libro sobre *Michel-Ange, op. cit.*

14. Windsor 12.317 y 12.310.

15. Windsor 12.570.

13. Cosmografía del mundo menor

1. *Cod. Atl.* 247 a. a.

2. *Cod. Atl.* 202 r. a.

3. *Forst.* III, 10 r. Había entrado a su servicio el 16 de julio de 1493, como demuestra una nota del Man. Forster III, 88 a. El 29 de enero de 1494, le da veinte *soldi* para los gastos de la casa.

4. Vasari, *Vite* VI, 604.

5. Traducidos en *Mac.* I, 155.

6. Véase *Quad. An.* III, 8 y Windsor 19.102.

7. *Dell'Anatomia*, A, 16 a.

8. I. 2 a. J. Playfair Mac Murray, en *L. de V. The Anatomist*, Baltimore, 1930 y Solmi, *Per gli studi anatomici di L. da V.*, Florencia, 1923. Véase tam-

bién la edición que de los *Quaderni* hicieron Ove. Cl. Vangsten, A. Fonham y H. Hopstock, Christiania, 1911-1916.

9. *Dell'Anatomia*, B. 10 r. Publicados por T. Sabachnikoff, transcritos y anotados por G. Piumati, con traducción francesa, Rouveyre, París, 1898.

10. *Fogli* B. 2 a.

11. Hasta el punto de que Cardan, médico y matemático que conocía muy bien los trabajos de Leonardo, atribuye a Vesare descubrimientos y talento que corresponden a su predecesor.

12. *Fogli* B. 20 r.

13. *Fogli* B. 21 a. *Mac.* I, 126.

14. Falcandro, «Antileonardo». Ensayo, muy profundo y brillante, aparecido en *L'Ultima*, Florencia, 1947.

15. *Fogli* A. 10 a.

16. *Fogli* B. 13 a. *Mac.* I, 115.

17. He citado ya ese curioso poema que contiene recetas de higiene. Añado que, según algunos de sus contemporáneos, Leonardo tenía la reputación de ser vegetariano. Véase a este respecto Andrea Corsali, *Lettera a Juliano de Medici, venuta dalle Indie dal mese di octobre nel 1516*, publicada por J. S. de Carli, Pavía, 1516.

18. *Fogli* A. 10 a., *Mac.* I, 95.

19. *Dell'Anatomia* IV, 13 r.

20. *Lu.* 24.

21. *Cod. Atl.* 119 r. a.

22. Cuerpo de mujer abierto, dibujo a pluma y aguada sobre piedra negra. *Quad. Ana.* I, 12 a. Windsor 12.281.

23. Venecia, Academia. Dibujo a pluma. *Berenson* 1099. Panofsky observó en *The Codex Huyghens and Leonardo da Vinci's Art theory*, The Warburg Institute, Londres, 1940, página 50, que el canon leonardesco se aleja del canon tradicional y se aproxima, por el contrario, al canon italo-bizantino, tal como había sido transmitido por Pomponius Gauricus. El *Codex Huyghens* es un manuscrito muy interesante, procedente de un discípulo de Leonardo; se han barajado muchos nombres, pero el autor probable es Aurelio Luini, o tal vez Giovanni Figino; en todo caso, es un hombre al corriente de las diversas teorías de Leonardo referentes, sobre todo, al estudio de las proporciones y la perspectiva. Se había pensado, también, en Lomazzo, autor de un *Tratatto della Pittura* que apareció en Milán, en 1584, y que, en distintos lugares, habla de Leonardo da Vinci, de sus teorías estéticas y de sus obras. El *Codex Huyghens* contiene, junto a dibujos originales del artista desconocido, varias copias de dibujos de Leonardo, conocidos unos y otros desaparecidos.

24. Windsor 12.701.

25. «No se aparta de su ruta aquel que se ha fijado en una estrella.»

26. *Cod. Atl.* 371 a. a.

27. El folio 10 del *Codex Huyghens*, debido a un discípulo de Leonardo, representa una figura humana de pie, dividida por cuatro círculos concéntricos en cuatro zonas, atribuida cada una de ellas al dominio de un elemento. El círculo más interior, que corresponde a la tierra, abarca el vientre y lo alto de los muslos; el círculo siguiente, dominado por el agua, la parte del pecho entre el ombligo y los senos; el círculo «aire», de los senos al mentón; el círculo «fuego», la cabeza. El dibujo está acompañado por la inscripción «*Natura cognobil d'huomo*».

La idea de que cada parte del cuerpo humano es presidida por un elemento o un astro estaba muy extendida durante toda la Edad Media. La antigua farmacopea, nacida de la alquimia o de las antiguas tradiciones médicas, derivaba en gran parte de ella. El Renacimiento, a pesar de su deseo de crear una ciencia exacta y racional, no abandonó esas ideas antiguas, cuyo eco es curioso encontrar en este manuscrito compuesto, verosímilmente, entre 1560 y 1580, por un pintor (habla de «*l'arte nostra*») muy marcado por las disciplinas vincianas; no un «discípulo» propiamente dicho, pues las fechas se oponen a ello, sino alguien que sin duda tuvo conocimiento de los manuscritos de Leonardo, antes de que se dispersaran, y que los estudió atentamente. El dibujo del folio 10, si no es de Leonardo, tal vez sea una copia de un dibujo suyo que se ha perdido; se remite, en todo caso, a esa convicción que tenía Da Vinci de que los elementos dirigían, en cierto modo, el funcionamiento del organismo humano o, al menos, actuaban sobre él. La división circular del cuerpo en cuatro «zonas de influencia» es a la vez más amplia y más sutil que las «localizaciones» de los alquimistas, de las que se encuentra un ejemplo, entre otros, en una miniatura de las *Très Riches Heures du Duc de Berry*. El hombre se encuentra colocado en una esfera, microcosmos en medio del macrocosmos.

14. Comentarios de viaje

1. *Cod Atl.* 119 a. a. *Mac.* II, 373.

2. *Cod. Atl.* 145 r. *Mac.* II, 428. Del mismo manuscrito se han extraído los siguientes párrafos del *Viaje a Oriente*.

3. Los vehementes sermones de Savonarola habían provocado en Italia auténtico pánico, como ya dije en mi libro sobre el monje dominico; hasta el punto de llevar a algunos florentinos a cambiar radicalmente de manera de vivir y provocar resonantes conversaciones entre los artistas como Botticelli, Fra Bartolommeo, etc.

4. Las visiones de cataclismos en los dibujos de Leonardo datan, sobre todo, del final de su vida, pero es posible que en aquel momento volviera a su memoria el recuerdo de las prédicas de Fra Girolamo.

5. J. P. Richter, *The Literary Works of L. da V.*, vol. II, pág. 385.

6. Solmi, *Fonti*, págs. 318-320.

7. Los párrafos referentes al Gigante se encuentran en el *Codex Atlanticus* 96 r., véase *Mac.* II, 361.

8. El Manuscrito I, 139 a.

9. *Cod. Atl.* 96 r.

10. *Mac.* II, 361.

11. Manuscrito L. 77 r. *Mac.* II, 422.

12. Página 422, nota I.

13. *Trattato*, cap. XIX, párrafo 727.

14. *Trattato*, cap. XIX, párrafo 732.

15. *Trattato*, cap. XIX, párrafo 746.

16. *Trattato*, 154-178.

17. *Atl.* 214 r.

15. ROMA

1. *Fausto*, II.ª parte, acto V.

2. *Cod. Atl.* 182 r.

3. *Cod. Atl.* 247 r. v.

4. *Cod. Atl.* 138 a. b.

5. *Cod. Atl.* 138 a. b.

6. *Ar.* 50 a.

7. *Forst* III, 44 r.

8. *Forst* III, 87 a.

9. Louvre, *Berenson* 1064.

10. Fumagalli, *op. cit.*, pág. 73, nota I.

11. Manuscrito F. 5 a. y 4 r.

12. *Quad.* V, 25 a.

13. *Quad.* III, 12 r.

14. Manuscrito G. 51 a.

15. *Tratatto*, párrafo 1087.

16. *Quad.* III, 9 r.

16. EL SER DE LA NADA

1. *Ar.* 156 r.

2. *Cod. Atl.* 71 a. a.

3. *Triv.* 34 a.

4. Manuscrito G. Cubierta r.

5. *Cod. Atl.* 172 a. b.

6. Sobre el papel de Francisco I en el desarrollo de las artes francesas, véase mi libro *Lumière de la Renaissance*, Laffont, éditeur, París, 1948.

7. En la misma obra, especialmente capítulos I y II.

8. De Beatis cuenta que trabajaba aún en él durante sus últimos años.

9. *Lei.* 9 r. «Color azulado de la atmósfera, visible como yo mismo lo vi, para quien asciende al Mont Boso, cumbre de la cordillera de los Alpes entre Francia e Italia. Esta montaña da nacimiento en su base a cuatro ríos que riegan, en cuatro direcciones contrarias, toda Europa; y ninguna montaña tiene su base a semejante altura. Se levanta a tal altura que supera todas las nubes, y pocas veces cae allí la nieve, sino sólo el granizo que permanece cuando las nubes están en su mayor altura. Y este granizo se conserva de tal modo que, si no fuera por la rareza de su caída y del ascenso de las nubes, que no llegan dos veces en un verano, sería la más alta cantidad de hielo levantada por las capas de granizo que en mitad de julio resultan considerables; y he visto tenebroso el aire por encima de mí, y el sol que daba en la montaña más luminoso que en las bajas llanuras, porque menos espesor de aire se interponía entre la cima del monte y el sol.»

10. La obra de geólogo de Leonardo fue especialmente bien estudiada por Maria Baratta, *L. da V. ed i problemi della Terra*, Bocca, Turín, 1903 y por G. de Lorenzo, *L. da V. e la geologia*, Zannichelli, Bolonia, 1920. Adelantándose a Fracastor y Cardan, se muestra también muy adelantado a la ciencia de su tiempo, y divulgando ideas que sólo se admitirán generalmente varios siglos más tarde. Además de su belleza literaria, los textos de Leonardo sobre la historia de la Tierra conservan un considerable valor científico.

11. *Cod. Atl.* 145 r. a.

12. Por ejemplo: Windsor, 12.397, 12.410, 12.414, etc.

13. *Ar.* 131 a. «*Infra le Grandezze delle cose che sono infra noi, l'essere del nulla tiene il principato, e'i suo ofizio s'astende infra le cose che non hanno l'essere, e la sua essenzia risiere apresso del tempo infra'l preterito e'l futuro, e nulla possiere del presente.*»

14. *Cod. Atl.* 289 r. b.

15. *Cod. Atl.* 398 r. d.

16. *Ar.* 131 a. *Mac.* I, 73.

17. *C. A.* 71 r. a. *Mac.* 62.

18. *Cod. Atl.* 76 r. a. *Mac.* I, 63.

19. Biblioteca Nacional. Manuscrito 2038 27 r. y a. *Mac.* II, 216-217.

20. El diario de viajes de Antonio de Beatis da Molfetta, cuyos manuscritos se encuentran en la Biblioteca Vaticana y en la Biblioteca de Nápoles, fue publicado por Uzielli, *op. cit.* y por Pastor.

21. Windsor 12.700.

22. Véase en especial Huizinga, *Le Déclin du Moyen Âge*, traducción francesa: Payot, París, 1934.

23. Falcandro, «Antileonardo», *L'Ultima*, Florencia, 1947.

24. *Fausto*, Primera parte.

25. *Cod. Atl.*, 249 a.

26. *Ar.* 270 r.

27. *Ar.* 270 r. *Mac.* II, 356.

28. Manuscrito K, 100.

17. «BELLA COSA MORTAL PASA Y NO DURA»

1. *Forst.* III, 72 a.

2. *Cod. Atl.* 252 a. a.

3. Por ejemplo, Windsor 12.376, 12.379, 12.382.

4. Windsor 12.665. Se encontrará la traducción francesa de este texto en *Mac.* II, 242.

5. *Leic.* 10 r.

6. *Triv.* 6 a.

7. *Fogli.* A, 2 a.

8. Leonardo dice también: «Larga es una vida bien empleada.» *Triv.* 34 a.

9. Manuscrito E. 31 r.

10. «La pasión intelectual pone en fuga a la sensualidad», *Cod. Atl.* 358 r. a.

11. *Cod. Atl.* 203 a. a.

12. Véase mi libro sobre *Rembrandt*, Albin Michel, París, 1945.

13. Manuscrito F. 49 r.

14. *Lu.* 68.

15. El fin de la pintura: presentar la natural belleza del mundo, cuya contemplación es el fin supremo del artista, como se dice en *Lu.* 23, y también: «La pintura es una poesía muda», *Lu.* 21.

16. Lo que no hacía Ginebra de Benci que, por su parte, es sólo una máscara, hasta el punto de que el paisaje que la rodea es necesario para explicar su verdadera naturaleza.

17. Walter Pater, *Studies in the Renaissance*, 1873. [*El Renacimiento: estudios sobre arte y poesía*, Alba, Barcelona, 1999. Véase también *Leonardo da Vinci*, Círculo de Lectores, Barcelona, 1978.]

EPÍLOGO

1. El texto de este testamento puede encontrarse en Beltrami, *Documenti*, 244.

2. Vasari, *Vite* IV, 48.

3. Melzi informa, el 19 de junio, a los hermanos de Leonardo de la muer-

te del artista. «*Credo siate certificati della morte di maestro Lionardo, fratelleo vostro e mio quanto ottimo padre, per la cui morte sarebbe impossibile che io potessi esprimere il dolore che io ho preso; e in mentre che queste mie mebra si sosterranno insieme, io possedero una perpetua infelicità, e meditamente per ché sviscerato ed ardentissimo amore mi portava giornalmente. E dolto ad ognuno la perdita di tal uomo, qual non é piu in potestà della natura. Adesso, Iddio onnipotente gli conceda eterna quiete. Esso passò dalla presenta vita alli 2 di maggio con tutti gli Ordini della Santa Madre Chiesa e ben disposto.*» En Beltrami, *Documenti*, 237.

4. La siguiente acta de inhumación fue publicada por Hardouin en el *Cabinet de l'Amateur*, en 1863. «Fue inhumado en el claustro de esta iglesia Maese Lionard de Vincy, noble milanés, primer pintor e ingeniero y arquitecto del rey, mecánico de profesión y antiguo director de pintura del duque de Milán. Se hizo el duodécimo día de agosto de 1519.»

5. Sobre el emplazamiento de la tumba de Leonardo, véase Houssaye, *Histoire de Léonard de Vinci*, Didier & Cie., París, 1869 y «La tumba de Leonardo da Vinci», en *L'Artiste*, enero-marzo de 1864.

Otros títulos de esta colección

LOS MASONES

Jasper Ridley

Los masones suelen ser vistos como una hermandad misteriosa. En este libro, Jasper Ridley se propone separar el mito de la verdad.

Describe el desarrollo de la francmasonería, desde las primitivas logias de los trabajadores de la Edad Media a los «caballeros masones» del siglo XVIII. Relata la formación de la Gran Logia de Londres en 1717 y la difusión de la bula papal de 1738, que condenaba la francmasonería y que marcó el comienzo de una guerra de doscientos cincuenta años entre los masones y la Iglesia católica. Analiza su papel en la revolución norteamericana de 1776 y la creación de Estados Unidos y su responsabilidad en la Revolución Francesa, pasando por el significado de la ópera *La flauta mágica* de Mozart. También examina el caso de William Morgan, un hombre que, casi con seguridad, fue asesinado por los francmasones en 1826 en el estado de Nueva York para impedir que revelara secretos masónicos, lo que provocó un estallido de furia antimasónica en los Estados Unidos a lo largo de la década de 1830.

Ridley analiza la persecución a los francmasones por parte de Hitler, quien los acusó de ser agentes de los judíos y de ayudarlos en su intento de dominar el mundo; las dificultades que los masones encontraron en Japón y en otros países; el efecto que su actitud de ocultamiento y sus ceremonias produjeron en su imagen pública y su relación con las mujeres, razón por la que fueron criticados durante casi trescientos años. Compara la francmasonería británica, que consiste en una organización compuesta en su mayoría por comerciantes de clase media bajo protección de la realeza, con los francmasones revolucionarios e izquierdistas de Francia, Italia y América Latina.

Por último, estudia la posición de los francmasones en nuestros días, evaluando hasta dónde se justifican los temores y las sospechas que aún generan, y si serán capaces de adaptarse al mundo del siglo veintiuno.

LOS TEMPLARIOS

Piers Paul Read

La dramática historia de los Caballeros Templarios,
la orden militar más poderosa de las Cruzadas.

Desde los misteriosos guardianes del Santo Grial en la ópera
Parsifal, de Wagner, hasta el demoníaco antihéroe Brian de Bois
Guilbert, en *Ivanhoe*, de Walter Scott, los Caballeros del Templo de
Salomón han sido fuente de constante fascinación en la imagina-
ción contemporánea. ¿Quiénes eran los Templarios? ¿Cuáles eran
las razones de su éxito y su poder? ¿Qué provocó su declive?

En esta crónica ágil y atractiva, basada en las últimas investigaciones históricas, Piers Paul Read separa el mito de la ficción. Luego
de un breve resumen de la historia del templo y de las tres religiones
—judaísmo, cristianismo e islamismo— que pelearon tanto tiempo
por poseerlo, describe en detalle esta fuerza de monjes guerreros que
no sólo fue única en la historia de las instituciones cristianas, sino
que fue además el primer ejército estable uniformado del mundo
occidental. El mantenimiento de los Templarios supuso la creación
de una suerte de poderosa «empresa multinacional» que prosperó
gracias al manejo eficiente de vastos bienes y a una forma precurso-
ra del sistema bancario internacional. Expropiada por el rey francés
Felipe IV en 1307, la Orden fue finalmente suprimida en 1312 por
el Papa Clemente V.

¿Era culpable de los cargos de blasfemia, sodomía y herejía que
sus miembros aceptaron bajo tortura? ¿Qué importancia tiene su
historia para nuestros días? En esta obra, que incorpora la historia
de las cruzadas y describe muchos de los atractivos personajes que
tomaron parte en ellas, Piers Paul Read examina la reputación pós-
tuma de la Orden y señala paralelos entre el presente y el pasado.